U0932649

“十二五”国家重点图书出版规划项目

CHINA WETLANDS RESOURCES
Sichuan Volume

中国湿地资源

四川卷

◎ 国家林业局组织编写

中国林业出版社

图书在版编目（CIP）数据

中国湿地资源·四川卷／国家林业局组织编写；降初分册主编．－北京：中国林业出版社，2015.12

“十二五”国家重点图书出版规划项目

ISBN 978-7-5038-8317-0

Ⅰ.①中… Ⅱ.①国… ②降… Ⅲ.①湿地资源－研究－四川省 Ⅳ.① P942.078

中国版本图书馆 CIP 数据核字（2015）第 296666 号

总 策 划：金 旻

策划编辑：徐小英

主要编辑：徐小英 刘香瑞 李 伟
何 鹏 于界芬

美术编辑：赵 芳

出版发行 中国林业出版社（100009 北京西城区刘海胡同 7 号）
http://lycb.forestry.gov.cn
E-mail:forestbook@163.com 电话：(010)83143515、83143543

设计制作 北京天放自动化技术开发公司
北京捷艺轩彩印制版有限公司

印刷装订 北京中科印刷有限公司

版　　次 2015 年 12 月第 1 版

印　　次 2015 年 12 月第 1 次

开　　本 787mm × 1092mm 1/16

字　　数 536 千字

印　　张 21

定　　价 140.00 元

中国湿地资源系列图书
编撰工作领导小组

顾　问：陈宜瑜　李文华　刘兴土

组　长：张永利

副组长：马广仁

成　员：（按姓氏笔画排序）

王文宇　王忠武　王海洋　韦纯良　邓乃平　邓三龙
兰宏良　刘建武　刘艳玲　刘新池　李　兴　李三原
李永林　来景刚　吴　亚　张宗启　陆月星　陈则生
陈传进　陈俊光　林云举　呼　群　金　旻　金小麒
周光辉　降　初　孟　沙　侯新华　夏春胜　党晓勇
徐济德　奚克路　阎钢军　程中才　雷桂龙　蔡炳华
樊　辉

中国湿地资源系列图书
编撰工作领导小组办公室

主　任：马广仁

副主任：鲍达明　唐小平　熊智平　马洪兵

成　员：王福田　姬文元　刘　平　闫宏伟　李　忠　田亚玲
王志臣　张阳武　但新球　刘世好　王　侠　徐小英

《中国湿地资源·四川卷》
编写组

主　　编： 降　初

副 主 编： 顾海军　彭培好　刘贤安　唐荣华　郎　平　张　倩

编 著 者：（按拼音排序）

顾海军　郭　鹏　何兴金　胡　杰　降　初　郎　平
李　操　刘　昊　刘贤安　刘　洋　彭培好　冉江洪
沈　尤　孙治宇　唐荣华　王　娟　王　新　巫嘉伟
张　俊　张　倩　张　文　赵　丹　周华明　宗　浩

主　　审： 顾海军　唐荣华

地图绘制： 赵　丹　郎　平　张　文

插图绘制： 赵　丹

照片摄影： 顾海军　郝云庆　侯　宁　李　波　李光恢　刘贤安
冉江红　沈　尤　唐荣华　杨智富　张　铭

总 序

湿地是地球表层系统的重要组成部分，是自然界最具生产力的生态系统和人类文明的发祥地之一。在联合国环境规划署（UNEP）委托世界自然保护联盟（IUCN）编制的《世界自然资源保护大纲》中，湿地与森林和海洋一起并称为全球三大生态系统。湿地具有类型多样、分布广泛的特点；湿地更重要的是还具有多种供给、调节、支持与文化服务功能，是人类重要的生存环境和资源资本。湿地与人类生产生活和社会经济发展息息相关。湿地的重要性受到世界各国和国际社会的普遍关注。早在1971年，国际社会就建立了全球第一个政府间多边环境公约，即《关于特别是作为水禽栖息地的国际重要湿地公约》（简称《湿地公约》）。同时，该公约也是全球最早针对单一生态系统保护的国际公约。1992年中国加入《湿地公约》，自此我国湿地保护事业进入了新的发展时期。

我国加入《湿地公约》后，在国家林业局设立了专门的湿地保护和履约机构，对内负责组织、协调、指导和监督全国湿地保护工作，对外负责《湿地公约》的履约工作。近年来，中国各级政府在湿地保护方面开展了大量卓有成效的工作，采取了一系列保护和合理利用湿地资源的措施，在湿地保护规划和重点工程建设、财政补贴政策制定实施、法规制度建设、保护体系建设、科研监测、宣传教育和国际合作等方面取得了长足进步。但我国湿地生态系统仍然面临着盲目围垦与改造、污染、水土流失、泥沙淤积、生物资源过度利用等多种因素的破坏和威胁，导致面积减少，生态功能下降，生物多样性丧失。因此，切实保护和合理利用湿地资源，既是保障生态安全和国土安全的当务之急，更是中国实施可持续发展战略势在必行的要务。

开展湿地资源调查，摸清湿地资源家底，把握湿地资源动态，是所有湿地保护工作的基础，也是履行《湿地公约》各项工作的根基。2009～2013年，在中央财政的支持下，国家林业局组织开展了第二次全国湿地资源调查工作。在此期间，我有幸作为第二次全国湿地资源调查专家技术委员会的主任委员，和其他专家一起全程参与了此次湿地资源调查的主要技术环节和成果鉴定。

我认为此次调查具有以下几个特点：一是，此次调查的湿地分类、界定标准、调查方法基本与《湿地公约》规定相接轨，使得调查数据符合《湿地公约》的要求，调查成果易于被国际认可，便于国际间的对比和交流。二是，制定了内容全面、方法科学、符合国际标准的统一技术规程《全国湿地资源调查技术规程（试行）》，进行了同标准、同口径的分期分批调查。三是，本次调查利用“3S”技术与现地验证相结合的技术方法，查清了全国范围内（未包括香港、澳门、台湾）8 公顷以上的湿地资源基本情况。四是，湿地调查分为一般调查和重点调查。重点调查包括，国际重要湿地、国家重要湿地、自然保护区（含自然保护小区）和湿地公园内的湿地以及其他特有、分布濒危物种和红树林等具有特殊保护价值的湿地。五是，组织保障有力。国家层面上，成立了第二次全国湿地资源调查领导小组、专家技术委员会、中央技术支撑单位和国家质量检查组；省级层面上，分别成立了湿地调查专职机构，组建了省级专业调查队伍。

需要指出的是，第二次全国湿地资源调查期间，我国湿地保护事业发展迅速。2009 年，中央启动了“湿地生态效益补偿试点”工作；2010 年开始，中央财政设立了湿地保护补助专项资金；2012 年，党的十八大将建设生态文明纳入中国特色社会主义事业“五位一体”总体布局，提出要“扩大森林、湖泊、湿地面积，保护生物多样性”。期间，国家林业局会同相关部门认真实施了《全国湿地保护工程实施规划 (2005 ～ 2010 年)》和《全国湿地保护工程“十二五”实施规划》。2013 年，国家林业局出台的《推进生态文明建设规划纲要》划定了湿地保护红线，到 2020 年中国湿地面积不少于 8 亿亩。2013 年，国家林业局出台了第一部国家层面的湿地保护部门规章《湿地保护管理规定》。应该说，历时 5 年的湿地资源调查与同期湿地保护事业的发展，是休戚相关，相互促进的。

第二次全国湿地资源调查取得了丰硕成果。在全球范围内，我国率先完成了《湿地公约》倡导的国家湿地资源调查，首次科学、系统地查明了《湿地公约》所定义的我国湿地资源情况。建立了完整的全国湿地资源空间数据库和属性数据库，掌握了近 10 年来湿地资源动态变化情况，建立了稳定的湿地资源调查专业队伍和专家团队，形成了较为完整的湿地资源调查监测技术规范，完成了全国湿地资源总报告、分省报告和多个专题报告，编制了系列成果图。调查成果达到国际先进水平。

党的十八大对建设生态文明作出了全面部署，强调把生态文明建设放在突出地位，融入经济建设、政治建设、文化建设、社会建设各方面和全过程。在全国第二次湿地资源调查成果的基础上，系统编著形成了中国湿地资源系列图书，为新时期我国湿地保护事业奠定了坚实基础。希望本系列图书能够为我国湿地工作者在开展湿地研究、保护与合理利用工作时提供参考和借鉴。

中国科学院院士

2015 年 9 月

前　言

湿地与森林、海洋并称为地球三大生态系统，被誉为“地球之肾”，是自然界最富生物多样性的“生态超级市场”和人类生存发展最重要的“物质资源宝库”。湿地不仅为人类的生产、生活提供多种物质资源，而且具有重要的生态功能和社会经济价值，在抵御洪水、调节径流、蓄洪防旱、控制污染、调节气候、控制土壤侵蚀、促淤造陆、美化环境等方面有着其它生态系统不可替代的作用，因而又被誉为“淡水之源”“生命的摇篮”“物种的基因库”“文明的发祥地”，科学保护和合理利用湿地资源已成为世界各国广泛关注的热点问题。

四川省地处中国的西南边陲，位于青藏高原和长江中下游平原的过渡地带，复杂多样的自然环境和独特的地理区位孕育了四川丰富的湿地资源、湿地生物多样性及独特的湿地生态系统。西部密布如网的河流、星罗棋布的湖泊和西北部广袤的高寒沼泽构铸了具有世界意义的高寒湿地，东部一望无垠的水田造就了富甲一方的天府之国。四川湿地既是长江、黄河上游的重要水源发源地及涵养区、未来长江流域水资源保护的核心区、全球气候变化的敏感区，同时也是维护我国西部乃至长江中下游生态安全、淡水安全、国土安全、物种安全及气候安全的重要战略基地，在维护和促进国民经济及社会发展、治理区域生态环境中都发挥着重要作用，因此又被誉为“中国半壁江山的水塔、生物多样性的宝库”。

然而，随着气候变化、环境变迁、人口剧增和社会发展，湿地面临着严重的威胁和干扰，湿地生态系统服务功能降低，大量湿地濒危动植物面临着巨大的生存压力。随着人们对生态环境服务需求水平的不断提高，社会各界开始认识湿地，对湿地的关注程度日益增强，科学保护和管理我省的湿地资源已成为全省生态文明建设的一项重要工作。

为查清全省湿地资源现状，掌握湿地资源的动态消长规律，建立湿地资源数据库和管理信息平台，实现对湿地资源全面、客观地分析评价，为湿地资源的保护、管理和合理利用提供统一完整、及时准确的基础资料和决策依据，以进一步加强湿地资源保护与管理，履行《湿地公约》及其它有关国际公约或协定，省林业厅按照国家林业局的统一部署和组织安排，于 2012 ~2013 年组织并完成了全省湿地资源调查工作，对全省 77 处重点调查湿地和所有县（市、区）零星湿地进行了调查。

为开展好本次调查，省林业厅成立了以降初副厅长为组长的四川省第二次湿地资源调查领导小组，在野生动植物保护与自然保护区管理处设立领导小组办公室，聘请省内湿地相关专家成立专家组。组建了由四川省林业厅、四川省林业调查规划院、四川省林业科学研究院、成都理工大学、四川大学、四川师范大学、西华师范大学、宜宾学院等团队构成的省级调查队伍，负责具体开展重点调查湿地的调查和全省湿地资源调查报告编写，并指导市（州）完成所属县（市、区）一般调查的实地验证工作。各县（市、区）林业局相关人员在市（州）林业局和省级调查队伍的指导下，完成本地一般调查中的调查内容。直接参加本次湿地资源调查的专业技术及工作人员达 2072 人。

按照《全国湿地资源调查与监测技术规程》的湿地分类标准，结合四川湿地现状，全省湿地共分 4 类 17 型，包括永久性河流、季节性或间歇性河流、洪泛平原湿地、喀斯特溶洞湿地、永久性淡水湖、季节性淡水湖、藓类沼泽、草本沼泽、灌丛沼泽、森林沼泽、沼泽化草甸、地热湿地、淡水泉 / 绿洲湿地、库塘、运河 / 输水河、水产养殖场、稻田 / 冬水田湿地。由于藓类沼泽、淡水泉 / 绿洲湿地未达到起调面积，稻田 / 冬水田湿地由《四川省统计年鉴（2014）》统计得出，故本次调查湿地 4 类 14 型。全省湿地总面积为 174.78 万公顷（不计稻田 / 冬水田），占全省国土面积的 3.60%。其中自然湿地（包括湖泊湿地、河流湿地、沼泽湿地）面积为 166.56 万公顷，占全省湿地总面积的 95.29%；人工湿地面积为 8.22 万公顷，占全省湿地总面积的 4.71%。此外，四川省有水稻田湿地类型面积 206.36 万公顷（2013 年），含水稻田的全省湿地面积为 381.14 万公顷，占全省国土面积的 7.84%。

四川省湿地生物多样性资源丰富。据野外调查与文献记载，四川省现有湿地脊椎动物共有 5 纲 29 目 78 科 570 种。其中，鱼纲 9 目 21 科 239 种，两栖纲 2 目 10 科 105 种，爬行纲 2 目 8 科 25 种，鸟纲 11 目 22 科 147 种，哺乳纲 5 目 17 科 54 种；属国家重点保护野生动物有 51 种，其中国家 I 级保护野生动物 10 种，国家 II 级保护野生动物 41 种。四川现有湿地高等植物 114 科 376 属 1008 种（含种下等级）。其中，苔藓植物 20 科 26 属 37 种，蕨类植物 15 科 17 属 24 种，裸子植物 1 科 2 属 2 种，被子植物 78 科 331 属 945 种。属国家重点保护野生植物有 7 种，其中国家 I 级保护野生植物 3 种，国家 II 级保护野生植物 4 种。

截至目前，四川已经建立国际重要湿地 1 个、国家重要湿地 3 个、各级湿地自然保护区 52 个，国家湿地公园 24 个（包括试点），省级湿地公园 19 个，使全省约 1/2 的自然湿地得到了有效保护。

本次湿地调查，全省共划分了 205 个湿地区，其中单独区划湿地区 26 个，零星湿地区 179 个。确定湿地斑块 6699 个，其中重点调查湿地斑块 1013 个，实地验证 930 个，验证率 91.81%；一般调查湿地 5686 个，实地验证斑块 5588 个，验证率 98.27%。

通过本次调查，基本摸清了四川省湿地资源的类型、面积、分布以及主要生态特征，完成了四川省湿地植物资源、湿地动物资源、湿地自然保护区、湿地公园、国际和国家重要湿地以及其它湿地的基本情况调查，建立了湿地资源信息数据库，为我省科学保护与合理利用湿地资源提供了翔实的基础资料。

本书是在总结分析全省湿地资源调查科研成果的基础上编撰而成，是第一部系统性、综合性介绍四川湿地资源的研究专著。全书共分 6 章 13 节，内容包括：

第一章，论述了四川省的自然概况和社会经济概况。

第二章，简述了四川省湿地资源概况；按照湿地类型、分布流域、分布湿地区和行政区四种情况对各类型湿地的分布、范围及面积进行了详述，提出了四川湿地的分布特点及规律。

第三章，论述了四川湿地的湿地生物多样性，主要是湿地植物种类组成、区系及特点；湿地植被类型及分布；湿地野生脊椎动物种类及资源特征；湿地鸟类、鱼类、两栖类、爬行类、哺乳类的种类及分布，国家重点保护野生动物种类及数量等。

第四章，分析了四川湿地资源的利用方式及利用现状，提出了湿地资源利用存在的问题及拟采取解决措施；根据四川湿地分布特点、利用现状及国内外生态建设形势，分析了四川省湿地资源可持续利用的潜力和优势，提出了湿地资源可持续利用应采取的保障措施。

第五章，简述了四川湿地的水文、水质和营养化状况；利用生态状况评价指标，定量评价了全省重点调查湿地的生态状况；从受威胁因子出发，简要分析了湿地受威胁状况及程度；在可比情况下，分析了两次调查的湿地资源变化情况，并阐明了原因。

第六章，叙述并分析了四川省湿地资源的保护、管理状况及存在问题，提出了湿地保护、管理建议。

本书为四川省湿地生态系统的保护管理提供了翔实而全面的本底资料，也为进一步开展湿地科学研究工作提供了重要的基础信息。

在《中国湿地资源 · 四川卷》即将完稿之际，所有撰稿人向在编写过程中给予关怀和支持的国家林业局湿地保护管理中心、四川省林业厅、四川省湿地保护中心、四川省林业调查规划院、四川省林业科学研究院、成都理工大学、四川大学、四川师范大学、西华师范大学、宜宾学院、中国科学院成都生物研究所、四川省自然资源研究所、四川省社会科学研究院的领导、专家、学者表示衷心的感谢，向曾参与四川湿地资源调查以及为本书编写提供帮助的同事和朋友们致以诚挚的敬意。

四川湿地资源调查与研究仍有许多工作需要深入进行，由于编写组成员认识水平和专业水平的局限，书中疏漏乃至不足之处在所难免，恳请读者批评指正。

《中国湿地资源 · 四川卷》编辑委员会

2015 年 12 月

目　录

第一章 基本情况

第一节 自然概况

1 地理位置

四川省简称川，位于中国西南内陆腹地。地理区位与 7 个省份接壤，北连青海、甘肃、陕西，东邻重庆，南接云南、贵州，西衔西藏，是中国西南、西北和中部地区的重要结合部(图 1-1)。地理坐标介于东经 92°21′～108°12′、北纬 26°03′～34°19′之间，东西长 1075 多公里，南北宽 900 多公里。总面积 48.5 万平方公里，仅次于新疆、西藏、内蒙古和青海，位居全国第五位，省域面积占全国总面积的 5.1%。

四川省地处长江上游，是中国西部各省份出海的重要通道；往南、北，经铁路和公路，是连接西部各省份的天然纽带；沿北方和南方的古丝绸之路，是承接华南、华中，连接西南、西北，沟通中亚、南亚、东南亚的重要交汇点和交通走廊，素有“东方伊甸园”“天府之国”之美誉。

2 区域地质

2.1 地质构造

四川省东部与西部的地质构造和地貌截然不同。构造东部属地台区，西部属地槽区；地貌东部为盆地，西部为山地和高原。二者大致以广元、都江堰、雅安、康定、冕宁、木里一线为界。该线本身就是一条深大断裂带，北段为龙门山断裂带，南段为金河—箐河断裂带。

(1)东部地台区：四川省东西部具有不同的构造体系。东部是较为稳定的地台区，是巨大的菱形构造盆地核心，其结晶基底大致以华蓥山深断裂为界。以西为花岗岩类基底，具刚性特征，埋深 3000～6000 米；以东为浅变质岩系，呈相对塑性，埋深 6000～9000 米。基底以上的盖层由未变质的震旦系至第四系的碳酸盐岩、碎屑岩组成，而盆地的上部普遍为侏罗系、白垩系红色砂岩、泥岩层所覆盖，故有“红色盆地”之称。四川盆地的新构造运动，以大面积间歇性上升为主。盆地中部，龙泉山大断裂与华蓥山之间，是比较稳定的东部地台区中历次构造变动的稳定中心，而盆地内和盆周山地各地质时期形成的大断裂却是新构造运动最活跃的地带。盆地四周山地继承

图 **1-1**　四川省行政区划图

古构造发展，普遍表现为强烈上升，尤以龙门山断裂带上升活动最为显著。盆地内部总的趋势是以上升作用为主，但与盆周山地比较，则表现为相对沉降。盆地内东部上升速度较中部、西部为快，北部上升较南部为强。成都断陷是四川盆地内表现最明显的相对沉降区，沉积了厚达 300 米的第四系砂砾层。东部地台区的西南缘有一条近南北走向的构造岩浆带，是从地台向地槽过渡的康滇地轴，北部在四川省境内，南部在云南省，从四川的丹巴以南，经康定，沿大渡河、安宁河，经石棉、西昌、攀枝花进入云南，南北伸延 500 多公里，东西宽几十至一百多公里。该区新构造运动活跃，为沿断裂带差异性的、中等幅度的上升区。这个地带具有一系列平行展布的南北向深大断裂和线状褶皱，在地貌上形成一系列南北向的山脉和河流。

(2)西部地槽区。西部是活跃的地槽区，是西藏地槽区的一部分。从震旦纪或寒武、奥陶纪开始，已发生巨型凹陷，进入地槽发育阶段。在整个古生代期间，沉积了最厚可达七八千至一二万米的碎屑岩和碳酸盐岩，其间局部为火山岩。这套沉积以二叠系较为普遍。三叠纪末，印支运动使地槽普遍回返，隆起成陆，结束沉积并受到侵蚀。地槽区由一系列复背斜和复向斜构成，它们组合成一系列的弧形、反 S 形和南北向的构造带。构造走向在甘孜、康定一线以北多北西向，以南多为南北向，平武、茂县一带为北东向。这些褶皱的形成是多期的，复背斜的形成时间较早。该区褶皱最后定型于三叠纪末。南部地区的新构造运动，表现为大面积大幅度整体抬升，形成了巨大的高原，并沿断裂发生差异性运动。高原上的主要河流都沿断裂发育，如金沙江、雅砻江、鲜水河等，河流的流向与断裂的走向一致，上游呈北西—南东向，下游转为北—南向。断裂带上的陷落部分往往形成宽谷和盆地。如雅砻江上游的竹庆盆地、绒坝岔到甘孜的宽谷，鲜水河从侏倭经炉霍到道孚的宽谷，理塘河上游的毛垭坝、理塘坝、藏坝等宽谷。这些盆地与宽谷的边缘，都有非常明显的断层崖。

2.2 地层岩性

四川省境内出露的地层，自元古界至新生界各系均有，层序齐全。以龙门山—箐河断裂为界，东西部地区的地层特征差异明显。东部地层发育齐全，西部缺失侏罗—白垩系。

元古界(前震旦系)构成扬子地台基底，分布于“康滇地轴”轴部、米仓山、大巴山以及川中块体的基底等地。震旦系主要分布于西昌、凉山、雅安、乐山等地区。古生界为扬子地台盖层，主要分布于东部地台区。中生界东西两部地层差异明显，其中三叠系普遍发育，分布全省。侏罗系主要分布于四川盆地。白垩系主要分布于四川盆地的北、西、南缘和西昌、会理地区。古近系和新近系主要分布于四川盆地西南的名山、雅安、芦山、天全、洪雅、大邑、邛崃等地，凉山州的安宁河流域和渡口金沙江一带，盐源、盐边地区，西部高原的理塘、白玉、稻城等地。第四系在成都平原和若尔盖、红原一带有大面积分布，其余在江河两岸，山间盆地零星分布。

(1)四川省东部：前震旦系主要为中、浅变质岩，厚 5785 ~20349 米。下震旦系由陆相火山岩、砂砾岩与冰碛岩组成，厚 499 ~11147 米。上震旦系为砂岩、页岩与碳酸盐岩，厚 17 ~1754 米。古生界厚 1243 ~20293 米，为碳酸盐岩与碎屑岩。三叠系由碎屑岩、碳酸盐岩组成，局部含凝灰质，厚 1000 ~8174 米。侏罗系—新近系为陆相红色沉积物，厚 1766 ~11548 米。第四系成因类型较多，厚度大，尤以成都平原冲击物最为发育。

(2)四川省西部。中元古界为变质岩，厚度 891 ~4125 米。震旦系由浅变质岩及冰碛砾岩组成，厚 98 ~7560 米。古生界为变质岩或未变质的碎屑岩、碳酸盐岩夹火山岩，厚 1387 ~2918 米。三叠系属浊积岩沉积，厚 3029 ~20583 米。下侏罗统局部见及。白垩系缺失。古近系和新近系为红色沉积，局部夹火山岩，厚 150 ~2590 米。第四系成因类型复杂，泥炭、泉华、黄土、冰川堆积甚为发育。

3 地形地貌

四川省位于我国大陆地势三大阶梯中的第一级和第二级，即处于第一级青藏高原和第二级长江中下游平原的过渡带，地跨青藏高原、横断山脉、云贵高原、秦巴山地和四川盆地五大地貌单元，地貌类型复杂多样，以多山和多高原为特色，具有平原、丘陵、山地和高原 4 种类型齐全的地貌类型，分别占全省总面积的 5.3% 、12.9% 、77.1% 、4.7% 。

3.1 基本特征

四川省地形地貌的基本特征总体上表现为：地貌东西差异巨大，呈现出“西高东低”“四周高中间低”“西北向东南倾斜”的地势大观；地势高低起伏悬殊，区域差异显著；地貌类型复杂多样，形态样式种类齐全(图1-2、图1-3)。

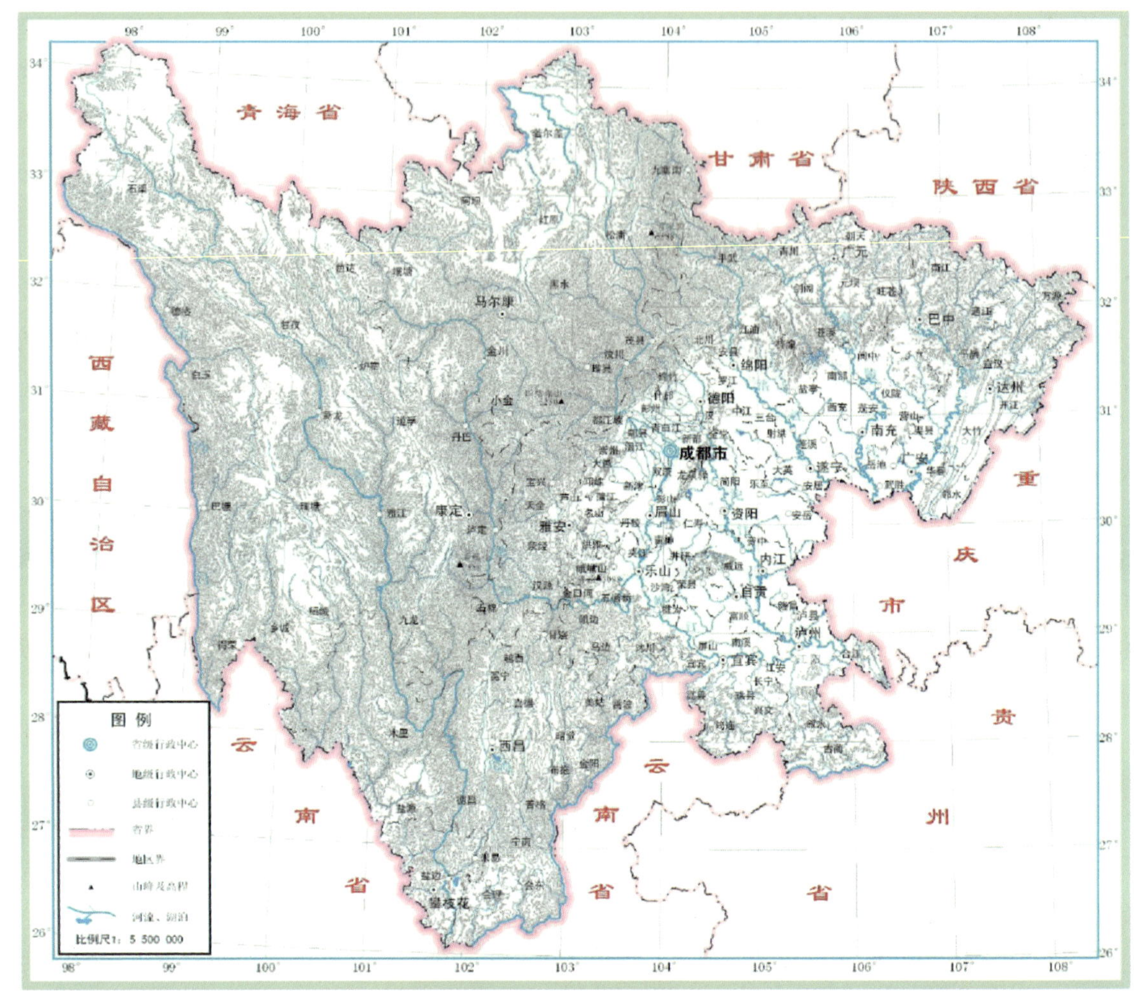

图**1-2** 四川省地形图

(1)地貌东西差异巨大：以阿坝、甘孜、凉山3个自治州东沿(龙门山—邛崃山—大凉山一线)为界，四川分为东部四川盆地及盆周山地、西部川西高山高原及川西南山地两大基本地貌单元。四川盆地是中国的四大盆地之一，盆周山地海拔多在1000～3000米之间；盆底地势低矮，海拔200～750米，是中国地势第二级阶梯上相对凹下的部分；因地表广泛出露侏罗纪至白垩纪的红色岩系，又称红色盆地。西部是大幅隆起、地域辽阔的高原和山地，海拔多在4000米以上，属中国地势划分的第一级阶梯。

(2)地势高低起伏悬殊：第四纪以来，由于地壳的强烈上升和河流的迅速下切，致使四川山脉连绵，江河纵横，地表起伏，高差悬殊。除盆西平原外，大部分地区相对高差都在200～500米以上，其中，盆地边缘山地、川西南山地超过500～1000米。在川西南的金沙江、雅砻江和大渡河流域，山峰陡峭，河谷深切，岭谷高差往往达到1000～3000米，成为我国强切割地区之一。四川东南缘的合江—长江两岸海拔在250米左右，而西部的四川第一高峰贡嘎山海拔7556米，东西

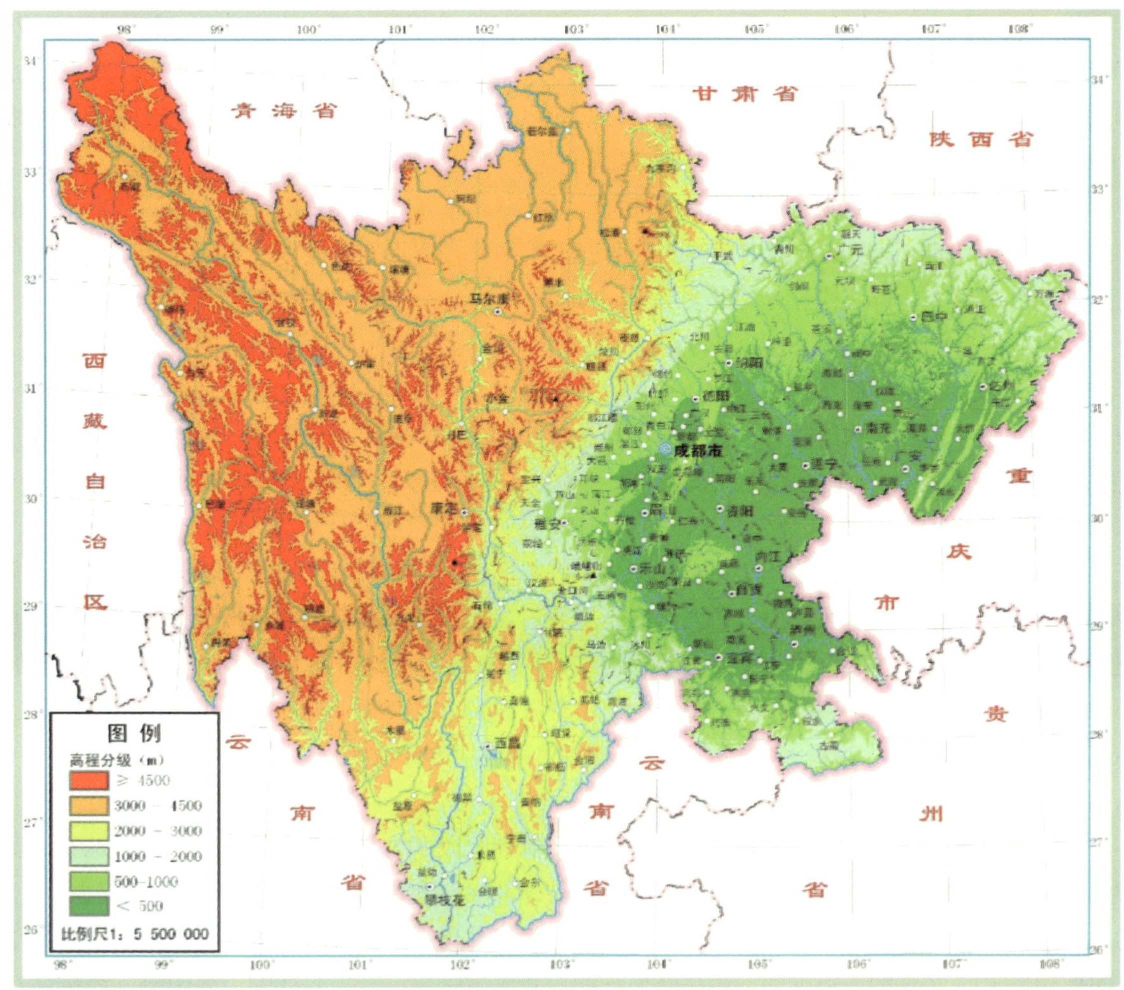

图 **1-3** 四川省地形海拔高程分级图

高差超过 7300 米。

(3)地貌类型复杂多样：根据形态差异，四川地貌有平原(坝子)、丘陵(包括浅丘、中丘、深丘)、山地(包括低山、中山、高山和极高山)和高原等四大类，除海洋外，全国其他地貌类型四川几乎都有。平原分布于盆地西部及河流两岸；丘陵分布于四川盆地中部及盆东平行岭谷底部，山地主要分布于川西南的凉山彝族自治州和甘孜藏族自治州、阿坝藏族羌族自治州的东南部；高原广泛分布于川西北的甘孜和阿坝境内。

3.2 地貌分区

四川地貌根据形态成因的相似性和区间地貌形态的差异性，东部盆地可以分为四川盆地底部地区和四川盆地边缘山地区，西部大致以川藏公路为界分为川西南山地区和川西北高原地区。

3.2.1 四川盆地底部地区

四川盆地底部面积约为 16 万平方公里，按地理差异，又可分为盆西平原、盆中丘陵和盆东平行岭谷 3 个部分。

（1）盆西平原：在龙泉山和龙门山、邛崃山之间的盆西平原，系断裂下陷由河流冲积而成，面积约8000平方公里，为我国西南最大的平原，因成都位于平原之中，故称成都平原。成都平原海拔450～750米，地势由西北向东南倾斜，地表平坦，相对高差一般不超过20～50米，它由岷江、沱江、涪江、青衣江等8条河流冲积联缀而成。

（2）盆中丘陵：在龙泉山和华蓥山之间的盆中丘陵，地势低矮，海拔大多在300～500米，相对高差50～150米，地势由北向南倾斜，岩层近于水平，在流水的长期侵蚀切割作用下，形成台阶状的方山丘陵，南部多浅丘，北部多深丘。

（3）盆东平行岭谷：华蓥山以东的盆东平行岭谷区由多条近东北西南走向的条状背斜山地与向斜宽谷组成，山地陡而窄，海拔700～1000米，其中，华蓥山高1704米，为盆地底部最高峰。山地顶部的石灰岩被雨水溶蚀后，常形成凹槽，故山地大多具有"一山二岭一槽"或"一山三岭二槽"的格局。山岭间的谷地宽而缓，海拔300～500米，其间丘陵、平坝交错分布。

3.2.2 四川盆地边缘山地区

四川盆地边缘山地区属强烈上升的褶皱带。海拔高，过渡性明显，均为一系列中山和低山所围绕。盆地北缘米仓山、大巴山近东西走向，是秦巴山地南翼组成部分，海拔一般在1500～2200米之间，山势陡峭，沟谷深切，相对高差可达500～1000米；南缘分布着大娄山，属云贵高原的组成部分；西缘有龙门山、邛崃山、峨眉山，山脊海拔大多在1500～3000米以上，相对高差可达1000米，峨眉山顶峰高3099米，与附近的平原相对高差达2650米。

3.2.3 川西南山地区

川西南山地位于青藏高原东部，系中国横断山脉的北段，为云贵高原的延伸部分，地貌类型为中山峡谷。北起泸定、雅安一线，西界雅砻江、木里，南抵金沙江，全区94%的面积为山地。山脉多呈南北走向，山川相间平行排列，山高谷深，相对高差可达1000～3000米。主要山脉有小凉山、大凉山、小相岭、锦屏山。最高峰为石棉、九龙与康定三县交界处的无名山峰，海拔高达5793米。本区东部的大凉山山地为山原地貌，山原顶部海拔为3500～4000米。北部为大风顶，南部为黄茅埂。本区中部的安宁河谷为平原，面积约960平方公里，是四川省第二大平原，河流从源头山原进入高山区，切割加深，河床狭窄，呈典型南北排列的高山峡谷地貌。南部是大片的中山，间有断陷盆地和地堑谷，本区还有一系列的断陷湖盆，如邛海、泸沽湖、马湖等。

3.2.4 川西北高原地区

川西北高原属青藏高原东延部分。地势高亢，原面由西北向东南倾斜，平均海拔3500～4500米，为四川省地势最高部分；高原夷平面上地表切割甚浅，丘谷相间，谷宽丘圆，排列稀疏，西北部的红原、若尔盖和石渠、色达等相对高差只有50～100米左右，多为矮山和宽谷相间分布，在阿坝、红原、若尔盖一代地势相对低洼，阶地宽广，形成了我国南方地区最大的沼泽带——若尔盖沼泽。从地貌分布的地域空间来看，可划分为龙门山—岷山山地、大渡河上游山原与峡谷、甘孜—理塘丘状高原、雅砻江—金沙江山原与峡谷、红原—若尔盖平坦高原，石渠—色达丘状高原等六大部分；从地势相对高差来看，可分为川西北高原和川西山地两部分；从切割深浅可分为高山高原区和高山峡谷区两大部分。川西北高原地区主要山脉有岷山、巴颜喀拉山、牟尼芒起山、大雪山、雀儿山、沙鲁里山，横断山脉的主峰贡嘎山海拔7556米，是全省最高峰。

4　气候特征

四川省位于热带与温带交错渗透的亚热带范围内，地处我国东部季风区、西部青藏高寒区、西北干旱区三大自然区交接地带。由于复杂的地形地貌和不同季风环流的交替影响，使东西部气候差异显著，气候类型复杂多达 9 类，山地气候垂直差异大，季风气候明显。西部高原在地形作用下，以垂直气候带为主，从南部山地到北部高原由亚热带演变到亚寒带，垂直方向上包括亚热带到永冻带的各种气候类型；东部盆地属中亚热带季风湿润气候。

4.1　基本特征

四川气候总体特点主要表现为：季风气候明显，雨热同季；降雨时空分布不均，盆地西部多春夏旱，盛夏多洪涝，盆中春夏伏旱频率较大，盆地东部干旱尤为突出；区域差异显著，东部冬暖、春旱、夏热、秋雨、多云雾、少日照、生长同季，西部高原则寒冷、冬长、基本无夏、日照充足、降水集中，干雨季分明；气候垂直变化显著，气候类型多样，包括亚热带到永冻带的各种气候类型；雨热地域分布基本一致，光热地域分布西部多东部少，热量、降水和光能分布东部与西部差异明显；气象灾害种类多、发生频率高、且范围大，特别是干旱、暴雨、洪涝和低温等气象灾害经常发生。

4.2　气候区划

根据热能、降水、光能等气象因子，四川省的气候可区划为四川盆地区、川西南山地区和川西高山高原区 3 个区域，其地理界线大体与地貌分区相近。

4.2.1　四川盆地

四川盆地属于中亚热带季风湿润气候区。该区热量条件好，总热量丰富，四季分明，气候温暖湿润。气温日较差小，年差较大，气温较高，冬暖夏热，无霜期长。盆地云量多，日照少，全年日照时间较短。雨量充沛，多夜雨。

年平均气温 16～18℃，比同纬度的长江下游地区高 2～4℃，四季分明。春季长约 3 个月，气温 10～21.9℃；夏季长约 3 个多月，气温大于或等于 22℃；秋季长约 2.5 个月，气温 10～21.9℃；冬季长约 3.5 个月，气温小于 10℃。最冷月（1 月）平均气温 4～8℃，最热月（7 月）平均气温 24～28℃。全年日平均气温≥10℃积温 4000～6000℃；无霜期 230～340 天。

年降水量大部分为 1000～1200 毫米；在地域上，盆周降水多于盆底。盆西缘山地是全省降水最多之地，降水量约为 1300～1800 毫米；次为盆东北和东南缘山地，降水量约为 1200～1400 毫米；盆中丘陵区降水量最少，约为 800～1000 毫米。在季节上，冬季（12 月至翌年 2 月）降水量最少，占全年总降水量的 3%～10%；夏季（5～10 月）降水量最多，占全年总降水量的 40%～80%。

年日照时数为 1000～1400 小时，比同纬度的长江下游地区少 600～800 小时，是全国日照最少的地区。在地域上由西向东递增，在时间上春夏多于秋冬，盛夏最多。全年太阳总辐射量 3100～4200 兆焦耳/平方米，其时空分布与日照类似。

4.2.2　川西南山地

川西南山地属于亚热带季风半湿润气候区。受太平洋暖流、印度洋季风和西风环流南支的影响，气温日较差大，年较差小，早寒午暖，冬暖夏凉，四季不分明。云量少，晴天多，日照时间长。降水量较少，干湿季明显，全年有7个月为旱季。气候垂直变化显著，南北差异较大，河谷地区受焚风影响形成典型的干热河谷气候，山地形成显著的立体气候。

年平均气温12～20℃，四季不分明，一般只分两季。最冷月(1月)均温4～12℃，最热月(7月)均温20～24℃；全年日平均气温≥10℃积温3600～7500℃，在德昌以南河谷大于等于4500℃，以北锐减至2000℃左右；无霜期220～330天。

年降水量大部分为900～1200毫米，木里以北与川西北高原接壤，年降水量小于800毫米，安宁河东侧与东部盆地相当，年降水量1000毫米左右，雨季(5～10月)降水量占全年总降水量的85%～90%。

年日照时数为2000～2600小时，较四川盆地多1倍。在地域上由东北向西南递增，在时间上干季多于雨季。全年太阳总辐射量3500～6200兆焦耳/平方米，除小凉山东侧外，光能资源大于四川盆地。

4.2.3 川西高山高原

川西高山高原属高寒气候区，该区海拔高差大，气候立体变化明显，从河谷到山脊依次出现亚热带、暖温带、中温带、寒温带、亚寒带、寒带和永冻带。总体上以寒温带气候为主，河谷干暖，山地冷湿，冬寒夏凉，水热不足，日照充分，多风、干燥、干湿季明显。

年平均气温4～12℃，全年无夏，冬季漫长，可分3个时期。寒期候温小于等于0℃，冷期候温1.1～9.9℃，温凉期候温大于等于10℃；最冷月(1月)均温－8～0℃，最热月(7月)均温8～23℃；全年日平均气温≥10℃积温1000～4500℃；无霜期100～200天。

川西高山高原降雨少，年降水量大部分为500～900毫米，金沙江河谷小于400毫米，干雨季分明。6～9月为雨季，降水占全年总水量的70%～90%，11月至翌年4月为干季，各月降水量小于10毫米。

年日照时数为1600～2600小时，地区差异不大，仅龙门山相对少，为1600～2600小时。全年太阳总辐射量多为5000～6800兆焦耳/平方米，属全国光能丰富之列。

4.3 年际动态

全省常年(1971～2000年)年平均气温为14.8℃。1961～2010年四川省年平均气温增温速率0.09℃/年。1961年以来，年平均气温有明显的上升趋势，在近50年里升高了0.44℃，特别是20世纪以来上升趋势加大，1996年以后年年高于常年平均值，2006年和2007年高达15.9℃和15.7℃，是有气象记录以来最高的两年。各区域温度变化差异明显，川西高原增温幅度最大，大部分地区的增温率在0.1～0.3℃/10年之间，川西南山地大部分和盆地东南部及中部部分地区增温幅度较小，增温率在0.05℃/10年以下，盆地大部分地区增温率在0.05～0.1℃/10年之间。

全省常年(1971～2000年)年平均降水量为967.4毫米，最大值是1961年的1107.8毫米，最小值是2006年的794.9毫米。近50年年平均降水量呈下降趋势，平均每10年减少17.9毫米，20世纪60年代和80年代以偏多为主，其余年代以偏少为主；各区域年降水量变化略有不同，川西北高原和川西南山地大部地区略有增加，盆地大部分地区呈减少趋势，特别是盆地西部减少率达40毫米/10年以上，盆地东北部降水量近年来明显增加。

全省年日照时数常年(1971～2000年)平均值为1470.8小时，最大值是1978年的1689.4小时，最小值是1989年的1274.2小时，近50年日照时数呈明显的下降趋势，近50年减少了175.4小时，特别是21世纪以来大多数年份都明显偏少。各区域年日照时数变化明显，川西北高原、川西南山地和盆地区的历年变化都有明显的下降趋势，近50年分别减少了115.6小时、79.9小时和228.3小时。

5　水资源状况

5.1　水资源

四川省水资源丰富，居全国前列。全省多年平均降水量约为4889.75亿立方米。水资源以河川径流最为丰富，境内共有大小河流近1400条，号称“千河之省”。水资源总量约为3489.7亿立方米。其中，多年平均天然河川径流量为2547.5亿立方米，占水资源总量的73%；上游入境水942.2亿立方米，占水资源总量的27%。还有地下水资源量546.9亿立方米，可开采量为115亿立方米。境内遍布湖泊、冰川。有湖泊1000多个、冰川约200余条和一定面积的沼泽，多分布于川西北和川西南。湖泊总蓄水量约15亿立方米，加上沼泽蓄水量，共计约35亿立方米。全省多年平均河川径流深525.3毫米，为全省年平均降水(1003.1毫米)的52.4%。河川径流在时间上分配不均。多集中在夏季，四川盆地区夏季径流占总量的60%～80%，川西南山地区夏季径流占总量的70%～80%，川西北高山高原区夏季径流占总量的80%以上。

四川水资源总的特点是：总量丰富，人均水资源量高于全国，但时空分布不均，形成区域性缺水和季节性缺水；水资源以河川径流最为丰富，但径流量的季节分布不均，大多集中在夏季(6～10月)，洪旱灾害时有发生；河道迂回曲折，利于农业灌溉；天然水质良好，但部分地区也有污染。

5.2　主要水系

四川河流以长江水系为主。除西北部若尔盖沼泽的白河和黑河属黄河水系外，其他均为长江水系，包括长江干流及其部分支流、金沙江水系(含雅砻江)、岷江水系(含大渡河和青衣江)、沱江水系、嘉陵江水系(含嘉陵江干流、涪江和渠江)、汉江水系6部分组成，其流域面积占全省流域面积的96%，占长江流域总面积的24%。

境内河流水系结构复杂，东西差异明显。受构造和地貌的制约，东部四川盆地的河流呈不对称向心状水系，岷江、沱江、嘉陵江、涪江、渠江等五大支流从盆地边缘山地流向盆地底部，最后注入长江干流，东出三峡。川西高原山地的金沙江、雅砻江、大渡河、安宁河等河流，则山河相间平行排列，由北部高原流向南部山地，成平行状水系。同时，各河流又有自己的水文特征，如嘉陵江为树枝状水系；岷江中游和沱江上游属扇状水系；大渡河和盆东平行岭谷区各河流属羽毛状水系。四川西北隅的白河和黑河，由南向北顺山势经沼泽后注入黄河，是四川唯一北流的网状水系。

(1)岷江：岷江水系古称汶江和都江，发源于岷山弓杠岭和郎架岭，全长735公里，流域面积14万平方公里。岷江是长江上游水量最大的一条支流，都江堰以上为上游，都江堰市至乐山段为中游，流经成都平原地区，与沱江水系及众多人工河网一起组成都江堰灌区；乐山以下为下游。岷江有大小支流90余条，上游有黑水河、杂谷脑河；中游有都江堰灌区的黑石河、金马河、江安河、走马河、柏条河、蒲阳河等；下游有青衣江、大渡河、马边河、越溪河等。

(2)沱江：沱江水系又名外江、中江，是长江上游的一级支流。它有三源：左源绵远河，发源于茂县九顶山南麓，为主源，河长180公里；中源石亭江，河长141公里；右源湔江，河长139公里。三源于金堂县赵镇汇合始称沱江，再经资阳、内江到泸州市注入长江。干流全长629公里，流域面积2.78万平方公里。

(3)嘉陵江：嘉陵江水系属于长江上游的一级支流。发源于秦岭北麓的宝鸡市凤县。因凤县境内的嘉陵谷而得名。西南流经陕西省汉中市略阳县，穿大巴山，至四川省广元市元坝区昭化镇接纳白龙江，南流经四川省南充市到重庆市注入长江。全长1119公里，流域面积近16万平方公里，是长江支流中流域面积最大，长度仅次于汉江，流量仅次于岷江的河流。流经主要城市有宝鸡、汉中、广元、南充。

(4)涪江：涪江水系属嘉陵江的支流，长江的二级支流，流域宽广。发源于四川松潘县与九寨沟县之间的岷山主峰雪宝顶。涪江南流经四川省平武县、江油市、绵阳市、三台县、射洪县、遂宁市、重庆市潼南县等区域，在重庆市合川市汇入嘉陵江。全长700公里，流域面积3.64万平方公里。

(5)渠江：渠江水系也称渠河、南江河，是嘉陵江的一条支流，有两个源头，东源州河发源于川、陕两省边界大巴山西南麓，北源巴河发源于川、陕两省界米仓山南麓，在渠县三汇镇汇合后就称为渠江。流经南江、巴中、平昌、达县、渠县、广安、岳池、合川等8个县区，于重庆合川市钓鱼山下云门镇姚家沟村附近注入嘉陵江。较大支流有恩阳河、通江、州河等。上游源头称南江河，巴中市恩阳河口以下称巴河，渠县境内州河口以下称为渠江。全长720公里，流域面积3.92万平方公里。

(6)金沙江：金沙江水系位于长江上游河段，全长2316公里，流域面积50万平方公里，主要支流有雅砻江、安宁河、无量河、西溪河、牛栏江和横江等。支流多来自左岸，流向近于南北，河口段与干流河段常呈直角交汇。金沙江自甘孜州石渠县真达乡逐渐进入横断山系，流域狭窄，自西北向东南流经德格县境西缘的卡松渡、白垭入白玉县境折转南流，继经巴塘县，于得荣县子庚乡出境入云南省。在甘孜州境内干流长650公里，流域面积4.4万平方公里，占河流流域面积的28.76%；金沙江在凉山州流经会理、会东、宁南、布拖、金阳和雷波等6县，凉山州内长598.7公里，流域面积2.49万平方公里，平均水面宽239米。金沙江河床窄，岸坡陡峭，呈“V”型河床，具有“高、深、窄、曲、陡”的特点，为典型的高山深谷型河道。水量丰沛稳定，年际变化小。在金沙江河谷区域，江两岸距江面500~700米的山体由于受到焚风效应的影响，平均气温高、蒸发量大，呈现干热河谷的荒漠化自然景观，是川西地区特殊的植被分布地带之一。植被以稀疏灌木草丛及中生小叶灌丛为主。

(7)雅砻江：雅砻江水系亦称金河，是金沙江的重要支流。源出青海省玉树县境内的巴颜喀拉山南麓，自西北向东南流，在呷衣寺附近流入川西境内。先后流经川西的石渠、德格、甘孜、新龙、雅江、康定、九龙、木里、盐源、冕宁、西昌和德昌等地，在攀枝花市的倮果注入金沙江。全长1300公里，流域面积约13.6万平方公里，占金沙江流域的27.20%。流域为东西窄南北长的狭长形。支流受横断山走向影响，呈与干流平行或斜交的羽状水系，短促而稠密。雅砻江也是一条高山峡谷型河流，河流下切强烈，两岸高山耸峙，峡谷深邃。从河源至江口海拔高程自5400米降至980米，落差4420米，其中呷衣寺至江口长约1368公里，落差3180米，平均比降2.32%，具有丰富的水能蕴藏量，是我国水力资源"富矿"之一。

（8）大渡河：大渡河水系属于岷山水系最大的一级支流，源出青海省班玛县北部的果洛山东南麓，又称麻尔曲。大渡河在甘孜州境内流经丹巴、康定、泸定3个县，流长239.3公里，总流域面积2.4万平方公里，占甘孜州河川总流域面积的14.44%。于泸定县得妥乡牛肉房出甘孜州境，再由甘洛县黑马乡北部进行凉山州，由乌斯大桥出凉山州境，是甘洛县与雅安、汉源县的界河，在凉山州内长35公里，水面宽130米，流域面积4526平方公里。大渡河为高山峡谷型河流，地势险峻，水流汹涌，自古有"大渡天险"之说。水流丰沛稳定，主要是降水和有少量融雪补给。

5.3　主要湖泊

四川省湖泊大多数分布于西部和西北部的高山高原区，多数湖泊为冰蚀湖、溶蚀湖、堰塞湖，部分为古河道与牛轭湖。全省共有大小湖泊1000余个，著名湖泊有泸沽湖、邛海、马湖等。

（1）泸沽湖：泸沽湖又称左所海、永宁海、勒得海，是四川省最大的湖泊。位于四川盐源、云南宁蒗两县交界处，属川滇两省共有。泸沽湖是岩溶作用影响的高原断陷湖泊，海拔2700米，面积49.5平方公里，由草海和亮海组成。平均水深40.3米，最大水深93.5米，蓄水量5亿立方米。湖内水草丰茂，有较丰富的鱼类资源，主要是裂腹鱼类。

（2）邛海：邛海位于西昌市东南5公里处，系史前地质构造运动时断陷形成，呈葫芦形。湖面海拔1506米，面积31平方公里，最深处18.32米，蓄水3.2亿立方米。近几十年由于湖周山区水土流失严重，大量泥沙涌入湖中，淤积速度加快，湖区在逐渐缩小。近年来，通过实施恢复工程，湖区面积有所扩大。湖西北角有一个小河与安宁河相连通，是湖水外泄的唯一通道。湖水属重碳酸钙组三型水，水质良好，水草丰茂，浮游生物和底栖生物均较丰富，鱼类资源较丰富。

（3）马湖：马湖又名龙湖，位于雷波县黄琅区，是一个地震堰塞湖。湖泊呈东北偏西南向，东、南、西三面环山，北面为湖口，有一个大小不等的玄武岩碎块堆积而成大石堤。海拔1100米左右，湖面积约7平方公里，最大水深为134米，蓄水3亿立方米。湖中产鲤、鲶等鱼类。

6　土壤类型

四川省地域辽阔，自然地理复杂，土壤类型丰富，垂直分布明显。平原、丘陵主要为水稻土、冲积土、紫色土等，是全省农作物主要产区；高原、山地依海拔高度分别分布不同土壤，其中多数有利于不同作物生长。四川大部分地区为紫色土，系侏罗纪、白垩纪紫色砂岩、泥岩风化而成，主要分布于四川盆地内海拔800米以下的低山丘陵区，是四川分布面积最广的土壤之一。

6.1　土壤分类

土壤类型依地形、水文、气候、植被、母岩、母质等自然条件的差异及人为生产活动的影响，在全省范围内依次分布着显域性土壤共25个土类、66个亚类、137个土属、380个土种，土类和亚类分别占全国总数的43.48%和32.60%。在全省土壤构成中，水稻土3.4402万平方公里、冲积土 0.8649 万平方公里、紫色土 2.64 万平方公里、黄壤 0.4757 万平方公里、黄棕壤 1.3245 万平方公里、棕壤 3.0906 万平方公里、石灰岩土 1.1289 万平方公里、暗棕壤 4.014 万平方公里、灰化棕色森林土 0.1733 万平方公里、褐土 1.6119 万平方公里、粗骨土 1.764 万平方公里、亚高山草甸土 4.348 万平方公里、高山草甸土 7.9414 万平方公里。

6.2 土壤区划

由于地貌的复杂性、气候的地域性与差异性，四川土壤在一定程度上呈水平地带性和明显的垂直地带性分布，但在局部环境上又表现出了极大的空间异质性。根据土壤水平和垂直分布的特点，四川土壤大致可区划为四川盆地黄壤及紫色土区、川西南山地红壤及红棕壤区、川西北高原高山褐土及棕壤和高山草甸土区三个区域。

(1)四川盆地黄壤及紫色土区：包括整个四川盆地及其边缘山地，地带性土壤为黄壤，盆底丘陵广布着土壤肥沃的紫色土，成都平原集中分布着各类型的潮土，盆周山地以黄壤为基带，自下而上发育着山地黄棕壤、山地棕壤、山地灰棕壤等垂直带谱。随着各山地所处的纬度、坡向等不同，其带谱结构也有所差异。

(2)川西南山地红壤及红棕壤区：该区位于四川省最南部，包括西昌地区全部和凉山州大部分地区，本区以红壤为基带，土壤垂直变化明显，自河谷而上至山顶依次分布着红壤、棕红壤、黄棕壤、棕壤、暗棕壤、棕色灰化土、亚高山草甸土等。

(3)川西北高原高山褐土及棕壤和高山草甸土区：即川西横断山谷北段，包括甘孜州大部分地区和阿坝州全部，由于地形地貌的差异，北部山原与丘原上分布着高山草甸土和沼泽土；南部高山峡谷地带以褐土(或棕壤)为基带，有规律的从东南向西北即由低到高和由山谷到山顶呈带状分布，依次为山地褐土、山地棕壤、山地暗棕壤和高山草甸土。

6.3 分布特征

四川省土类的形成及分布受地形、水文、气候、植被、母岩、母质等自然条件及人为生产活动的影响而各具特点，其主要土类形成及分布海拔特征主要表现为以下内容。

(1)潮土：母质为现代河流冲积物，沿江河形成阶地、冲积扇或平原。灰色潮土集中分布于成都平原岷江冲积扇。灰棕潮土分布于岷江下游、嘉陵江、涪江等江的沿岸。紫色潮土分布于盆地内渠江、沱江及其他中小溪河和峨眉、高县、西昌等地。黄红潮土分布于盆地西南山地边缘及米易、宁南等小河沿岸。褐色潮土分布于川西高原各江河阶地。

(2)紫色土：母质多为侏罗纪、白垩纪紫色砂、泥岩。主要分布于四川盆地及川西南河谷。

(3)黄壤：在亚热带气候和常绿及落叶林下，由各类岩石和第四纪砾石发育形成。分布于盆地边缘 500～1300(1700)米的低山和盆地西南及各大江河阶地。

(4)红壤：主要分布于川西南河谷，盆地西南老阶地和盆地东南山间盆地。由花岗岩、变质岩、石灰岩、沙泥岩和第四纪老冲积物形成，在长期湿热条件下深刻风化，产生明显的富铝化过程。

(5)山地棕壤：分布于盆地边缘山地 1300～2100(3300)米，西部高山峡谷 2200～3500 米，高原 3000～4300 米的暖温至寒温带，常绿或落叶、阔叶林或针叶林下。

(6)山地褐色土：分布于川西高山峡谷半山以下干旱温带条件下的稀疏灌丛草坡地带。

(7)山地灰化土：分布于西部高山峡谷海拔2800～3500米的暗针叶林下，地表多苔藓。

(8)山地草甸土：分布于川西北高原3200～4700米、川西高山4100～4500米，以及川西南河谷和盆地边缘山地。

(9)沼泽土：主要分布于若尔盖沼泽及其他沼泽区域，集中分布于若尔盖、红原及松潘等地，属寒温带气候，寒冷潮湿，地势低洼，潜水位高，在喜湿性沼泽植被下形成。

(10)寒漠土：分布于海拔4700～5000米以上的地区。

7 土地利用状况

全省土地资源分为8个一级利用类型，45个二级利用类型和62个三级利用类型(图1-4)。除橡胶园以外，其他省的一、二级土地利用类型四川都有，在全国极富代表性。四川土地利用以林牧业为主，林牧地集中分布于盆周山地和西部高山高原，占总土地面积的68.9%；耕地则集中分布于东部盆地和低山丘陵区，占全省耕地的85%以上；园地集中分布于盆地丘陵和西南山地，占全省园地的70%以上；交通用地和建设用地集中分布在经济较发达的平原区和丘陵区。

8 动植物概况

四川地处热带与温带动植物交错渗透的地带，地形地貌类型复杂多样，拥有高山、中山、低山、丘陵、盆地、高原、平原等各种地形，其中山地高原占总面积的75%。多样的自然地理环境为野生动植物栖息和繁衍创造了适宜的生存空间，并孕育了丰富的生物多样性，保存有许多珍稀、古老的动植物种类，是中国乃至世界的珍贵物种基因库之一，物种及生态系统丰富程度仅次于云南省，位居全国第二(表1-1)。

表1-1 四川省生物资源及在全国的地位

生物种类	全国排名	生物种类	全国排名	生物种类	全国排名
高等植物	第二	药用植物	第二	陆生野生动物	第二
蕨类植物	第二	芳香植物	第一	野生鸟类	第二
裸子植物	第一	野生果类	第一	国家重点保护动物	第一
被子植物	第二	野生菌类	第一	大熊猫种群	第一

8.1 植物资源

四川植被类型多样，植物资源种类丰富；热带、亚热带和温带的植物成分明显；特有种、单种及少种的科属比重较大；物种起源古老，孑遗植物丰富；裸子植物的种类优势明显。

全省分布有高等植物万余种(含变种)，约占全国总数的1/3，仅次于云南居全国第二。其中：苔藓植物1400余种，蕨类植物880余种，裸子植物100余种，被子植物9900余种，松、杉、柏类植物近90余种居全国之首。列入国家珍稀濒危及重点保护植物的有84种，占全国的21.6%。有各类野生经济植物5500余种，其中：药用植物4600多种，芳香类植物300余种，是全国最大的中药材基地和芳香油产地；野生果类植物达100多种，其中以野生猕猴桃资源最为丰富，居全国

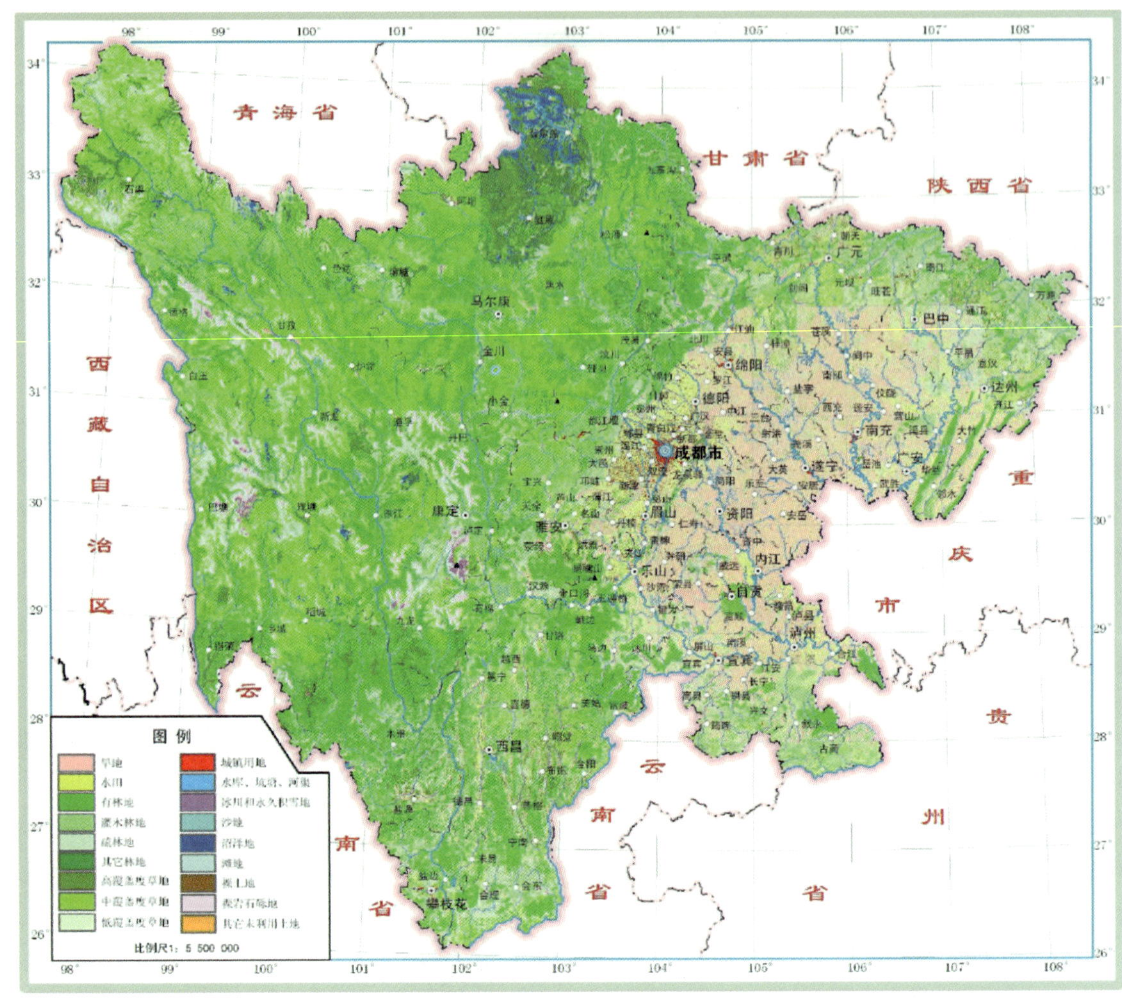

图 **1-4** 四川省土地利用现状图

之首；野生菌类资源达 1291 种，占全国的 95%。

据 1999 年 8 月 4 日国务院批复国家林业局、农业部联合发布实施的《国家重点保护野生植物名录(第一批)》统计，四川省有国家重点保护维管束植物 39 科 55 属 67 种(含变种)，占全国重点保护维管束植物总数的 23.26%。其中：蕨类植物 8 科 9 属 10 种，裸子植物 7 科 13 属 19 种，被子植物 24 科 33 属 38 种；国家Ⅰ级保护植物 18 种，占全国的 27.69%，国家Ⅱ级保护植物 49 种，占全国的 21.97%。

四川也是中国植被类型最多的省份之一。全省可分为 3 个植被区域、10 个植被区，共计 192 个群系，包括了除海洋生态系统之外所有陆地和淡水生态系统类型，从亚热带阔叶林到温带暗针叶林、从高山草甸到高山冻原均有分布。

8.2 动物资源

四川动物资源种类丰富、区系复杂，以东洋界偏多，兼有东洋、古北两大界种群分布，可分为古北界的青藏亚区、东洋界的西南区及华中区。

全省分布有脊椎动物1370余种(含亚种)，占全国总数的25%左右。其中：兽类共225种，占全国兽类总数的40.47%；鸟类有705种，占全国鸟类总数的52.93%，仅次于云南而居各省份第二位；爬行类有105种，占全国爬行动物的25.49%；两栖类有105种，占全国两栖类总数的28.07%；鱼类有239种，占全国鱼类总数的8.44%。动物中可供经济利用的种类占50%左右，其中：毛皮、革、羽用动物200余种；药用动物340余种。四川雉类资源极为丰富，雉科鸟类20余种，约占全国雉科总数的40%，其中有许多珍稀濒危雉类，如国家一类保护动物雉鹑、四川山鹧鸪和绿尾虹雉等。

据1989年1月4日施行的《国家重点保护野生动物名录》统计，在四川有分布的国家重点保护野生动物共145种，占全国总数的39.6%。其中国家Ⅰ级保护动物32种，占全国的33.7%；国家Ⅱ级保护动物113种，占全国的41.7%。此外，经四川省人民政府1990年3月12日公布的四川省重点保护野生动物还有77种。全省分布有中国特有兽类55种，占全国的62.5%；分布有中国特有鸟类59种，占全国的60.2%。仅分布于四川的爬行类特有种10种，占全省种数的9.5%；仅分布于四川的中国两栖特有种33种，占全省种数的31.4%。

第二节
社会经济状况

1　行政区划、人口、民族

1.1　行政区划①

截至2013年年底，四川省辖有18个地级市(包括成都副省级市)和3个民族自治州；有48个市辖区，14个县级市，117个县，4个自治县(表1-2)；包括2502个乡(含98个民族乡)，1853个镇，306个街道办事处。其中川西高山高原区包括甘孜州和阿坝州；川西南山地区包括攀枝花市和凉山州；四川盆地区包括四川盆周山地及盆中丘陵各县市。

表1-2　四川省各市(州)行政区划一览表(2013年底)

序号	市(州)	数量(个)	县级行政区
1	成都市	19	锦江区、青羊区、金牛区、武侯区、成华区、龙泉驿区、青白江区、新都区、都江堰市、温江区、彭州市、邛崃市、崇州市、金堂县、双流县、郫县、大邑县、蒲江县、新津县
2	自贡市	6	自流井区、贡井区、大安区、沿滩区、荣县、富顺县
3	攀枝花市	5	东区、西区、仁和区、米易县、盐边县

① 行政区划情况由四川省民政厅提供。

（续）

序号	市(州)	数量(个)	县级行政区
4	泸州市	7	江阳区、龙马潭区、纳溪区、泸县、合江县、叙永县、古蔺县
5	德阳市	6	旌阳区、广汉市、什邡市、绵竹市、中江县、罗江县
6	绵阳市	9	涪城区、游仙区、江油市、安县、梓潼县、平武县、北川羌族自治县、三台县、盐亭县
7	广元市	7	利州区、昭化区、朝天区、剑阁县、旺苍县、青川县、苍溪县
8	遂宁市	5	船山区、安居区、蓬溪县、射洪县、大英县
9	内江市	5	市中区、东兴区、资中县、威远县、隆昌县
10	乐山市	11	市中区、五通桥区、沙湾区、金口河区、峨眉山市、犍为县、井研县、夹江县、沐川县、峨边彝族自治县、马边彝族自治县
11	南充市	9	顺庆区、高坪区、嘉陵区、阆中市、南部县、西充县、营山县、仪陇县、蓬安县
12	眉山市	6	东坡区、仁寿县、彭山县、洪雅县、丹棱县、青神县
13	宜宾市	10	翠屏区、南溪区、宜宾县、江安县、长宁县、高县、筠连县、珙县、兴文县、屏山县
14	广安市	6	广安区、前锋区、华蓥市、岳池县、武胜县、邻水县
15	达州市	7	通川区、达川区、万源市、宣汉县、开江县、大竹县、渠县
16	雅安市	8	雨城区、名山区、荥经县、汉源县、石棉县、天全县、芦山县、宝兴县
17	巴中市	5	巴州区、恩阳区、平昌县、通江县、南江县
18	资阳市	4	雁江区、简阳市、安岳县、乐至县
19	阿坝州	13	马尔康县、汶川县、理县、茂县、松潘县、九寨沟县、金川县、小金县、黑水县、壤塘县、阿坝县、若尔盖县、红原县
20	甘孜州	18	康定县、泸定县、丹巴县、九龙县、雅江县、道孚县、炉霍县、甘孜县、新龙县、德格县、白玉县、石渠县、色达县、理塘县、巴塘县、乡城县、稻城县、得荣县
21	凉山州	17	西昌市、木里藏族自治县、盐源县、德昌县、会理县、会东县、宁南县、普格县、布拖县、金阳县、昭觉县、喜德县、冕宁县、越西县、甘洛县、美姑县、雷波县

1.2 人口统计①

截至2013年年底，四川省年末户籍总人口9132.6万人，其中非农业人口2632.4万人，占28.82%；农业人口6500.2万人，占71.18%；男性人口4700.8万人，占51.47%；女性人口4431.8万人，占48.53%。据2013年人口变动抽样调查资料测算，2013年四川省年末常住人口8107万人，全年出生人口80.1万人，人口出生率9.9‰；死亡人口55.8万人，人口死亡率6.9‰；人口自然增长率3.0‰。年末常住人口8107万人，比2012年末增加30.8万人。其中，城镇人口3640万人，乡村人口4467万人，城镇化率44.9%，比2012年提高1.37个百分点(表1-3)。

① 户籍人口数由四川省公安厅提供。

表 1-3　四川省 2013 年各市(州)人口状况统计

市(州)	年末户籍人口（万人）	非农比重（%）	年末常住人口（万人）	自然增长率（%）	城镇化率（%）	人口密度（人/平方公里）
成都市	1188.0	61.34	1429.76	0.232	69.40	1180
自贡市	329.7	34.12	273.83	0.249	45.52	625
攀枝花	112.0	53.48	123.33	0.374	63.43	167
泸州市	508.4	29.96	424.58	0.402	43.29	347
德阳市	392.0	29.95	352.37	0.215	45.86	596
绵阳市	547.4	28.86	467.64	0.196	45.09	231
广元市	310.2	23.28	254.50	0.326	37.80	156
遂宁市	379.4	25.70	327.50	0.228	43.11	615
内江市	426.8	22.59	372.46	0.318	42.67	692
乐山市	356.0	33.29	325.56	0.191	44.53	256
南充市	759.0	23.27	631.70	0.312	40.89	506
眉山市	352.2	28.08	297.84	0.334	38.95	417
宜宾市	550.4	19.30	446.50	0.405	42.45	337
广安市	470.4	19.26	322.43	0.297	34.29	509
达州市	687.6	20.30	551.28	0.464	37.80	332
雅安市	157.0	27.13	153.37	0.355	39.80	102
巴中市	390.2	20.02	331.72	0.453	34.77	270
资阳市	507.3	17.58	357.12	0.343	36.89	449
阿坝州	92.0	22.28	91.23	0.506	34.59	11
甘孜州	110.2	14.70	113.78	0.636	25.81	8
凉山州	506.4	11.95	458.50	0.687	30.57	76
总　计	9132.6	28.82	8107.00	0.300	44.90	167

1.3　民族与分布

四川是一个多民族的省份，有 55 个少数民族，其中世居少数民族有彝、藏、羌、苗、回、蒙古、傈僳、满、纳西、土家、白、布依、傣、壮等 14 个。民族自治地方包括甘孜藏族自治州(辖 18 个县)、阿坝藏族羌族自治州(辖 13 个县)、凉山彝族自治州(辖 17 个县市，其中包括木里藏族自治县)和峨边彝族自治县、马边彝族自治县、北川羌族自治县。民族自治地方总人口 753.4 万人。全省少数民族人口 490 多万人，其中：彝族 264.44 万人，藏族 149.65 万人，羌族 29.69 万人，苗族 16.46 万人，回族 10.45 万人，土家族 5.92 万人，蒙古族 3.66 万人，傈僳族 2.11 万人，其他少数民族 9 万多人。少数民族人口约占全省总人口的 6.2%。另有米易、盐边、仁和、平武、石棉、宝兴、汉源、荥经、金口河、兴文、宣汉、古蔺、叙永、珙县、筠连、屏山 16 个民族待遇县(区)及 98 个民族乡。四川是全国最大彝族聚居区，第二大藏区和唯一的羌族聚居区。四川民族自治地方自古就是“民族走廊”，尤其是四川藏区居于“稳藏必先安康”的战略要地，是“治藏依托”。

彝族主要分布在凉山彝族自治州、乐山市、攀枝花市；藏族主要分布在甘孜藏族自治州、阿坝藏族羌族自治州和凉山州的木里藏族自治县；羌族主要分布在阿坝州的汶川县、理县、茂县和绵阳市的北川、盐亭、平武县；苗族主要分布在泸州市、宜宾市、凉山州；回族主要散居在广元市的青川、苍溪县，广安市的武胜县，南充市的阆中市，成都市的新都县、崇州市，宜宾市，凉山州的西昌市、德昌、会理县，阿坝州的松潘、阿坝县和绵阳、内江、泸州、自贡等市；蒙古族主要散居在凉山州的盐源、木里县及成都市等地；傈僳族主要散居在凉山州和攀枝花市；满族主要聚居在成都市；纳西族主要分布在凉山州的盐源、木里县和攀枝花市的盐边县；土家族散居在各市(州)；白族主要分布在凉山州和攀枝花市；布依族主要分布在凉山州；傣族主要分布在凉山州的会理县和攀枝花市；壮族主要分布在凉山州的宁南、木里、会东等县。

2　经济发展及工农业生产情况①

2.1　综合经济发展

2013 年四川省实现地区生产总值(GDP)26260.8 亿元，按可比价格计算，比上年增长 10.0%。其中，第一产业增加值 3425.6 亿元，增长 3.6%；第二产业增加值 13579.0 亿元，增长 11.5%；第三产业增加值 9256.1 亿元，增长 9.9%。三次产业对经济增长的贡献率分别为 4.4%、62.3% 和 33.3%。人均地区生产总值 32454 元，增长 9.6%。三次产业结构由上年的 13.8: 51.7: 34.5 调整为 13.0: 51.7: 35.3。

全年非公有制经济增加值 15689.9 亿元，比上年增长 12.1%，占 GDP 的 59.8%，对 GDP 增长的贡献率为 70.8%。其中，第一产业增加值 1359.1 亿元，增长 2.6%；第二产业增加值 9706.6 亿元，增长 13.4%；第三产业增加值 4624.2 亿元，增长 11.8%。

全年居民消费价格总水平(CPI)比上年上涨 2.8%，其中食品类价格上涨 4.8%，居住类价格上涨 3.7%。商品零售价格上涨 1.7%，农业生产资料价格上涨 1.5%。工业生产者出厂价格(PPI)下降 1.3%，其中生产资料价格下降 1.8%，生活资料价格下降 0.1%。工业生产者购进价格(IPI)下降 0.8%。

2.2　工业生产

全年全部工业增加值 11578.5 亿元，比上年增长 11.0%，对经济增长的贡献率为 51.7%。年末规模以上工业企业 13163 户。全年规模以上工业增加值增长 11.1%。

在规模以上工业中，轻工业增加值比上年增长 11.0%，重工业增加值增长 11.2%，轻重工业的比为 33.9: 66.1。七大优势产业增加值占规模以上工业的 75.9%，增长 11.0%。全年规模以上工业企业实现出口交货值 2687.1 亿元，增长 30.7%。

规模以上工业 41 个行业大类中有 35 个行业增加值增长。其中，计算机、通信和其他电子设备制造业增长 20.1%，汽车制造业增长 30.0%，黑色金属矿采选业增长 14.4%，开采辅助活动增

① 数据来自《四川省 2013 年国民经济和社会发展统计公报》。

长 11.7%，酒、饮料和精制茶制造业增长 13.4%，纺织业增长 8.6%，有色金属矿采选业增长 20.0%，化学纤维制造业增长 17.7%，家具制造业增长 9.5%，石油加工、炼焦和核燃料加工业增长 10.0%，金属制品业增长 10.3%。

从主要产品产量看，汽油产量比上年增长 13.6%，天然气下降 0.2%，发电量增长 23.8%，铁矿石增长 17.3%，成品钢材增长 21.1%，水泥增长 7.2%，白酒增长 9.8%，化学药品原药增长 1.3%，汽车增长 101.8%，电子计算机整机增长 34.5%。

全年规模以上工业企业实现主营业务收入 35251.8 亿元，增长 13.1%。实现利税总额 3988.7 亿元，增长 2.3%。盈亏相抵后实现净利润 2168.4 亿元，增长 1.0%。其中，国有控股工业企业实现净利润 543.6 亿元，下降 2.5%；股份制企业 1414.0 亿元，下降 3.2%；外商及港澳台投资企业 394.2 亿元，增长 28.3%。

2.3　农业生产

全年粮食作物播种面积与上年持平；油料作物播种面积 126.5 万公顷，增长 1.4%；中草药材播种面积 10.4 万公顷，增长 2.2%；蔬菜播种面积 127.6 万公顷，增长 2.4%。

全年粮食总产量 3387.1 万吨，比上年增长 2.2%，其中小春粮食减产 2.1%；大春粮食增产 3.1%。经济作物中，油料产量 290.4 万吨，增产 1.4%；烟叶产量 25.1 万吨，减产 8.7%；蔬菜产量 3910.7 万吨，增产 3.9%；茶叶产量 22.0 万吨，增产 4.9%；园林水果产量 718.7 万吨，增产 4.9%；中草药材产量 40.4 万吨，减产 2.3%。

全年生猪出栏 7314.1 万头，比上年增长 2.0%；牛出栏 264.7 万头，增长 4.2%；羊出栏 1583.6 万只，增长 1.3%；家禽出栏增长 2.9%；兔出栏增长 3.4%。禽蛋、牛奶产量分别下降 0.8% 和 1.5%。

全年完成荒山荒(沙)地造林 20 万公顷。其中，完成天然林资源保护工程 5.2 万公顷，完成退耕还林工程 1.9 万公顷；年末实有森林管护面积 1771 万公顷。年末全省共有湿地公园 27 个，其中省级湿地公园 13 个(2013 年新批建 5 个)，国家湿地公园 14 个(2013 年新批建 4 个)。年末森林覆盖率 35.5%，比上年提高 0.2 个百分点。

全年水产养殖面积 19.7 万公顷，比上年增长 2.6%；水产品产量 126.1 万吨，增长 6.0%。

全年新增农田有效灌溉面积 8 万公顷，年末有效灌溉面积 264.7 万公顷。全年新增综合治理水土流失面积 2460 平方公里，累计 77230 平方公里。新解决饮水困难人口 292.6 万人。新增农业机械总动力 243.2 万千瓦，年末农业机械总动力 3937.2 万千瓦，增长 6.6%。全年农村用电量 163.5 亿千瓦小时，增长 4.8%。

第二章 湿地类型与分布

第一节 湿地概述

1 湿地概念

湿地一词译自英文 wetland，由 wet(潮湿)和 land(土地)组成。由于湿地所处的环境的复杂性，关于湿地的定义有许多种。不同的国家、地区甚至不同的部门考虑到本地区湿地的独特性和复杂性，对湿地的理解及定义都有着各自不同的解释。

大体上湿地的概念分为广义和狭义两种。狭义定义认为湿地是陆地与水域之间的过渡地带；广义定义则把地球上除海洋(水深 6 米以上)外的所有水体都当做湿地。对湿地最通俗的理解是有水的陆地，为一个内部过程长期为水所控制的生态系统。根据各种湿地定义的内涵，从不同角度归纳湿地定义为：从动力学地貌学角度看，湿地是区别于其他地貌系统(如河流地貌系统、海湾、湖泊等水体)、具有不断起伏的水位变化、水流缓慢的浅水地貌系统；从生态学的角度看，湿地是陆地与水域生态系统之间的过渡地带，其地表为浅水所覆盖或者其水位在地表附近变化；从资源学角度看，凡是具有生态价值的水域(只要其上覆盖水体，水深不超过 6 米)，都可作为湿地加以保护，不管它是天然的或人工的，永久的或暂时的；从系统论观点看，湿地是一个半开放半封闭的系统。一方面湿地是个较独立的系统，它有其自身的形成发展和演化规律；另一方面它又不完全独立，在许多方面依赖于相邻的地景系统，和它们发生物质交换和能量交流，也影响临近系统的活动。

在国际自然和自然资源保护联盟(International Union for the Conservation of Nature and Natural Resources，IUCN)的主持下，于 1971 年在伊朗的拉姆萨尔会议上通过了《关于特别是作为水禽栖息地的国际重要湿地公约》(Convention on Wetlands of International Importance Especially as Waterfowl Habitat)，简称《湿地公约》。湿地公约对湿地的定义是：“湿地系指不问其天然或人工、长久或暂时之沼泽地、湿原、泥炭地或水域地带，带有或静止的或流动的、或为淡水、微咸水或咸水的水体，包括低潮时水深不超过 6 米的浅海区域。”同时又规定：“可包括邻接湿地的河湖沿岸，沿海区域以及湿地范围的岛屿或低潮时水深不超过 6 米的水域。”目前，中国政府和科学界没有对湿地规定统一的定义，对湿地定义有多种表述，但多数学者倾向采用湿地公约的定义。

本书采用《湿地公约》中的湿地概念。

2　湿地分类

湿地的分类是湿地研究的基础，类型的界定不仅影响各类型湿地边界的确定，而且还影响着各类湿地面积的大小及湿地生态状况的评价。从不同的角度和研究目标出发，有不同的湿地分类方法。归纳起来包括成因分类法、特征分类法和综合分类法。其中以综合分类法比较全面。

2.1　成因分类法

Cawardin(1979)提出的湿地分类法是成因分类法中最具影响力的一种。根据 Cawardin 提出的湿地分类方法，首先基于湿地成因类型的不同，将湿地划分为海洋湿地、河口湿地、河流湿地、湖泊湿地和沼泽湿地 5 大系统，再根据湿地的水文特征划分亚系统。然后根据湿地的外貌特征、湿地中优势植被的生命形态和基底组成等再划分湿地类。按照植被类型的不同把湿地再分成亚类，用附加的优势现象描述较为特殊的湿地特征。这是一种分类全面、易于操作的方法。

在《湿地公约》中公约国第四次成员国大会上，沿用 Cawardin 分类体系成因加描述的分类思想，制定了《湿地公约》湿地分类体系。这一分类体系包括深海和海岸湿地、内陆湿地和人工湿地 3 大类，在大类分类系统下再划分湿地类。其中，深海和海岸湿地包括浅海区域水域、海床、珊瑚礁、岩石性海岸、沙砾海岸、河口水域、潮间带湿地、咸水湿地、红树林/潮间带湿地、海岸带咸水湖和三角洲湿地类；内陆湿地包括长期性的河流/溪流/小河、间歇性的河流/溪流/小河、长期性的淡水湖、季节性或间歇性的淡水湖、长期性的咸水湖或沼泽、季节性或间歇性的咸水湖或沼泽、长期性的淡水沼泽与池塘、季节性或间歇性的淡水沼泽与池塘、泥炭苔藓沼泽、苔藓高山湿地、灌木为主的湿地、树木为主的湿地、淡水泉(包括绿洲)和地热湿地；人工湿地包括鱼/虾池塘、农场里的池塘、灌溉地、季节性泛滥的农用地、盐田、水库拦河坝、坝区、污水土地处理场和运河。

Cawardin 的分类法在美国使用较普遍，由于它具有分类全面、易于操作的优点，已成为美国湿地资源登记和管理的基础。《湿地公约》中湿地分类系统的定义更加简单明了，使用较为广泛。

在国内湿地分类研究中，郎惠卿(1983)、马学慧(1991)等人将沼泽湿地按照类、亚类和组将其分为泥炭沼泽和潜育沼泽两大类，泥炭沼泽根据营养化程度分成富营养、中营养和贫营养 3 类，再根据植被生态型划分为半沼泽、沼泽和半水生 3 个亚类，亚类之下按植物群落划分为组。李中濠(1991)等人根据水源补给、地貌类型、水动力条件和生物优势种群，将海岸带滩涂湿地划分为潮上带、潮间带、潮下带 3 个湿地类和若干湿地自然与人工综合体。袁正科(1994)等人根据湿地形成原因控制湿地一级分类单元、分布特点控制湿地二级分类单元、水文状况控制湿地分类三级单元，将湖泊湿地分成湿地类型组、类和类型 3 类。在整个中国湿地分类中，陆健健(1990；2006)根据成因在《中国湿地》中将其分成 22 类，后来又在《湿地生态学》中分为 3 大类 41 类。

2.2　水文动力地貌分类法

这种分类法是 Brinson(1993)提出的一种湿地分类方法，又称特征分类法。这种方法把地貌、水文和水动力特征看成是湿地的 3 个同等重要的基本属性。分析湿地时，将 3 个特征归入相应的功能湿地类中。根据湿地的地貌位置属性可以把湿地分为河流地貌系统、凹地貌系统、海岸地貌系统和泥炭湿地4个大组。根据湿地水源补给方式将水文特征分为降水补给、地表漫流补给和地下水补给3大类。根据湿地水流的强度和流向将水文动力特征分为垂直起伏流、无定向水平流和双向水平流3大类。在每一个大组下面可以在分类。当湿地的具体特征用上述类别无法包含时，可以用语言来描述湿地的水文地貌特征。

水文地貌分类方法是一个层次性和模块化相结合的分类系统。他在湿地功能评价中有着重要的应用价值，构成了湿地评价的理论基础。

2.3 综合分类法

为了研究湿地模型框架，倪晋仁(1998)提出了湿地综合分类法。综合分类法应该具备以下特征：第一，应能反映湿地的成因及湿地分类中不同层次的诸多特征；第二，应能反映湿地不同层次特征的相似性；第三，有利于应用相邻学科的最新定量研究方法或模型。综合分类法中湿地范围不包括人工湿地，因为人工湿地的水流和水文活动主要受人为控制，与自然湿地截然不同。综合分类法具有层次结构，从高到低依次称族、组、类、型。湿地族一级采用水文地貌特征来确定，如海岸带湿地、湖泊凹地貌湿地和河流湿地等。湿地亚族由外动力控制因子确定，如红树林湿地、湖滨湿地、河岸湿地等。湿地组由基底物质结构确定，如泥滩、沙滩、泥炭湿地等。湿地类有植被类型确定，如灌木海岸、木本沼泽等。湿地型由浸水时间和深度来确定。

这种分类方法的优点是它既具有 Cawardin 分层系统的优点，又具有 Brinson 功能分类的优点，同时又使得湿地分类便于与湿地模型相结合，使得有可能对湿地发育、湿地功能变化进行动态的、定量的研究。

本书采用倪晋仁(1998)的综合分类法对自然湿地进行了划分，并补充了人工湿地类型。

第二节 湿地类型与面积

1 四川湿地组成与概况

1.1 湿地组成

根据中国的实际情况并结合《湿地公约》的定义，《全国湿地资源调查技术规程(试行)》将中国湿地划分为5类34型。本次调查以《全国湿地资源调查技术规程(试行)》为基础，结合四川省的实际情况确定了四川省的湿地类型。基于湿地综合分类法，通过遥感判别分析等，将四川省的湿地划分为4类17型(表2-1)。经现场核实发现藓类沼泽、淡水泉/绿洲湿地未达到起调面积，稻田/冬水田湿地面积由统计年鉴查得。本次调查共记录到四川省的湿地4类14型(图2-1至图2-6)。

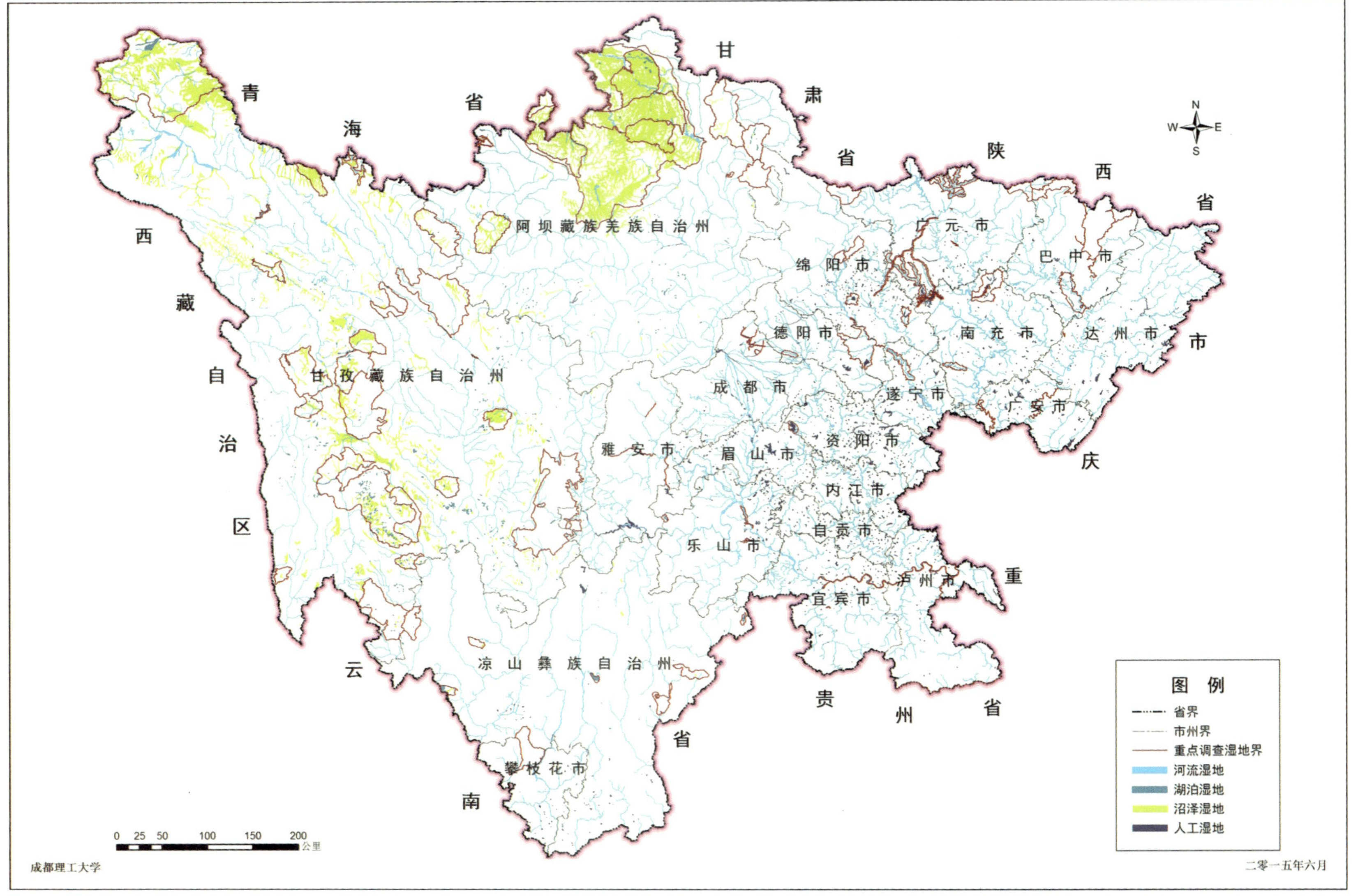

图 2-1　四川省湿地资源分布图

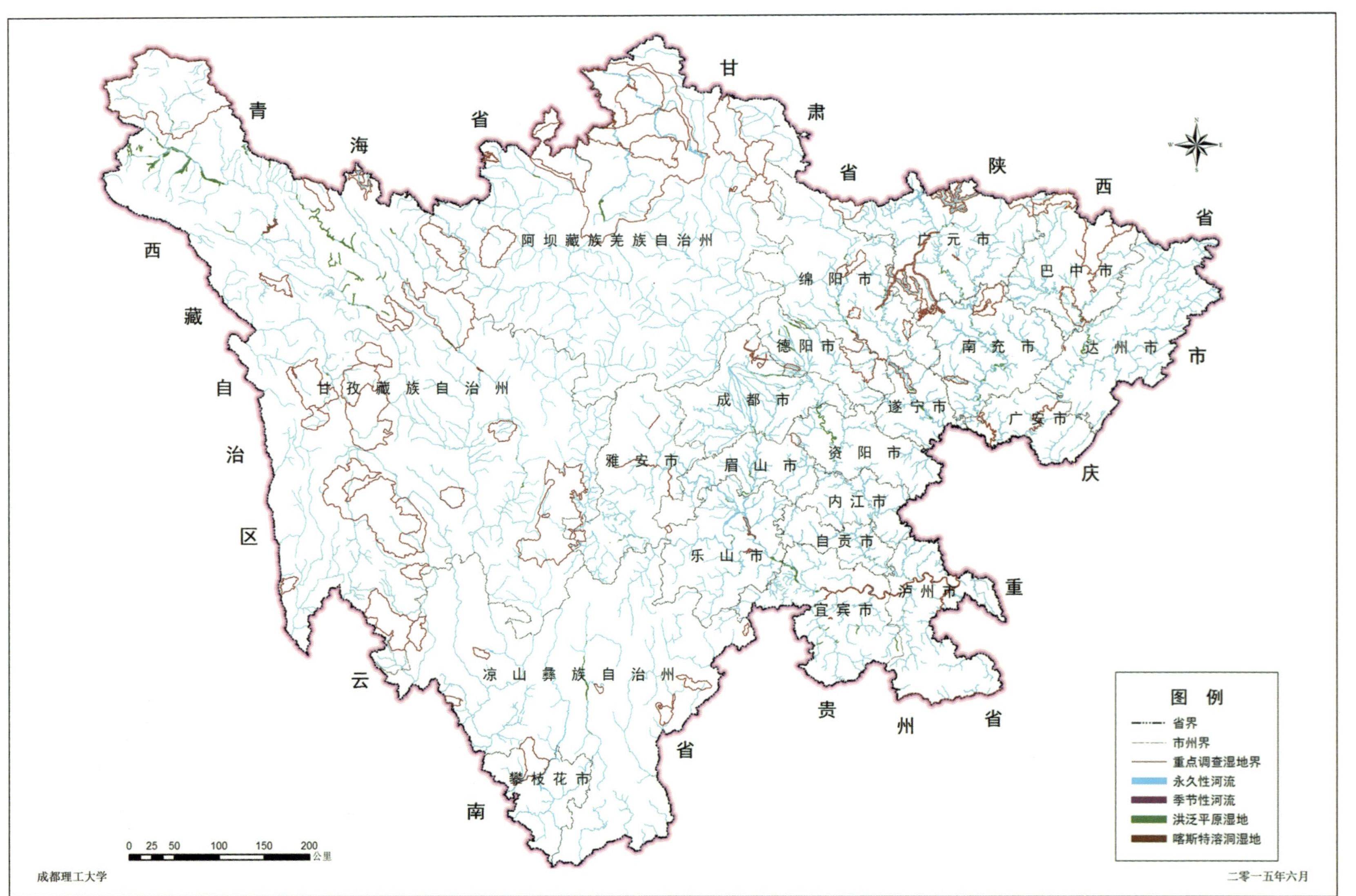

图 2-2 四川省河流湿地分布图

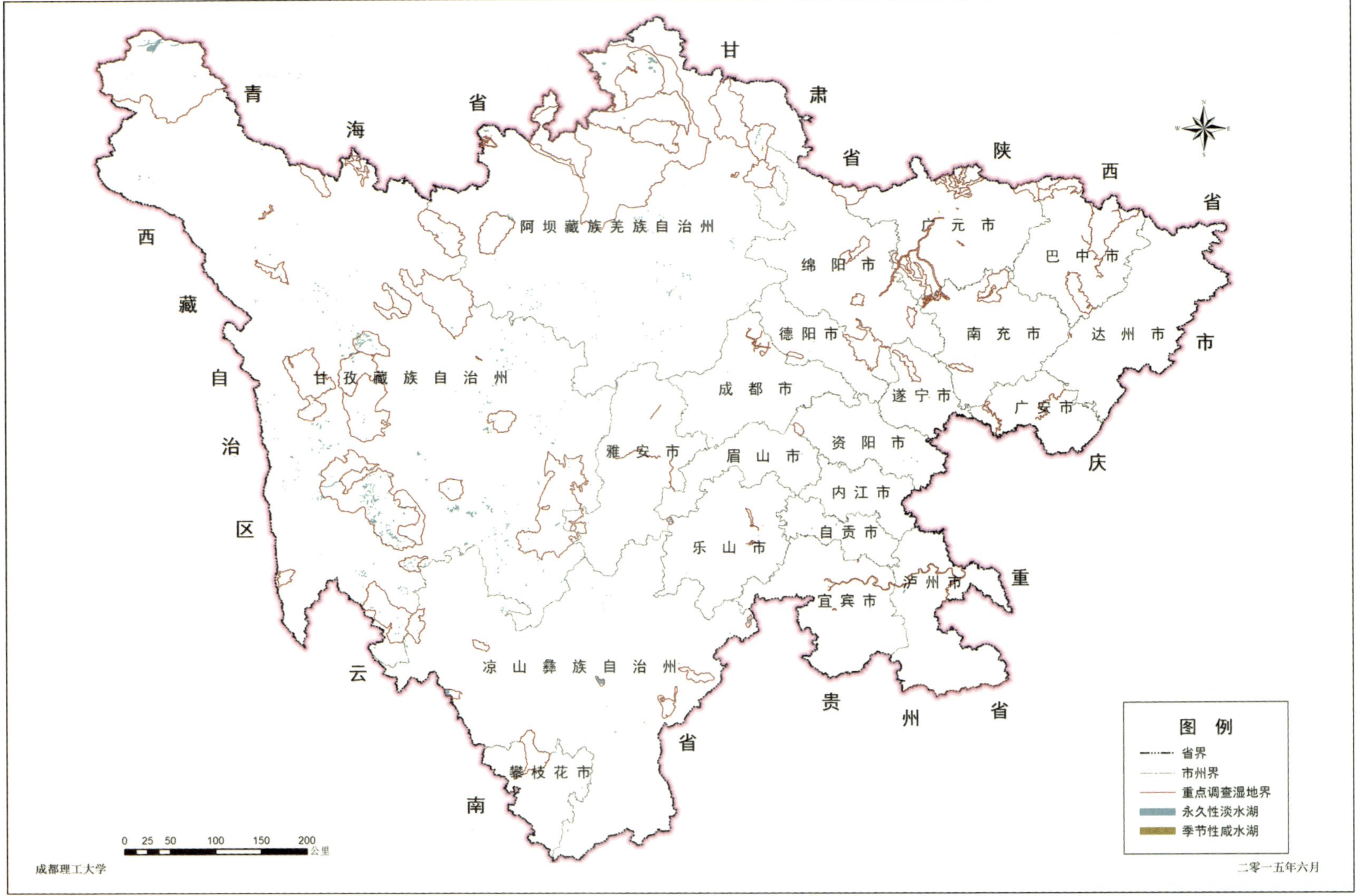

图 2-3　四川省湖泊湿地分布图

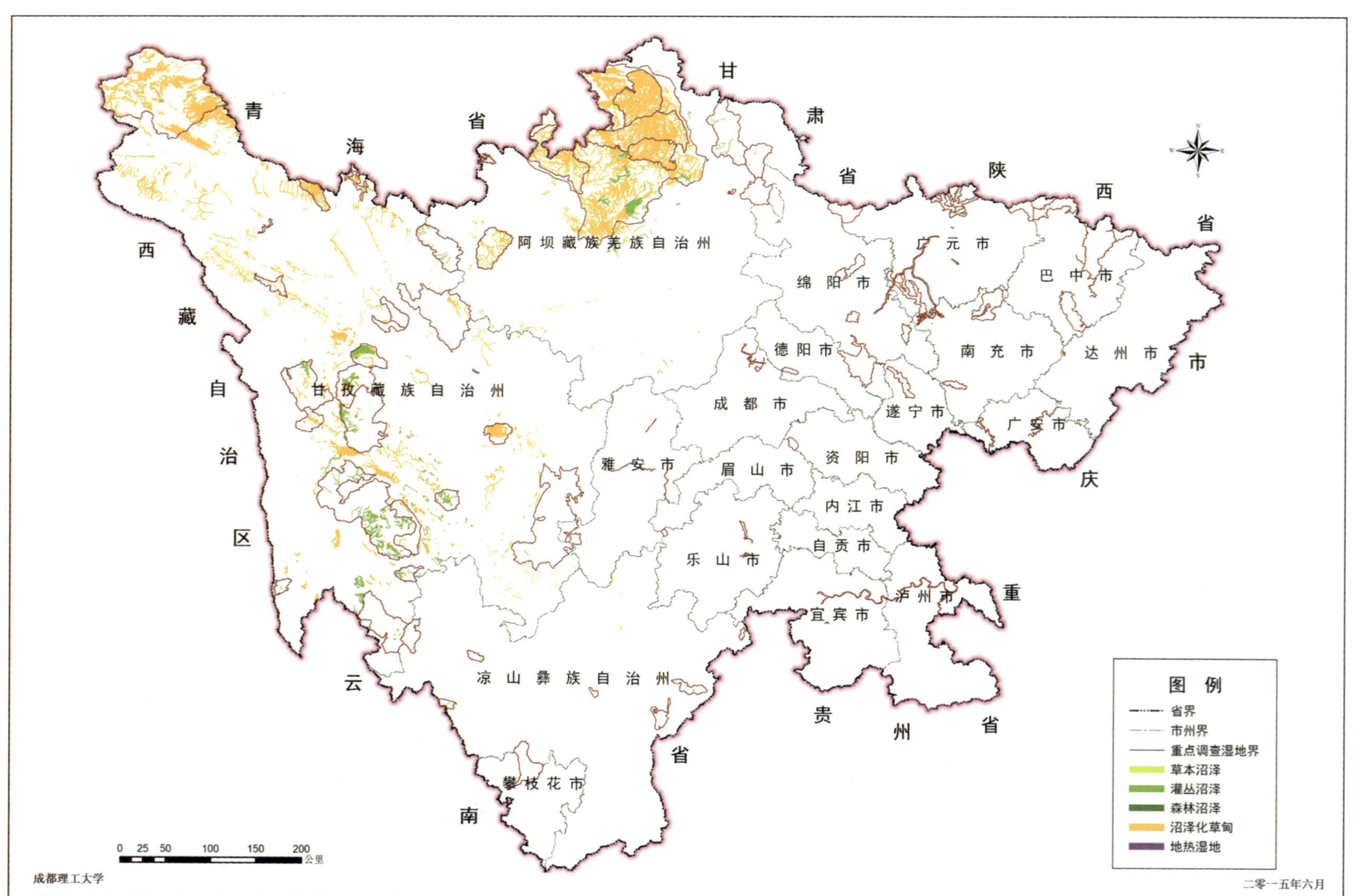

图 2-4 四川省沼泽湿地分布图

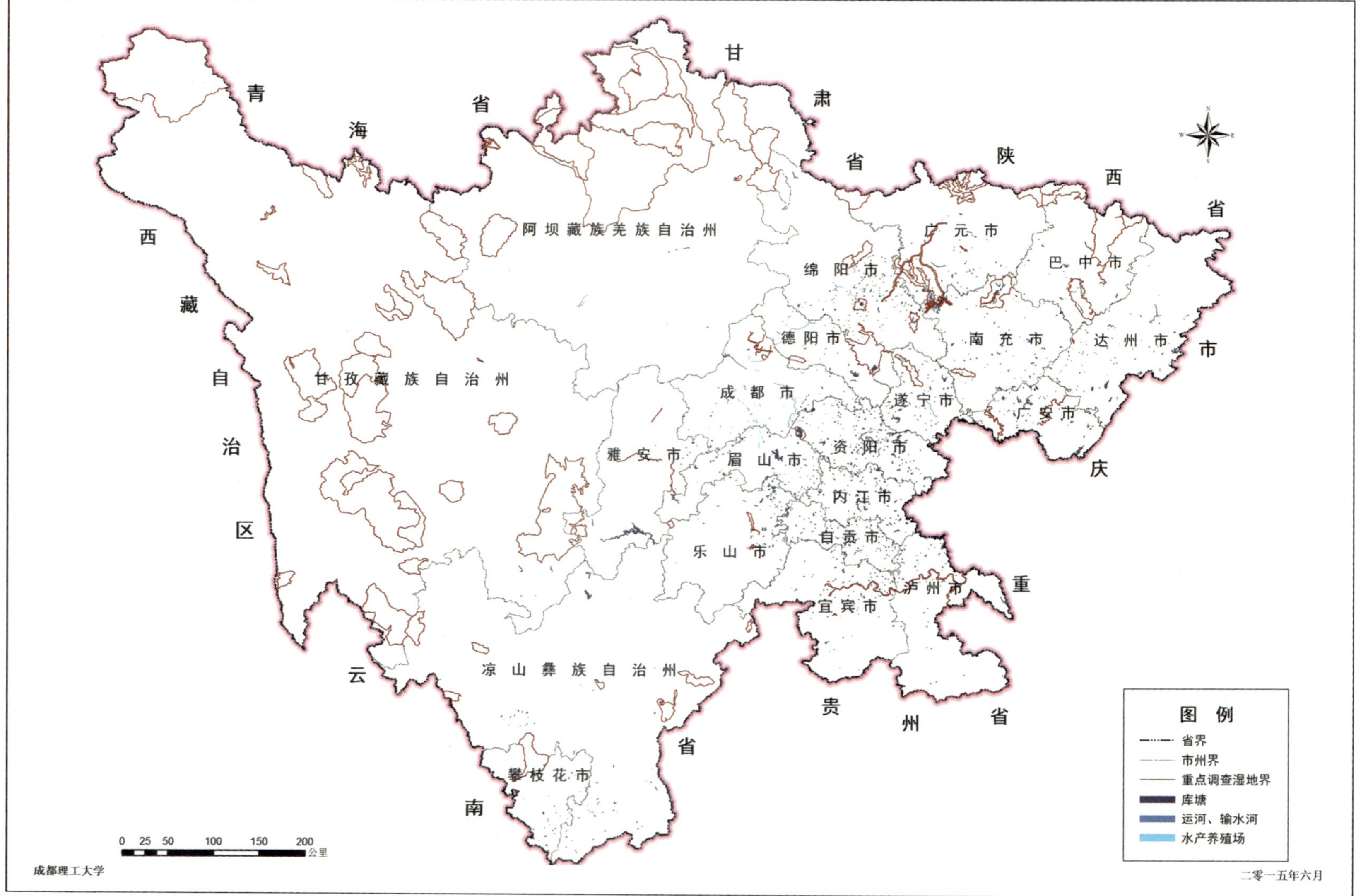

图 2-5　四川省人工湿地分布图

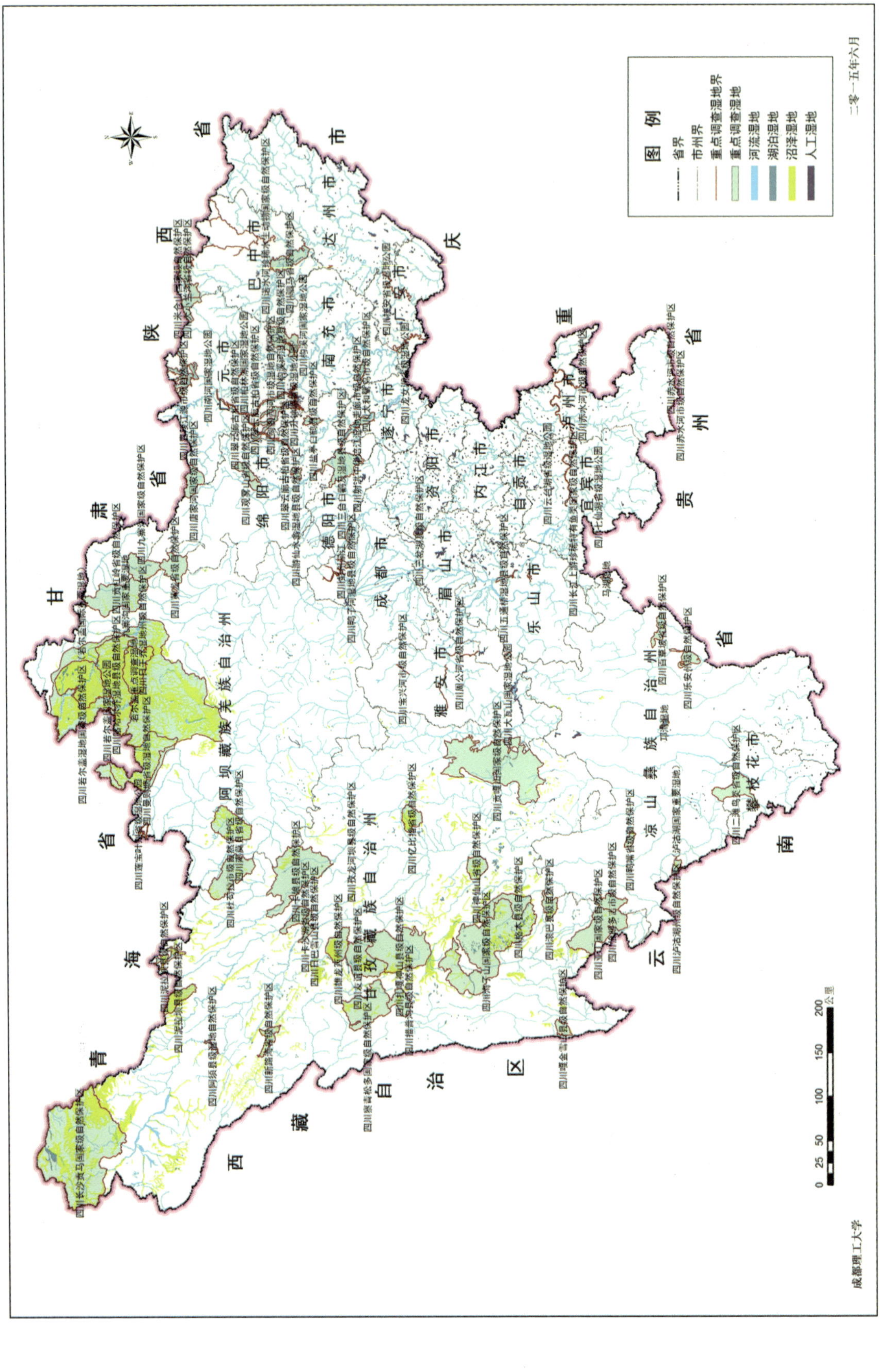

图 2-6 四川省重点调查湿地分布图

按照全国的统一技术规程，四川省第二次湿地资源调查范围覆盖四川省政区内各类湿地，包括面积8公顷(含8公顷)以上的湖泊湿地、沼泽湿地、人工湿地以及宽度10米以上、长度5公里以上的河流湿地。

表2-1　四川省湿地分类

代码	湿地类	代码	湿地型	备注
2	河流湿地	201	永久性河流	
		202	季节性河流	
		203	洪泛平原湿地	
		204	喀斯特溶洞湿地	
3	湖泊湿地	301	永久性淡水湖	
		303	季节性淡水湖	
4	沼泽湿地	401	藓类沼泽	未达到起调面积
		402	草本沼泽	
		403	灌丛沼泽	
		404	森林沼泽	
		407	沼泽化草甸	
		408	地热湿地	
		409	淡水泉/绿洲湿地	未达到起调面积
5	人工湿地	501	库塘	
		502	运河/输水河	
		503	水产养殖场	
		504	稻田/冬水田*	《四川统计年鉴2014》统计

* 稻田/冬水田未进行野外调查；其数据由《四川省统计年鉴2014》统计得出；以下相关论述均省略该湿地类型。

1.2　湿地概况

四川省幅员辽阔，地质构造及地貌类型复杂多变，土壤类型及结构丰富多样，气候条件及水文状况千差万别。四川湿地的形成与演化在上述复杂的地理格局及多样的自然环境影响下，孕育了众多的湿地类型，湿地资源丰富。

四川省湿地分布广、面积大、类型多，湿地类型和数量均位于我国各省前列。根据《湿地公约》对湿地类型的划分，全省共有4个湿地类，占全国湿地类总数的80%；有17个湿地型(野外调查14个湿地型)，占全国湿地型总数的50%。四川省湿地生物多样性丰富，全省有湿地野生脊椎动物5纲29目78科570种，湿地高等植物114科376属1008种。

调查结果显示，全省共有湿地斑块6699个(不计稻田/冬水田)，湿地面积达174.78万公顷，占全省国土面积的3.60%。其中自然湿地(包括湖泊湿地、河流湿地、沼泽湿地)湿地斑块4987个，自然湿地面积为166.56万公顷，占全省湿地总面积95.29%，占全省国土面积3.43%；人工湿地斑块1712个(不包括稻田/冬水田)，人工湿地面积为8.22万公顷，占湿地总面积4.71%，占全省国土面积0.17%(表2-2)。此外,四川省有水稻田湿地类型面积206.36万公顷(2013年),含水稻田的全省湿地面积为381.14万公顷,占全省国土面积的7.84%。

表2-2 四川省各类型湿地的面积及比例构成

湿地类	湿地型	面积与比例				湿地类面积(公顷)	比例(%)
		一般调查(公顷)	重点调查(公顷)	合计(公顷)	湿地型比例(%)		
河流湿地	永久性河流	330141.38	60425.15	390566.53	86.35	452289.00	25.88
	季节性河流	24.55	0	24.55	0.01		
	洪泛平原湿地	54037.87	7642.21	61680.08	13.64		
	喀斯特溶洞湿地	17.84	0	17.84	0.004		
湖泊湿地	永久性淡水湖	13182.87	23744.51	36927.38	98.94	37323.46	2.14
	季节性淡水湖	260.61	135.47	396.08	1.06		
沼泽湿地	草本沼泽	1541.57	2117.91	3659.48	0.31	1175936.84	67.28
	灌丛沼泽	22677.92	96389.68	119067.60	10.13		
	森林沼泽	179.40	0	179.40	0.02		
	沼泽化草甸	294691.17	758317.00	1053008.17	89.55		
	地热湿地	22.19	0	22.19	0.002		
人工湿地	库塘	63199.76	16606.50	79806.26	97.04	82239.53	4.71
	运河/输水河	1016.66	95.92	1112.58	1.35		
	水产养殖场	1162.48	158.21	1320.69	1.61		
总 计		782156.27	965632.56	1747788.83	400.00	1747788.83	100.00

2 主要湿地类与面积

2.1 四川湿地各湿地类及面积

四川省调查湿地共有4类14型,其中自然湿地包括河流湿地、湖泊湿地、沼泽湿地3类11型,人工湿地包括库塘、运河及输水河、水产养殖场3种类型。

从湿地类来看,全省河流湿地为45.23万公顷,占全省湿地总面积的25.88%;湖泊湿地3.73万公顷,占湿地总面积的2.14%;沼泽湿地117.59万公顷,占湿地总面积的67.28%;扣除稻田/冬水田后的人工湿地8.22万公顷,占湿地总面积的4.71%(图2-7)。

从湿地型来看,全省永久性河流湿地面积为39.06万公顷,占全省湿地总面积的22.35%;季节性或间歇性河流湿地不足0.01万公顷(24.55公顷),约占湿地总面积的0.001%;洪泛平原湿地6.17万公顷,占湿地总面积的3.53%;喀斯特溶洞湿地不足0.01万公顷(17.84公顷),约占湿地总面积的0.001%;永久性淡水湖湿地3.69万公顷,占湿地总面积的2.11%;季节性淡水湖湿地0.04万公顷,占湿地总面积的0.02%;草本沼泽湿地0.37万公顷,占湿地总面积的0.21%;灌丛沼泽湿地11.91万公顷,占湿地总面积的6.81%;森林沼泽湿地0.02万公顷,占湿地总面积的0.01%;沼泽化草甸湿地105.30万公顷,占湿地总面积的60.25%;地热湿地不足0.01万公顷

(22.19 公顷)，占湿地总面积的 0.001%；库塘湿地 7.98 万公顷，占湿地总面积的 4.57%；运河/输水河湿地 0.11 万公顷，占湿地总面积的 0.06%；水产养殖场湿地 0.13 万公顷，占湿地总面积的 0.08%(图 2-8)。

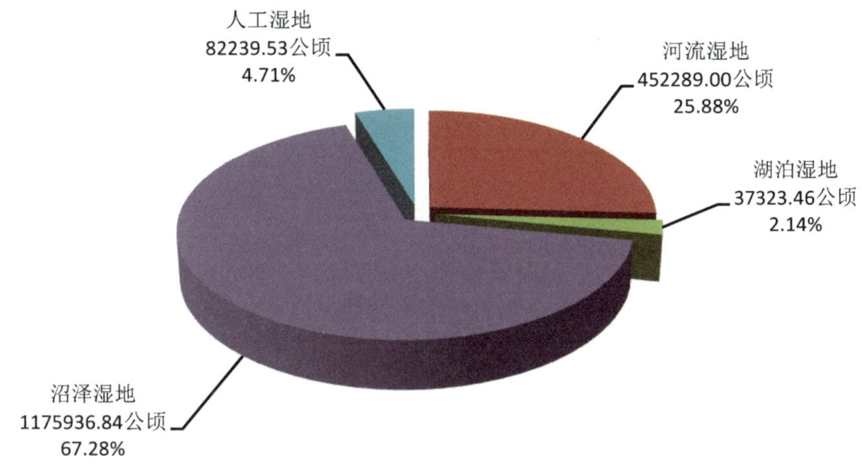

图 **2-7**　四川省各湿地类面积与比例构成

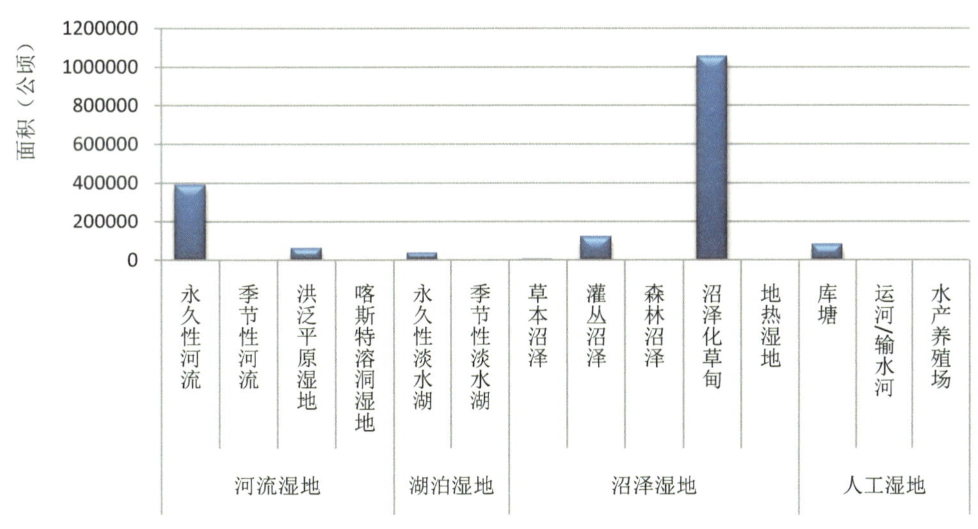

图 **2-8**　四川省各湿地型面积概况

2.2　各流域的湿地类及面积

根据水利部全国一、二、三级流域分类规定，四川省涉及 2 个一级流域，5 个二级流域，11 个三级流域，各流域代码及所涉及的市(州)、县级行政区情况详见表 2-3。

表 2-3 四川省一、二、三级流域代码及分布

一级流域（代码）	二级流域（代码）	三级流域（代码）	涉及市（州）	涉及县级行政区
黄河区（6）	龙羊峡以上（23）	河源至玛曲（109）	阿坝州	若尔盖县、红原县、阿坝县、松潘县
长江区（9）	金沙江石鼓以上（31）	直门达至石鼓（130）	甘孜州 凉山州	白玉县、石渠县、理塘县、巴塘县、乡城县、稻城县、得荣县、德格县、新龙县、木里县
	金沙江石鼓以下（32）	雅砻江（119）	攀枝花市 甘孜州 凉山州	西区、东区、米易县、盐边县、康定县、丹巴县、九龙县、得荣县、雅江县、道孚县、炉霍县、甘孜县、德格县、新龙县、白玉县、石渠县、色达县、理塘县、稻城县、西昌市、木里县、盐源县、德昌县、会理县、冕宁县
		石鼓以下干流（162）	攀枝花市 甘孜州 泸州市 乐山市 宜宾市 凉山州	西区、东区、仁和区、盐边县、稻城县、江阳区、纳溪区、合江县、叙永县、古蔺县、龙马潭区、泸县、马边县、翠屏区、宜宾县、南溪县、江安县、长宁县、高县、珙县、筠连县、兴文县、屏山县、会理县、会东县、宁南县、普格县、布拖县、金阳县、昭觉县、喜德县、越西县、美姑县、雷波县
	岷沱江（33）	大渡河（123）	乐山市 雅安市 阿坝州 甘孜州 凉山州	沙湾区、五通桥区、峨边县、峨眉山市、乐山市中区、金口河区、沐川县、汉源县、石棉县、金川县、小金县、马尔康县 壤塘县、阿坝县、红原县、康定县、泸定县、丹巴县、九龙县、道孚县、甘孜县、色达县、冕宁县、越西县、甘洛县
		青衣江和岷江干流（128）	成都市 自贡市 内江市 乐山市 眉山市 宜宾市 雅安市 阿坝州 凉山州	锦江区、青羊区、金牛区、武侯区、成华区、新都区、龙泉驿区、温江区、双流县、大邑县、蒲江县、新津县、郫县、彭州市、都江堰市、邛崃市、崇州市、荣县、威远县、乐山市中区、五通桥区、金口河区、犍为县、井研县、夹江县、沐川县、马边县、峨眉山市、东坡区、仁寿县、彭山县、洪雅县、丹棱县、青神县、翠屏区、宜宾县、屏山县、雨城区、名山县、荥经县、天全县、芦山县、宝兴县、汶川县、理县、茂县、松潘县、黑水县、美姑县、雷波县

一级流域（代码）	二级流域（代码）	三级流域（代码）	涉及市(州)	涉及县级行政区
长江区（9）	青衣江和岷江干流（128）	沱　江（145）	成都市 自贡市 泸州市 德阳市 绵阳市 内江市 乐山市 眉山市 宜宾市 资阳市	龙泉驿区、青白江区、新都区、金堂县、彭州市、自流井区、贡井区、大安区、沿滩区、荣县、富顺县、江阳区、龙马潭区、泸县、旌阳区、中江县、罗江县、广汉市、什邡市、绵竹市、安县、内江市中区、东兴区、威远县、资中县、隆昌县、乐山市中区、井研县、仁寿县、宜宾县、南溪县、江安县、雁江区、安岳县、乐至县、简阳市
	嘉陵江（34）	广元昭化以上（117）	绵阳市 广元市 巴中市 阿坝州	江油市、利州区、元坝区、朝天区、旺苍县、青川县、剑阁县、南江县、九寨沟县、若尔盖县
		涪　江（139）	成都市 德阳市 绵阳市 广元市 遂宁市 南充市 资阳市 阿坝州	新都区、彭州市、旌阳区、中江县、罗江县、涪城区、游仙区、三台县、盐亭县、安县、梓潼县、北川县、平武县、江油市、剑阁县、船山区、安居区、蓬溪县、射洪县、大英县、南部县、西充县、安岳县、乐至县、茂县、松潘县
		广元昭化以下干流（132）	广元市 遂宁市 南充市 广安市 达州市 巴中市	利州区、元坝区、旺苍县、剑阁县、苍溪县、蓬溪县、顺庆区、高坪区、嘉陵区、南部县、营山县、蓬安县、西充县、阆中市、仪陇县、岳池县、武胜县、达县、南江县
		渠　江（135）	广元市 南充市 广安市 达州市 巴中市	旺苍县、营山县、蓬安县、仪陇县、阆中市、广安区、岳池县、邻水县、华蓥市、通川区、达县、宣汉县、开江县、大竹县、渠县、万源市、巴州区、通江县、南江县、平昌县

2.2.1　一级流域的湿地类及面积

四川省一级流域包括黄河区和长江区。黄河区仅涉及阿坝州的部分县域，包括若尔盖县、红原县、阿坝县、松潘县，在全省一级流域中分布狭窄，面积较小；黄河区涉及四川省 21 市(州)、181 县(市、区、自治县)，在全省一级流域中分布范围广，面积较大。

四川省一级流域中，黄河区湿地面积为 56.48 万公顷，占四川湿地总面积的 32.31%；长江区湿地面积为 118.30 万公顷，占全省湿地总面积的 67.69%（表 2-4）。

表 2-4 四川省一级流域各湿地类面积统计(公顷)

湿地类 一级流域	河流湿地	湖泊湿地	沼泽湿地	人工湿地	合　计
黄河区	19118.84	2875.60	542750.66	0	564745.10
长江区	433170.16	34447.86	633186.18	82239.53	1183043.73
总　计	452289.00	37323.46	1175936.84	82239.53	1747788.83

从湿地类来看，河流湿地、湖泊湿地、沼泽湿地、人工湿地 4 个湿地类主要分布于长江区，分布面积分别占全省各湿地类总面积的 95.78%、92.49%、53.85%、100%。

2.2.2 二级流域的湿地类及面积

四川省分布有 5 个二级流域，包括龙羊峡以上、金沙江石鼓以上、金沙江石鼓以下、岷沱江、嘉陵江。

四川省二级流域中，金沙江石鼓以下、龙羊峡以上流域湿地分布面积较大，分别占全省调查湿地总面积的 37.55%、32.31%；其次是岷沱江流域，湿地面积占全省调查湿地总面积的 13.24%；嘉陵江、金沙江石鼓以上流域分布的湿地面积最小，分别仅占全省调查湿地总面积的 9.65%、7.25%(表 2-5)。

表 2-5 四川省二级流域各湿地类面积统计(公顷)

湿地类 二级流域	河流湿地	湖泊湿地	沼泽湿地	人工湿地	合　计
龙羊峡以上	19118.84	2875.60	542750.66	0	564745.10
金沙江石鼓以上	19421.79	6372.07	100814.83	69.04	126677.73
金沙江石鼓以下	142992.85	23544.78	482269.40	7425.47	656232.50
岷沱江	142801.26	3879.38	48447.06	36341.14	231468.84
嘉陵江	127954.26	651.63	1654.89	38403.88	168664.66
总　计	452289.00	37323.46	1175936.84	82239.53	1747788.83

从湿地类来看，河流湿地面积分布较大的二级流域有金沙江石鼓以下、岷沱江、嘉陵江流域，其河流湿地面积分别占全省河流湿地总面积的 31.62%、31.57%、28.29%。湖泊湿地面积较大的二级流域有金沙江石鼓以下、金沙江石鼓以上、岷沱江流域，其湖泊湿地面积分别占全省湖泊湿地总面积的 63.08%、17.07%、10.39%。沼泽湿地面积较大的二级流域有龙羊峡以上、金沙江石鼓以下流域，其沼泽湿地面积分别占全省沼泽湿地总面积的 46.15%、41.01%。人工湿地面积分布较大的二级流域有嘉陵江、岷沱江流域，其人工湿地面积分别占全省人工湿地总面积的 46.70%、44.19%。

2.2.3 三级流域的湿地类及面积

四川省分布有 11 个三级流域，分别为河源至玛曲、直门达至石鼓、雅砻江、石鼓以下干流、大渡河、青衣江和岷江干流、沱江、广元昭化以上、涪江、广元昭化以下干流、渠江流域。其中雅砻江、石鼓以下干流同属于金沙江石鼓以下二级流域，大渡河、青衣江和岷江干流、沱江同属于岷沱江二级流域，广元昭化以上、涪江、广元昭化以下干流、渠江同属于嘉陵江二级流域。其他三级流域与相应二级流域一一对应，湿地分布情况一致。

四川省三级流域中以雅砻江、河源至玛曲、直门达至石鼓流域的湿地分布面积较大，分别占全省湿地总面积的34.72%、32.31%、7.25%；其次大渡河、青衣江和岷江干流流域，湿地面积分别占全省湿地总面积的5.53%、4.78%；石鼓以下干流、广元昭化以下干流、涪江、沱江、渠江流域湿地面积较小，湿地面积分别占全省湿地总面积的2.82%~2.99%左右；广元昭化以上流域湿地面积最小，仅占全省湿地总面积的0.90%（表2-6）。

表2-6　四川省三级流域各湿地类面积统计（公顷）

三级流域＼湿地类	河流湿地	湖泊湿地	沼泽湿地	人工湿地	合　计
河源至玛曲	19118.84	2875.60	542750.66	0	564745.10
直门达至石鼓	19421.79	6372.07	100814.83	69.04	126677.73
雅砻江	98836.20	22457.68	482079.61	3523.08	606896.57
石鼓以下干流	44156.65	1087.10	189.79	3902.39	49335.93
大渡河	43304.31	2208.85	42737.48	8382.21	96632.85
青衣江和岷江干流	64972.91	1468.45	5709.58	11343.83	83494.77
沱　江	34524.04	202.08	0	16615.10	51341.22
广元昭化以上	13489.32	490.60	1595.07	141.98	15716.97
涪　江	38986.37	161.03	59.82	11819.42	51026.64
广元昭化以下干流	36208.60	0	0	13440.50	49649.10
渠　江	39269.97	0	0	13001.98	52271.95
总　计	452289.00	37323.46	1175936.84	82239.53	1747788.83

从湿地类来看，河流湿地面积较大的三级流域有雅砻江、青衣江和岷江干流，其河流湿地面积分别占全省河流湿地总面积的21.85%、14.37%。湖泊湿地面积较大的三级流域有雅砻江、直门达至石鼓，其湖泊湿地面积分别占全省湖泊湿地总面积的60.17%、17.07%。沼泽湿地面积较大的三级流域有河源至玛曲、雅砻江，其沼泽湿地面积分别占全省沼泽湿地总面积的46.15%、41.00%。人工湿地面积较大的三级流域有沱江、广元昭化以下干流、渠江、涪江、青衣江和岷江干流、大渡河，其人工湿地面积分别占全省人工湿地总面积的20.20%、16.34 %、15.81%、14.37%、13.79%、10.19%。

2.3　各湿地区的湿地类及面积

湿地区是指由多块湿地斑块组成的、具有一定的水文联系和生态功能的湿地复合体。参照《全国湿地资源调查技术规程（试行）》《四川省湿地调查实施细则》，同时根据四川实际情况，四川省共划分为205个湿地区，包括单独区划湿地区26个，零星湿地区179个。四川省各湿地区的湿地类面积见表2-7。

单独区划的湿地区中湿地面积为112.42万公顷，占全省湿地总面积的64.32%。单独区划湿地区中以若尔盖高原沼泽、长沙贡玛高原湿地分布的湿地面积较大，分别占全省湿地总面积的33.89%、13.77%。马湖湿地、九寨沟湿地、黄龙湿地分布的湿地面积最小，分别仅占全省湿地总面积的0.04%、0.03%、0.003%。

零星湿地区中湿地面积为62.36万公顷，占全省湿地总面积的35.68%。零星湿地区中以理塘县零星湿地区、石渠县零星湿地区、新龙县零星湿地区分布的湿地面积较大，分别占全省湿地总面积的4.41%、3.25%、2.91%。青羊区零星湿地区、西区零星湿地区、沙湾区零星湿地区分布的湿地面积最小，分别仅占全省湿地总面积的0.005%、0.004%、0.002%。

表2-7 四川省各湿地区的湿地类面积概况(公顷)

湿地类 / 湿地区	河流湿地	湖泊湿地	沼泽湿地	人工湿地	合 计
四川省各湿地区湿地面积总计	452289.00	37323.46	1175936.84	82239.53	1747788.83
单独区划湿地区	218993.10	22265.52	852749.15	30212.64	1124220.41
若尔盖高原沼泽	24863.09	3441.13	564078.67	0	592382.89
亿比措高原沼泽	889.94	909.35	22627.62	0	24426.91
长沙贡玛高原湿地	2983.82	6280.34	231322.63	0	240586.79
九寨沟湿地	0	453.68	96.85	0	550.53
黄龙湿地	0	0	49.91	0	49.91
海子山湿地	724.90	4893.33	29243.62	0	34861.85
泸沽湖	22.07	2509.86	530.36	0	3062.29
马湖湿地	0	701.63	0	29.43	731.06
邛海湿地	17.56	2644.45	0	217.00	2879.01
长江干流四川段	16681.00	0	0	224.99	16905.99
金沙江干流	17168.31	62.37	197.55	112.16	17540.39
岷江干流	29443.43	73.11	47.18	1966.93	31530.65
沱江干流	15701.69	82.68	0	216.33	16000.70
嘉陵江干流	23559.58	0	0	3306.09	26865.67
雅砻江干流	30228.08	118.16	4494.94	8.56	34849.74
大渡河干流	15217.54	10.15	0	7418.63	22646.32
涪江干流	19168.54	58.67	59.82	408.16	19695.19
渠江干流	12113.78	0	0	2863.95	14977.73
二滩水库区	5394.59	0	0	0	5394.59
升钟湖库区	28.70	0	0	5415.53	5444.23

（续）

湿地区＼湿地类	河流湿地	湖泊湿地	沼泽湿地	人工湿地	合 计
宝珠寺水库	3894.48	0	0	0	3894.48
黑龙滩水库	0	0	0	1982.79	1982.79
大桥水库	10.82	0	0	2062.77	2073.59
江口水库	881.18	0	0	683.06	1564.24
鲁班水库	0	0	0	1219.03	1219.03
三岔湖	0	26.61	0	2077.23	2103.84
零星湿地区	233295.9	15057.94	323187.69	52026.89	623568.42
成都市	12370.06	166.55	0	2210.66	14747.27
锦江区零星湿地区	89.80	0	0	16.51	106.31
青羊区零星湿地区	82.31	0	0	0	82.31
金牛区零星湿地区	119.17	0	0	0	119.17
武侯区零星湿地区	117.41	0	0	0	117.41
成华区零星湿地区	50.01	120.51	0	55.48	226.00
龙泉驿区零星湿地区	131.26	0	0	577.75	709.01
青白江区零星湿地区	396.96	0	0	8.87	405.83
新都区零星湿地区	1074.42	0	0	16.74	1091.16
温江区零星湿地区	186.21	0	0	0	186.21
金堂县零星湿地区	659.99	0	0	218.34	878.33
双流县零星湿地区	1004.57	0	0	206.60	1211.17
郫县零星湿地区	590.26	0	0	29.33	619.59
大邑县零星湿地区	917.00	0	0	98.08	1015.08
蒲江县零星湿地区	628.33	16.03	0	235.91	880.27
新津县零星湿地区	362.46	0	0	117.38	479.84
都江堰市零星湿地区	453.53	21.89	0	43.81	519.23
彭州市零星湿地区	2384.45	8.12	0	216.93	2609.50
邛崃市零星湿地区	2087.64	0	0	90.49	2178.13
崇州市零星湿地区	1034.28	0	0	278.44	1312.72
自贡市	2633.44	46.04	0	2411.26	5090.74
自流井区零星湿地区	156.29	0	0	0	156.29
贡井区零星湿地区	147.56	17.31	0	26.29	191.16
大安区零星湿地区	160.46	0	0	147.88	308.34

（续）

湿地区＼湿地类	河流湿地	湖泊湿地	沼泽湿地	人工湿地	合 计
沿滩区零星湿地区	347.87	0	0	569.83	917.70
荣县零星湿地区	1064.21	12.81	0	856.01	1933.03
富顺县零星湿地区	757.05	15.92	0	811.25	1584.22
攀枝花市	1802.62	15.85	0	826.58	2645.05
东区零星湿地区	0	0	0	193.71	193.71
西区零星湿地区	48.73	0	0	15.67	64.40
仁和区零星湿地区	179.23	0	0	344.97	524.20
米易县零星湿地区	1352.19	15.85	0	164.80	1532.84
盐边县零星湿地区	222.47	0	0	107.43	329.90
泸州市	5983.45	78.50	0	1688.34	7750.29
江阳区零星湿地区	10.89	0	0	131.37	142.26
纳溪区零星湿地区	670.07	78.50	0	96.20	844.77
龙马潭区零星湿地区	100.71	0	0	70.27	170.98
泸县零星湿地区	1029.10	0	0	1052.72	2081.82
合江县零星湿地区	1788.26	0	0	173.03	1961.29
叙永县零星湿地区	1326.38	0	0	115.34	1441.72
古蔺县零星湿地区	1058.04	0	0	49.41	1107.45
德阳市	8362.18	9.68	0	2038.60	10410.46
旌阳区零星湿地区	572.04	9.68	0	240.42	822.14
中江县零星湿地区	1552.40	0	0	1169.62	2722.02
罗江县零星湿地区	426.56	0	0	219.63	646.19
广汉市零星湿地区	1942.24	0	0	115.98	2058.22
什邡市零星湿地区	1712.71	0	0	82.48	1795.19
绵竹市零星湿地区	2156.23	0	0	210.47	2366.70
绵阳市	12827.93	42.65	0	4561.48	17432.06
涪城区零星湿地区	494.27	0	0	284.05	778.32
游仙区零星湿地区	926.29	0	0	1163.30	2089.59
三台县零星湿地区	1337.53	13.91	0	329.26	1680.70
盐亭县零星湿地区	2011.42	0	0	420.76	2432.18
安县零星湿地区	2090.81	0	0	334.51	2425.32
梓潼县零星湿地区	2122.09	0	0	901.72	3023.81

（续）

湿地类 / 湿地区	河流湿地	湖泊湿地	沼泽湿地	人工湿地	合　计
北川羌族自治县零星湿地区	1323.94	0	0	0	1323.94
平武县零星湿地区	589.26	0	0	323.41	912.67
江油市零星湿地区	1932.32	28.74	0	804.47	2765.53
广元市	11875.37	9.68	0	1604.57	13489.62
利州区零星湿地区	1378.80	9.68	0	91.84	1480.32
元坝区零星湿地区	432.22	0	0	425.08	857.30
朝天区零星湿地区	798.01	0	0	0	798.01
旺苍县零星湿地区	2626.66	0	0	10.76	2637.42
青川县零星湿地区	2553.38	0	0	0	2553.38
剑阁县零星湿地区	1592.41	0	0	618.94	2211.35
苍溪县零星湿地区	2493.89	0	0	457.95	2951.84
遂宁市	2816.34	0	0	2647.60	5463.94
船山区零星湿地区	56.71	0	0	73.02	129.73
安居区零星湿地区	884.02	0	0	811.98	1696.00
蓬溪县零星湿地区	410.51	0	0	938.04	1348.55
射洪县零星湿地区	892.08	0	0	260.80	1152.88
大英县零星湿地区	573.02	0	0	563.76	1136.78
内江市	2772.88	0	0	3920.90	6693.78
内江市中区零星湿地区	135.82	0	0	390.66	526.48
东兴区零星湿地区	643.04	0	0	702.42	1345.46
威远县零星湿地区	606.57	0	0	833.01	1439.58
资中县零星湿地区	1007.73	0	0	1180.34	2188.07
隆昌县零星湿地区	379.72	0	0	814.47	1194.19
乐山市	7579.28	195.28	65.02	3072.46	10912.04
乐山市中区零星湿地区	1424.01	0	0	375.62	1799.63
沙湾区零星湿地区	30.91	0	0	0	30.91
五通桥区零星湿地区	312.07	0	0	94.07	406.14
金口河区零星湿地区	0	164.55	65.02	0	229.57
犍为县零星湿地区	150.78	19.94	0	831.01	1001.73
井研县零星湿地区	703.80	0	0	1413.20	2117.00
夹江县零星湿地区	2306.46	0	0	172.96	2479.42

（续）

湿地类 湿地区	河流湿地	湖泊湿地	沼泽湿地	人工湿地	合 计
沐川县零星湿地区	698. 90	0	0	26. 11	725. 01
峨边自治县零星湿地区	847. 28	10. 79	0	25. 18	883. 25
马边彝族自治县	526. 93	0	0	0	526. 93
峨眉山市零星湿地区	578. 14	0	0	134. 31	712. 45
南充市	8795. 35	0	0	3084. 37	11879. 72
顺庆区零星湿地区	559. 14	0	0	97. 63	656. 77
高坪区零星湿地区	280. 44	0	0	148. 17	428. 61
嘉陵区零星湿地区	832. 88	0	0	45. 97	878. 85
南部县零星湿地区	2243. 92	0	0	256. 93	2500. 85
营山县零星湿地区	1323. 72	0	0	740. 81	2064. 53
蓬安县零星湿地区	243. 09	0	0	358. 62	601. 71
仪陇县零星湿地区	1757. 28	0	0	167. 97	1925. 25
西充县零星湿地区	818. 52	0	0	349. 50	1168. 02
阆中市零星湿地区	736. 36	0	0	918. 77	1655. 13
眉山市	6429. 30	17. 50	0	2655. 13	9101. 93
东坡区零星湿地区	826. 07	0	0	336. 04	1162. 11
仁寿县零星湿地区	1511. 79	17. 50	0	811. 20	2340. 49
彭山县零星湿地区	327. 34	0	0	139. 83	467. 17
洪雅县零星湿地区	3271. 27	0	0	1089. 67	4360. 94
丹棱县零星湿地区	220. 44	0	0	156. 74	377. 18
青神县零星湿地区	272. 39	0	0	121. 65	394. 04
宜宾市	7577. 70	0	0	1724. 59	9302. 29
翠屏区零星湿地区	323. 12	0	0	433. 41	756. 53
宜宾县零星湿地区	1872. 96	0	0	242. 39	2115. 35
南溪县零星湿地区	100. 85	0	0	157. 61	258. 46
江安县零星湿地区	221. 72	0	0	205. 57	427. 29
长宁县零星湿地区	593. 90	0	0	171. 57	765. 47
高县零星湿地区	1481. 98	0	0	296. 28	1778. 26
珙县零星湿地区	857. 80	0	0	85. 40	943. 20
筠连县零星湿地区	715. 10	0	0	50. 40	765. 50
兴文县零星湿地区	641. 17	0	0	60. 69	701. 86

（续）

湿地区＼湿地类	河流湿地	湖泊湿地	沼泽湿地	人工湿地	合　计
屏山县零星湿地区	769.10	0	0	21.27	790.37
广安市	2748.46	0	0	4780.39	7528.85
广安区零星湿地区	418.63	0	0	645.90	1064.53
岳池县零星湿地区	391.81	0	0	2062.52	2454.33
武胜县零星湿地区	647.82	0	0	240.09	887.91
邻水县零星湿地区	1233.85	0	0	1586.59	2820.44
华蓥市零星湿地区	56.35	0	0	245.29	301.64
达州市	13353.05	0	0	3645.50	16998.55
通川区零星湿地区	566.76	0	0	0	566.76
达县零星湿地区	2886.77	0	0	660.10	3546.87
宣汉县零星湿地区	3618.41	0	0	135.26	3753.67
开江县零星湿地区	520.81	0	0	880.63	1401.44
大竹县零星湿地区	1130.27	0	0	1243.37	2373.64
渠县零星湿地区	1268.89	0	0	693.37	1962.26
万源市零星湿地区	3361.14	0	0	32.77	3393.91
雅安市	8024.82	12.97	0	358.49	8396.28
雨城区零星湿地区	1672.63	0	0	38.01	1710.64
名山县零星湿地区	388.39	0	0	310.62	699.01
荥经县零星湿地区	954.79	0	0	0	954.79
汉源县零星湿地区	995.63	0	0	0	995.63
石棉县零星湿地区	1092.22	12.97	0	0	1105.19
天全县零星湿地区	1050.33	0	0	9.86	1060.19
芦山县零星湿地区	960.38	0	0	0	960.38
宝兴县零星湿地区	910.45	0	0	0	910.45
巴中市	9142.34	0	0	1270.33	10412.67
巴州区零星湿地区	2563.35	0	0	511.16	3074.51
通江县零星湿地区	3214.75	0	0	10.24	3224.99
南江县零星湿地区	1485.68	0	0	199.50	1685.18
平昌县零星湿地区	1878.56	0	0	549.43	2427.99
资阳市	3411.34	44.66	0	6382.87	9838.87
雁江区零星湿地区	573.10	0	0	1417.04	1990.14

（续）

湿地类 湿地区	河流湿地	湖泊湿地	沼泽湿地	人工湿地	合 计
安岳县零星湿地区	1412.18	44.66	0	1748.78	3205.62
乐至县零星湿地区	193.90	0	0	1940.27	2134.17
简阳市零星湿地区	1232.16	0	0	1276.78	2508.94
阿坝州	19571.35	1828.25	11154.67	283.34	32837.61
汶川县零星湿地区	1692.17	96.16	712.18	38.01	2538.52
理县零星湿地区	1082.54	402.63	70.61	14.59	1570.37
茂县零星湿地区	960.93	240.85	0	0	1201.78
松潘县零星湿地区	2099.56	73.57	253.90	0	2427.03
九寨沟县零星湿地区	1462.11	27.24	974.88	0	2464.23
金川县零星湿地区	1808.17	474.38	2290.93	101.06	4674.54
小金县零星湿地区	2637.95	165.48	533.22	0	3336.65
黑水县零星湿地区	1045.57	176.84	358.73	129.68	1710.82
马尔康县零星湿地区	2863.72	111.21	0	0	2974.93
壤塘县零星湿地区	2968.55	59.89	5482.78	0	8511.22
若尔盖县零星湿地区	950.08	0	477.44	0	1427.52
甘孜州	66760.89	12126.24	310369.38	384.75	389641.26
康定县零星湿地区	4177.85	1161.79	6869.51	0	12209.15
泸定县零星湿地区	590.63	9.05	0	0	599.68
丹巴县零星湿地区	1588.58	233.68	749.99	0	2572.25
九龙县零星湿地区	1425.17	590.69	2639.41	354.23	5009.50
雅江县零星湿地区	1911.96	2902.19	18201.57	0	23015.72
道孚县零星湿地区	3000.43	446.10	3147.12	0	6593.65
炉霍县零星湿地区	2408.89	140.11	4568.60	0	7117.60
甘孜县零星湿地区	10518.79	94.86	16213.50	0	26827.15
新龙县零星湿地区	1834.93	1785.90	47204.73	21.49	50847.05
德格县零星湿地区	3643.71	524.78	17809.88	0	21978.37
白玉县零星湿地区	3928.45	643.83	17226.52	0	21798.80
石渠县零星湿地区	15860.32	203.40	40754.88	0	56818.60
色达县零星湿地区	5879.91	29.26	28872.84	0	34782.01
理塘县零星湿地区	3335.92	738.63	73030.35	0	77104.90
巴塘县零星湿地区	1366.22	1569.52	5720.39	0	8656.13

（续）

湿地类 湿地区	河流湿地	湖泊湿地	沼泽湿地	人工湿地	合　计
乡城县零星湿地区	2246. 61	302. 71	13882. 36	0	16431. 68
稻城县零星湿地区	2106. 12	749. 74	7220. 91	0	10076. 77
得荣县零星湿地区	936. 40	0	6256. 82	9. 03	7202. 25
凉山州	18457. 75	464. 09	1598. 62	2474. 68	22995. 14
西昌市零星湿地区	2770. 50	0	0	54. 19	2824. 69
木里藏族自治县	2961. 27	115. 50	311. 38	0	3388. 15
盐源县零星湿地区	2828. 62	0	0	419. 81	3248. 43
德昌县零星湿地区	1112. 54	0	0	110. 93	1223. 47
会理县零星湿地区	1109. 65	120. 91	0	615. 08	1845. 64
会东县零星湿地区	643. 01	0	0	342. 52	985. 53
宁南县零星湿地区	346. 17	0	0	72. 07	418. 24
普格县零星湿地区	383. 85	44. 10	0	0	427. 95
布拖县零星湿地区	395. 95	50. 20	26. 71	81. 08	553. 94
金阳县零星湿地区	336. 12	0	163. 08	0	499. 20
昭觉县零星湿地区	802. 22	19. 06	0	9. 31	830. 59
喜德县零星湿地区	423. 77	0	0	0	423. 77
冕宁县零星湿地区	706. 17	26. 05	0	748. 88	1481. 10
越西县零星湿地区	651. 52	43. 26	769. 70	20. 81	1485. 29
甘洛县零星湿地区	1454. 84	0	327. 75	0	1782. 59
美姑县零星湿地区	1081. 71	0	0	0	1081. 71
雷波县零星湿地区	449. 84	45. 01	0	0	494. 85

从湿地类来看，在单独区划湿地区中，河流湿地面积较大的有雅砻江干流、岷江干流、若尔盖高原沼泽、嘉陵江干流，分别占全省河流湿地总面积的 6. 68%、6. 51%、5. 50%、5. 21%。湖泊湿地面积较大有长沙贡玛高原湿地、海子山湿地、若尔盖高原沼泽、邛海湿地、泸沽湖，分别占全省湖泊湿地总面积的 16. 83%、13. 11%、9. 22%、7. 09%、6. 72%。沼泽湿地面积较大的有若尔盖高原沼泽、长沙贡玛高原湿地、海子山湿地、亿比措高原沼泽，分别占全省沼泽湿地总面积的 47. 97%、19. 67%、2. 49%、1. 92%。人工湿地面积较大的有大渡河干流钟湖库区、嘉陵江干流、渠江干流，分别占全省人工湿地总面积的 9. 02%、6. 59%、4. 02%、3. 48%。

在零星湿地区中，河流湿地面积较大的有石渠县零星湿地区、甘孜县零星湿地区、色达县零星湿地区，分别占全省河流湿地总面积的 3. 51%、2. 33%、1. 30%。湖泊湿地面积较大有雅江县零星湿地区、新龙县零星湿地区、巴塘县零星湿地区、康定县零星湿地区、稻城县零星湿地区，分别占全省湖泊湿地总面积的7.78%、4.78%、4.21%、3.11%、2.01%。沼泽湿地面积较大的有理塘县零星湿地区、新龙县零星湿地区、石渠县零星湿地区、色达县零星湿地区，分别占全省沼泽湿地总面积的6.21%、4.01%、3.47%、2.46%。人工湿地面积较大的有岳池县零星湿地区、乐至县零星湿地区、安岳县零星湿地区，分别占全省人工湿地总面积的2.51%、2.36%、2.13%。

2.4 各行政区的湿地类及面积

四川省调查湿地总面积174.78万公顷(不包括稻田/冬水田)。按21个市级行政区划分，各市级行政区湿地面积以甘孜州、阿坝州地区最多，分别占全省湿地总面积的41.63%、36.26%；凉山州地区湿地面积位居全省第三位，其湿地面积占全省湿地总面积的2.55%；内江、自贡地区湿地面积最少，分别仅占全省湿地总面积的0.55%、0.47%(图2-9)。

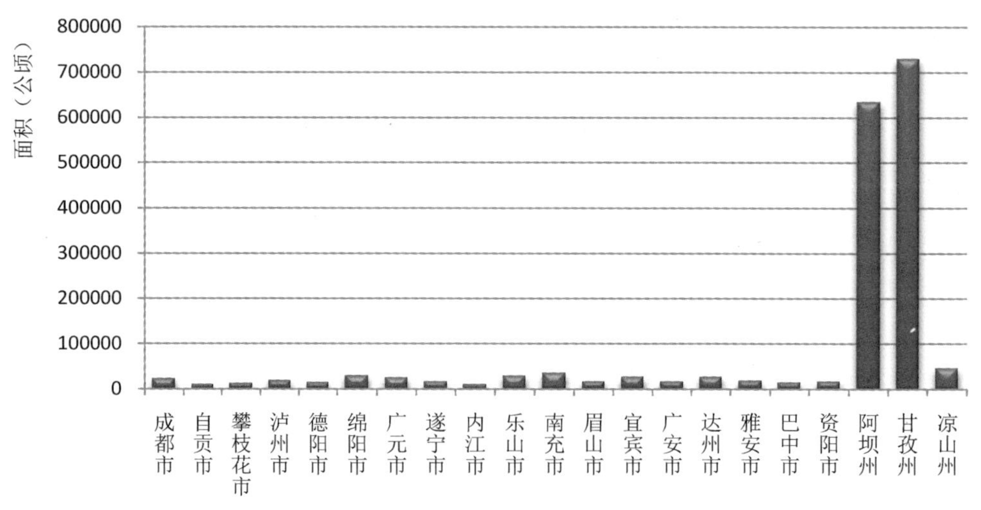

图2-9 四川省各市(州)行政区湿地面积状况

从湿地类来看，河流湿地在全省各市(州)中均有分布，河流湿地面积较大的市(州)行政区有甘孜州、阿坝州、凉山州，其河流湿地面积分别占全省河流湿地总面积的23.12%、11.56%、6.85%。湖泊湿地在全省各市(州)中除南充市、达州市、巴中市、内江市、广安市地区无湖泊湿地分布外，其他各市(州)均有分布，湖泊湿地面积较大的市级行政区有甘孜州、凉山州、阿坝州，其湖泊湿地面积分别占全省湖泊湿地总面积的65.05%、17.19%、15.47%。沼泽湿地在全省各市(州)中仅分布于甘孜州、阿坝州、凉山州、乐山市、绵阳市5地，沼泽湿地面积较大的市级行政区为甘孜州、阿坝州，其沼泽湿地面积分别占全省沼泽湿地总面积的50.87%、48.93%。人工湿地在全省各市(州)均有分布，人工湿地面积较大的市级行政区有广安市、资阳市、南充市、雅安市，其人工湿地面积分别占全省人工湿地总面积的12.85%、10.35%、9.13%、9.11%。

四川省各市、县级行政区湿地类资源概况见表2-8。

表 2-8 四川省各市、县级行政区的湿地类面积概况(公顷)

行政区	河流湿地	湖泊湿地	沼泽湿地	人工湿地	合 计
成都市	17590.11	166.55	0	3610.81	21367.47
成华区	50.01	120.51	0	55.48	226.00
崇州市	1259.64	0	0	374.09	1633.73
大邑县	917.00	0	0	98.08	1015.08
都江堰市	1503.95	21.89	0	1020.18	2546.02
金牛区	119.17	0	0	0	119.17
金堂县	2089.80	0	0	279.56	2369.36
锦江区	89.80	0	0	16.51	106.31
龙泉驿区	131.26	0	0	577.75	709.01
彭州市	2384.45	8.12	0	216.93	2609.50
郫县	598.55	0	0	29.33	627.88
蒲江县	628.33	16.03	0	235.91	880.27
青白江区	396.96	0	0	8.87	405.83
青羊区	82.31	0	0	0	82.31
邛崃市	2087.64	0	0	90.49	2178.13
双流县	1417.86	0	0	260.85	1678.71
温江区	947.86	0	0	12.49	960.35
武侯区	117.41	0	0	0	117.41
新都区	1074.42	0	0	16.74	1091.16
新津县	1693.69	0	0	317.55	2011.24
自贡市	5695.66	46.04	0	2451.98	8193.68
大安区	163.68	0	0	147.88	311.56
富顺县	3816.05	15.92	0	851.97	4683.94
贡井区	147.56	17.31	0	26.29	191.16
荣县	1064.21	12.81	0	856.01	1933.03
沿滩区	347.87	0	0	569.83	917.70
自流井区	156.29	0	0	0	156.29
攀枝花市	10546.92	15.85	0	887.29	11450.06
东区	626.41	0	0	193.71	820.12
米易县	3664.96	15.85	0	164.80	3845.61
仁和区	1406.69	0	0	386.27	1792.96
西区	48.73	0	0	15.67	64.40
盐边县	4800.13	0	0	126.84	4926.97

（续）

行政区	河流湿地	湖泊湿地	沼泽湿地	人工湿地	合　计
泸州市	15742. 68	78. 50	0	1741. 68	17562. 86
古蔺县	1058. 04	0	0	49. 41	1107. 45
合江县	5391. 85	0	0	217. 32	5609. 17
江阳区	3784. 85	0	0	140. 42	3925. 27
龙马潭区	1257. 75	0	0	70. 27	1328. 02
泸县	1655. 34	0	0	1052. 72	2708. 06
纳溪区	1268. 47	78. 50	0	96. 20	1443. 17
叙永县	1326. 38	0	0	115. 34	1441. 72
德阳市	11284. 65	92. 36	0	2059. 16	13436. 17
广汉市	2165. 89	82. 68	0	115. 98	2364. 55
旌阳区	1646. 13	9. 68	0	249. 04	1904. 85
罗江县	665. 02	0	0	219. 63	884. 65
绵竹市	3542. 50	0	0	222. 41	3764. 91
什邡市	1712. 71	0	0	82. 48	1795. 19
中江县	1552. 40	0	0	1169. 62	2722. 02
绵阳市	22787. 08	92. 77	59. 82	5974. 17	28913. 84
安县	2090. 81	0	0	334. 51	2425. 32
北川县	1323. 94	0	0	0	1323. 94
涪城区	1377. 09	0	0	302. 76	1679. 85
江油市	4387. 82	28. 74	0	888. 10	5304. 66
平武县	2348. 05	0	0	323. 41	2671. 46
三台县	4890. 29	64. 03	59. 82	1621. 05	6635. 19
盐亭县	2011. 42	0	0	420. 76	2432. 18
游仙区	2235. 57	0	0	1181. 86	3417. 43
梓潼县	2122. 09	0	0	901. 72	3023. 81
广元市	21466. 06	9. 68	0	2863. 28	24339. 02
苍溪县	4297. 44	0	0	516. 88	4814. 32
朝天区	1341. 42	0	0	0	1341. 42
剑阁县	2249. 70	0	0	1793. 61	4043. 31
利州区	3233. 91	9. 68	0	100. 98	3344. 57
青川县	5321. 87	0	0	0	5321. 87
旺苍县	2626. 66	0	0	10. 76	2637. 42
元坝区	2395. 06	0	0	441. 05	2836. 11
遂宁市	11755. 72	8. 55	0	2862. 10	14626. 37
安居区	884. 02	0	0	811. 98	1696. 00
船山区	4644. 95	8. 55	0	232. 26	4885. 76

（续）

行政区	河流湿地	湖泊湿地	沼泽湿地	人工湿地	合　计
大英县	833.47	0	0	563.76	1397.23
蓬溪县	1283.89	0	0	947.68	2231.57
射洪县	4109.39	0	0	306.42	4415.81
内江市	5695.04	0	0	3966.77	9661.81
东兴区	1326.14	0	0	702.42	2028.56
隆昌县	379.72	0	0	814.47	1194.19
内江市中区	968.71	0	0	390.66	1359.37
威远县	606.57	0	0	833.01	1439.58
资中县	2413.90	0	0	1226.21	3640.11
乐山市	24552.21	209.37	65.02	3258.59	28085.19
峨边县	2137.23	10.79	0	25.18	2173.20
峨眉山市	886.32	0	0	134.31	1020.63
夹江县	2306.46	0	0	172.96	2479.42
犍为县	4227.06	34.03	0	986.27	5247.36
金口河区	508.43	164.55	65.02	0	738.00
井研县	703.80	0	0	1413.20	2117.00
乐山市中区	4281.30	0	0	395.61	4676.91
马边县	1356.46	0	0	0	1356.46
沐川县	2047.38	0	0	26.11	2073.49
沙湾区	3534.40	0	0	0	3534.40
五通桥区	2563.37	0	0	104.95	2668.32
南充市	26069.91	0	0	7512.36	33582.27
高坪区	3788.94	0	0	160.93	3949.87
嘉陵区	2207.81	0	0	45.97	2253.78
阆中市	4419.20	0	0	1289.67	5708.87
南部县	5151.56	0	0	4232.75	9384.31
蓬安县	3595.51	0	0	413.49	4009.00
顺庆区	2219.38	0	0	111.27	2330.65
西充县	818.52	0	0	349.50	1168.02
仪陇县	2545.27	0	0	167.97	2713.24
营山县	1323.72	0	0	740.81	2064.53
眉山市	10954.94	25.88	0	5008.65	15989.47
丹棱县	220.44	0	0	156.74	377.18
东坡区	2863.22	0	0	471.52	3334.74
洪雅县	3271.27	0	0	1089.67	4360.94
彭山县	1299.63	8.38	0	375.08	1683.09

（续）

行政区	河流湿地	湖泊湿地	沼泽湿地	人工湿地	合　计
青神县	1788. 59	0	0	121. 65	1910. 24
仁寿县	1511. 79	17. 50	0	2793. 99	4323. 28
宜宾市	23212. 40	27. 69	0	1967. 38	25207. 47
翠屏区	3593. 64	22. 08	0	466. 88	4082. 60
高县	1481. 98	0	0	296. 28	1778. 26
珙县	857. 80	0	0	85. 40	943. 20
江安县	2660. 74	0	0	301. 07	2961. 81
筠连县	715. 10	0	0	50. 40	765. 50
南溪县	2568. 99	0	0	233. 76	2802. 75
屏山县	2389. 60	0	0	35. 25	2424. 85
兴文县	641. 17	0	0	60. 69	701. 86
宜宾县	7441. 21	5. 61	0	266. 08	7712. 90
长宁县	862. 17	0	0	171. 57	1033. 74
广安市	5146. 65	0	0	10563. 78	15710. 43
广安区	681. 28	0	0	3394. 37	4075. 65
华蓥市	592. 93	0	0	245. 29	838. 22
邻水县	1233. 85	0	0	1586. 59	2820. 44
武胜县	900. 39	0	0	3275. 01	4175. 40
岳池县	1738. 20	0	0	2062. 52	3800. 72
达州市	20786. 62	0	0	4407. 80	25194. 42
达县	4655. 43	0	0	660. 10	5315. 53
大竹县	1130. 27	0	0	1243. 37	2373. 64
开江县	520. 81	0	0	880. 63	1401. 44
渠县	6052. 62	0	0	772. 61	6825. 23
通川区	566. 76	0	0	0	566. 76
万源市	3361. 14	0	0	32. 77	3393. 91
宣汉县	4499. 59	0	0	818. 32	5317. 91
雅安市	10483. 01	12. 97	0	7489. 90	17985. 88
宝兴县	910. 45	0	0	0	910. 45
汉源县	2721. 92	0	0	5574. 05	8295. 97
芦山县	960. 38	0	0	0	960. 38
名山县	388. 39	0	0	310. 62	699. 01
石棉县	1824. 12	12. 97	0	1557. 36	3394. 45
天全县	1050. 33	0	0	9. 86	1060. 19
荥经县	954. 79	0	0	0	954. 79
雨城区	1672. 63	0	0	38. 01	1710. 64

（续）

行政区	河流湿地	湖泊湿地	沼泽湿地	人工湿地	合　计
巴中市	12923.05	0	0	1306.57	14229.62
巴州区	4140.99	0	0	520.49	4661.48
南江县	2251.11	0	0	199.50	2450.61
平昌县	3316.20	0	0	576.34	3892.54
通江县	3214.75	0	0	10.24	3224.99
资阳市	7762.95	71.27	0	8508.06	16342.28
安岳县	1412.18	44.66	0	1748.78	3205.62
简阳市	3954.30	26.61	0	3367.94	7348.85
乐至县	193.90	0	0	1940.27	2134.17
雁江区	2202.57	0	0	1451.07	3653.64
阿坝州	52280.74	5773.70	575427.28	316.72	633798.44
阿坝县	3768.53	382.88	64232.67	0	68384.08
黑水县	1995.85	176.84	358.73	129.68	2661.10
红原县	5066.50	0	206652.02	0	211718.52
金川县	2784.35	474.38	2290.93	134.44	5684.10
九寨沟县	1462.11	480.92	1071.73	0	3014.76
理县	1777.63	413.71	70.61	14.59	2276.54
马尔康县	3810.44	111.21	0	0	3921.65
茂县	2512.15	280.41	0	0	2792.56
壤塘县	4601.69	153.67	17615.16	0	22370.52
若尔盖县	14674.61	2875.60	275499.92	0	293050.13
松潘县	3708.43	162.44	6390.11	0	10260.98
汶川县	3302.04	96.16	712.18	38.01	4148.39
小金县	2816.41	165.48	533.22	0	3515.11
甘孜州	104573.54	24277.48	598255.74	444.76	727551.52
巴塘县	2677.77	1600.48	5720.39	0	9998.64
白玉县	5019.46	664.07	17226.52	0	22910.05
丹巴县	2026.19	233.68	749.99	0	3009.86
道孚县	3495.06	655.08	13346.26	0	17496.40
稻城县	2189.40	4103.53	24635.41	0	30928.34
得荣县	2013.83	0	6406.42	69.04	8489.29
德格县	9483.57	524.78	18329.40	0	28337.75
甘孜县	12675.00	94.86	16414.16	0	29184.02
九龙县	1965.86	614.08	2639.41	354.23	5573.58
康定县	5993.72	1186.55	14916.61	0	22096.88
理塘县	4272.00	2261.65	84859.47	0	91393.12

（续）

行政区	河流湿地	湖泊湿地	沼泽湿地	人工湿地	合 计
炉霍县	2408.89	140.11	4568.60	0	7117.60
泸定县	2416.91	19.20	0	0	2436.11
色达县	5879.91	29.26	28872.84	0	34782.01
石渠县	33159.78	6483.74	275796.56	0	315440.08
乡城县	2246.61	302.71	13882.36	0	16431.68
新龙县	3181.53	1785.90	47308.39	21.49	52297.31
雅江县	3468.05	3577.80	22582.95	0	29628.80
凉山州	30979.06	6414.80	2128.98	5037.72	44560.56
布拖县	519.38	50.20	26.71	81.08	677.37
德昌县	1905.58	0	0	110.93	2016.51
甘洛县	1675.41	0	327.75	253.84	2257.00
会东县	3455.17	0	0	342.52	3797.69
会理县	1765.69	120.91	0	615.08	2501.68
金阳县	1257.56	0	163.08	0	1420.64
雷波县	1897.94	746.64	0	29.43	2674.01
美姑县	1081.71	0	0	0	1081.71
冕宁县	1719.06	26.05	0	2811.65	4556.76
木里县	4058.46	210.27	311.38	0	4580.11
宁南县	904.41	0	0	72.07	976.48
普格县	383.85	44.10	0	0	427.95
西昌市	3357.14	2644.45	0	271.19	6272.78
喜德县	423.77	0	0	0	423.77
盐源县	5120.19	2509.86	530.36	419.81	8580.22
越西县	651.52	43.26	769.70	20.81	1485.29
昭觉县	802.22	19.06	0	9.31	830.59
总 计	452289.00	37323.46	1175936.84	82239.53	1747788.83

3 主要湿地型与面积

3.1 河流湿地

河流湿地的界定标准是按调查期内的多年平均最高水位所淹没的区域进行边界界定。河流湿地根据是否有堤坝保护可分为有堤河和无堤河两类。无堤的河流湿地按调查期内的多年平均最高水位所淹没的区域进行边界界定；有堤的河流湿地以河流两侧的堤坝中心线位置进行边界界定。图 2-10 至图 2-15 为类型河流湿地。

图 **2-10** 河流湿地——绵阳涪江(顾海军 摄)

图 **2-11** 河流湿地——若尔盖白河(唐荣华 摄)

图 **2-12** 河流湿地——通江诺水河(刘贤安 摄)

图 **2-13** 河流湿地——阆中构溪河(张铭 摄)

图 **2-14** 河流湿地——乐山大渡河(沈尤 摄)

图 **2-15** 河流湿地——广汉鸭子河(沈尤 摄)

河床至河流在调查期内的年平均最高水位所淹没区域为洪泛平原湿地，包括河滩、河心洲、河谷、季节性泛滥的草地以及保持了常年或季节性被水浸润的内陆三角洲。如果洪泛平原湿地中的沼泽湿地面积不小于 8 公顷，就单独列出其沼泽湿地型，统计为沼泽湿地。若沼泽湿地小于 8 公顷，则统计到洪泛平原湿地中。

干旱区的断流河段全部统计为河流湿地。干旱区以外的常年断流的河段连续 10 年或以上断流则断流部分河段不计算其湿地面积，否则为季节性和间歇性河流湿地。

3.1.1 河流湿地各湿地型及面积

四川省河流湿地共调查区划 3068 块，河流湿地总面积 45.23 万公顷，占全省湿地总面积的 25.88%，包括永久性河流、季节性或间歇性河流、洪泛平原湿地和喀斯特溶洞湿地 4 个湿地型（图 2-16）。

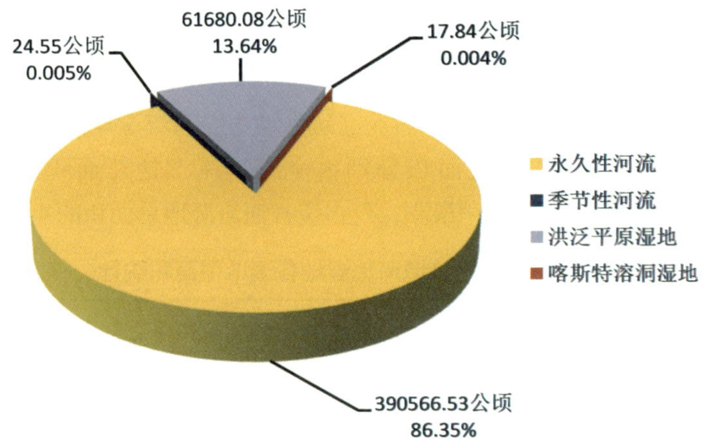

图 **2-16** 四川省河流湿地型面积与比例构成

（1）永久性河流湿地：永久性河流湿地指常年有河水径流的河流，仅包括河床部分。四川省永久性河流湿地共调查区划 2369 块，永久性河流湿总面积 39.06 万公顷，占河流湿地总面积的 85.35%。

（2）季节性河流：季节性河流指河流在枯水季节河水断流、河床裸露；丰水季节形成水流，甚至洪水奔腾。四川省季节性河流湿地仅调查区划 1 块，季节性河流湿地总面积不足 0.01 万公顷（24.55 公顷），占河流湿地总面积的 0.005%。

（3）洪泛平原湿地：洪泛平原湿地指在丰水季节由洪水泛滥的河滩、河心洲、河谷、季节性泛滥的草地以及保持了常年或季节性被水浸润的内陆三角洲。四川省洪泛平原湿地共调查区划 697 块，洪泛平原湿地总面积 6.17 万公顷，占河流湿地总面积的 13.64%。

（4）喀斯特溶洞湿地：喀斯特溶洞湿地是指喀斯特地貌下形成的溶洞集水区或地下河/溪。四川省喀斯特溶洞湿地仅调查区划 1 块，喀斯特溶洞湿地总面积不足 0.01 万公顷（17.8 公顷），占河流湿地总面积的 0.004%。

3.1.2 各流域的河流湿地型及面积

（1）一级流域河流湿地型及面积：四川省 2 个一级流域中，黄河区河流湿地面积 1.91 万公顷，占全省河流湿地总面积的4.23%；长江区河流湿地面积43.32万公顷，占全省河流湿地总面积的95.77%（表2-9）。

表2-9 四川省一级流域河流湿地各湿地型面积统计（公顷）

河流湿地型 / 一级流域	永久性河流	季节性河流	洪泛平原湿地	喀斯特溶洞湿地	合 计
黄河区	15654.33	0	3464.51	0	19118.84
长江区	374912.20	24.55	58215.57	17.84	433170.16
总 计	390566.53	24.55	61680.08	17.84	452289.00

从湿地型来看，永久性河流、季节性河流、洪泛平原湿地、喀斯特溶洞湿地在一级流域中主要分布于长江区，湿地面积分别占全省河流湿地各湿地型总面积的95.99%、100.00%、94.38%、100.00%，其中季节性河流、喀斯特溶洞湿地在黄河区无8公顷以上湿地分布。

（2）二级流域河流湿地型及面积：四川省5二级流域中，河流湿地面积较大的有金沙江石鼓以下、岷沱江、嘉陵江，其河流湿地面积分别占全省河流湿地总面积的31.62%、31.57%、28.29%；龙羊峡以上河流湿地分布面积最小，仅占全省河流湿地总面积的4.23%（表2-10）。

表2-10 四川省二级流域河流湿地各湿地型面积统计（公顷）

河流湿地型 / 二级流域	永久性河流	季节性河流	洪泛平原湿地	喀斯特溶洞湿地	合 计
龙羊峡以上	15654.33	0	3464.51	0	19118.84
金沙江石鼓以上	18932.42	0	489.37	0	19421.79
金沙江石鼓以下	107867.11	0	35125.74	0	142992.85
岷沱江	129891.26	0	12892.16	17.84	142801.26
嘉陵江	118221.41	24.55	9708.30	0	127954.26
总 计	390566.53	24.55	61680.08	17.84	452289.00

从湿地型来看，永久性河流湿地面积较大的二级流域有岷沱江、嘉陵江、金沙江石鼓以下流域，其永久性河流湿地面积分别占全省永久性河流湿地总面积的33.26%、30.27%、27.62%。季节性河流湿地仅分布于长江区的嘉陵江二级流域，湿地面积不足0.01万公顷(24.55公顷)。洪泛平原湿地面积较大的二级流域有金沙江石鼓以下、岷沱江、嘉陵江，其洪泛平原湿地面积分别占全省洪泛平原湿地总面积的56.95%、20.90%、15.74%。喀斯特溶洞湿地仅分布于长江区的岷沱江二级流域，湿地面积极小，不足0.01万公顷(17.84公顷)。

（3）三级流域河流湿地型及面积：四川省11个三级流域中，河流湿地以雅砻江、青衣江和岷江干流分布面积较大，分别占全省河流湿地总面积的21.85%、14.37%；广元昭化以上河流湿地分布面积最小，仅占全省河流湿地总面积的2.98%（表2-11）。

表 2-11　四川省三级流域河流湿地各湿地型面积统计(公顷)

三级流域 \ 河流湿地型	永久性河流	季节性河流	洪泛平原湿地	喀斯特溶洞湿地	合　计
河源至玛曲	15654.33	0	3464.51	0	19118.84
直门达至石鼓	18932.42	0	489.37	0	19421.79
雅砻江	64159.52	0	34676.68	0	98836.20
石鼓以下干流	43707.59	0	449.06	0	44156.65
大渡河	41531.02	0	1773.29	0	43304.31
青衣江和岷江干流	59348.64	0	5606.43	17.84	64972.91
沱江	29011.60	0	5512.44	0	34524.04
广元昭化以上	13365.37	24.55	99.40	0	13489.32
涪江	33634.36	0	5352.01	0	38986.37
广元昭化以下干流	33469.76	0	2738.84	0	36208.60
渠江	37751.92	0	1518.05	0	39269.97
总　计	390566.53	24.55	61680.08	17.84	452289.00

从湿地型来看，永久性河流湿地在三级流域中雅砻江、青衣江和岷江干流、石鼓以下干流、大渡河分布面积较大，分别占全省永久性河流湿地总面积的16.43%、15.20%、11.19%、10.63%。季节性河流湿地仅分布于长江区—嘉陵江—广元昭化以上三级流域，湿地面积不足0.01万公顷(24.55公顷)。洪泛平原湿地在三级流域中以雅砻江、青衣江和岷江干流、沱江、涪江分布面积较大，分别占全省洪泛平原湿地总面积的56.22%、9.09%、8.94%、8.68%。喀斯特溶洞湿地仅分布于长江区—岷沱江—青衣江和岷江干流三级流域，湿地面积不足0.01万公顷(17.84公顷)。

3.1.3　各湿地区的河流湿地型及面积

四川省宽度10米以上、长度5公里以上河流湿地共涉及197个湿地区，其中单独区划湿地区20个，零星湿地区177个。各湿地区中河流湿地的面积分布见表2-12。

单独区划的湿地区中河流湿地总面积为21.90万公顷，占全省河流湿地总面积的48.42%。单独区划湿地区中以雅砻江干流、岷江干流、若尔盖高原沼泽、嘉陵江干流分布的河流湿地面积较大，分别占全省河流湿地总面积的6.68%、6.51%、5.50%、5.21%。泸沽湖、邛海湿地、大桥水库分布的河流湿地面积最小，分别仅占全省河流湿地总面积的0.005%、0.004%、0.002%。

零星湿地区中河流湿地总面积23.33万公顷，占全省河流湿地总面积的51.58%。零星湿地区中以石渠县零星湿地区、甘孜县零星湿地区、色达县零星湿地区分布的河流湿地面积较大，分别占全省河流湿地总面积的3.51%、2.33%、1.30%。西区零星湿地区、沙湾区零星湿地区、江阳区零星湿地区分布的河流湿地面积最小，分别仅占全省河流湿地总面积的0.011%、0.007%、0.002%。

表 2-12 四川省各湿地区河流湿地分布概况[*]（公顷）

湿地区 \ 湿地型	永久性河流	季节性河流	洪泛平原湿地	喀斯特溶洞湿地	合计
四川省各湿地区湿地面积总计	390566.53	24.55	61680.08	17.84	452289.00
单独区划湿地区	185022.06	0	33971.04	0	218993.10
若尔盖高原沼泽	21086.65	0	3776.44	0	24863.09
亿比措高原沼泽	889.94	0	0	0	889.94
长沙贡玛高原湿地	2850.04	0	133.78	0	2983.82
海子山湿地	724.90	0	0	0	724.90
泸沽湖	22.07	0	0	0	22.07
邛海湿地	17.56	0	0	0	17.56
长江干流四川段	16681.00	0	0	0	16681.00
金沙江干流	16955.46	0	212.85	0	17168.31
岷江干流	24151.69	0	5291.74	0	29443.43
沱江干流	11864.55	0	3837.14	0	15701.69
嘉陵江干流	20717.25	0	2842.33	0	23559.58
雅砻江干流	18980.10	0	11247.98	0	30228.08
大渡河干流	14474.58	0	742.96	0	15217.54
涪江干流	14780.34	0	4388.20	0	19168.54
渠江干流	10730.49	0	1383.29	0	12113.78
二滩水库区	5280.26	0	114.33	0	5394.59
升钟湖库区	28.70	0	0	0	28.70
宝珠寺水库	3894.48	0	0	0	3894.48
大桥水库	10.82	0	0	0	10.82
江口水库	881.18	0	0	0	881.18
零星湿地区	205544.47	24.55	27709.04	17.84	233295.90
成都市	11600.98	0	769.08	0	12370.06
锦江区零星湿地区	89.80	0	0	0	89.80
青羊区零星湿地区	82.31	0	0	0	82.31
金牛区零星湿地区	119.17	0	0	0	119.17
武侯区零星湿地区	117.41	0	0	0	117.41
成华区零星湿地区	50.01	0	0	0	50.01
龙泉驿区零星湿地区	131.26	0	0	0	131.26
青白江区零星湿地区	319.62	0	77.34	0	396.96

（续）

湿地型 湿地区	永久性河流	季节性河流	洪泛平原湿地	喀斯特溶洞湿地	合　计
新都区零星湿地区	665.19	0	409.23	0	1074.42
温江区零星湿地区	186.21	0	0	0	186.21
金堂县零星湿地区	644.68	0	15.31	0	659.99
双流县零星湿地区	978.59	0	25.98	0	1004.57
郫县零星湿地区	528.80	0	61.46	0	590.26
大邑县零星湿地区	917.00	0	0	0	917.00
蒲江县零星湿地区	628.33	0	0	0	628.33
新津县零星湿地区	362.46	0	0	0	362.46
都江堰市零星湿地区	453.53	0	0	0	453.53
彭州市零星湿地区	2222.54	0	161.91	0	2384.45
邛崃市零星湿地区	2069.79	0	17.85	0	2087.64
崇州市零星湿地区	1034.28	0	0	0	1034.28
自贡市	2633.44	0	0	0	2633.44
自流井区零星湿地区	156.29	0	0	0	156.29
贡井区零星湿地区	147.56	0	0	0	147.56
大安区零星湿地区	160.46	0	0	0	160.46
沿滩区零星湿地区	347.87	0	0	0	347.87
荣县零星湿地区	1064.21	0	0	0	1064.21
富顺县零星湿地区	757.05	0	0	0	757.05
攀枝花市	1764.35	0	38.27	0	1802.62
西区零星湿地区	48.73	0	0	0	48.73
仁和区零星湿地区	179.23	0	0	0	179.23
米易县零星湿地区	1313.92	0	38.27	0	1352.19
盐边县零星湿地区	222.47	0	0	0	222.47
泸州市	5929.63	0	53.82	0	5983.45
江阳区零星湿地区	10.89	0	0	0	10.89
纳溪区零星湿地区	644.35	0	25.72	0	670.07
龙马潭区零星湿地区	100.71	0	0	0	100.71
泸县零星湿地区	1020.40	0	8.70	0	1029.10
合江县零星湿地区	1768.86	0	19.40	0	1788.26
叙永县零星湿地区	1326.38	0	0	0	1326.38

（续）

湿地区＼湿地型	永久性河流	季节性河流	洪泛平原湿地	喀斯特溶洞湿地	合 计
古蔺县零星湿地区	1058.04	0	0	0	1058.04
德阳市	7180.84	0	1181.34	0	8362.18
旌阳区零星湿地区	572.04	0	0	0	572.04
中江县零星湿地区	1531.24	0	21.16	0	1552.40
罗江县零星湿地区	426.56	0	0	0	426.56
广汉市零星湿地区	1905.44	0	36.80	0	1942.24
什邡市零星湿地区	1509.27	0	203.44	0	1712.71
绵竹市零星湿地区	1236.29	0	919.94	0	2156.23
绵阳市	11984.97	0	842.96	0	12827.93
涪城区零星湿地区	494.27	0	0	0	494.27
游仙区零星湿地区	900.89	0	25.40	0	926.29
三台县零星湿地区	1286.72	0	50.81	0	1337.53
盐亭县零星湿地区	1871.91	0	139.51	0	2011.42
安县零星湿地区	1858.11	0	232.70	0	2090.81
梓潼县零星湿地区	1741.52	0	380.57	0	2122.09
北川自治县零星湿地区	1323.94	0	0	0	1323.94
平武县零星湿地区	589.26	0	0	0	589.26
江油市零星湿地区	1918.35	0	13.97	0	1932.32
广元市	11822.61	0	52.76	0	11875.37
利州区零星湿地区	1378.80	0	0	0	1378.80
元坝区零星湿地区	432.22	0	0	0	432.22
朝天区零星湿地区	798.01	0	0	0	798.01
旺苍县零星湿地区	2626.66	0	0	0	2626.66
青川县零星湿地区	2553.38	0	0	0	2553.38
剑阁县零星湿地区	1592.41	0	0	0	1592.41
苍溪县零星湿地区	2441.13	0	52.76	0	2493.89
遂宁市	2807.07	0	9.27	0	2816.34
船山区零星湿地区	56.71	0	0	0	56.71
安居区零星湿地区	884.02	0	0	0	884.02
蓬溪县零星湿地区	410.51	0	0	0	410.51
射洪县零星湿地区	892.08	0	0	0	892.08

（续）

湿地区＼湿地型	永久性河流	季节性河流	洪泛平原湿地	喀斯特溶洞湿地	合　计
大英县零星湿地区	563.75	0	9.27	0	573.02
内江市	2772.88	0	0	0	2772.88
内江市中区零星湿地区	135.82	0	0	0	135.82
东兴区零星湿地区	643.04	0	0	0	643.04
威远县零星湿地区	606.57	0	0	0	606.57
资中县零星湿地区	1007.73	0	0	0	1007.73
隆昌县零星湿地区	379.72	0	0	0	379.72
乐山市	7496.37	0	82.91	0	7579.28
乐山市中区零星湿地区	1402.24	0	21.77	0	1424.01
沙湾区零星湿地区	30.91	0	0	0	30.91
五通桥区零星湿地区	312.07	0	0	0	312.07
犍为县零星湿地区	150.78	0	0	0	150.78
井研县零星湿地区	703.80	0	0	0	703.80
夹江县零星湿地区	2245.32	0	61.14	0	2306.46
沐川县零星湿地区	698.90	0	0	0	698.90
峨边自治县零星湿地区	847.28	0	0	0	847.28
马边彝族自治县	526.93	0	0	0	526.93
峨眉山市零星湿地区	578.14	0	0	0	578.14
南充市	8749.73	0	45.62	0	8795.35
顺庆区零星湿地区	559.14	0	0	0	559.14
高坪区零星湿地区	280.44	0	0	0	280.44
嘉陵区零星湿地区	823.81	0	9.07	0	832.88
南部县零星湿地区	2243.92	0	0	0	2243.92
营山县零星湿地区	1323.72	0	0	0	1323.72
蓬安县零星湿地区	243.09	0	0	0	243.09
仪陇县零星湿地区	1720.73	0	36.55	0	1757.28
西充县零星湿地区	818.52	0	0	0	818.52
阆中市零星湿地区	736.36	0	0	0	736.36
眉山市	6377.99	0	51.31	0	6429.30
东坡区零星湿地区	826.07	0	0	0	826.07
仁寿县零星湿地区	1511.79	0	0	0	1511.79

（续）

湿地型 湿地区	永久性河流	季节性河流	洪泛平原湿地	喀斯特溶洞湿地	合　计
彭山县零星湿地区	327.34	0	0	0	327.34
洪雅县零星湿地区	3219.96	0	51.31	0	3271.27
丹棱县零星湿地区	220.44	0	0	0	220.44
青神县零星湿地区	272.39	0	0	0	272.39
宜宾市	7391.10	0	186.60	0	7577.70
翠屏区零星湿地区	323.12	0	0	0	323.12
宜宾县零星湿地区	1872.96	0	0	0	1872.96
南溪县零星湿地区	100.85	0	0	0	100.85
江安县零星湿地区	221.72	0	0	0	221.72
长宁县零星湿地区	553.72	0	40.18	0	593.90
高县零星湿地区	1404.36	0	77.62	0	1481.98
珙县零星湿地区	839.25	0	18.55	0	857.80
筠连县零星湿地区	715.10	0	0	0	715.10
兴文县零星湿地区	590.92	0	50.25	0	641.17
屏山县零星湿地区	769.10	0	0	0	769.10
广安市	2748.46	0	0	0	2748.46
广安区零星湿地区	418.63	0	0	0	418.63
岳池县零星湿地区	391.81	0	0	0	391.81
武胜县零星湿地区	647.82	0	0	0	647.82
邻水县零星湿地区	1233.85	0	0	0	1233.85
华蓥市零星湿地区	56.35	0	0	0	56.35
达州市	13330.47	0	22.58	0	13353.05
通川区零星湿地区	566.76	0	0	0	566.76
达县零星湿地区	2864.19	0	22.58	0	2886.77
宣汉县零星湿地区	3618.41	0	0	0	3618.41
开江县零星湿地区	520.81	0	0	0	520.81
大竹县零星湿地区	1130.27	0	0	0	1130.27
渠县零星湿地区	1268.89	0	0	0	1268.89
万源市零星湿地区	3361.14	0	0	0	3361.14
雅安市	8024.82	0	0	0	8024.82
雨城区零星湿地区	1672.63	0	0	0	1672.63

（续）

湿地区＼湿地型	永久性河流	季节性河流	洪泛平原湿地	喀斯特溶洞湿地	合 计
名山县零星湿地区	388.39	0	0	0	388.39
荥经县零星湿地区	954.79	0	0	0	954.79
汉源县零星湿地区	995.63	0	0	0	995.63
石棉县零星湿地区	1092.22	0	0	0	1092.22
天全县零星湿地区	1050.33	0	0	0	1050.33
芦山县零星湿地区	960.38	0	0	0	960.38
宝兴县零星湿地区	910.45	0	0	0	910.45
巴中市	9132.63	0	9.71	0	9142.34
巴州区零星湿地区	2563.35	0	0	0	2563.35
通江县零星湿地区	3214.75	0	0	0	3214.75
南江县零星湿地区	1485.68	0	0	0	1485.68
平昌县零星湿地区	1868.85	0	9.71	0	1878.56
资阳市	3403.11	0	8.23	0	3411.34
雁江区零星湿地区	564.87	0	8.23	0	573.10
安岳县零星湿地区	1412.18	0	0	0	1412.18
乐至县零星湿地区	193.90	0	0	0	193.90
简阳市零星湿地区	1232.16	0	0	0	1232.16
阿坝州	19504.93	24.55	24.03	17.84	19571.35
汶川县零星湿地区	1692.17	0	0	0	1692.17
理县零星湿地区	1064.70	0	0	17.84	1082.54
茂县零星湿地区	960.93	0	0	0	960.93
松潘县零星湿地区	2099.56	0	0	0	2099.56
九寨沟县零星湿地区	1437.56	24.55	0	0	1462.11
金川县零星湿地区	1808.17	0	0	0	1808.17
小金县零星湿地区	2637.95	0	0	0	2637.95
黑水县零星湿地区	1045.57	0	0	0	1045.57
马尔康县零星湿地区	2839.69	0	24.03	0	2863.72
壤塘县零星湿地区	2968.55	0	0	0	2968.55
若尔盖县零星湿地区	950.08	0	0	0	950.08
甘孜州	43887.00	0	22873.89	0	66760.89
康定县零星湿地区	3655.13	0	522.72	0	4177.85

（续）

湿地型 湿地区	永久性河流	季节性河流	洪泛平原湿地	喀斯特溶洞湿地	合 计
泸定县零星湿地区	590.63	0	0	0	590.63
丹巴县零星湿地区	1588.58	0	0	0	1588.58
九龙县零星湿地区	1425.17	0	0	0	1425.17
雅江县零星湿地区	1911.96	0	0	0	1911.96
道孚县零星湿地区	2893.69	0	106.74	0	3000.43
炉霍县零星湿地区	1841.21	0	567.68	0	2408.89
甘孜县零星湿地区	2742.11	0	7776.68	0	10518.79
新龙县零星湿地区	1834.93	0	0	0	1834.93
德格县零星湿地区	3643.71	0	0	0	3643.71
白玉县零星湿地区	3602.96	0	325.49	0	3928.45
石渠县零星湿地区	3457.33	0	12402.99	0	15860.32
色达县零星湿地区	4708.32	0	1171.59	0	5879.91
理塘县零星湿地区	3335.92	0	0	0	3335.92
巴塘县零星湿地区	1366.22	0	0	0	1366.22
乡城县零星湿地区	2246.61	0	0	0	2246.61
稻城县零星湿地区	2106.12	0	0	0	2106.12
得荣县零星湿地区	936.40	0	0	0	936.40
凉山州	17001.09	0	1456.66	0	18457.75
西昌市零星湿地区	1494.77	0	1275.73	0	2770.50
木里藏族自治县	2961.27	0	0	0	2961.27
盐源县零星湿地区	2828.62	0	0	0	2828.62
德昌县零星湿地区	985.30	0	127.24	0	1112.54
会理县零星湿地区	1109.65	0	0	0	1109.65
会东县零星湿地区	643.01	0	0	0	643.01
宁南县零星湿地区	323.43	0	22.74	0	346.17
普格县零星湿地区	383.85	0	0	0	383.85
布拖县零星湿地区	395.95	0	0	0	395.95
金阳县零星湿地区	336.12	0	0	0	336.12
昭觉县零星湿地区	802.22	0	0	0	802.22
喜德县零星湿地区	423.77	0	0	0	423.77
冕宁县零星湿地区	675.22	0	30.95	0	706.17

（续）

湿地型 湿地区	永久性河流	季节性河流	洪泛平原湿地	喀斯特溶洞湿地	合　计
越西县零星湿地区	651.52	0	0	0	651.52
甘洛县零星湿地区	1454.84	0	0	0	1454.84
美姑县零星湿地区	1081.71	0	0	0	1081.71
雷波县零星湿地区	449.84	0	0	0	449.84

* 四川省划分的205个湿地区中，无河流湿地分布的湿地区在表中未列出。

从湿地型来看，在单独区划湿地区中，河流湿地型仅分布有永久性河流、洪泛平原湿地2类型，无8公顷以上的季节性河流、喀斯特溶洞湿地分布。其中，永久性河流湿地在岷江干流、若尔盖高原沼泽、嘉陵江干流湿地区分布面积较大，其永久性河流湿地面积占全省永久性河流湿地总面积的6.18%、5.40%、5.30%。洪泛平原湿地在雅砻江干流、岷江干流、涪江干流、沱江干流、若尔盖高原沼泽湿地区分布面积较大，其洪泛平原湿地面积分别占全省洪泛平原湿地总面积的18.24%、8.58%、7.11%、6.22%、6.12%。

在零星湿地区中，永久性河流湿地在色达县零星湿地区、康定县零星湿地区、德格县零星湿地区分布面积较大，其永久性河流湿地面积占全省永久性河流湿地总面积的1.21%、0.94%、0.93%。季节性河流仅分布于九寨沟县零星湿地区，湿地面积为不足0.01万公顷(24.55公顷)。洪泛平原湿地在石渠县零星湿地区、甘孜县零星湿地区、西昌市零星湿地区、色达县零星湿地区分布面积较大，其洪泛平原湿地面积分别占全省洪泛平原湿地总面积的20.11%、12.61%、2.07%、1.90%。8公顷以上的喀斯特溶洞湿地仅在理县零星湿地区有分布，湿地面积不足0.01万公顷(17.84公顷)。

3.1.4　各行政区的河流湿地型及面积

四川省21个市级行政区划中，河流湿地分布不均，河流湿地面积东西差别较大。各市(州)行政区中河流湿地面积以甘孜州、阿坝州、凉山州地区较大，分别占全省河流湿地总面积的23.12%、11.56%、6.85%。自贡市、内江市、广安市河流湿地面积最小，分别仅占全省河流湿地总面积的1.26 %、1.26%、1.14 %(图2-17)。

从湿地型来看，河流湿地型在全省分布不均，除永久性河流、洪泛平原湿地在全省各市(州)均有分布外，季节性河流、喀斯特溶洞湿地仅分别分布于阿坝州的九寨沟县、理县，其湿地面积极小。湿地型面积差异较大，永久性河流湿地在全省占有主要地位，其面积远大于其他河流湿地型。在各市级行政区划中，永久性河流湿地以甘孜州、阿坝州、凉山州分布面积较大，分别占全省永久性河流湿地总面积的17.99 %、12.40%、7.53%。洪泛平原湿地以甘孜州、阿坝州、绵阳市、宜宾市分布面积较大，分别占全省洪泛平原湿地总面积的55.63%、6.20%、5.46%、5.27%。

四川省各市、县级行政区河流湿地型资源概况见表2-13。

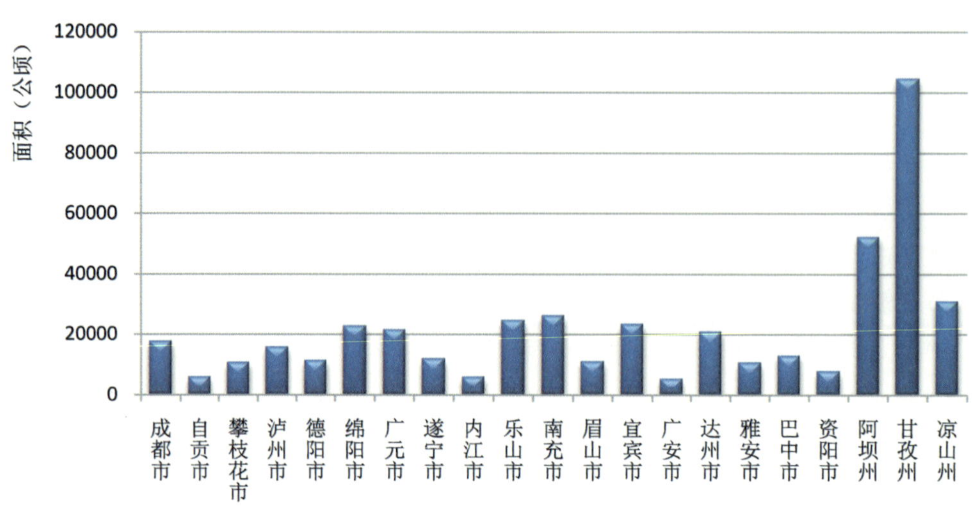

图 **2-17** 四川省各市级行政区河流湿地面积状况

表 2-13 四川省各市级、县级行政区河流湿地型面积分布概况(公顷)

行政区	永久性河流	季节性或间歇性河流	洪泛平原湿地	喀斯特溶洞湿地	合　计
成都市	16460.69	0	1129.42	0	17590.11
成华区	50.01	0	0	0	50.01
崇州市	1259.64	0	0	0	1259.64
大邑县	917.00	0	0	0	917.00
都江堰市	1503.95	0	0	0	1503.95
金牛区	119.17	0	0	0	119.17
金堂县	1932.95	0	156.85	0	2089.80
锦江区	89.80	0	0	0	89.80
龙泉驿区	131.26	0	0	0	131.26
彭州市	2222.54	0	161.91	0	2384.45
郫县	537.09	0	61.46	0	598.55
蒲江县	628.33	0	0	0	628.33
青白江区	319.62	0	77.34	0	396.96
青羊区	82.31	0	0	0	82.31
邛崃市	2069.79	0	17.85	0	2087.64
双流县	1391.88	0	25.98	0	1417.86
温江区	947.86	0	0	0	947.86
武侯区	117.41	0	0	0	117.41
新都区	665.19	0	409.23	0	1074.42

（续）

行政区	永久性河流	季节性或间歇性河流	洪泛平原湿地	喀斯特溶洞湿地	合　计
新津县	1474.89	0	218.80	0	1693.69
自贡市	5564.51	0	131.15	0	5695.66
大安区	163.68	0	0	0	163.68
富顺县	3684.90	0	131.15	0	3816.05
贡井区	147.56	0	0	0	147.56
荣县	1064.21	0	0	0	1064.21
沿滩区	347.87	0	0	0	347.87
自流井区	156.29	0	0	0	156.29
攀枝花市	10394.32	0	152.60	0	10546.92
东区	626.41	0	0	0	626.41
米易县	3626.69	0	38.27	0	3664.96
仁和区	1406.69	0	0	0	1406.69
西区	48.73	0	0	0	48.73
盐边县	4685.80	0	114.33	0	4800.13
泸州市	15636.54	0	106.14	0	15742.68
古蔺县	1058.04	0	0	0	1058.04
合江县	5372.45	0	19.40	0	5391.85
江阳区	3757.45	0	27.40	0	3784.85
龙马潭区	1238.87	0	18.88	0	1257.75
泸县	1640.60	0	14.74	0	1655.34
纳溪区	1242.75	0	25.72	0	1268.47
叙永县	1326.38	0	0	0	1326.38
德阳市	9532.75	0	1751.90	0	11284.65
广汉市	2111.04	0	54.85	0	2165.89
旌阳区	1621.81	0	24.32	0	1646.13
罗江县	648.12	0	16.90	0	665.02
绵竹市	2111.27	0	1431.23	0	3542.50
什邡市	1509.27	0	203.44	0	1712.71
中江县	1531.24	0	21.16	0	1552.40
绵阳市	19418.10	0	3368.98	0	22787.08
安县	1858.11	0	232.70	0	2090.81
北川县	1323.94	0	0	0	1323.94
涪城区	1131.00	0	246.09	0	1377.09
江油市	3627.66	0	760.16	0	4387.82

（续）

行政区	永久性河流	季节性或间歇性河流	洪泛平原湿地	喀斯特溶洞湿地	合　计
平武县	2213.36	0	134.69	0	2348.05
三台县	4003.52	0	886.77	0	4890.29
盐亭县	1871.91	0	139.51	0	2011.42
游仙区	1647.08	0	588.49	0	2235.57
梓潼县	1741.52	0	380.57	0	2122.09
广元市	20772.28	0	693.78	0	21466.06
苍溪县	4003.13	0	294.31	0	4297.44
朝天区	1341.42	0	0	0	1341.42
剑阁县	2165.08	0	84.62	0	2249.70
利州区	3134.51	0	99.40	0	3233.91
青川县	5321.87	0	0	0	5321.87
旺苍县	2626.66	0	0	0	2626.66
元坝区	2179.61	0	215.45	0	2395.06
遂宁市	9884.27	0	1871.45	0	11755.72
安居区	884.02	0	0	0	884.02
船山区	3368.49	0	1276.46	0	4644.95
大英县	824.20	0	9.27	0	833.47
蓬溪县	1283.89	0	0	0	1283.89
射洪县	3523.67	0	585.72	0	4109.39
内江市	5615.92	0	79.12	0	5695.04
东兴区	1320.37	0	5.77	0	1326.14
隆昌县	379.72	0	0	0	379.72
内江市中区	917.37	0	51.34	0	968.71
威远县	606.57	0	0	0	606.57
资中县	2391.89	0	22.01	0	2413.90
乐山市	22948.97	0	1603.24	0	24552.21
峨边县	2137.23	0	0	0	2137.23
峨眉山市	886.32	0	0	0	886.32
夹江县	2245.32	0	61.14	0	2306.46
犍为县	3129.03	0	1098.03	0	4227.06
金口河区	508.43	0	0	0	508.43
井研县	703.80	0	0	0	703.80
乐山市中区	4259.53	0	21.77	0	4281.30
马边县	1343.26	0	13.20	0	1356.46

（续）

行政区	永久性河流	季节性或间歇性河流	洪泛平原湿地	喀斯特溶洞湿地	合 计
沐川县	1961.89	0	85.49	0	2047.38
沙湾区	3391.77	0	142.63	0	3534.40
五通桥区	2382.39	0	180.98	0	2563.37
南充市	23985.04	0	2084.87	0	26069.91
高坪区	3395.89	0	393.05	0	3788.94
嘉陵区	2140.28	0	67.53	0	2207.81
阆中市	4071.13	0	348.07	0	4419.20
南部县	4935.15	0	216.41	0	5151.56
蓬安县	3144.22	0	451.29	0	3595.51
顺庆区	1713.33	0	506.05	0	2219.38
西充县	818.52	0	0	0	818.52
仪陇县	2442.80	0	102.47	0	2545.27
营山县	1323.72	0	0	0	1323.72
眉山市	10216.75	0	738.19	0	10954.94
丹棱县	220.44	0	0	0	220.44
东坡区	2609.41	0	253.81	0	2863.22
洪雅县	3219.96	0	51.31	0	3271.27
彭山县	1255.20	0	44.43	0	1299.63
青神县	1399.95	0	388.64	0	1788.59
仁寿县	1511.79	0	0	0	1511.79
宜宾市	19960.15	0	3252.25	0	23212.40
翠屏区	3363.68	0	229.96	0	3593.64
高县	1404.36	0	77.62	0	1481.98
珙县	839.25	0	18.55	0	857.80
江安县	2660.74	0	0	0	2660.74
筠连县	715.10	0	0	0	715.10
南溪县	2568.99	0	0	0	2568.99
屏山县	2365.68	0	23.92	0	2389.60
兴文县	590.92	0	50.25	0	641.17
宜宾县	4629.44	0	2811.77	0	7441.21
长宁县	821.99	0	40.18	0	862.17
广安市	4984.59	0	162.06	0	5146.65
广安区	681.28	0	0	0	681.28
华蓥市	592.93	0	0	0	592.93

（续）

行政区	永久性河流	季节性或间歇性河流	洪泛平原湿地	喀斯特溶洞湿地	合 计
邻水县	1233.85	0	0	0	1233.85
武胜县	759.56	0	140.83	0	900.39
岳池县	1716.97	0	21.23	0	1738.20
达州市	19599.72	0	1186.90	0	20786.62
达县	4341.45	0	313.98	0	4655.43
大竹县	1130.27	0	0	0	1130.27
开江县	520.81	0	0	0	520.81
渠县	5179.70	0	872.92	0	6052.62
通川区	566.76	0	0	0	566.76
万源市	3361.14	0	0	0	3361.14
宣汉县	4499.59	0	0	0	4499.59
雅安市	9908.00	0	575.01	0	10483.01
宝兴县	910.45	0	0	0	910.45
汉源县	2207.44	0	514.48	0	2721.92
芦山县	960.38	0	0	0	960.38
名山县	388.39	0	0	0	388.39
石棉县	1763.59	0	60.53	0	1824.12
天全县	1050.33	0	0	0	1050.33
荥经县	954.79	0	0	0	954.79
雨城区	1672.63	0	0	0	1672.63
巴中市	12694.37	0	228.68	0	12923.05
巴州区	4070.97	0	70.02	0	4140.99
南江县	2251.11	0	0	0	2251.11
平昌县	3157.54	0	158.66	0	3316.20
通江县	3214.75	0	0	0	3214.75
资阳市	4892.27	0	2870.68	0	7762.95
安岳县	1412.18	0	0	0	1412.18
简阳市	1253.50	0	2700.80	0	3954.30
乐至县	193.90	0	0	0	193.90
雁江区	2032.69	0	169.88	0	2202.57
阿坝州	48412.56	24.55	3825.79	17.84	52280.74
阿坝县	3456.60	0	311.93	0	3768.53
黑水县	1995.85	0	0	0	1995.85
红原县	3129.94	0	1936.56	0	5066.50

（续）

行政区	永久性河流	季节性或间歇性河流	洪泛平原湿地	喀斯特溶洞湿地	合 计
金川县	2759.03	0	25.32	0	2784.35
九寨沟县	1437.56	24.55	0	0	1462.11
理县	1759.79	0	0	17.84	1777.63
马尔康县	3786.41	0	24.03	0	3810.44
茂县	2512.15	0	0	0	2512.15
壤塘县	4601.69	0	0	0	4601.69
若尔盖县	13146.66	0	1527.95	0	14674.61
松潘县	3708.43	0	0	0	3708.43
汶川县	3302.04	0	0	0	3302.04
小金县	2816.41	0	0	0	2816.41
甘孜州	70259.14	0	34314.40	0	104573.54
巴塘县	2677.77	0	0	0	2677.77
白玉县	4693.97	0	325.49	0	5019.46
丹巴县	2026.19	0	0	0	2026.19
道孚县	3388.32	0	106.74	0	3495.06
稻城县	2189.40	0	0	0	2189.40
得荣县	2013.83	0	0	0	2013.83
德格县	6755.16	0	2728.41	0	9483.57
甘孜县	3855.47	0	8819.53	0	12675.00
九龙县	1965.86	0	0	0	1965.86
康定县	5471.00	0	522.72	0	5993.72
理塘县	4272.00	0	0	0	4272.00
炉霍县	1841.21	0	567.68	0	2408.89
泸定县	2416.91	0	0	0	2416.91
色达县	4708.32	0	1171.59	0	5879.91
石渠县	13087.54	0	20072.24	0	33159.78
乡城县	2246.61	0	0	0	2246.61
新龙县	3181.53	0	0	0	3181.53
雅江县	3468.05	0	0	0	3468.05
凉山州	29425.59	0	1553.47	0	30979.06
布拖县	519.38	0	0	0	519.38
德昌县	1778.34	0	127.24	0	1905.58
甘洛县	1675.41	0	0	0	1675.41
会东县	3444.15	0	11.02	0	3455.17

（续）

行政区	永久性河流	季节性或间歇性河流	洪泛平原湿地	喀斯特溶洞湿地	合　计
会理县	1693.41	0	72.28	0	1765.69
金阳县	1244.05	0	13.51	0	1257.56
雷波县	1897.94	0	0	0	1897.94
美姑县	1081.71	0	0	0	1081.71
冕宁县	1688.11	0	30.95	0	1719.06
木里县	4058.46	0	0	0	4058.46
宁南县	881.67	0	22.74	0	904.41
普格县	383.85	0	0	0	383.85
西昌市	2081.41	0	1275.73	0	3357.14
喜德县	423.77	0	0	0	423.77
盐源县	5120.19	0	0	0	5120.19
越西县	651.52	0	0	0	651.52
昭觉县	802.22	0	0	0	802.22
总　计	390566.53	24.55	61680.08	17.84	452289.00

3.2 湖泊湿地

湖泊是湖盆、湖水、水中所含物质(矿物质、溶解质、有机质以及水生生物等)组成的自然综合体，湖泊湿地包括永久性淡水湖、季节性淡水湖、永久性咸水湖、季节性咸水湖等。

3.2.1 湖泊湿地各湿地型及面积

四川省面积在 8 公顷以上的湖泊有 725 个，湖泊湿地总面积 3.73 万公顷，占全省湿地总面积的 2.14%，湖泊湿地型包括永久性淡水湖、季节性淡水湖 2 型(图 2-18 至图 2-24)。

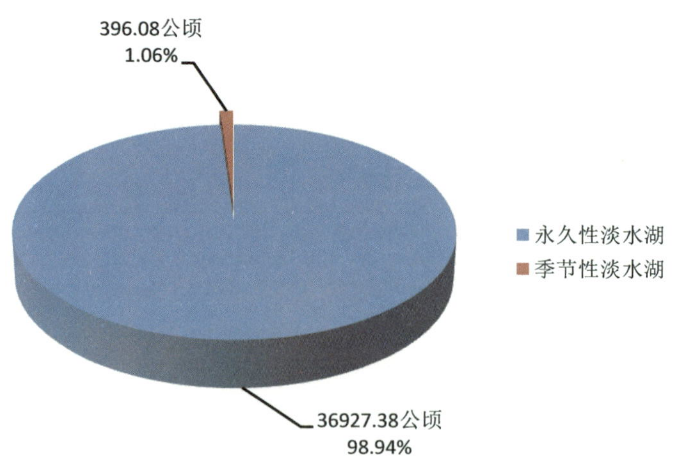

图 2-18 四川省湖泊湿地型面积、比例构成

图 **2-19**　湖泊湿地——巴塘姊妹湖(杨智富 摄)

图 **2-20**　湖泊湿地——盐源泸沽湖(唐荣华 摄)

图 **2-21**　湖泊湿地——西昌邛海(侯宁 摄)

图 **2-22** 湖泊湿地——雷波马湖(侯宁 摄)

图 **2-23** 湖泊湿地——九寨沟五花海(刘贤安 摄)

图 **2-24** 湖泊湿地——理县后海子(刘贤安 摄)

(1)永久性淡水湖：永久性淡水湖湿地指由淡水组成的永久性湖泊。四川省面积在8公顷以上的永久性淡水湖泊710个，永久性淡水湖湿地总面积3.69万公顷，占湖泊湿地总面积的98.94%。

(2)季节性淡水湖：季节性淡水湖湿地指由淡水组成的季节性或间歇性淡水湖。四川省面积在8公顷以上的季节性淡水湖泊15个，季节性淡水湖湿地总面积约0.04万公顷，占湖泊湿地总面积的1.06%。

3.2.2 各流域的湖泊湿地型及面积

四川省8公顷以上湖泊湿地涉及2个一级流域，5个二级流域，9个三级流域。广元昭化以下干流、渠江2个三级流域中无8公顷以上湖泊湿地分布。

(1)一级流域湖泊湿地型及面积：四川省2个一级流域中，黄河区湖泊湿地面积0.29万公顷，占全省湖泊湿地总面积的7.70%；长江区湖泊湿地面积3.45万公顷，占全省湖泊湿地总面积的92.30%(表2-14)。

表2-14 四川省一级流域湖泊湿地各湿地型面积统计(公顷)

湖泊湿地型 一级流域	永久性淡水湖	季节性淡水湖	合 计
黄河区	2875.60	0	2875.60
长江区	34051.78	396.08	34447.86
总 计	36927.38	396.08	37323.46

从湿地型来看，永久性淡水湖湿地在一级流域中主要分布于长江区，湿地面积占全省永久性淡水湖湿地总面积的92.21%。季节性淡水湖仅分布于长江区，湿地面积为396.08公顷，黄河区无8公顷以上的季节性淡水湖分布。

(2)二级流域湖泊湿地型及面积：四川省5二级流域中，湖泊湿地面积较大的有金沙江石鼓以下、金沙江石鼓以上、岷沱江，其湖泊湿地面积分别占全省湖泊湿地总面积的63.08%、17.07%、10.39%；龙羊峡以上、嘉陵江流域的湖泊湿地分布面积最小，分别仅占全省湖泊湿地总面积的7.70%、1.75%(表2-15)。

表2-15 四川省二级流域湖泊湿地各湿地型面积统计(公顷)

湖泊湿地型 二级流域	永久性淡水湖	季节性淡水湖	合 计
龙羊峡以上	2875.60	0	2875.60
金沙江石鼓以上	6372.07	0	6372.07
金沙江石鼓以下	23391.83	152.95	23544.78
岷沱江	3818.69	60.69	3879.38
嘉陵江	469.19	182.44	651.63
总 计	36927.38	396.08	37323.46

从湿地型来看，永久性淡水湖湿地面积较大的二级流域有金沙江石鼓以下、金沙江石鼓以上、岷沱江流域；其永久性淡水湖湿地面积分别占全省永久性淡水湖湿地总面积的63.35%、

17. 26%、10. 34%。季节性淡水湖湿地仅分布于嘉陵江、金沙江石鼓以下、岷沱江，湿地面积分别占全省季节性淡水湖湿地总面积的46. 06 %、38. 62%、15. 32%，龙羊峡以上、金沙江石鼓以上无季节性淡水湖湿地分布。

(3)三级流域湖泊湿地型及面积：四川省湖泊湿地分布的9个三级流域中，湖泊湿地以雅砻江、直门达至石鼓、河源至玛曲流域分布的湿地面积较大，分别占全省湖泊湿地总面积的60. 17%、17. 07%、7. 70%。沱江、涪江流域分布的湖泊湿地面积最小，仅分别占全省湖泊湿地总面积的0. 54%、0. 43%(表2-16)。

从湿地型来看，永久性淡水湖湿地面积较大的三级流域有雅砻江、直门达至石鼓、河源至玛曲，其永久性淡水湖湿地面积分别占全省永久性淡水湖湿地总面积的60. 54%、17. 26%、7. 79%。除直门达至石鼓、河源至玛曲、沱江3个流域无季节性淡水湖分布外，其他6个流域中，季节性淡水湖湿地面积较大的有广元昭化以上、雅砻江、石鼓以下干流，其湿地面积分别占全省季节性淡水湖湿地总面积的36. 65%、25. 94%、12. 67%。

表2-16 四川省三级流域湖泊湿地各湿地型面积统计*(公顷)

湖泊湿地型 / 三级流域	永久性淡水湖	季节性淡水湖	合　计
河源至玛曲	2875. 60	0	2875. 60
直门达至石鼓	6372. 07	0	6372. 07
雅砻江	22354. 93	102. 75	22457. 68
石鼓以下干流	1036. 90	50. 20	1087. 10
大渡河	2188. 27	20. 58	2208. 85
青衣江和岷江干流	1428. 34	40. 11	1468. 45
沱江	202. 08	0	202. 08
广元昭化以上	345. 45	145. 15	490. 60
涪江	123. 74	37. 29	161. 03
总　计	36927. 38	396. 08	37323. 46

*四川省划分的11个三级流域中，无湖泊湿地分布的流域在表中未列出。

3. 2. 3 各湿地区的湖泊湿地型及面积

四川省8公顷以上湖泊湿地共涉及69个湿地区，其中单独区划湿地区15个，零星湿地区54个，主要分布于川西及川西南山地区，约占湖泊湿地总面积的80%左右(表2-17)。

单独区划湿地区中湖泊湿地总面积为2. 23万公顷，占全省湖泊湿地总面积的59. 66%。单独区划湿地区中以长沙贡玛高原湿地区、海子山湿地区、若尔盖高原沼泽区分布的湖泊湿地面积较大，分别占全省湖泊湿地总面积的16. 83%、13. 11%、9. 22%。三岔湖、大渡河干流分布的湖泊湿地面积最小，分别仅占全省湖泊湿地总面积的0. 07%、0. 03%。

零星湿地区中湖泊湿地总面积为1. 51万公顷，占全省湖泊湿地总面积的40. 34%。零星湿地区中以雅江县零星湿地区、新龙县零星湿地区、巴塘县零星湿地区分布的湖泊湿地面积较大，分别占全省湖泊湿地总面积的7. 78%、4. 78%、4. 21%。泸定县零星湿地区、彭州市零星湿地区分布的湖泊湿地面积最小，分别仅占全省湖泊湿地总面积的0.024%、0.022%。

表2-17　四川省各湿地区湖泊湿地分布概况[*]（公顷）

湿地型 / 湿地区	永久性淡水湖	季节性淡水湖	合　计
四川各省湿地区湿地面积总计	36927.38	396.08	37323.46
单独区划湿地区	22022.47	243.05	22265.52
若尔盖高原沼泽	3420.55	20.58	3441.13
亿比措高原沼泽	839.28	70.07	909.35
长沙贡玛高原湿地	6280.34	0	6280.34
九寨沟湿地	318.21	135.47	453.68
海子山湿地	4893.33	0	4893.33
泸沽湖	2509.86	0	2509.86
马湖湿地	701.63	0	701.63
邛海湿地	2644.45	0	2644.45
金沙江干流	62.37	0	62.37
岷江干流	64.73	8.38	73.11
沱江干流	82.68	0	82.68
雅砻江干流	118.16	0	118.16
大渡河干流	10.15	0	10.15
涪江干流	50.12	8.55	58.67
三岔湖	26.61	0	26.61
零星湿地区	14904.91	153.03	15057.94
成都市	166.55	0	166.55
成华区零星湿地区	120.51	0	120.51
蒲江县零星湿地区	16.03	0	16.03
都江堰市零星湿地区	21.89	0	21.89
彭州市零星湿地区	8.12	0	8.12
自贡市	46.04	0	46.04
贡井区零星湿地区	17.31	0	17.31
荣县零星湿地区	12.81	0	12.81
富顺县零星湿地区	15.92	0	15.92
攀枝花市	0	15.85	15.85
米易县零星湿地区	0	15.85	15.85
泸州市	78.50	0	78.50
纳溪区零星湿地区	78.50	0	78.50
德阳市	9.68	0	9.68
旌阳区零星湿地区	9.68	0	9.68
绵阳市	13.91	28.74	42.65

（续）

湿地区＼湿地型	永久性淡水湖	季节性淡水湖	合 计
三台县零星湿地区	13.91	0	13.91
江油市零星湿地区	0	28.74	28.74
广元市	0	9.68	9.68
利州区零星湿地区	0	9.68	9.68
乐山市	195.25	0	195.25
金口河区零星湿地区	164.55	0	164.55
犍为县零星湿地区	19.94	0	19.94
峨边自治县零星湿地区	10.79	0	10.79
眉山市	17.50	0	17.50
仁寿县零星湿地区	17.50	0	17.50
雅安市	12.97	0	12.97
石棉县零星湿地区	12.97	0	12.97
资阳市	44.66	0	44.66
安岳县零星湿地区	44.66	0	44.66
阿坝州	1796.52	31.73	1828.25
汶川县零星湿地区	96.16	0	96.16
理县零星湿地区	370.90	31.73	402.63
茂县零星湿地区	240.85	0	240.85
松潘县零星湿地区	73.57	0	73.57
九寨沟县零星湿地区	27.24	0	27.24
金川县零星湿地区	474.38	0	474.38
小金县零星湿地区	165.48	0	165.48
黑水县零星湿地区	176.84	0	176.84
马尔康县零星湿地区	111.21	0	111.21
壤塘县零星湿地区	59.89	0	59.89
甘孜州	12109.41	16.83	12126.24
康定县零星湿地区	1161.79	0	1161.79
泸定县零星湿地区	9.05	0	9.05
丹巴县零星湿地区	233.68	0	233.68
九龙县零星湿地区	590.69	0	590.69
雅江县零星湿地区	2885.36	16.83	2902.19
道孚县零星湿地区	446.10	0	446.10
炉霍县零星湿地区	140.11	0	140.11
甘孜县零星湿地区	94.86	0	94.86
新龙县零星湿地区	1785.90	0	1785.90

（续）

湿地型 湿地区	永久性淡水湖	季节性淡水湖	合　计
德格县零星湿地区	524.78	0	524.78
白玉县零星湿地区	643.83	0	643.83
石渠县零星湿地区	203.40	0	203.40
色达县零星湿地区	29.26	0	29.26
理塘县零星湿地区	738.63	0	738.63
巴塘县零星湿地区	1569.52	0	1569.52
乡城县零星湿地区	302.71	0	302.71
稻城县零星湿地区	749.74	0	749.74
凉山州	413.89	50.20	464.09
木里藏族自治县	115.50	0	115.50
会理县零星湿地区	120.91	0	120.91
普格县零星湿地区	44.10	0	44.10
布拖县零星湿地区	0	50.20	50.20
昭觉县零星湿地区	19.06	0	19.06
冕宁县零星湿地区	26.05	0	26.05
越西县零星湿地区	43.26	0	43.26
雷波县零星湿地区	45.01	0	45.01

* 四川省划分的205个湿地区中，无湖泊湿地分布的湿地区在表中未列出，广安市华蓥市零星湿地区“天池湖”面积217.37公顷，调查统计为库塘湿地，有误，应为永久性湖泊湿地。

从湿地型来看，在单独区划湿地区中，永久性淡水湖在长沙贡玛高原湿地、海子山湿地、若尔盖高原沼泽湿地区分布面积较大，其永久性淡水湖湿地面积分别占全省永久性淡水湖湿地总面积的17.015%、13.25%、9.26%。季节性淡水湖仅分布于九寨沟湿地、亿比措高原沼泽、若尔盖高原沼泽、涪江干流、岷江干流，其季节性淡水湖湿地面积分别占全省季节性淡水湖湿地总面积的34.20%、17.69%、5.20%、2.16%、2.12%。

在零星湿地区中，永久性淡水湖在雅江县零星湿地区、新龙县零星湿地区、巴塘县零星湿地区分布的面积较大，其永久性淡水湖湿地面积分别占全省永久性淡水湖湿地总面积的7.81%、4.84%、4.25%。季节性淡水湖仅分布于布拖县零星湿地区、理县零星湿地区、江油市零星湿地区、雅江县零星湿地区、米易县零星湿地区、利州区零星湿地区，其季节性淡水湖湿地面积分别占全省季节性淡水湖湿地总面积的12.67%、8.01%、7.26%、4.25%、4.00%、2.44%。

3.2.4　各行政区的湖泊湿地型及面积

四川省面积8公顷以上的湖泊有725个，湖泊湿地总面积3.73万公顷。各市(州)行政区中，甘孜州、凉山州和阿坝州地区的湖泊湿地面积位居全省第一、二、三位，湖泊湿地面积分别为2.43万公顷、0.64万公顷、0.58万公顷，分别占全省湖泊湿地总面积的65.05%、17.19%、15.47%。内江市、南充市、达州市、巴中市地区无8公顷以上的湖泊分布(图2-25)。

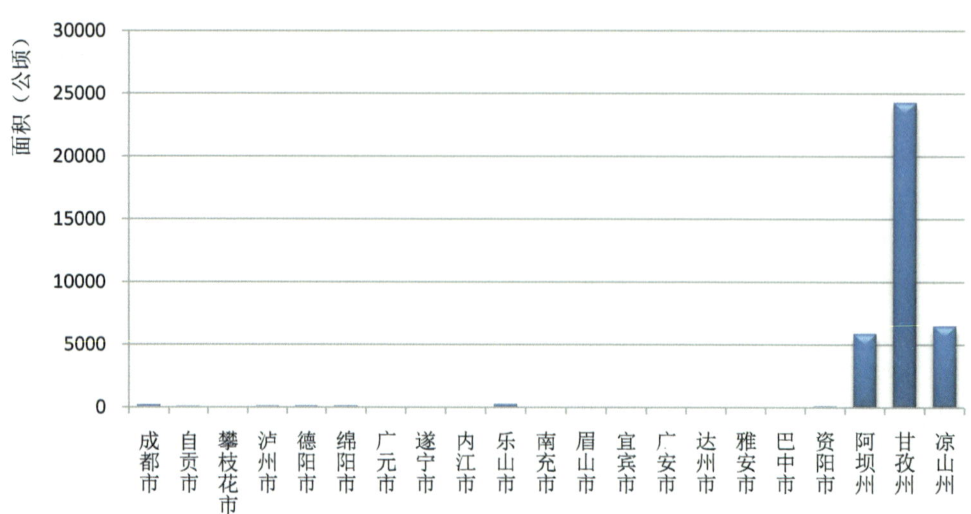

图 **2-25** 四川省各市级行政区湖泊湿地面积状况

从湿地型来看，全省湖泊湿地以永久性淡水湖为主。在各市级行政区中，永久性淡水湖以甘孜州、凉山州、阿坝州地区分布的湖泊湿地面积较大，分别占全省永久性淡水湖湿地总面积的65.51%、17.24%、15.13%；广元市、遂宁市、内江市、南充市、达州市、巴中市地区无8公顷以上的永久性淡水湖分布。季节性淡水湖仅分布于阿坝州、甘孜州、凉山州、绵阳市、攀枝花市、广元市、遂宁市、眉山市地区，其中以阿坝州、甘孜州、凉山州分布面积较大，其季节性淡水湖湿地面积分别占全省季节性淡水湖湿地总面积的47.41%、21.94%、12.67%。

四川省各市、县级行政区湖泊湿地型资源概况见表2-18。

表2-18 四川省各市、县级行政区湖泊湿地型面积分布概况*（公顷）

行政区	永久性淡水湖	季节性淡水湖	合　计
成都市	166.55	0	166.55
成华区	120.51	0	120.51
都江堰市	21.89	0	21.89
彭州市	8.12	0	8.12
蒲江县	16.03	0	16.03
自贡市	46.04	0	46.04
富顺县	15.92	0	15.92
贡井区	17.31	0	17.31
荣县	12.81	0	12.81
攀枝花市	0	15.85	15.85
米易县	0	15.85	15.85
泸州市	78.50	0	78.50
纳溪区	78.50	0	78.50

（续）

行政区	永久性淡水湖	季节性淡水湖	合　计
德阳市	92.36	0	92.36
广汉市	82.68	0	82.68
旌阳区	9.68	0	9.68
绵阳市	64.03	28.74	92.77
江油市	0	28.74	28.74
三台县	64.03	0	64.03
广元市	0	9.68	9.68
利州区	0	9.68	9.68
遂宁市	0	8.55	8.55
船山区	0	8.55	8.55
乐山市	209.37	0	209.37
峨边县	10.79	0	10.79
犍为县	34.03	0	34.03
金口河区	164.55	0	164.55
眉山市	17.50	8.38	25.88
彭山县	0	8.38	8.38
仁寿县	17.50	0	17.50
宜宾市	27.69	0	27.69
翠屏区	22.08	0	22.08
宜宾县	5.61	0	5.61
雅安市	12.97	0	12.97
石棉县	12.97	0	12.97
资阳市	71.27	0	71.27
安岳县	44.66	0	44.66
简阳市	26.61	0	26.61
阿坝州	5585.92	187.78	5773.70
阿坝县	362.30	20.58	382.88
黑水县	176.84	0	176.84
金川县	474.38	0	474.38
九寨沟县	345.45	135.47	480.92
理县	381.98	31.73	413.71
马尔康县	111.21	0	111.21
茂县	280.41	0	280.41
壤塘县	153.67	0	153.67
若尔盖县	2875.60	0	2875.60

（续）

行政区	永久性淡水湖	季节性淡水湖	合 计
松潘县	162.44	0	162.44
汶川县	96.16	0	96.16
小金县	165.48	0	165.48
甘孜州	24190.58	86.90	24277.48
巴塘县	1600.48	0	1600.48
白玉县	664.07	0	664.07
丹巴县	233.68	0	233.68
道孚县	655.08	0	655.08
稻城县	4103.53	0	4103.53
德格县	524.78	0	524.78
甘孜县	94.86	0	94.86
九龙县	614.08	0	614.08
康定县	1186.55	0	1186.55
理塘县	2261.65	0	2261.65
炉霍县	140.11	0	140.11
泸定县	19.20	0	19.20
色达县	29.26	0	29.26
石渠县	6483.74	0	6483.74
乡城县	302.71	0	302.71
新龙县	1785.90	0	1785.90
雅江县	3490.90	86.90	3577.80
凉山州	6364.60	50.20	6414.80
布拖县	0	50.20	50.20
会理县	120.91	0	120.91
雷波县	746.64	0	746.64
冕宁县	26.05	0	26.05
木里县	210.27	0	210.27
普格县	44.10	0	44.10
西昌市	2644.45	0	2644.45
盐源县	2509.86	0	2509.86
越西县	43.26	0	43.26
昭觉县	19.06	0	19.06
总 计	36927.38	396.08	37323.46

*四川省21市(州)181县(市/区)中，无湖泊湿地分布的行政区在表中未列出，广安市华蓥市“天池湖”面积217.37公顷，调查统计为库塘湿地，有误，应为永久性湖泊湿地。

3.3 沼泽湿地

沼泽湿地是一种特殊的自然综合体，凡同时具有以下三个特征的均统计为沼泽湿地：

(1)受淡水或咸水、盐水的影响，地表经常过湿或有薄层积水；

(2)生长有沼生和部分湿生、水生或盐生植物；

(3)有泥炭积累，或虽无泥炭积累，但土壤层中具有明显的潜育层。

3.3.1 沼泽湿地各湿地型及面积

四川省沼泽湿地共调查区划1194块，沼泽湿地总面积117.59万公顷，占全省湿地总面积的67.28%。除藓类沼泽、淡水泉/绿洲湿地2个湿地型未达到起调面积外，调查区划沼泽湿地型还包括草本沼泽、灌丛沼泽、森林沼泽、沼泽化草甸、地热湿地5个湿地型(图2-26至图2-32)。

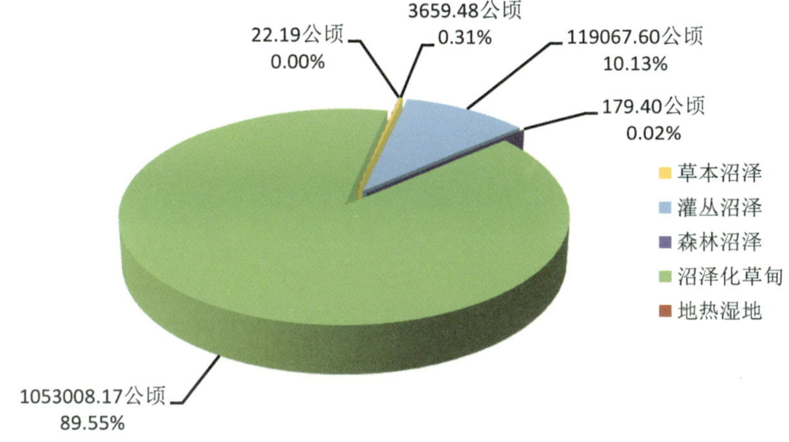

图**2-26** 四川省沼泽湿地型面积、比例构成

(1)草本沼泽：草本沼泽湿地指由水生和沼生的草本植物组成优势群落的淡水沼泽。四川省草本沼泽共调查区划20块，草本沼泽湿地面积0.37万公顷，占全省沼泽湿地总面积的0.31%。

(2)灌丛沼泽：灌丛沼泽湿地是指以灌丛植物为优势群落的淡水沼泽。四川省灌丛沼泽共调查区划223块，灌丛沼泽湿地面积11.91万公顷，占全省沼泽湿地总面积的10.13%。

(3)森林沼泽：森林沼泽湿地指以乔木森林植物为优势群落的淡水沼泽。四川省森林沼泽仅调查区划2块，森林沼泽湿地面积约0.02万公顷，占全省沼泽湿地总面积的0.02%。

(4)沼泽化草甸：沼泽化草甸湿地为典型草甸向沼泽植被的过渡类型，是在地势低洼、排水不畅、土壤过分潮湿、通透性不良等环境条件下发育起来的，包括分布在平原地区的沼泽化草甸以及高山和高原地区具有高寒性质的沼泽化草甸。四川省沼泽化草甸共调查区划948块，沼泽化草甸湿地面积105.30万公顷，占全省沼泽湿地总面积的89.55%。

(5)地热湿地：地热湿地指以地热矿泉水补给为主的沼泽。四川省地热湿地仅调查区划1块，地热湿地面积不足0.01万公顷(22.19公顷)，占全省沼泽湿地总面积的0.002%。

3.3.2 各流域的沼泽湿地型及面积

四川省8公顷以上沼泽湿地涉及2个一级流域，5个二级流域，8个三级流域。在全省划分的11个三级流域中，沱江、广元昭化以下干流、渠江流域无8公顷以上沼泽湿地分布。

图 **2-27** 沼泽湿地——若尔盖(张铭 摄)

图 **2-28** 沼泽湿地——布拖乐安草本沼泽(侯宁 摄)

图 **2-29** 沼泽湿地——木里鸭嘴(李波 摄)

图 **2-30** 沼泽湿地——盐源泸沽湖草海(冉江红 摄)

图 **2-31** 沼泽湿地——道孚孜龙河坝(郝云庆 摄)

图 **2-32** 沼泽湿地——九寨沟甘海子(唐荣华 摄)

（1）一级流域沼泽湿地型及面积：四川省 2 个一级流域中，黄河区沼泽湿地面积 54.70 万公顷，占全省沼泽湿地总面积的 46.15%；长江区沼泽湿地面积 62.57 万公顷，占全省沼泽湿地总面积的 53.85%（表 2-19）。

表 2-19　四川省一级流域沼泽湿地各湿地型面积统计（公顷）

沼泽湿地型 一级流域	草本沼泽	灌丛沼泽	森林沼泽	沼泽化草甸	地热湿地	合　计
黄河区	1124.62	26298.44	0	515327.60	0	542750.66
长江区	2534.86	92769.16	179.40	537680.57	22.19	633186.18
总　计	3659.48	119067.6	179.4	1053008.17	22.19	1175936.84

从湿地型来看，草本沼泽、灌丛沼泽主要分布于长江区，其湿地面积分别占全省该湿地型总面积的 69.27%、77.91%。森林沼泽、地热湿地仅分布于长江区，湿地面积较小，分别为 179.40 公顷、22.19 公顷。沼泽化草甸在黄河区、长江区分布面积差异不大，分别占全省沼泽化草甸湿地总面积的 48.94%、51.06%。

（2）二级流域沼泽湿地型及面积：四川省 5 二级流域中，沼泽湿地面积较大的有龙羊峡以上、金沙江石鼓以下，其沼泽湿地面积分别占全省沼泽湿地总面积的 46.15%、41.01%；金沙江石鼓以上、岷沱江、嘉陵江分布的沼泽湿地面积最小，分别仅占全省沼泽湿地总面积的 8.57%、4.12%、0.14%（表 2-20）。

表 2-20　四川省二级流域沼泽湿地各湿地型面积统计（公顷）

沼泽湿地型 二级流域	草本沼泽	灌丛沼泽	森林沼泽	沼泽化草甸	地热湿地	合　计
龙羊峡以上	1124.62	26298.44	0	515327.60	0	542750.66
金沙江石鼓以上	132.61	51676.23	179.40	48826.59	0	100814.83
金沙江石鼓以下	1279.36	34847.18	0	446142.86	0	482269.40
岷沱江	1063.07	4696.58	0	42665.22	22.19	48447.06
嘉陵江	59.82	1549.17	0	45.90	0	1654.89
总　计	3659.48	119067.6	179.4	1053008.17	22.19	1175936.84

从湿地型来看，草本沼泽湿地面积较大的二级流域有金沙江石鼓以下、龙羊峡以上、岷沱江，其草本沼泽湿地面积分别占全省草本沼泽湿地总面积的 34.96%、30.73%、29.05%。灌丛沼泽湿地以金沙江石鼓以上、金沙江石鼓以下、龙羊峡以上分布面积较大，分别占全省灌丛沼泽湿地总面积的 43.40%、29.27%、22.09%。森林沼泽仅分布于长江区—金沙江石鼓以上二级流域，湿地面积为 179.40 公顷。沼泽化草甸湿地面积较大的二级流域有龙羊峡以上、金沙江石鼓以下，其沼泽化草甸湿地面积分别占全省沼泽化草甸湿地总面积的 48.94%、42.37%。地热湿地仅分布于长江区—岷沱江二级流域，湿地面积极小，仅为 22.19 公顷。

（3）三级流域沼泽湿地型及面积：四川省沼泽湿地分布的 8 个三级流域中，沼泽湿地以河源至玛曲、雅砻江分布的湿地面积较大，其湿地面积分别占全省沼泽湿地总面积的 46.15%、41.00%；直门达至石鼓、大渡河流域分布的沼泽湿地面积较小，其湿地面积分别占全省沼泽湿地总面积的 8.57%、3.63%；青衣江和岷江干流、广元昭化以上、石鼓以下干流、涪江流域分布的沼泽湿地面积最小，分别仅占全省沼泽湿地总面积的 0.49 %、0.14%、0.02%、0.01%（表 2-21）。

表 2-21　四川省三级流域沼泽湿地各湿地型面积统计[*]（公顷）

三级流域＼沼泽湿地型	草本沼泽	灌丛沼泽	森林沼泽	沼泽化草甸	地热湿地	合　计
河源至玛曲	1124.62	26298.44	0	515327.60	0	542750.66
直门达至石鼓	132.61	51676.23	179.40	48826.59	0	100814.83
雅砻江	1252.65	34684.10	0	446142.86	0	482079.61
石鼓以下干流	26.71	163.08	0	0	0	189.79
大渡河	998.05	3261.61	0	38477.82	0	42737.48
青衣江和岷江干流	65.02	1434.97	0	4187.40	22.19	5709.58
广元昭化以上	0	1549.17	0	45.90	0	1595.07
涪江	59.82	0	0	0	0	59.82
总　计	3659.48	119067.6	179.40	1053008.17	22.19	1175936.84

* 四川省划分的 11 个三级流域中，无沼泽湿地分布的流域在表中未列出。

从湿地型来看，草本沼泽湿地面积分布较大的三级流域有雅砻江、河源至玛曲、大渡河，其草本沼泽湿地面积分别占全省草本沼泽湿地总面积的 34.23%、30.73%、27.27%；广元昭化以上流域无 8 公顷以上的草本沼泽分布。灌丛沼泽湿地以直门达至石鼓、雅砻江、河源至玛曲流域分布面积较大，分别占全省灌丛沼泽湿地总面积的 43.40%、29.13%、22.09%；涪江流域无 8 公顷以上灌丛沼泽分布。森林沼泽仅分布于长江区—金沙江石鼓以上—直门达至石鼓三级流域，湿地面积为 179.40 公顷。沼泽化草甸湿地面积较大的三级流域有河源至玛曲、雅砻江；其沼泽化草甸湿地面积分别占全省沼泽化草甸湿地总面积的 48.94%、42.37%；石鼓以下干流和涪江流域无 8 公顷以上沼泽化草甸分布。地热湿地仅分布于长江区—岷沱江—青衣江和岷江干流三级流域，湿地面积小，仅为 22.19 公顷。

3.3.3　各湿地区的沼泽湿地型及面积

四川省 8 公顷以上的沼泽湿地涉及湿地区共 43 个，其中单独区划湿地区有 11 个，零星湿地区有 32 个，其他湿地区无 8 公顷以上沼泽湿地分布。各湿地区沼泽湿地的面积分布见表 2-22。

单独区划的湿地区中沼泽湿地总面积为 85.27 万公顷，占全省沼泽湿地总面积的 72.52%。单独区划湿地区中以若尔盖高原沼泽、长沙贡玛高原湿地、海子山湿地分布的沼泽湿地面积较大，分别占全省沼泽湿地总面积的 47.97%、19.67%、2.49%。涪江干流、黄龙湿地、岷江干流分布的沼泽湿地面积最小，分别仅占全省沼泽湿地总面积的 0.005%、0.004%、0.004%。

零星湿地区中沼泽湿地总面积32.32万公顷，占全省沼泽湿地总面积的27.48%。零星湿地区中以理塘县零星湿地区、新龙县零星湿地区、石渠县零星湿地区、色达县零星湿地区分布的沼泽湿地面积较大，分别占全省沼泽湿地总面积的6.21%、4.01%、3.47%、2.46%。理县零星湿地区、金口河区零星湿地区、布拖县零星湿地区分布的沼泽湿地面积最小，分别仅占全省沼泽湿地总面积的0.006%、0.006%、0.002%。

表2-22 四川省各湿地区沼泽湿地分布概况*（公顷）

湿地区 \ 湿地型	草本沼泽	灌丛沼泽	森林沼泽	沼泽化草甸	地热湿地	合 计
四川省各湿地区湿地面积总计	3659.48	119067.60	179.40	1053008.17	22.19	1175936.84
单独区划湿地区	1714.80	56002.42	149.60	794882.33	0	852749.15
若尔盖高原沼泽	1124.62	27910.09	0	535043.96	0	564078.67
亿比措高原沼泽	0	0	0	22627.62	0	22627.62
长沙贡玛高原湿地	0	541.64	0	230780.99	0	231322.63
九寨沟湿地	0	96.85	0	0	0	96.85
黄龙湿地	0	49.91	0	0	0	49.91
海子山湿地	0	27403.93	0	1839.69	0	29243.62
泸沽湖	530.36	0	0	0	0	530.36
金沙江干流	0	0	149.60	47.95	0	197.55
岷江干流	0	0	0	47.18	0	47.18
雅砻江干流	0	0	0	4494.94	0	4494.94
涪江干流	59.82	0	0	0	0	59.82
零星湿地区	1944.68	63065.18	29.80	258125.84	22.19	323187.69
乐山市	65.02	0	0	0	0	65.02
金口河区零星湿地区	65.02	0	0	0	0	65.02
阿坝州	72.46	4487.34	0	6572.68	22.19	11154.67
汶川县零星湿地区	0	712.18	0	0	0	712.18
理县零星湿地区	0	0	0	48.42	22.19	70.61
松潘县零星湿地区	0	0	0	253.90	0	253.90
九寨沟县零星湿地区	0	974.88	0	0	0	974.88
金川县零星湿地区	0	0	0	2290.93	0	2290.93
小金县零星湿地区	72.46	0	0	460.76	0	533.22
黑水县零星湿地区	0	358.73	0	0	0	358.73

（续）

湿地型 湿地区	草本沼泽	灌丛沼泽	森林沼泽	沼泽化草甸	地热湿地	合　计
壤塘县零星湿地区	0	1964.11	0	3518.67	0	5482.78
若尔盖县零星湿地区	0	477.44	0	0	0	477.44
甘孜州	543.52	58414.76	29.80	251381.30	0	310369.38
康定县零星湿地区	0	0	0	6869.51	0	6869.51
丹巴县零星湿地区	0	0	0	749.99	0	749.99
九龙县零星湿地区	73.83	137.53	0	2428.05	0	2639.41
雅江县零星湿地区	0	6704.25	0	11497.32	0	18201.57
道孚县零星湿地区	0	0	0	3147.12	0	3147.12
炉霍县零星湿地区	277.04	0	0	4291.56	0	4568.60
甘孜县零星湿地区	0	0	0	16213.50	0	16213.50
新龙县零星湿地区	0	20098.87	0	27105.86	0	47204.73
德格县零星湿地区	0	0	0	17809.88	0	17809.88
白玉县零星湿地区	132.61	3812.70	0	13281.21	0	17226.52
石渠县零星湿地区	0	0	0	40754.88	0	40754.88
色达县零星湿地区	0	0	0	28872.84	0	28872.84
理塘县零星湿地区	60.04	17575.64	0	55394.67	0	73030.35
巴塘县零星湿地区	0	759.52	0	4960.87	0	5720.39
乡城县零星湿地区	0	7380.00	0	6502.36	0	13882.36
稻城县零星湿地区	0	1946.25	0	5274.66	0	7220.91
得荣县零星湿地区	0	0	29.80	6227.02	0	6256.82
凉山州	1263.68	163.08	0	171.86	0	1598.62
木里藏族自治县	311.38	0	0	0	0	311.38
布拖县零星湿地区	26.71	0	0	0	0	26.71
金阳县零星湿地区	0	163.08	0	0	0	163.08
越西县零星湿地区	769.70	0	0	0	0	769.70
甘洛县零星湿地区	155.89	0	0	171.86	0	327.75

* 四川省划分的205个湿地区中，无沼泽湿地分布的湿地区在表中未列出。

从湿地性来看，在单独区划湿地区中，草本沼泽仅分布于若尔盖高原沼泽、泸沽湖、涪江干流，湿地面积分别占全省草本沼泽湿地总面积的30.73%、14.49%、1.63%。灌丛沼泽仅分布于若尔盖高原沼泽、海子山湿地、长沙贡玛高原湿地、九寨沟湿地、黄龙湿地，湿地面积分别占全省灌丛沼泽湿地总面积的23.44%、23.02%、0.45%、0.08%、0.04%。森林沼泽仅分布于金沙江干流，湿地面积为149.6公顷。沼泽化草甸在全省分布面积大，单独区划湿地区中以若尔盖高原沼泽、长沙贡玛高原湿地、亿比措高原沼泽分布的沼泽化草甸湿地面积较大，湿地面积分别占全省沼泽化草甸湿地总面积的50.81%、21.92%、2.15%。单独区划湿地区中无8公顷以上的地热湿地分布。

在零星湿地区中，草本沼泽以越西县零星湿地区、木里藏族自治县零星湿地区、炉霍县零星湿地区分布的面积较大，分别占全省草本沼泽湿地总面积的21.03%、8.51%、7.57%。灌丛沼泽在新龙县零星湿地区、理塘县零星湿地区、乡城县零星湿地区、雅江县零星湿地区分布的湿地面积较大，分别占全省灌丛沼泽湿地总面积的16.88%、14.76%、6.20%、5.63%。森林沼泽仅分布于得荣县零星湿地区，湿地面积小，仅29.8公顷。沼泽化草甸以理塘县零星湿地区、石渠县零星湿地区、色达县零星湿地区、新龙县零星湿地区分布的湿地面积较大，分别占全省沼泽化草甸湿地总面积的5.26%、3.87%、2.74%、2.57%。

3.3.4 各行政区的沼泽湿地型及面积

四川省沼泽湿地调查区划1194块，总面积117.59万公顷。各市级行政区中，沼泽湿地仅分布于甘孜州、阿坝州、凉山州、乐山市、绵阳市地区，沼泽湿地面积分别占全省沼泽湿地总面积的50.87%、48.93%、0.18%、0.01%、0.01%。其他各市级行政区无8公顷以上的沼泽湿地分布(图2-33)。

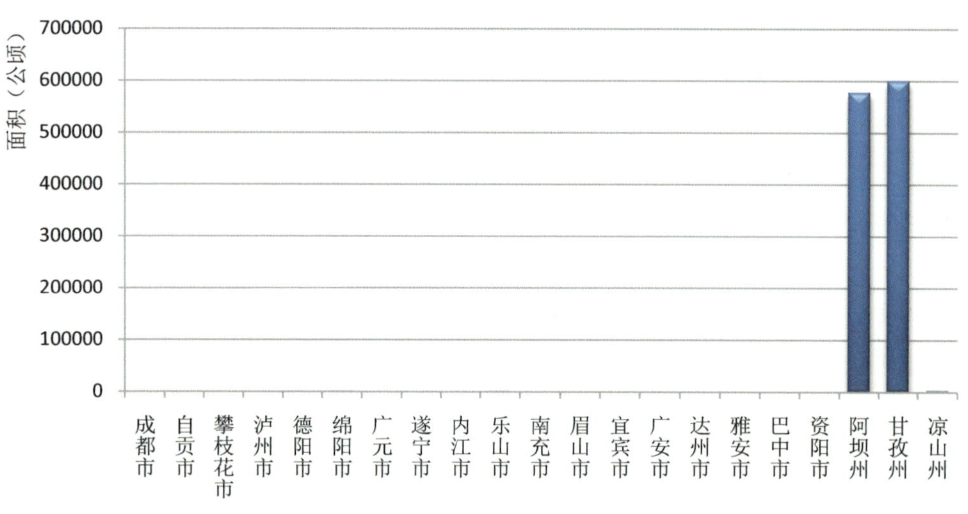

图**2-33** 四川省各市级行政区沼泽湿地面积状况

从湿地型来看，全省沼泽湿地以沼泽化草甸和灌丛沼泽为主。沼泽湿地分布的行政区划中，草本沼泽以凉山州、阿坝州、甘孜州地区分布的草本沼泽湿地面积较大，分别占全省草本沼泽湿地总面积的49.02%、32.71%、14.85%。灌丛沼泽仅分布于甘孜州、阿坝州、凉山州地区，分别占全省灌丛沼泽湿地总面积的72.53%、27.33%、0.14%。森林沼泽仅分布于甘孜州，其湿地面积为179.40公顷。沼泽化草甸仅分布于阿坝州、甘孜州、凉山州地区，分别占全省沼泽化草甸湿地总面积的51.44%、48.54%、0.02%。地热湿地仅分布于阿坝州，其湿地面积小，仅为22.19公顷。

四川省各市、县级行政区沼泽湿地型资源概况见表2-23。

表2-23 四川省各市、县级行政区沼泽湿地型面积分布概况*（公顷）

行政区	草本沼泽	灌丛沼泽	森林沼泽	沼泽化草甸	地热湿地	合 计
绵阳市	59.82	0	0	0	0	59.82
三台县	59.82	0	0	0	0	59.82
乐山市	65.02	0	0	0	0	65.02
金口河区	65.02	0	0	0	0	65.02
阿坝州	1197.08	32544.19	0	541663.82	22.19	575427.28
阿坝县	0	1297.50	0	62935.17	0	64232.67
黑水县	0	358.73	0	0	0	358.73
红原县	0	26298.44	0	180353.58	0	206652.02
金川县	0	0	0	2290.93	0	2290.93
九寨沟县	0	1071.73	0	0	0	1071.73
理县	0	0	0	48.42	22.19	70.61
壤塘县	0	1964.11	0	15651.05	0	17615.16
若尔盖县	1124.62	477.44	0	273897.86	0	275499.92
松潘县	0	364.06	0	6026.05	0	6390.11
汶川县	0	712.18	0	0	0	712.18
小金县	72.46	0	0	460.76	0	533.22
甘孜州	543.52	86360.33	179.40	511172.49	0	598255.74
巴塘县	0	759.52	0	4960.87	0	5720.39
白玉县	132.61	3812.70	0	13281.21	0	17226.52
丹巴县	0	0	0	749.99	0	749.99
道孚县	0	0	0	13346.26	0	13346.26
稻城县	0	19360.75	0	5274.66	0	24635.41
得荣县	0	0	179.40	6227.02	0	6406.42
德格县	0	0	0	18329.40	0	18329.40
甘孜县	0	0	0	16414.16	0	16414.16
九龙县	73.83	137.53	0	2428.05	0	2639.41
康定县	0	0	0	14916.61	0	14916.61
理塘县	60.04	27565.07	0	57234.36	0	84859.47
炉霍县	277.04	0	0	4291.56	0	4568.60
色达县	0	0	0	28872.84	0	28872.84
石渠县	0	541.64	0	275254.92	0	275796.56

（续）

行政区	草本沼泽	灌丛沼泽	森林沼泽	沼泽化草甸	地热湿地	合 计
乡城县	0	7380.00	0	6502.36	0	13882.36
新龙县	0	20098.87	0	27209.52	0	47308.39
雅江县	0	6704.25	0	15878.70	0	22582.95
凉山州	1794.04	163.08	0	171.86	0	2128.98
布拖县	26.71	0	0	0	0	26.71
甘洛县	155.89	0	0	171.86	0	327.75
金阳县	0	163.08	0	0	0	163.08
木里县	311.38	0	0	0	0	311.38
盐源县	530.36	0	0	0	0	530.36
越西县	769.70	0	0	0	0	769.70
总 计	3659.48	119067.60	179.40	1053008.17	22.19	1175936.84

＊四川省 21 市(州)181 县(市/区)中，无沼泽湿地分布的行政区在表中未列出。

3.4 人工湿地

人工湿地包括面积不小于 8 公顷的库塘、运河/输水河和水产养殖场。

3.4.1 人工湿地各湿地型及面积

四川省人工湿地共调查区划 1712 个斑块，人工湿地总面积 8.22 万公顷(不包括稻田/冬水田)，占全省湿地总面积的 4.71%。除稻田/冬水田湿地面积数据由统计年鉴统计外，野外调查区划的人工湿地型包括库塘、运河/输水河、水产养殖场 3 个湿地型(图 2-34 至图 2-40)。

另外，据《四川省统计年鉴(2014)》初步统计，四川省有稻田/冬水田湿地型面积 206.36 万公顷(2013 年)。

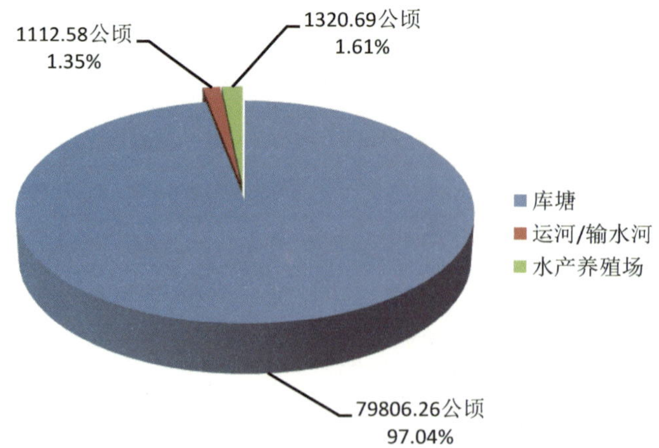

图 **2-34** 四川省人工湿地型面积、比例构成

图 **2-35**　人工湿地——宝兴硗碛水库(沈尤 摄)

图 **2-36**　人工湿地——名山清漪湖水库(唐荣华 摄)

图 **2-37**　人工湿地——仁寿黑龙滩(唐荣华 摄)

图 **2-38** 人工湿地——都江堰紫坪铺水库(张铭 摄)

图 **2-39** 人工湿地——隆昌古宇湖(李光恢 摄)

图 **2-40** 人工湿地——隆昌古宇湖(李光恢 摄)

(1)库塘：库塘主要是指为灌溉、水利水电、防洪等目的而建造的人工蓄水区。四川省库塘共调查区划1637块，库塘湿地面积7.98万公顷，占全省人工湿地总面积的97.04%。

(2)运河/输水河：运河/输水河是指为水运、输水而建造的人工河流湿地，以及以灌溉、疏浚等为主要目的的沟、渠。四川省运河/输水河共调查区划34块，运河/输水河湿地面积0.11万公顷，占全省人工湿地总面积的1.35%。

(3)水产养殖场：水产养殖场指以水产养殖为主要目的而建造的人工湿地。四川省水产养殖场共调查区划41块，水产养殖场湿地面积0.13万公顷，占全省人工湿地面积的1.61%。

3.4.2　各流域的人工湿地型及面积

四川省8公顷以上人工湿地涉及1个一级流域，4个二级流域，10个三级流域。人工湿地仅在长江区的各流域有分布，黄河区无8公顷以上的人工湿地。

(1)一级流域人工湿地型及面积：四川省8公顷以上的人工湿地(除水稻田/冬水田)仅分布于长江区，人工湿地总面积8.22万公顷，以库塘湿地占绝对优势。

表2-24　四川省一级流域人工湿地各湿地型面积统计*(公顷)

人工湿地型 / 一级流域	库　塘	运河/输水河	水产养殖场	合　计
长江区	79806.26	1112.58	1320.69	82239.53
合　计	79806.26	1112.58	1320.69	82239.53

*四川省划分的2个一级流域中，无人工湿地分布的流域在表中未列出。

从湿地型来看，库塘在长江区一级流域中的湿地面积为7.98万公顷，占全省湿地总面积的97.04%。运河/输水河在长江区一级流域中的湿地面积为0.11万公顷，占全省人工湿地总面积的1.35%。水产养殖场在长江区一级流域中的湿地面积为0.13万公顷，占全省人工湿地面积的1.61%。

(2)二级流域人工湿地型及面积：四川省人工湿地分布的4个二级流域中，以嘉陵江、岷沱江分布的人工湿地面积较大，分别占全省人工湿地总面积的46.70%、44.19%。金沙江石鼓以下、金沙江石鼓以上分布的人工湿地面积较小，其湿地面积分别占全省人工湿地总面积的9.03%、0.08%(表2-25)。

表2-25　四川省二级流域人工湿地各湿地型面积统计*(公顷)

人工湿地型 / 二级流域	库　塘	运河/输水河	水产养殖场	合　计
金沙江石鼓以上	69.04	0	0	69.04
金沙江石鼓以下	7267.26	0	158.21	7425.47
岷沱江	34380.59	802.66	1157.89	36341.14
嘉陵江	38089.37	309.92	4.59	38403.88
总　计	79806.26	1112.58	1320.69	82239.53

*四川省划分的5个二级流域中，无人工湿地分布的流域在表中未列出。

从湿地型来看，库塘主要分布于嘉陵江、岷沱江，其湿地面积分别占全省库塘湿地总面积的47.73%、43.08%。运河/输水河仅分布于岷沱江、嘉陵江，分别占全省运河/输水河湿地总面积的72.14%、27.86%，金沙江石鼓以上、金沙江石鼓以下无8公顷以上的运河/输水河分布。水产养殖场湿地面积较大的二级流域为岷沱江、金沙江石鼓以下，分别占全省水产养殖场湿地总面积的87.67%、11.98%，金沙江石鼓以上无8公顷以上的水产养殖场分布。

(3)三级流域人工湿地型及面积：四川省人工湿地分布的10个三级流域中，人工湿地面积较大的有沱江、广元昭化以下干流、渠江，人工湿地面积分别占全省人工湿地总面积的20.20%、16.34%、15.81%。广元昭化以上、直门达至石鼓分布的人工湿地面积最小，其湿地面积仅分别占全省人工湿地总面积的0.17%、0.08%(表2-26)。

表2-26 四川省三级流域人工湿地各湿地型面积统计*(公顷)

三级流域＼人工湿地型	库 塘	运河/输水河	水产养殖场	合 计
直门达至石鼓	69.04	0	0	69.04
雅砻江	3364.87	0	158.21	3523.08
石鼓以下干流	3902.39	0	0	3902.39
大渡河	8256.28	125.93	0	8382.21
青衣江和岷江干流	10039.77	360.34	943.72	11343.83
沱江	16084.54	316.39	214.17	16615.10
广元昭化以上	141.98	0	0	141.98
涪江	11525.36	294.06	0	11819.42
广元昭化以下干流	13420.05	15.86	4.59	13440.50
渠江	13001.98	0	0	13001.98
总 计	79806.26	1112.58	1320.69	82239.53

*四川省划分的11个三级流域中，无人工湿地分布的流域在表中未列出。

从湿地型来看，库塘湿地面积较大的三级流域有沱江、广元昭化以下干流、渠江，分别占全省库塘湿地总面积的20.15%、16.82%、16.29%。运河/输水河以青衣江和岷江干流、沱江、涪江分布的面积较大，分别占全省运河/输水河湿地总面积的32.39%、28.44%、26.43%。水产养殖场仅分布于青衣江和岷江干流、沱江、雅砻江、广元昭化以下干流，湿地面积分别占全省水产养殖场湿地总面积的71.46%、16.22%、11.98%、0.35%。

3.4.3 各湿地区的人工湿地型及面积

四川省8公顷以上的人工湿地共涉及150个湿地区，其中单独区划的湿地区17个，零星湿地区133个。各湿地区中人工湿地的面积分布见表2-27。

单独区划湿地区中人工湿地总面积3.02万公顷，占全省人工湿地总面积的36.74%。单独区划湿地区中以大渡河干流、升钟湖库区、嘉陵江干流、渠江干流分布的人工湿地面积较大，分别占全省人工湿地总面积的9.02%、6.59%、4.02%、3.48%。金沙江干流、马湖湿地、雅砻江干流分布的人工湿地面积最小，分别仅占全省人工湿地总面积的0.14%、0.04%、0.01%。

零星湿地区中人工湿地总面积为5.20万公顷，占全省人工湿地总面积的63.26%。零星湿地区中以岳池县零星湿地区、乐至县零星湿地区、安岳县零星湿地区分布的人工湿地面积较大，分别占全省人工湿地总面积的2.51%、2.36%、2.13%。天全县零星湿地区、昭觉县零星湿地区、得荣县零星湿地区、青白江区零星湿地区分布的人工湿地面积最小，面积不足10公顷，均约仅占全省人工湿地总面积的0.01%。

表2-27　四川省各湿地区人工湿地分布概况*（公顷）

湿地型 / 湿地区	库　塘	运河/输水河	水产养殖场	合　计
四川省各湿地区湿地面积总计	79806.26	1112.58	1320.69	82239.53
单独区划湿地区	29110.33	291.43	810.88	30212.64
马湖湿地	29.43	0	0	29.43
邛海湿地	58.79	0	158.21	217.00
长江干流四川段	224.99	0	0	224.99
金沙江干流	112.16	0	0	112.16
岷江干流	1314.26	0	652.67	1966.93
沱江干流	216.33	0	0	216.33
嘉陵江干流	3290.23	15.86	0	3306.09
雅砻江干流	8.56	0	0	8.56
大渡河干流	7385.25	33.38	0	7418.63
涪江干流	165.97	242.19	0	408.16
渠江干流	2863.95	0	0	2863.95
升钟湖库区	5415.53	0	0	5415.53
黑龙滩水库	1982.79	0	0	1982.79
大桥水库	2062.77	0	0	2062.77
江口水库	683.06	0	0	683.06
鲁班水库	1219.03	0	0	1219.03
三岔湖	2077.23	0	0	2077.23
零星湿地区	50695.93	821.15	509.81	52026.89
成都市	1471.90	462.59	276.17	2210.66
锦江区零星湿地区	16.51	0	0	16.51
成华区零星湿地区	0	55.48	0	55.48
龙泉驿区零星湿地区	447.47	130.28	0	577.75
青白江区零星湿地区	0	8.87	0	8.87
新都区零星湿地区	0	16.74	0	16.74
金堂县零星湿地区	218.34	0	0	218.34
双流县零星湿地区	102.03	95.73	8.84	206.60
郫县零星湿地区	0	29.33	0	29.33
大邑县零星湿地区	71.03	0	27.05	98.08

（续）

湿地型 湿地区	库　塘	运河/输水河	水产养殖场	合　计
蒲江县零星湿地区	235.91	0	0	235.91
新津县零星湿地区	37.31	0	80.07	117.38
都江堰市零星湿地区	43.81	0	0	43.81
彭州市零星湿地区	104.12	112.81	0	216.93
邛崃市零星湿地区	90.49	0	0	90.49
崇州市零星湿地区	104.88	13.35	160.21	278.44
自贡市	2411.26	0	0	2411.26
贡井区零星湿地区	26.29	0	0	26.29
大安区零星湿地区	147.88	0	0	147.88
沿滩区零星湿地区	569.83	0	0	569.83
荣县零星湿地区	856.01	0	0	856.01
富顺县零星湿地区	811.25	0	0	811.25
攀枝花市	826.58	0	0	826.58
东区零星湿地区	193.71	0	0	193.71
西区零星湿地区	15.67	0	0	15.67
仁和区零星湿地区	344.97	0	0	344.97
米易县零星湿地区	164.80	0	0	164.80
盐边县零星湿地区	107.43	0	0	107.43
泸州市	1688.34	0	0	1688.34
江阳区零星湿地区	131.37	0	0	131.37
纳溪区零星湿地区	96.20	0	0	96.20
龙马潭区零星湿地区	70.27	0	0	70.27
泸县零星湿地区	1052.72	0	0	1052.72
合江县零星湿地区	173.03	0	0	173.03
叙永县零星湿地区	115.34	0	0	115.34
古蔺县零星湿地区	49.41	0	0	49.41
德阳市	1625.96	210.23	202.41	2038.60
旌阳区零星湿地区	48.77	15.31	176.34	240.42
中江县零星湿地区	1169.62	0	0	1169.62
罗江县零星湿地区	180.55	39.08	0	219.63
广汉市零星湿地区	89.91	0	26.07	115.98
什邡市零星湿地区	11.09	71.39	0	82.48
绵竹市零星湿地区	126.02	84.45	0	210.47
绵阳市	4505.70	55.78	0	4561.48
涪城区零星湿地区	284.05	0	0	284.05

（续）

湿地型 湿地区	库　塘	运河/输水河	水产养殖场	合　计
游仙区零星湿地区	1163.30	0	0	1163.30
三台县零星湿地区	329.26	0	0	329.26
盐亭县零星湿地区	420.76	0	0	420.76
安县零星湿地区	330.60	3.91	0	334.51
梓潼县零星湿地区	901.72	0	0	901.72
平武县零星湿地区	323.41	0	0	323.41
江油市零星湿地区	752.60	51.87	0	804.47
广元市	1604.57	0	0	1604.57
利州区零星湿地区	91.84	0	0	91.84
元坝区零星湿地区	425.08	0	0	425.08
旺苍县零星湿地区	10.76	0	0	10.76
剑阁县零星湿地区	618.94	0	0	618.94
苍溪县零星湿地区	457.95	0	0	457.95
遂宁市	2647.60	0	0	2647.60
船山区零星湿地区	73.02	0	0	73.02
安居区零星湿地区	811.98	0	0	811.98
蓬溪县零星湿地区	938.04	0	0	938.04
射洪县零星湿地区	260.80	0	0	260.80
大英县零星湿地区	563.76	0	0	563.76
内江市	3920.90	0	0	3920.90
内江市中区零星湿地区	390.66	0	0	390.66
东兴区零星湿地区	702.42	0	0	702.42
威远县零星湿地区	833.01	0	0	833.01
资中县零星湿地区	1180.34	0	0	1180.34
隆昌县零星湿地区	814.47	0	0	814.47
乐山市	3057.58	0	14.88	3072.46
乐山市中区零星湿地区	375.62	0	0	375.62
五通桥区零星湿地区	94.07	0	0	94.07
犍为县零星湿地区	831.01	0	0	831.01
井研县零星湿地区	1413.20	0	0	1413.20
夹江县零星湿地区	158.08	0	14.88	172.96
沐川县零星湿地区	26.11	0	0	26.11
峨边自治县零星湿地区	25.18	0	0	25.18
峨眉山市零星湿地区	134.31	0	0	134.31
南充市	3079.78	0	4.59	3084.37

（续）

湿地型 湿地区	库 塘	运河/输水河	水产养殖场	合 计
顺庆区零星湿地区	97.63	0	0	97.63
高坪区零星湿地区	143.58	0	4.59	148.17
嘉陵区零星湿地区	45.97	0	0	45.97
南部县零星湿地区	256.93	0	0	256.93
营山县零星湿地区	740.81	0	0	740.81
蓬安县零星湿地区	358.62	0	0	358.62
仪陇县零星湿地区	167.97	0	0	167.97
西充县零星湿地区	349.50	0	0	349.50
阆中市零星湿地区	918.77	0	0	918.77
眉山市	2643.37	0	11.76	2655.13
东坡区零星湿地区	336.04	0	0	336.04
仁寿县零星湿地区	799.44	0	11.76	811.20
彭山县零星湿地区	139.83	0	0	139.83
洪雅县零星湿地区	1089.67	0	0	1089.67
丹棱县零星湿地区	156.74	0	0	156.74
青神县零星湿地区	121.65	0	0	121.65
宜宾市	1724.59	0	0	1724.59
翠屏区零星湿地区	433.41	0	0	433.41
宜宾县零星湿地区	242.39	0	0	242.39
南溪县零星湿地区	157.61	0	0	157.61
江安县零星湿地区	205.57	0	0	205.57
长宁县零星湿地区	171.57	0	0	171.57
高县零星湿地区	296.28	0	0	296.28
珙县零星湿地区	85.40	0	0	85.40
筠连县零星湿地区	50.40	0	0	50.40
兴文县零星湿地区	60.69	0	0	60.69
屏山县零星湿地区	21.27	0	0	21.27
广安市	4780.39	0	0	4780.39
广安区零星湿地区	645.90	0	0	645.90
岳池县零星湿地区	2062.52	0	0	2062.52
武胜县零星湿地区	240.09	0	0	240.09
邻水县零星湿地区	1586.59	0	0	1586.59
华蓥市零星湿地区	245.29	0	0	245.29
达州市	3645.50	0	0	3645.50
达县零星湿地区	660.10	0	0	660.10

（续）

湿地型 湿地区	库　塘	运河/输水河	水产养殖场	合　计
宣汉县零星湿地区	135.26	0	0	135.26
开江县零星湿地区	880.63	0	0	880.63
大竹县零星湿地区	1243.37	0	0	1243.37
渠县零星湿地区	693.37	0	0	693.37
万源市零星湿地区	32.77	0	0	32.77
雅安市	358.49	0	0	358.49
雨城区零星湿地区	38.01	0	0	38.01
名山县零星湿地区	310.62	0	0	310.62
天全县零星湿地区	9.86	0	0	9.86
巴中市	1270.33	0	0	1270.33
巴州区零星湿地区	511.16	0	0	511.16
通江县零星湿地区	10.24	0	0	10.24
南江县零星湿地区	199.50	0	0	199.50
平昌县零星湿地区	549.43	0	0	549.43
资阳市	6382.87	0	0	6382.87
雁江区零星湿地区	1417.04	0	0	1417.04
安岳县零星湿地区	1748.78	0	0	1748.78
乐至县零星湿地区	1940.27	0	0	1940.27
简阳市零星湿地区	1276.78	0	0	1276.78
阿坝州	190.79	92.55	0	283.34
汶川县零星湿地区	38.01	0	0	38.01
理县零星湿地区	14.59	0	0	14.59
金川县零星湿地区	8.51	92.55	0	101.06
黑水县零星湿地区	129.68	0	0	129.68
甘孜州	384.75	0	0	384.75
九龙县零星湿地区	354.23	0	0	354.23
新龙县零星湿地区	21.49	0	0	21.49
得荣县零星湿地区	9.03	0	0	9.03
凉山州	2474.68	0	0	2474.68
西昌市零星湿地区	54.19	0	0	54.19
盐源县零星湿地区	419.81	0	0	419.81
德昌县零星湿地区	110.93	0	0	110.93
会理县零星湿地区	615.08	0	0	615.08
会东县零星湿地区	342.52	0	0	342.52
宁南县零星湿地区	72.07	0	0	72.07

（续）

湿地型 湿地区	库　塘	运河/输水河	水产养殖场	合　计
布拖县零星湿地区	81.08	0	0	81.08
昭觉县零星湿地区	9.31	0	0	9.31
冕宁县零星湿地区	748.88	0	0	748.88
越西县零星湿地区	20.81	0	0	20.81

*四川省划分的205个湿地区中，无人工湿地分布的湿地区在表中未列出。

从湿地型来看，在单独区划湿地区中，库塘湿地在大渡河干流、升钟湖库区、嘉陵江干流、渠江干流分布的面积较大，其库塘湿地面积分别占全省库塘湿地总面积的9.25%、6.79%、4.12%、3.59%。运河/输水河仅分布于涪江干流、大渡河干流、嘉陵江干流，湿地面积分别占全省运河/输水河湿地总面积的21.77%、3.00%、1.43%。水产养殖场仅分布于岷江干流、邛海湿地，其湿地面积分别占全省水产养殖场湿地总面积的49.42%、11.98%。

在零星湿地区中，库塘湿地以岳池县零星湿地区、乐至县零星湿地区、安岳县零星湿地区分布的面积较大，分别占全省库塘湿地总面积的2.58%、2.43%、2.19%。运河/输水河在龙泉驿区零星湿地区、彭州市零星湿地区、双流县零星湿地区、金川县零星湿地区分布的面积较大，分别占全省运河/输水河湿地总面积的11.71%、10.14%、8.60%、8.32%。水产养殖场主要分布于旌阳区零星湿地区、崇州市零星湿地区、新津县零星湿地区，其湿地面积分别占全省水产养殖场湿地总面积的13.35%、12.13%、6.06%。

3.4.4 各行政区的人工湿地型及面积

四川省21个市级行政区中，人工湿地共调查区划1712块，总面积8.22万公顷。主要分布于广安市、资阳市、南充市、雅安市地区，人工湿地面积分别占全省人工湿地总面积的12.85%、10.35%、9.13%、9.11%；其次是绵阳市、凉山州、眉山市、达州市地区，人工湿地面积分别占全省人工湿地总面积的7.26%、6.13%、6.09%、5.36%；攀枝花市、甘孜州、阿坝州分布的人工湿地面积最小，人工湿地面积分别仅占全省人工湿地总面积的1.08%、0.54%、0.39%（图2-41）。

从湿地型来看，全省人工湿地以库塘为主。在各市级行政区划中，库塘以广安市、资阳市、南充市、雅安市地区分布的湿地面积较大，分别占全省库塘湿地总面积的13.24%、10.66%、9.388%、9.385%；攀枝花市、甘孜州、阿坝州分布的库塘湿地面积最小，分别仅占占全省库塘湿地总面积的1.11%、0.56%、0.24%。运河/输水河仅分布于成都市、德阳市、遂宁市、绵阳市、阿坝州、南充市地区，湿地面积分别占全省运河/输水河湿地总面积的41.58%、18.90%、14.32%、12.46%、11.32%、1.43%。水产养殖场仅分布于成都市、眉山市、德阳市、凉山州、乐山市、南充市地区，湿地面积分别占全省水产养殖场湿地总面积的43.46%、27.76%、15.33%、11.98%、1.13%、0.35%。

四川省各市、县级行政区人工湿地型资源概况见表2-28。

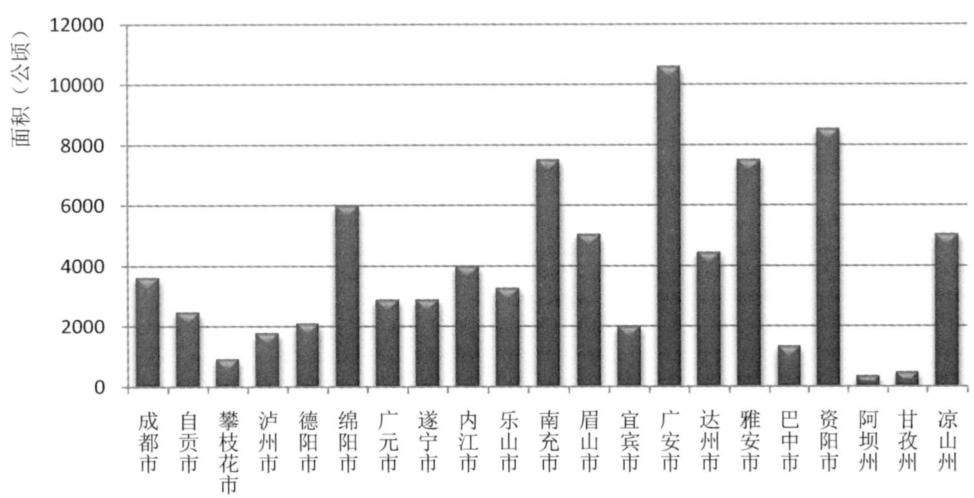

图 **2-41** 四川省各市(州)行政区人工湿地面积状况

表 2-28 四川省各市、县级行政区人工湿地型面积分布概况[*]（公顷）

行政区	库塘	运河/输水河	水产养殖场	合 计
成都市	2574.24	462.59	573.98	3610.81
成华区	0	55.48	0	55.48
崇州市	159.14	13.35	201.60	374.09
大邑县	71.03	0	27.05	98.08
都江堰市	1020.18	0	0	1020.18
金堂县	279.56	0	0	279.56
锦江区	16.51	0	0	16.51
龙泉驿区	447.47	130.28	0	577.75
彭州市	104.12	112.81	0	216.93
郫县	0	29.33	0	29.33
蒲江县	235.91	0	0	235.91
青白江区	0	8.87	0	8.87
邛崃市	90.49	0	0	90.49
双流县	102.03	95.73	63.09	260.85
温江区	0	0	12.49	12.49
新都区	0	16.74	0	16.74
新津县	47.80	0	269.75	317.55
自贡市	2451.98	0	0	2451.98
大安区	147.88	0	0	147.88
富顺县	851.97	0	0	851.97

（续）

行政区	库塘	运河/输水河	水产养殖场	合 计
贡井区	26.29	0	0	26.29
荣县	856.01	0	0	856.01
沿滩区	569.83	0	0	569.83
攀枝花市	887.29	0	0	887.29
东区	193.71	0	0	193.71
米易县	164.80	0	0	164.80
仁和区	386.27	0	0	386.27
西区	15.67	0	0	15.67
盐边县	126.84	0	0	126.84
泸州市	1741.68	0	0	1741.68
古蔺县	49.41	0	0	49.41
合江县	217.32	0	0	217.32
江阳区	140.42	0	0	140.42
龙马潭区	70.27	0	0	70.27
泸县	1052.72	0	0	1052.72
纳溪区	96.20	0	0	96.20
叙永县	115.34	0	0	115.34
德阳市	1646.52	210.23	202.41	2059.16
广汉市	89.91	0	26.07	115.98
旌阳区	57.39	15.31	176.34	249.04
罗江县	180.55	39.08	0	219.63
绵竹市	137.96	84.45	0	222.41
什邡市	11.09	71.39	0	82.48
中江县	1169.62	0	0	1169.62
绵阳市	5835.51	138.66	0	5974.17
安县	330.60	3.91	0	334.51
涪城区	302.76	0	0	302.76
江油市	788.56	99.54	0	888.10
平武县	323.41	0	0	323.41
三台县	1585.84	35.21	0	1621.05
盐亭县	420.76	0	0	420.76
游仙区	1181.86	0	0	1181.86
梓潼县	901.72	0	0	901.72
广元市	2863.28	0	0	2863.28
苍溪县	516.88	0	0	516.88
剑阁县	1793.61	0	0	1793.61

（续）

行政区	库塘	运河/输水河	水产养殖场	合　计
利州区	100.98	0	0	100.98
旺苍县	10.76	0	0	10.76
元坝区	441.05	0	0	441.05
遂宁市	2702.79	159.31	0	2862.10
安居区	811.98	0	0	811.98
船山区	118.57	113.69	0	232.26
大英县	563.76	0	0	563.76
蓬溪县	947.68	0	0	947.68
射洪县	260.80	45.62	0	306.42
内江市	3966.77	0	0	3966.77
东兴区	702.42	0	0	702.42
隆昌县	814.47	0	0	814.47
内江市中区	390.66	0	0	390.66
威远县	833.01	0	0	833.01
资中县	1226.21	0	0	1226.21
乐山市	3243.71	0	14.88	3258.59
峨边县	25.18	0	0	25.18
峨眉山市	134.31	0	0	134.31
夹江县	158.08	0	14.88	172.96
犍为县	986.27	0	0	986.27
井研县	1413.20	0	0	1413.20
乐山市中区	395.61	0	0	395.61
沐川县	26.11	0	0	26.11
五通桥区	104.95	0	0	104.95
南充市	7491.91	15.86	4.59	7512.36
高坪区	156.34	0	4.59	160.93
嘉陵区	45.97	0	0	45.97
阆中市	1289.67	0	0	1289.67
南部县	4232.75	0	0	4232.75
蓬安县	397.63	15.86	0	413.49
顺庆区	111.27	0	0	111.27
西充县	349.50	0	0	349.50
仪陇县	167.97	0	0	167.97
营山县	740.81	0	0	740.81
眉山市	4642.03	0	366.62	5008.65
丹棱县	156.74	0	0	156.74

（续）

行政区	库塘	运河/输水河	水产养殖场	合　计
东坡区	351. 91	0	119. 61	471. 52
洪雅县	1089. 67	0	0	1089. 67
彭山县	139. 83	0	235. 25	375. 08
青神县	121. 65	0	0	121. 65
仁寿县	2782. 23	0	11. 76	2793. 99
宜宾市	1967. 38	0	0	1967. 38
翠屏区	466. 88	0	0	466. 88
高县	296. 28	0	0	296. 28
珙县	85. 40	0	0	85. 40
江安县	301. 07	0	0	301. 07
筠连县	50. 40	0	0	50. 40
南溪县	233. 76	0	0	233. 76
屏山县	35. 25	0	0	35. 25
兴文县	60. 69	0	0	60. 69
宜宾县	266. 08	0	0	266. 08
长宁县	171. 57	0	0	171. 57
广安市	10563. 78	0	0	10563. 78
广安区	3394. 37	0	0	3394. 37
华蓥市	245. 29	0	0	245. 29
邻水县	1586. 59	0	0	1586. 59
武胜县	3275. 01	0	0	3275. 01
岳池县	2062. 52	0	0	2062. 52
达州市	4407. 80	0	0	4407. 80
达县	660. 10	0	0	660. 10
大竹县	1243. 37	0	0	1243. 37
开江县	880. 63	0	0	880. 63
渠县	772. 61	0	0	772. 61
万源市	32. 77	0	0	32. 77
宣汉县	818. 32	0	0	818. 32
雅安市	7489. 90	0	0	7489. 90
汉源县	5574. 05	0	0	5574. 05
名山县	310. 62	0	0	310. 62
石棉县	1557. 36	0	0	1557. 36
天全县	9. 86	0	0	9. 86
雨城区	38. 01	0	0	38. 01
巴中市	1306. 57	0	0	1306. 57

(续)

行政区	库塘	运河/输水河	水产养殖场	合　计
巴州区	520.49	0	0	520.49
南江县	199.50	0	0	199.50
平昌县	576.34	0	0	576.34
通江县	10.24	0	0	10.24
资阳市	8508.06	0	0	8508.06
安岳县	1748.78	0	0	1748.78
简阳市	3367.94	0	0	3367.94
乐至县	1940.27	0	0	1940.27
雁江区	1451.07	0	0	1451.07
阿坝州	190.79	125.93	0	316.72
黑水县	129.68	0	0	129.68
金川县	8.51	125.93	0	134.44
理县	14.59	0	0	14.59
汶川县	38.01	0	0	38.01
甘孜州	444.76	0	0	444.76
得荣县	69.04	0	0	69.04
九龙县	354.23	0	0	354.23
新龙县	21.49	0	0	21.49
凉山州	4879.51	0	158.21	5037.72
布拖县	81.08	0	0	81.08
德昌县	110.93	0	0	110.93
甘洛县	253.84	0	0	253.84
会东县	342.52	0	0	342.52
会理县	615.08	0	0	615.08
雷波县	29.43	0	0	29.43
冕宁县	2811.65	0	0	2811.65
宁南县	72.07	0	0	72.07
西昌市	112.98	0	158.21	271.19
盐源县	419.81	0	0	419.81
越西县	20.81	0	0	20.81
昭觉县	9.31	0	0	9.31
合　计	79806.26	1112.58	1320.69	82239.53

* 四川省21市(州)181个县级行政区中，无人工湿地分布的行政区在表中未列出。

第三节 湿地特点及分布规律

四川省地跨青藏高原、横断山脉、云贵高原、秦巴山地和四川盆地五大地貌单元；数亿年的地质运动，使全省境内的河流大多穿切盆周山地汇入长江；“两纵一横”的嘉陵江、岷江、长江与河网密布的涪江、渠江、沱江、金沙江、赤水河等支流水系贯穿全省；黄河在川西北挂角而去。特殊的地理条件和复杂的河流水系，在显著差异的气候变化及人为活动等因素共同作用下，使四川湿地在类型和分布上表现出了明显的地域特征，形成了全省各地区河网、水系密集、东部盆地区库塘、水田遍布，西部山地高原区沼泽、湖泊众多的湿地分布特征。

1 湿地特点

四川湿地面积约 174.78 万公顷(不含稻田/冬水田)，是我国湿地面积较大的省区之一。境内河流交错，沟谷纵横，西部湖泊众多，星罗棋布；东部水田遍布，一望无垠；北部沼泽连片，平坦开阔。湿地地理景观与生态系统类型复杂丰富，孕育了四川特色鲜明的湿地资源。

(1)湿地类型多样，高原湿地众多：四川省湿地总面积 174.78 万公顷，占全省国土总面积的 3.60%；湿地类(4 类)、型(17 型)分别占全国湿地(5 类 34 型)的 80% 和 50%，湿地资源丰富，类型多样。高原湿地作为一种特殊的湿地类型和湿地生态系统，主要分布于四川省川西及川西北高山高原区，全省 3000 米以上的高原湿地面积 132.21 万公顷，占全省湿地总面积的 75.65%。该分布区的高原湿地既是四川湿地资源的核心组成部分，又是四川高寒高原湿地的重要分布地，同时亦是青藏高原区高寒湿地生态系统的典型代表，在全省乃至全国湿地生态系统服务功能中发挥着不可替代的重要作用。

(2)自然湿地为主，空间分布不均：从湿地的属性及面积来看，四川湿地以自然湿地为主，人工湿地为辅；自然湿地中沼泽湿地面积较大，湖泊湿地面积较小。四川省自然湿地(包括河流湿地、湖泊湿地、沼泽湿地)面积为 166.56 万公顷，占全省湿地总面积的 95.29%；人工湿地面积仅 8.22 万公顷，只占全省湿地总面积的 4.71%；自然湿地中沼泽湿地分布面积最大，湿地面积为 117.59 万公顷，占全省湿地总面积的 67.28%；河流湿地次之，湿地面积为 45.23 万公顷，占全省湿地总面积的 25.88%；湖泊湿地面积较小，湿地面积为 3.73 万公顷，占全省湿地总面积的 2.14%。从湿地的地理分布格局来看，河流湿地贯穿全省、河网密布，沼泽湿地和湖泊湿地多分布于川西的中山和高山高原地带，而人工湿地多分布于中、东部平原区和盆地丘陵区。全省湿地主要分布于甘孜州(41.64%)和阿坝州(36.25%)，这两个自治州的湿地面积占全省湿地总面积的 77.89%。

(3)湿地成因复杂，典型湿地突出：四川省内地质灾害较为频繁，尤以龙门山以西地区和川北山地较为突出，山地地质结构不稳定，山体滑坡、塌方以及泥石流等自然灾害发生频繁，造成区域河流阻塞、积水等，导致形成各具特色的湖泊湿地类型，如 2008 年汶川地震形成的唐家山堰塞湖、地质构造运动时断陷形成的邛海湖、古冰川堰塞古黄琅河而成的马湖以及高原断陷形成的泸沽湖等。在川西高原寒冷气候环境下，由于地面水流不畅、地表长年积水，枯萎死亡的植物残体不能完全分解，经过长年累月的积累，形成了世界上著名的若尔盖高原泥炭沼泽湿地。通过钙化作用形成的九寨沟湿地和黄龙湿地享誉国内外。四川的人工湿地多以人工开挖、湖泊围堰、江河截流、兴修水利水电工程等形成。

(4)湿地水源丰富，补给类型复杂：四川省位于热带与温带交错渗透的亚热带范围内，地处我国东部季风区、西部青藏高寒区、西北干旱区三大自然区交接地带，区内降水明显，雨量充沛。境内分布着黄河、长江两大水系，大小河流众多，地表径流及水资源丰富。省内湿地水源补给类型复杂多样，有雨水补给类型的河流，有冰川、雪山、冻土融水补给类型的湖泊，有地下水以及混合补给类型的沼泽，人工补给类型的库塘等，各种补给类型在湿地间相互渗透、彼此交错。无论是何种补给类型的湿地，其大气降水和地表径流在湿地水源补给中都占了相当大的比重，形成湿地的分布面积分别占全省湿地总面积的43.65%和39.44%。此外，四川还有数量较多的水产养殖场、小型水库等库塘以及输水河的水源存在人工补给的现象。

(5)水质差异较大，西北好于东南：四川省各流域水质差异较大，湿地水质总体上西北好于东南。据统计，金沙江直门达至石鼓及石鼓以下干流、雅砻江、大渡河、涪江、赤水河等水资源三级区水质达标率较高，而沱江、青衣江和岷江干流、渠江、长江宜宾至宜昌干流、嘉陵江广元昭化以上及广元昭化以下等三级区水质达标率稍低。黄河区的湿地多分布在西北地区，水质较好，多为Ⅰ、Ⅱ类水质。长江区湿地的川西及川西北地区湿地水质较好，大多为Ⅰ、Ⅱ类水质；在川中丘陵、平原区的湿地水质较差，多以Ⅲ类水为主，有的甚至达到Ⅳ类、Ⅴ类水质。另外，据四川省环境监测系统于2014年12月对全省地表水169个监测断面/点位监测显示，Ⅰ~Ⅲ类水质断面占68.1%；Ⅳ、Ⅴ类水质断面占19.6%；劣Ⅴ类水质的断面占12.3%，全省五大水系水质总体呈轻度污染状态。

(6)湿地功能多样，生态功能显著：四川省湿地类型多样，生态功能显著。区内大面积的高寒湿地类型(尤其是高寒沼泽湿地)，在涵养水源、净化水质、调蓄水流、调节流域气候、维持和保护生物多样性方面生态功能明显，对下游水源补给和鸟类多样性的保护方面作用突出，其中沼泽湿地因兼有滩涂、沼泽和水域等生境，为候鸟和留鸟等提供了丰富的食物补给，而成为众多野生动植物得天独厚的栖息地，如若尔盖湿地是黑颈鹤重要的繁殖栖息地，有着“中国黑颈鹤之乡”的美誉。此外，河流湿地垂直落差较大，是省内重要的电力资源；水库主要作为补水和灌溉源，亦具有调蓄防洪的作用。

(7)湿地资源丰富，利用潜力较大：四川省湿地资源丰富，在全国乃至全世界都具有重要的战略地位，尤其是若尔盖湿地是全球最大的高原泥炭沼泽湿地，被称为“高原明珠”的九寨沟、黄龙湖泊湿地群是四川省极具特色的旅游资源。省内的岷江嘉陵江等河流湿地又是长江的重要水源补给区，对我国水资源保护有重要的意义。与此同时，四川省湿地生物资源中孕育了宝贵的可利用湿地经济动植物，是支撑四川经济社会可持续发展的重要保障之一，如莲、茭笋、菰、菱、荸荠、水稻等均是四川湿地广泛分布的经济植物，鱼类、虾类等是四川湿地盛产的经济动物。另外，四川湿地还为开展湿地环境教育、科学研究和宣传湿地保护理念提供了理想场所，如泸沽湖、海子山湿地。

2 分布规律

四川河流湿地遍布全省，自然湿地主要分布于川西及川西北地区，人工湿地主要分布于东部盆地及川西南山地区。各湿地类型在不同的地形地貌、显著的气候条件以及人为活动等因素共同作用下，其分布区域和分布形式差异较大。总体上，四川湿地沿着地形走势，由西北向东南湿地面积逐渐减少；除河流湿地贯穿全省外，湖泊湿地、沼泽湿地和人工湿地的分布格局差异显著。

2.1 河流湿地

四川河流湿地贯穿全省，主要源于长江、黄河两大水系。

(1)从空间格局来看，四川东、西部河流分布差异较大。东部地区地势平坦，水系密集，河网密度大，河流湿地分布集中，河流湿地面积较大；川西地区沟谷纵横，水系疏散，河网密度小，河流湿地面积较小。

(2)从流域分布来看，雅砻江、青衣江和岷江干流、石鼓以下干流、大渡河河流湿地面积较大；渠江、涪江、广元昭化以下干流、沱江流域河流湿地次之；直门达至石鼓、河源至玛曲、广元昭化以上分布的河流湿地面积较小。

(3)从湿地区划来看，河流湿地以雅砻江干流、岷江干流、若尔盖高原沼泽、嘉陵江干流湿地区分布的面积较大；泸沽湖、邛海湿地、江阳区零星湿地区、大桥水库湿地区分布的河流湿地面积较小。

(4)从行政区划来看，甘孜、阿坝、凉山地区的河流湿地分布面积位居全省前三位，明显大于其他各行政区；资阳、自贡、内江、广安地区河流湿地分布较少。

2.2 湖泊湿地

四川湖泊湿地数量大(8 公顷以上的湖泊 725 个)、面积小、海拔高、分布集中、多形成湖泊群，如阿坝州的九寨沟湖泊群、黄龙湖泊群，甘孜州的海子山湖泊群、神仙山湖泊群等。

(1)从空间格局来看，四川东西部的湖泊数量分布不均，湖泊数量、面积差异较大。全省湖泊湿地主要集中分布于西部和西北部高山高原区，形成典型的湖泊湿地群。湖泊湿地水域面积一般都在 1000 公顷以下，其中以 8～100 公顷以内的湖泊数量居多，水面面积大于 1000 公顷的湖泊仅有柴尔亚湖(位于阿坝州)、泸沽湖(位于凉山州)、邛海(位于凉山州)、汪涌湖(位于甘孜州)。

(2)从流域分布来看，湖泊湿地主要分布于雅砻江、直门达至石鼓 2 个三级流域；河源至玛曲、大渡河、青衣江和岷江干流、石鼓以下干流流域分布的湖泊湿地面积次之；广元昭化以上、沱江、涪江流域分布的湖泊湿地面积较小；广元昭化以下干流、渠江流域无 8 公顷以上的湖泊湿地分布。

(3)从湿地区划来看，长沙贡玛高原湿地、海子山湿地、若尔盖高原沼泽、雅江县零星湿地区、邛海湿地、泸沽湖湿地区分布的湖泊湿地面积较大；旌阳区零星湿地区、利州区零星湿地区、泸定县零星湿地区、彭州市零星湿地区分布的湖泊湿地面积较小。

(4)从行政区划来看，甘孜、凉山和阿坝地区的湖泊湿地面积位居全省第一、二、三位；广元、遂宁地区湖泊湿地面积较小；内江、南充、广安、达州、巴中地区无 8 公顷以上的湖泊分布。

2.3　沼泽湿地

四川沼泽湿地面积大，以高原湿地为主，在四川湿地中占主要优势。沼泽湿地分布海拔高、集中成片，常与小的湖泊和河流相连，植被类型主要为高寒灌丛和沼泽化草甸。

(1)从空间格局来看，沼泽湿地主要成片、集中分布在川西及川西北地区，湿地面积大；东部地区沼泽湿地分布极为局限，湿地面积小。

(2)从流域分布来看，沼泽湿地以河源至玛曲、雅砻江流域分布的湿地面积较大；直门达至石鼓、大渡河流域分布的沼泽湿地面积次之；青衣江和岷江干流、广元昭化以上、石鼓以下干流、涪江流域分布的沼泽湿地面积较小；沱江、广元昭化以下干流、渠江流域无8公顷以上的沼泽湿地分布。

(3)从湿地区划来看，若尔盖高原沼泽、长沙贡玛高原湿地、理塘县零星湿地区、新龙县零星湿地区、石渠县零星湿地区分布的沼泽湿地面积较大；金口河区零星湿地区、涪江干流、黄龙湿地、岷江干流、布拖县零星湿地区分布的沼泽湿地面积较小；零星区划湿地区中除金口河区零星湿地区有少量沼泽湿地分布外，其他零星区划湿地区无8公顷以上沼泽湿地分布。

(4)从行政区划来看，沼泽湿地仅分布于甘孜、阿坝、凉山、乐山、绵阳地区，其中面积较大的沼泽湿地(≥100公顷)仅分布于甘孜、阿坝、凉山3地区；其他各市级行政区无8公顷以上的沼泽湿地分布。

2.4　人工湿地

四川人工湿地以库塘、稻田湿地为主，多数库塘湿地与河流、湖泊相联系。近年来，随着人口数量增加、城镇化速度加快、水利水电建设开发力度加强，库塘的数量与面积也随之增加。

(1)从空间格局来看，人工湿地主要分布于人口稠密的东部盆地、盆周山地和川西南山地区；川西及川西北高山高原区人工湿地面积极小。

(2)从流域分布来看，人工湿地仅分布于长江区，其中以沱江、广元昭化以下干流、渠江、涪江、青衣江和岷江干流流域分布的人工湿地面积较大；大渡河、石鼓以下干流、雅砻江流域分布的人工湿地面积次之；广元昭化以上、直门达至石鼓流域分布的人工湿地面积较小；黄河区无8公顷以上人工湿地分布。

(3)从湿地区划来看，大渡河干流、升钟湖库区、嘉陵江干流、渠江干流湿地区分布的人工湿地面积较大；天全县零星湿地区、昭觉县零星湿地区、得荣县零星湿地区、青白江区零星湿地区、雅砻江干流湿地区分布的人工湿地面积较小。

(4)从行政区划来看，人工湿地主要分布于广安、资阳、南充、雅安地区；绵阳、凉山、眉山等地区分布的人工湿地面积次之；攀枝花、甘孜、阿坝地区分布的人工湿地面积较小。

第三章
湿地生物资源

第一节
湿地植物和植被

1　湿地植物组成

1.1　湿地植物界定

目前我国各地所编辑的湿地植物名录中，对湿地植物的界定标准不一，以至各地的湿地植物数量相差很大。如刘信中、叶居新主编的《江西湿地》一书中，规定"湿地植物就是生态上适应湿地的植物"，按照这样的标准，将生长于河岸边，经水流冲刷或河岸崩塌等致使生长于水中的樟树等也列入了湿地植物名录。

湿地植物界定既要考虑生态上的适应性，同时又要考虑其繁殖习性，如果一种植物不能在湿地环境中自行繁殖(包括种子繁殖和无性繁殖两种方式)，只是偶见其生长于湿地环境，这类植物不应当列入湿地植物。少量外来的乔木树种，如池杉、水杉、落羽杉等，虽不能在湿地环境中繁殖，但在湿地中生长良好，甚至可长期生长于水域湿地中，这类植物应当归为湿地植物。

需值得注意的是，①生长于消涨带的部分植物：某些植物生长于河流两岸或湖泊、水库等地的消涨带，一年中只有发洪水的几天才被水淹，其余绝大部分时间处于较干旱状态，如四川盆地河流两岸两侧的柏木、青杨、胡桃等，尽管生长于河岸消涨带的石缝中或土壤中，但在消涨带以上也常见分布，这类植物不能归为湿地植物。②生长于干热河谷的部分植物：干热河谷区域因河谷幽深，水流湍急，水浸过的位置几乎没有植物生长，而岸上所生长的植物，虽离水很近，但均处于旱生状态，这类植物也不能算作湿地植物。③生长于森林阴湿环境下的部分植物：山地森林环境中生长有很多依赖湿润、水湿环境的植物种类，如生长于湿润石壁、林下阴湿地的物种，因为这种大环境不能称为湿地，而归为森林，所以这类植物不应归为湿地植物。但生长于山地环境中较开阔的河滩水湿环境、山地沼泽环境的植物，当然是湿地植物的范畴。

四川省第二次湿地资源调查要求对湿地范围内的植物均须登记。因此，在调查过程中不仅对湿地的沼生植物、水生植物和湿生植物(根据中国湿地植被描述，这些植物的基部没于水中)进行了调查，而且对湿地边缘的陆生植物也进行了记录。这些植物为间歇性的被水淹没基部或生长在湿生或半湿生的环境；同时，部分植物也表现出由旱生入侵湿生或湿地环境的过渡特征。总体上，这些植物分布在湿地植物群落之中。

本书湿地高等植物的划分依据按照“植物在生态上能适应或长期适应湿地环境、能在湿地环境中自行繁殖的植物物种，繁殖方式可以是种子繁殖或无性繁殖”的表述进行湿地植物界定，同时参考《中国湿地植被》《中国湿地及其植物与植被》《中国湿地高等植物图志》《中国水生植物》《中国植物志》《中国高等植物图鉴》《四川植物志》《四川植被》《云南湿地植物名录》等全国性或周边省份的相关湿地植物论著及研究成果，结合四川的实际情况，根据四川省第二次湿地资源调查的结果，整理编制了《四川省湿地高等植物名录》，并对典型的湿地高等植物进行了整理标记。

1.2 湿地植物种类及数量

四川省位于热带与温带交错渗透的亚热带地区，自然条件复杂，湿地分布广，是全国湿地植物种类和植被类型较丰富的省份之一。统计表明，四川现有湿地高等植物 1008 种(含种以下单位)，隶属 114 科 376 属①。其中苔藓植物 20 科 26 属 37 种；蕨类植物 15 科 17 属 24 种；裸子植物 1 科 2 属 2 种；被子植物共 78 科 331 属 945 种(表 3-1)。现已记录的湿地高等植物中典型湿地植物有 73 科 154 属 333 种，种类组成以草本植物为主，木本植物较少；水生植物分布普遍，种类较多。

表 3-1 四川省湿地高等植物与中国湿地、四川及中国物种的比较*

类群		四川湿地(种)	中国湿地(种)	占中国湿地(%)	四川(种)	占四川(%)	中国(种)	占中国(%)
苔藓植物	科	20	64	31.25	102	19.61	150	13.33
	属	26	139	18.71	383	6.79	591	4.40
	种	37	267	13.86	1463	2.53	3021	1.22
蕨类植物	科	15	27	55.56	52	28.85	63	23.81
	属	17	42	40.48	141	12.06	221	7.69
	种	24	70	34.29	880	2.73	2452	0.98
裸子植物	科	1	4	25.00	9	11.11	10	10.00
	属	2	9	22.22	28	7.14	34	5.88
	种	2	20	10.00	101	1.98	193	1.04
被子植物	科	78	130	60.00	212	36.79	291	26.80
	属	331	625	52.96	1493	22.17	2946	11.24
	种	945	1919	49.24	9953	9.49	24357	3.88

注：中国湿地高等植物数据引自严承高等(2005)；四川(含重庆)苔藓植物、蕨类植物、种子植物数据分别引自唐艳雪等(2013)、何海等(2005)、李仁伟等(2002)；全国苔藓植物、蕨类植物、种子植物数据分别引自贾渝等(2013)、严岳鸿等(2013)、王荷生(1992)。

① 苔藓植物参照 Schuster 系统和陈邦杰系统；蕨类植物参照秦仁昌系统；裸子植物参照郑万钧系统；被子植物参照恩格勒系统.

1.3 典型湿地植物生活型及常见水生植物群落类型

1.3.1 典型湿地植物生活型

湿地植物由于长时间生活在水中或湿生环境中，其形态特征、生理习性和生理机能等方面和陆生植物都有着明显差异，主要表现在：湿地植物的根系一般不发达或完全消失，维管束和机械组织常不发达，通气组织和排水器官发达，营养繁殖能力强和传粉特异性强等。根据植物生活型的不同和对水环境的需求差异，大致可将四川典型湿地高等植物划分为湿生、挺水、浮叶、漂浮、沉水5大类型。

(1)湿生类型：湿生植物是指能够在潮湿环境中正常生长和繁殖，但不能忍受较长时间的水分不足，即抗旱能力最弱的陆生植物。这类植物因环境中经常有充足的水分，没有任何避免蒸腾过度的保护性形态结构，相反却具有对水分过多的适应特征。四川典型湿地植物中常见的湿生植物种类较多，约218种，主要包括柽柳、灯心草、地笋、高山藨草、光头稗、红鳞扁莎、黄帚橐吾、毛颖早熟禾、千屈菜、沙棘、疏花水柏枝、水麻、四川谷精草、条裂委陵菜、西伯利亚蓼、狭叶垂头菊、云南鸢尾、沼生繁缕、沼生柳叶菜、钟花报春等。

(2)挺水类型：这类植物植株高大，茎叶挺拔，立于水面以上，根和地下茎生于泥中，部分种类具有非常发达的根状茎。四川典型湿地植物中常见的挺水植物约64种，主要包括慈姑、黑三棱、荸荠、菖蒲、石龙尾、稻、泽泻、风车草、菰、假稻、节节菜、香蒲、莲、芦苇、水葱、水蓼、水苦荬、水莎草、薏苡、水烛、睡菜、鸭舌草等。

(3)浮叶类型：这类植物的根和地下茎生于泥中，根状茎粗壮发达，茎通常细弱不能直立，有些种类无明显的地上茎，叶漂浮于水面，茎或叶能适应水的深度而延长。四川典型湿地植物中常见的浮叶植物约17种，主要包括莼菜、浮叶眼子菜、黄花水龙、假马齿苋、菱、苹、丘角菱、水马齿、水茫草、水皮莲、睡莲、薤菜、荇菜、眼子菜、野菱、沼生水马齿等。

(4)漂浮类型：这类植物种类较少，但具特色，根不生于泥中，全株漂浮于水面，绝大多数种类叶片革质，亮绿色。四川典型湿地植物中常见的漂浮植物种类较少，约10种，主要包括大薸、凤眼蓝、浮萍、槐叶苹、满江红、水鳖、水蕨、紫萍等。

(5)沉水类型：这类植物茎、叶全部沉没于水中，根生于或不生于泥中；可供观赏的种类较多，但花普遍较小，花期较短，以观叶和株形为主，仅有水鳖科水车前属的一些种类花较大，开放时浮于水面，其他绝大多数种类花小并在水下开放。四川典型湿地植物中常见的沉水植物约24种，主要包括篦齿眼子菜、海菜花、黑藻、狐尾藻、黄花狸藻、黄花水毛茛、尖叶眼子菜、角果藻、金鱼藻、苦草、狸藻、龙舌草、毛柄水毛茛、南方狸藻、杉叶藻、水毛茛、穗状狐尾藻、微齿眼子菜、小眼子菜、异枝狸藻、竹叶眼子菜、菹草等。

1.3.2 常见水生植物群落分布及类型

水生植物群落的自然分布，一般与水的深度、透明度以及水底基质状况有着密切的关系。通常在水浅、透明度高、水底为多腐殖质淤泥的环境下，水生植物群落繁茂，组成种类亦丰富，在水稍深、透明度较低、水底为一般泥质的水域中，水生植物群落不发达，组成种类较少。水生植物群落在湖泊或池塘中均有规律地呈环状分布，从沿岸浅水向中心深水方向依次分布为挺水植物带、浮叶植物带、沉水植物带，漂浮植物分布在挺水植物带和浮叶植物带之间；而在河流中，由于水流及水位波动较大，水生植物群落呈斑块状或小范围的带状分布。常见水生植物群落根据水生植物形态特征和生长习性的不同，分为下列四种类型：

(1)挺水植物群落：挺水植物群落多生长于江、河、湖、池塘、水库等近岸的浅水处，也见于湖滩湿地及沼泽。植物上部挺出水面，根或根状茎扎于泥中，是水生、陆生植物间的过渡类型。如芦苇群落，由于其营养繁殖能力非常强，生长茂密，往往成为单优群落；香蒲群落有时以单种群丛出现，有时在一个池塘中同时出现 2～3 种，组成各自的小群丛；莲群落以莲占优势，常伴生浮萍、槐叶萍、黑藻、金鱼藻等，该群落人工栽培较多。

(2)浮叶植物群落：浮叶植物群落主要生长在挺水植物带与沉水植物带之间，但也常见于浅水处，植物叶片浮于水面，根扎于泥中，茎或叶柄能适应水的深度而延长，纤细而柔软。如荇菜群落，适应环境的能力非常强，分布广泛，鲜黄的花朵由椭圆状心形叶片组成的绿叶丛中伸出，挺出水面，常伴生浮萍、满江红等漂浮植物，有时也见金鱼藻等沉水植物；睡莲群落，主要生长在湖泊和池塘中，底质一般为富含腐殖质的淤泥，常伴生有金鱼藻、黑藻、荇菜等植物。

(3)漂浮植物群落：漂浮植物群落一般分布在水体的静止区域。植物体漂浮于水面，植物体内通气组织发达，可以随风漂浮，由于它们繁殖快，能很快占领水面。组成群落的植物可以漂浮到其他生活型群落内，成为后者的组成部分。如水鳖群落，由于覆盖度极高，以至光照很少透入水中，没有沉水植物生长，常为单优群落；满江红群落，主要是人工栽培，生长在池塘、湖边及稻田中，多为单优群落，密布水面。

(4)沉水植物群落：沉水植物全部淹没在水中，各器官的形态和构造都具有典型的水生特性，叶片结构中无栅栏组织和海绵组织的分化，细胞间隙大，无气孔，机械组织不发达，所有细胞等能进行光合作用，有时伴生浮叶或漂浮植物。如菹草、苦草群落，生长在沿岸水稍深的水域中，在腐殖质含量高的淤泥湖泊内生长非常繁茂；篦齿眼子菜、微齿眼子菜等群落，常见于湖泊、河流和沟渠，在浅水湖泊可以满布全湖，生长繁茂，有时为单种群落，常见伴生种类有狐尾藻、苦草、黑藻等。

1.4　国家重点保护及珍稀濒危植物

据 1999 年 8 月 4 日国务院批复国家林业局、农业部联合发布实施的《国家重点保护野生植物名录(第一批)》统计，四川省现有湿地高等植物中，国家重点保护植物 7 种，其中国家Ⅰ、Ⅱ级保护蕨类植物各 1 种，国家Ⅰ、Ⅱ级保护种子植物分别为 2 种、3 种。

据 1987 年国家环境保护局和中国科学院植物研究所编著的《中国珍稀濒危保护植物名录(第一册)》统计，四川省现有湿地高等植物中，中国稀有濒危植物 4 种，其中稀有植物 2 种，渐危植物 2 种；无其他濒危植物分布。

四川湿地高等植物中国家重点保护及珍稀濒危植物见表 3-2。

表 3-2 四川省湿地高等植物中国家重点保护及珍稀濒危植物组成

序 号	保护类别	植物类群	物种种名	物种科名	物种属名	等 级
1	重点保护植物	蕨类植物	高寒水韭	水韭科	水韭属	Ⅰ
2			水蕨	水蕨科	水蕨属	Ⅱ
3		种子植物	水杉*	杉科	水杉属	Ⅰ
4			金荞麦	蓼科	荞麦属	Ⅱ
5			莼菜	睡莲科	莼属	Ⅰ
6			莲		莲属	Ⅱ
7			野菱	菱科	菱属	Ⅱ
8	珍稀濒危植物	种子植物	星叶草	毛茛科	星叶草属	稀有
9			八角莲	小檗科	鬼臼属	渐危
10			桃儿七		桃儿七属	稀有
11			海菜花	水鳖科	水车前属	渐危

注：国家重点保护植物中，标“＊”者由林业行政主管部门主管；未标“＊”者由农业行政主管部门或渔业行政主管部门主管。

1.4.1 重点保护植物

1.4.1.1 国家Ⅰ级保护植物

(1)高寒水韭：水韭科水韭属，小型蕨类，多年生沼地生植物。植株高不及 5 厘米；根茎肉质，块状，长约 4 毫米，呈 2～3 瓣裂。叶多汁，草质，线形，长 3～4.5 厘米，宽约 1 毫米，基部以上鲜绿色，内具 4 个纵行气道围绕中肋，并有横隔膜分隔成多数气室，先端尖，基部广鞘状，膜质，宽约 4 毫米。孢子囊单生于叶基部，黄色。大孢子囊矩圆形，长约 3 毫米，直径约 2 毫米；小孢子囊矩圆形，长约 2.5 毫米，直径约 1.5 毫米。大孢子球状四面形，表面光滑无纹饰。本种为我国特有濒危水生蕨类植物。

分布于四川西南部、稻城、白玉、九龙、木里等地，海拔 4300 米左右的高山草甸低洼水浸处。四川首次发现于甘孜州稻城县海子山，后赵佐成报道阿坝州红原县发现有该种分布。

(2)水杉：杉科水杉属，乔木，高达 35 米，胸径达 2.5 米；树干基部常膨大；树皮灰色、灰褐色或暗灰色，幼树裂成薄片脱落，大树裂成长条状脱落，内皮淡紫褐色；枝斜展，小枝下垂，幼树树冠尖塔形，老树树冠广圆形。叶条形，长 0.8～3.5 厘米，宽 1～2.5 毫米，上面淡绿色，下面色较淡，沿中脉有两条较边带稍宽的淡黄色气孔带。球果下垂，近四棱状球形或矩圆状球形，成熟前绿色，熟时深褐色，长 1.8～2.5 厘米，径 1.6～2.5 厘米，梗长 2～4 厘米；种鳞顶扁菱形，中央有一条横槽，基部楔形；种子扁平，倒卵形，间或圆形或矩圆形，长约 5 毫米，径 4 毫米。花期 2 月下旬，球果 11 月成熟。

四川中低海拔地区广泛栽培，常见于水田、溪沟、沟塘、河流等旁边。

(3)莼菜：睡莲科莼菜属，多年生水生草本；根状茎具叶及匍匐枝，后者在节部生根，并生具叶枝条及其他匍匐枝。叶椭圆状矩圆形，长 3.5～6 厘米，宽 5～10 厘米，下面蓝绿色，两面无毛，从叶脉处皱缩；叶柄长 25～40 厘米，叶柄和花梗均有柔毛。花直径 1～2 厘米，暗紫色；花梗长6~10厘米；萼片及花瓣条形，长1~1.5厘米，先端圆钝；花药条形，约长4毫米；心皮条形，具微柔毛。坚果矩圆卵形，有3个或更多成熟心皮；种子1~2，卵形。花期6月，果期10~11月。

四川原产雷波县瓘琅乡马湖西北的山间筐海坝小沼泽中（东经103°46′，北纬28°26′），总面积约3亩，为保存种源并发展经济，瓘琅乡将天然原产地的其他植物刈除，变成纯莼菜田，从1981年起开始栽培，现马湖北面的后海子、前海、中海地区有栽植，面积约400亩，年产约60吨。

1.4.1.2 国家Ⅱ级保护植物

(1)水蕨：水蕨科水蕨属，植株幼嫩时呈绿色，多汁柔软，高可达80厘米。根状茎短而直立，以须根着生于淤泥。叶簇生，二型。不育叶直立或幼时漂浮，狭长圆形，长6~30厘米，宽3~15厘米，二至四回羽状深裂，裂片5~8对，下部1~2对羽片较大，长达10厘米，宽达6.5厘米，末回裂片线形或线状披针形，长达2厘米，宽达6毫米；能育叶长圆形或卵状三角形，长15~40厘米，宽10~22厘米，2~3回羽状深裂，羽片3~8对，下部1~2对羽片最大，长达14厘米，宽达6厘米，末回裂片狭线形，角果状，长可达1.5~4(6)厘米，宽不超过2毫米，边缘薄而透明，反卷达于主脉。孢子囊沿能育叶的裂片主脉两侧的网眼疏生，幼时为连续不断的反卷叶缘所覆盖。

分布于成都平原及四川平坝区的池塘浅水处、稻田边和水浸地。

(2)金荞麦：蓼科荞麦属，多年生草本；根茎黑棕色，木质，粗壮；茎绿色或淡棕色，高40~100厘米，多分枝，具条纹。叶柄2~10厘米，叶片三角形，长4~12厘米，宽3~11厘米，两面有乳突，基部近截形，全缘，先端渐尖；托叶鞘棕色，长5~10毫米，无缘毛。花序伞房状，顶生或腋生，苞片卵状披针形，长约3毫米，膜质，先端急尖，每苞片4(~6)花；花梗与苞片等长，中部具关节；花被白色，花被片狭椭圆形，长约2.5毫米；雄蕊内藏；花柱分离。瘦果黑棕色，宽卵形，长6~8毫米，具三棱，有时翅状，棱平滑至微波状，先端急尖。花期4~6月，果期5~11月。

分布于四川普格、木里、会东、成都、雅安、峨眉、宝兴、天全、康定、汉源、广元、康定等地的沟边湿地中，邛崃地区有栽培。

(3)莲：睡莲科莲属，多年生水生草本；根状茎横生，肥厚，节间膨大，内有多数纵行通气孔道，节部缢缩，上生黑色鳞叶，下生须状不定根。叶圆形，盾状，直径25~90厘米，全缘稍呈波状，上面光滑，具白粉，下面叶脉从中央射出，有1~2次叉状分枝；叶柄粗壮，圆柱形，长1~2米，中空，外面散生小刺。花梗和叶柄等长或稍长，也散生小刺；花直径10~20厘米，美丽，芳香；花瓣红色、粉红色或白色，矩圆状椭圆形至倒卵形，长5~10厘米，宽3~5厘米，由外向内渐小，有时变成雄蕊，先端圆钝或微尖；花药条形，花丝细长，着生在花托之下；花柱极短，柱头顶生；花托(莲房)直径5~10厘米。坚果椭圆形或卵形，长1.8~2.5厘米，果皮革质，坚硬，熟时黑褐色；种子(莲子)卵形或椭圆形，长1.2~1.7厘米，种皮红色或白色。花期6~8月，果期8~10月。

广布于四川各湿地边或水中。

(4)野菱：菱科菱属，一年生浮水水生草本。根二型：着泥根细铁丝状，着生水底泥中；同化根，羽状细裂，裂片丝状、淡绿褐色或深绿褐色。叶二型：浮水叶互生，聚生在主茎和分枝茎顶，在水面形成莲座状菱盘，叶片较小，斜方形或三角状菱形，表面深亮绿色，背面绿色，被少量短毛或无毛，有棕色马蹄形斑块，边缘中上部有缺刻状的锐锯齿，边缘中下部全缘，基部阔楔形；叶柄中上部稍膨大，绿色无毛；沉水叶小，早落。花小，单生于叶腋，花梗细，无毛；萼筒4裂，绿色，无毛；花瓣4，白色，或带微紫红色；雄蕊4，花丝丝状，花药丁字形着生，背着药，内向；子房半下位，2室，每室具倒生胚珠1棵，花柱细长，柱头头状，上位花盘，有8个瘤状物围着子房。果三角形，果高1.5厘米，果表面凹凸不平，4刺角细长，2肩角刺斜上举，2腰角斜下伸，细锥状；果喙细圆锥形成尖头帽状，无果冠。花期5~10月，果期7~11月。

分布于四川盆地的库塘、湖泊湿地中。

1.4.2 珍稀濒危植物

1.4.2.1 稀有种

(1)桃儿七：小檗科桃儿七属，多年生草本，植株高20~50厘米。根状茎粗短，节状，多须根；茎直立，单生，具纵棱，无毛，基部被褐色大鳞片。叶2枚，薄纸质，非盾状，基部心形，3~5深裂几达中部，裂片不裂或有时2~3小裂，裂片先端急尖或渐尖，上面无毛，背面被柔毛，边缘具粗锯齿；叶柄长10~25厘米，具纵棱，无毛。花大，单生，先叶开放，两性，整齐，粉红色；萼片6，早萎；花瓣6，倒卵形或倒卵状长圆形，长2.5~3.5厘米，宽1.5~1.8厘米，先端略呈波状；雄蕊6，长约1.5厘米，花丝较花药稍短，花药线形，纵裂，先端圆钝，药隔不延伸；雌蕊1，长约1.2厘米，子房椭圆形，1室，侧膜胎座，含多数胚珠，花柱短，柱头头状。浆果卵圆形，长4~7厘米，直径2.5~4厘米，熟时橘红色；种子卵状三角形，红褐色，无肉质假种皮。花期5~6月，果期7~9月。

分布于四川乡城、红原等地，海拔2200~4300米中高山地区的灌丛、林下，溪边常见。

(2)星叶草：毛茛科星叶草属，一年生小草本，茎细弱，高3~10厘米，根直伸，支根纤细。宿存的之于叶和叶簇生于茎顶；子叶线形或披针状线形，长4~11毫米，宽0.6~2毫米，无毛；叶纸质，菱状倒卵形、匙形或楔形，长3.5~23毫米，宽1~11毫米，边缘上部有小齿，齿端有刺状短尖，下面粉绿色；叶脉二叉状分枝。花小，两性，单生于叶腋；瘦果近纺锤形或狭长圆形，长2.5~3.8毫米，通常具钩状毛；种子含丰富胚乳。星叶草喜阴湿，要求散射光和潮湿的生境，凡阳光直接照射处，不见其分布，这种特殊生境一旦被破坏，即难生长。因它分泌一种特殊气味，影响其周围植物的生长，故在林下或局部小环境中往往形成单优群落。有时，一些湿生植物，如黄水枝、细弱荨麻和橐吾等也可与其伴生。花期5~6月，果期7~9月。

分布于四川木里、康定、九寨、金川、甘孜等地，海拔3300~3800米的沟边湿地中。

1.4.2.2 渐危种

(1)八角莲：小檗科鬼臼属，多年生草本，茎直立，高20~30厘米。不分枝，无毛，淡绿色。根茎粗壮，横生，具明显的碗状节。茎生叶1片，有时2片，盾状着生；叶柄长10~15厘米；叶片圆形，直径约30厘米，常状深裂几达叶中部，边缘4~9浅裂或深裂，裂片楔状长圆形或卵状椭圆形，长2.5~9厘米，宽5~7厘米，先端锐尖，边缘具针刺状锯齿，上面无毛，下面密被或疏生柔毛。花5~8朵排成伞形花序，着生于近叶柄基处的上方近叶片处；花梗细，长约5厘米，花下垂，花冠深结色；萼片6，外面被疏毛；花瓣6，勺状倒卵形，长约2.5厘米；八角莲生育环境分布于海拔1000~2500米，常见于阴湿的阔叶林间，是民间常用的中草药，有其特殊的解毒功效。

分布于四川的茂县、康定、峨眉、屏山、雷波、会东等地区，偶见于山沟溪边。

(2)海菜花：水鳖科水车前属，多年生沉水草本，茎极短，具须根，叶基生，叶形变化较大，线性、披针形、长椭圆形、卵形及宽心形，全缘或有锯齿，叶柄长短因水深浅而异。花单性，雌雄异株；佛焰苞无翅，具2～6棱；雄佛焰苞内含雄花40～50朵，具梗，长4～10厘米，萼片绿色，长8～15毫米，宽2～4毫米；花瓣白色，基部黄色，倒心形，长1～3.5厘米，宽1.5～4厘米；雄蕊9～12枚，花丝扁平，退化雄蕊3枚；雌佛焰苞内含雌花2～3朵，具梗；花萼、花瓣与雄花相似，花柱3，2裂至基部，裂片线形；子房三棱柱形，退化雄蕊3，线形，长3～5毫米。果三棱纺锤形，长约8厘米，棱上有明显肉刺或疣凸。种子无毛。花果期5～10月。

分布于四川筠连、古蔺、乡城、稻城、盐源等地，海拔800～3200米的湖泊中，由于湖泊干涸，数量少。在西昌邛海，海菜花环湖呈带状大面积分布，1976年围湖造田，湖水水位陡然降低，使海菜花几乎绝迹。

2　湿地维管植物区系地理

2.1　蕨类植物区系地理

2.1.1　区系数量特征

统计表明，四川省现有湿地蕨类植物15科17属24种(含种以下单位)，分别占四川(含重庆)蕨类植物51科、141属、880种数的28.85%、12.06%、2.73%；占中国湿地蕨类植物27科、42属、70种数的55.56%、40.48%、34.29%；占中国蕨类植物63科、221属、2452种数的23.81%、7.69%、0.98%。

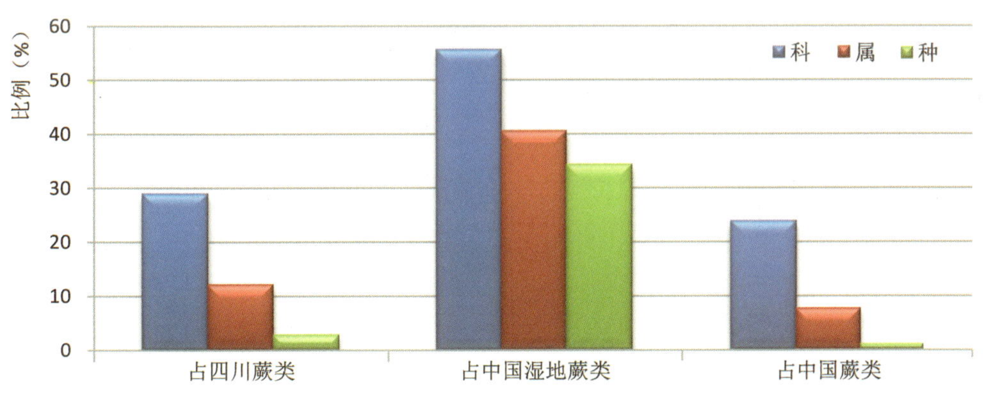

图3-1　四川省湿地蕨类植物科属种占中国湿地蕨类、四川蕨类、中国蕨类的比例

2.1.2　科属大小特征

科、属的大小及其在特定植物区系中所含属或(和)种的种类构成情况是植物区系研究的一个重要数量特征。根据各科或属在区系中所含种的多少(即种类构成)将四川湿地蕨类植物科、属划分为三个等级：①仅分布1种的科或属；②含2～4种的科或属；③含5种以上的科或属。

(1)科的大小统计：从科内所含物种数来看(表3-3)，湿地蕨类植物含5种以上的科有1个，即木贼科(1∶6)(属数∶种数，下同)，分别占全省湿地蕨类植物总科、属、种数的6.67%、5.88%、25%；含2~4种的科有3个，即金星蕨科(3∶3)、卷柏科(1∶2)、紫萁科(1∶2)，共5属7种，分别占全省湿地蕨类植物总科、属、种数的20%、29.41%、29.16%；仅分布1种的科11个，即凤尾蕨科、水韭科、蹄盖蕨科、碗蕨科、蕨科、满江红科、苹科、水蕨科、铁线蕨科、乌毛蕨科、槐叶苹科，共11属11种，分别占全省湿地蕨类植物总科、属、种数的73.33%、64.71%、45.83%。由此可见：单种科最丰富，它们是四川湿地蕨类植区系物种多样性的基础，是最重要的区系组成成分。

表3-3 四川省湿地蕨类植物科的大小统计

科内种数	科　数	科比例(%)	属　数	属比例(%)	种　数	种比例(%)	科　名*
5种以上	1	6.67	1	5.88	6	25.00	木贼科(1∶6)
含2~4种	3	20.00	5	29.41	7	29.16	金星蕨科(3∶3)、卷柏科(1∶2)、紫萁科(1∶2)
仅含1种	11	73.33	11	64.71	11	45.80	凤尾蕨科(1∶1)、水韭科(1∶1)、蹄盖蕨科(1∶1)、碗蕨科(1∶1)、蕨科(1∶1)、满江红科(1∶1)、苹科(1∶1)、水蕨科(1∶1)、铁线蕨科(1∶1)、乌毛蕨科(1∶1)、槐叶苹科(1∶1)
合　计	15	100	17	100	24	100	(17∶24)

* 括号内的数字表示属数∶种数。

表3-4 四川省湿地蕨类植物属的大小统计

属内种数	属　数	属比例(%)	种　数	种比例(%)	属　名*
5种以上	1	5.88	6	25	木贼属(6)
含2~4种	2	11.76	4	16.17	卷柏属(2)、紫萁属(2)
仅含1种	14	82.35	14	58.33	槐叶苹属(1)、姬蕨属(1)、毛蕨属(1)、金星蕨属(1)、沼泽蕨属(1)、蕨属(1)、满江红属(1)、乌毛蕨属(1)、苹属(1)、水蕨属(1)、假蹄盖蕨属(1)、水韭属(1)、凤尾蕨属(1)、铁线蕨属(1)
合　计	17	100	24	100	(24)

* 括号内的数字表示属内所含的种数。

(2)属的大小统计：从属内所含物种数来看(表3-4)，湿地蕨类植物含5种以上的属有1个，即木贼属(6)(种数，下同)，分别占全省湿地蕨类植物总属、种数的5.88%、25%；含2~4种的属有2个，即卷柏属(2)、紫萁属(2)，分别占全省湿地蕨类植物总属、种数的11.76%、16.17%；仅分布1种的属有14个，即槐叶苹属、姬蕨属、毛蕨属、金星蕨属、沼泽蕨属、蕨属、满江红属、乌毛蕨属、苹属、水蕨属、假蹄盖蕨属、水韭属、凤尾蕨属、铁线蕨属，分别占全省湿地蕨类植物总属、种数的82.35%、58.33%。由此可见，四川湿地蕨类植物中以单种属占优势，同时包含了较多古老类群，区系在属级水平上的组成情况较复杂性，这是四川湿地蕨类植物区系的又一显著特征。

2.1.3 区系分布类型

参照臧德奎(1998)与陆树刚(2004)关于中国蕨类植物分布区类型系统和张宏达(1980，1994)的华夏植物区系理论，把四川湿地蕨类植物区系的科、属划分为世界分布、热带分布、温带分布和华夏分布(以中国亚热带分布为中心)几大类型以及各大类型下的若干亚型。

2.1.3.1 科的分布类型

科是植物分类学中实际上最大的自然类群。由于科级分类群具有起源演化上相对较长的历史，因此，一个地区植物区系科的现代分布类型组成特点能反映出区系在演化发展过程中的性质，对于探讨区系的起源演化以及与其他地区的联系上有重要作用。

统计表明，四川湿地蕨类植物区系中科的分布区类型包括3大类型3个亚型(表3-5)，以世界分布占优势，泛热带分布成分较多，北温带分布较少，其他分布类型均缺乏。由此可见，四川湿地蕨类植物区系在科的层面上具有明显的广布性，湿地蕨类植物区系的发展与热带植物区系有着较为紧密的联系，表明了本区系的亚热带性质。

表3-5 四川省湿地蕨类植物区系科的分布区类型统计

分布类型		科数(种)	比例(%)	含属(种)	比例(%)	含种(种)	比例(%)
世界分布类型	世界分布	8	53.33	8	47.06	9	37.50
热带分布类型	泛热带分布	5	33.33	7	41.18	7	29.17
温带分布类型	北温带分布	2	13.33	2	11.76	8	33.33
合 计		15	100.00	17	100.00	24	100.00

注：世界分布科——卷柏科、水韭科、蕨科、铁线蕨科、蹄盖蕨科、苹科、槐叶苹科、满江红科；泛热带分布科——姬蕨科、凤尾蕨科、水蕨科、金星蕨科、乌毛蕨科；北温带分布科——木贼科、紫萁科。

(1)世界分布类型：指遍布世界各大洲而没有特殊分布中心的科，或虽有一个或数个分布中心但包含世界分布属、种的科。四川湿地蕨类植物区系中该分布类型共计8科，占区系总科数的53.33%，含8属9种，分别占区系同类总数的47.06%、37.50%。其中卷柏科因科内各属具有多样的分布区类型及具有世界分布属或种而成为世界分布科，四川省分布十分广泛，常见于林下溪边湿地中；水韭科在我国现存一属，且分布地较狭窄，大多数种都濒临灭绝的危险，是我国重点保护的蕨类科之一，四川主要分布于西南部海拔4300米(如稻城县海子山)左右的高山草甸低洼水浸处；蹄盖蕨科和铁线蕨科是较早就在四川地区有分布的蕨类植物，常见于灌丛、田边、路边、沟旁湿地中；苹科、槐叶苹科和满江红科因水生而广布全球，四川省全省分布。

(2)热带分布类型：指以世界热带范围为分布中心的科，但它们可能有不少属、种分布于亚热带或温带。同时，属于亚洲热带范围分布的科不在热带分布类型之列。四川湿地蕨类植物区系中以泛热带分布亚型为主，共计5科，占区系总科数的33.33%，含7属7种，分别占区系同类总数的41.18%、29.17%。它们是四川省湿地植物的重要组成部分，如姬蕨科、凤尾蕨科的植物在四川盆地及盆周山地等地广泛分布，常见于西南部林下沟边湿地中；水蕨常见于四川成都平原区海拔500～600米的池塘边浅水处、稻田边或水浸地上。金星蕨科在四川湿地中较为少见，仅三属三种，主要分布除北以外的低海拔地区及峨边和峨眉等地，一般生于林下沟边。

(3)温带分布类型：该类型指主要以温带地区为分布中心的类群，由于世界各温带地区的地理分布格局，因而具有各种连续分布和间断分布的式样。四川湿地蕨类植物区系中以北温带分布亚型常见，共计2科，占区系总科数的13.33%，含2属8种，分别占区系同类总数的11.76%、33.33%。四川省湿地中木贼科、紫萁科植物种数较多、分布广泛，是四川省湿地蕨类中的优势种或建群种。

2.1.3.2 属的分布类型

植物属的分布区类型比科的分布区类型更能反映植物区系的特性，是进一步研究植物区系的起源、演化和分布区形成的起点。

统计表明，四川湿地蕨类植物区系中属的分布区类型包括3大类型4个亚型(表3-6)，以世界分布最多，泛热带分布次之，北温带分布和东亚分布较少，缺乏其他分布区类型。可见，四川湿地蕨类植物属的区系地理成分较复杂，并具有热带向温带过渡的性质。

表3-6 四川省湿地蕨类植物区系属的分布区类型统计

分布类型		属数(种)	比例(%)	含种(种)	比例(%)
世界分布类型	世界分布	9	52.94	15	62.50
热带分布类型	泛热带分布	6	35.29	6	25.00
温带分布类型	北温带分布	1	5.88	2	8.33
华夏分布类型	东亚分布	1	5.88	1	4.17
合 计		17	100.00	24	100.00

注：世界分布属——卷柏属、水韭属、木贼属、蕨属、铁线蕨属、沼泽蕨属、苹属、槐叶苹属、满江红属；泛热带分布属——姬蕨属、凤尾蕨属、水蕨属、毛蕨属、金星蕨属、乌毛蕨属；北温带分布属——紫萁属；东亚分布属——假蹄盖蕨属。

(1)世界分布类型：该类型是四川湿地蕨类植物属区系最多的分布区类型。主要包括卷柏属、水韭属、木贼属等9属，含15种，隶属9科，分别占区系同类总数的52.94%、62.50%、60.00%。这些属的物种大多数是省内较常见的蕨类植物，多构成蕨类群落中的优势种或建群种。其中，水韭属的高寒水韭是我国现存较少的稀有种和渐危种蕨类，属国家Ⅰ级保护植物；卷柏属在蕨类植物系统进化上较原始；苹属、槐叶苹属、满江红属是四川湿地蕨类植物中典型的水生蕨类属。

(2)热带分布类型：该类型是四川省湿地蕨类植物中的重要组成部分，均由泛热带分布亚型构成，其他亚型缺乏。主要包括姬蕨属、凤尾蕨属、水蕨属等6属，含6种，隶属6科，分别占区系同类总数的35.29%、25.00%、40.00%。

(3)温带分布类型：四川湿地蕨类植物属区系中温带分布仅由北温带分布亚型构成，仅有紫萁属1属，含2种，隶属紫萁科，分别仅占区系同类总数的5.88%、8.33%、6.67%。其中，紫萁广泛分布于四川各地区的林下溪边阴湿地；华南紫萁广泛分布于四川东部及东南部地区的草坡、溪边阴湿处。

(4)华夏分布类型：四川湿地蕨类植物属区系中仅由东亚分布亚型构成，仅有假蹄盖蕨属1属，含1种，隶属蹄盖蕨科，分别仅占区系同类总数的5.88%、4.17%、6.67%。四川湿地中主要分布于都江堰、泸定、峨眉、长宁、九寨沟等地区的灌丛、田边、路边、沟旁湿地中。

2.2 种子植物区系地理

2.2.1 区系数量特征

统计表明，四川省现有湿地种子植物79科333属947种(含种以下单位)。包括裸子植物1科2属2种，被子植物78科331属945种。

裸子植物科、属、种数分别占四川裸子植物9科、28属、101种数的11.11%、7.14%、1.98%；占中国湿地裸子植物4科、9属、20种的25.00%、22.22%、10.00%；占中国裸子植物10科、34属、193种数的10.00%、5.88%、1.04%。被子植物科、属、种数分别占四川被子植物212科、1493属、9953种数的36.79%、22.17%、9.49%；占中国湿地被子植物130科、625属、1919种数的60%、52.96%、49.24%；占中国被子植物291科、2946属、24357种数的26.80%、11.24%、3.88%(图3-2)。

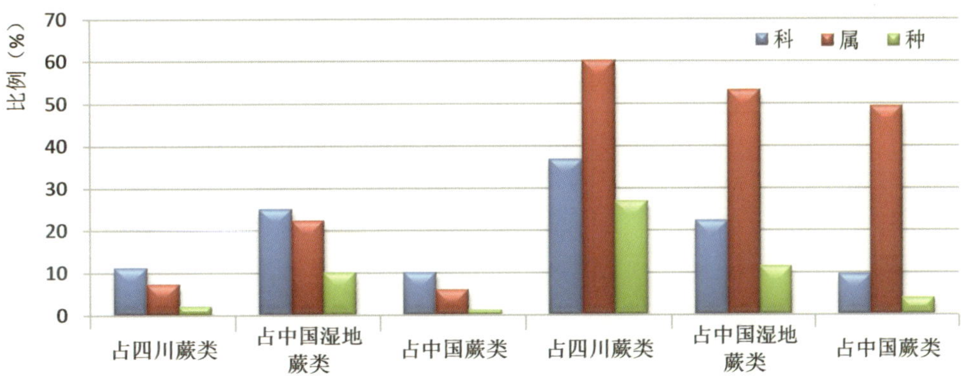

图3-2 四川省湿地种子植物(裸子、被子植物)科属种占同类中国湿地、四川、全国的比例

2.2.2 科属大小特征

根据各科或属在区系中所含种的多少(即种类构成)，将四川湿地种子植物科划分为五个等级：①仅分布1种的科；②含2~5种的科；③含6~9种的科；④含10~19种的科；⑤含20种以上的科；将四川湿地种子植物属划分为四个等级：①仅分布1种的属；②含2~5种的属；③含6~9种的属；④含10种以上的属。

2.2.2.1 科的大小统计

从科内所含物种数来看(表3-7)，含20种以上的科有禾本科(63:119)(属数:种数，下同)、莎草科(14:111)、菊科(35:90)、蓼科(7:60)、毛茛科(8:37)、玄参科(12:33)、报春花科(3:32)、龙胆科(8:30)、十字花科(11:29)、荨麻科(11:28)、灯心草科(2:26)、柳叶菜科(3:22)、蔷薇科(7:20种)，共计13个，占四川湿地种子植物总科数的16.46%，这些科含184属637种，分别占四川省湿地种子植物总属数的55.26%、总种数的67.27%，表明科的优势非常明显，其中的一些科，如禾本科、莎草科、蓼科等，有很多物种为湿地植被的建群种或者优势种。

含10～19种的科有10个，共61属136种，分别占四川省湿地种子植物总科数的12.66%、总属数的18.32%、总种数的14.36%，包括伞形科(8:18)、石竹科(8:17)、百合科(6:17)、唇形科(11:16)、豆科(11:13)、凤仙花科(1:13)、天南星科(7:11)、杨柳科(2:11)、虎耳草科(4:10)、鸭跖草科(3:10)。

含6～9种的科有7个，共13属52种，分别占四川省湿地种子植物总科数的8.86%、总属数的3.9%、总种数的5.49%。包括杜鹃花科(1:9)、眼子菜科(2:9)、罂粟科(3:8)、堇菜科(1:7)、鸢尾科(1:7)、茜草科(3:6)、泽泻科(2:6)。

含2～5种的科有32个，共58属105种，分别占四川省湿地种子植物总科数的40.51%、总属数的17.42%、总种数的11.09%。其中常见的科有车前科(1:5)、千屈菜科(3:5)、狸藻科(1:5)、苋科(3:4)、香蒲科(1:4)、睡莲科(3:3)、酢浆草科(1:2)等。

仅含1种的科(单种科)有17个，共17属17种，分别占四川省湿地种子植物总科数的21.52%、总属数的5.11%、总种数的1.80%。这些科有一些乔木种类，如桦木科的桤木等，也有很多是常见的水生植物，如莲科、杉叶藻科、金鱼藻科、茨藻科等，在湿地植被中占有重要的地位。

表3-7　四川省湿地种子植物科的大小统计

科内种数	科数	科比例(%)	属数	属比例(%)	种数	种比例(%)
20种以上	13	16.46	184	55.26	637	67.27
含10～19种	10	12.66	61	18.32	136	14.36
含6～9种	7	8.86	13	3.90	52	5.49
含2～5种	32	40.51	58	17.42	105	11.09
仅含1种	17	21.52	17	5.11	17	1.80
合　计	79	100	333	100	947	100

注：①20种以上的科——禾本科(63:119)(属数:种数，下同)、莎草科(14:111)、菊科(35:90)、蓼科(7:60)、毛茛科(8:37)、玄参科(12:33)、报春花科(3:32)、龙胆科(8:30)、十字花科(11:29)、荨麻科(11:28)、灯心草科(2:26)、柳叶菜科(3:22)、蔷薇科(7:20)；②含10～19种的科——伞形科(8:18)、百合科(6:17)、石竹科(8:17)、唇形科(11:16)、豆科(11:13)、凤仙花科(1:13)、天南星科(7:11)、杨柳科(2:11)、虎耳草科(4:10)、鸭跖草科(3:10)；③含6～9种的科——杜鹃花科(1:9)、眼子菜科(2:9)、罂粟科(3:8)、堇菜科(1:7)、鸢尾科(1:7)、茜草科(3:6)、泽泻科(2:6)；④含2～5种的科——车前科(1:5)、狸藻科(1:5)、藜科(1:5)、马兜铃科(1:5)、千屈菜科(3:5)、水鳖科(4:5)、藤黄科(1:5)、小檗科(3:5)、旋花科(4:5)、大戟科(3:4)、谷精草科(1:4)、苋科(3:4)、香蒲科(1:4)、睡莲科(3:3)、柽柳科(2:3)、金栗兰科(1:3)、菱科(1:3)、三白草科(3:3)、紫草科(2:3)、浮萍科(2:2)、黑三棱科(1:2)、胡桃科(1:2)、姜科(2:2)、马鞭草科(2:2)、马钱科(1:2)、茄科(1:2)、忍冬科(2:2)、杉科(2:2)、水马齿科(1:2)、小二仙草科(1:2)、雨久花科(2:2)、酢浆草科(1:2)；⑤仅含1种的科——败酱科、金鱼藻科、桔梗科、兰科、马齿苋科、桑科、锦葵科、爵床科、葡萄科、野牡丹科、杉叶藻科、椴树科、石蒜科、胡颓子科、桦木科、马桑科、茨藻科。

四川湿地种子植物科的大小组成中，含20种以上的科均在全国大科之列，并且这些科一般都是含100种以上的大科，如菊科、莎草科、禾本科、蓼科、毛茛科、玄参科等。这些较大科虽然只占了湿地种子植物总科数的16.67%，但它们所含的属、种数量却占四川省湿地种子植物属、种总数的一半以上。说明四川省湿地种子植物的发展与全国种子植物和全球种子植物的演化发展具有同步性，也进一步证实四川地区湿地种子植物在全球植物演化和发展中的重要地位和作用。四川湿地被子植物中的2～5种的科与单种科最多，分别占四川湿地种子植物总科数的40.51%、21.52%，两者合计达60%以上，其中包括金鱼藻科、三白草科、杉叶藻科、黑三棱科和香蒲科等。它们在四川湿地中的出现，不仅反映出了四川省湿地被子植物的古老性及其悠久的演化发展历史，同时也是我国乃至整个东亚被子植物区系古老性和悠久演化发展历史的体现。2～5种的科与单种科中也不乏在全球植物区系中含有种或属较多的类群，特别是那些在全球植物区系中种的数量接近100种及以上的科，在四川省湿地2～5种的科与单种科中也有一定的表现，它们虽然不是四川省湿地植物区系的主要组成部分，但能反映出四川省湿地被子植物与全球植物区系的广泛联系及其地位和作用。

2.2.2.2　属的大小统计

从属内所含物种数来看(表3-8)，含10种以上的属有15个，占四川省湿地种子植物总属数的4.50%，包括薹草属(43)、蓼属(39)、灯心草属(21)、报春花属(20)、柳叶菜属(17)、橐吾属(15)、毛茛属(14)、嵩草属(14)、凤仙花属(13)、莎草属(13)、龙胆属(12)、马先蒿属(11)、碎米荠属(11)、珍珠菜属(11)、蒿属(11)。共含有265种，占该区系总种数的27.98%。

含6～9种的属有23个，主要包括杜鹃属(9)、柳属(9)、酸模属(9)、楼梯草属(9)、委陵菜属(9)、藨草属(9)、荸荠属(8)、繁缕属(8)、飘拂草属(8)、眼子菜属(8)等，这22个属共含173种，分别占四川省湿地种子植物总属数的6.91%、总种数的18.27%。

含2～5种的属有117个，占该区系总属数的35.14%，主要包括车前属(5)、狸藻属(5)、慈姑属(4)、葶苈属(4)、香蒲属(4)、菖蒲属(3)、水毛茛属(3)、狐尾藻属(2)、泽泻属(2)、水车前属(2)等，共包含331种，占四川省湿地种子植物总种数的34.95%，在四川湿地维管植物区系中占重要地位。

仅含1种的单种属有178个，其中常见的属主要包括白酒草属、扁穗草属、柽柳属、大薸属、稻属、凤眼蓝属、浮萍属、狗牙根属、金鱼藻属、马齿苋属、千屈菜属、水杉属、紫萍属等。属、种数分别占四川省湿地种子植物总属数的53.45%、总种数的18.80%。单种属大量存在并且构成了该植物区系的主要组成部分，充分体现了四川湿地植物区系在属级水平上的多样性。

表3-8　四川省湿地种子植物属的大小统计

属内种数	属数	占总属数比例(%)	种数	占总种数比例(%)
10种以上	15	4.50	265	27.98
含6～9种	23	6.91	173	18.27
含2～5种	117	35.14	331	34.95
仅含1种	178	53.45	178	18.80
总　计	333	100	947	100

注：①10种以上的属——薹草属(43)(种数，下同)、蓼属(39)、灯心草属(21)、报春花属(20)、柳叶菜属(17)、橐吾属(15)、毛茛属(14)、嵩草属(14)、凤仙花属(13)、莎草属(13)、龙胆属(12)、马先蒿属(11)、碎米荠属(11)、珍珠菜属(11)、蒿属(11)；②含6～9种的属——杜鹃属(9)、柳属(9)、酸模属(9)、楼梯草属(9)、委陵菜属(9)、藨草属(9)、荸荠属(8)、繁缕属(8)、飘拂草属(8)、眼子菜属(8)、早熟禾属(8)、稗属(7)、垂头菊属(7)、堇菜属(7)、蒲公英属(7)、水芹属(7)、羊茅属(7)、鸢尾属(7)、蔊菜属(6)、冷水花属(6)、婆婆纳属(6)、獐牙菜属(6)、紫堇属(6)；③含2～5种的属——车前属(5)、地杨梅属(5)、风毛菊属(5)、狗尾草属(5)、虎耳草属(5)、剪股颖属(5)、金丝桃属(5)、狸藻属(5)、藜属(5)、水竹叶属(5)、

细辛属(5)、沿阶草属(5)、银莲花属(5)、紫菀属(5)、慈姑属(4)、大黄属(4)、谷精草属(4)、金莲花属(4)、苦苣菜属(4)、拉拉藤属(4)、驴蹄草属(4)、荞麦属(4)、雀麦属(4)、水蜈蚣属(4)、天胡荽属(4)、葶苈属(4)、香蒲属(4)、鸭跖草属(4)、野青茅属(4)、砖子苗属(4)、扁蕾属(3)、菖蒲属(3)、葱属(3)、地榆属(3)、丁香蓼属(3)、拂子茅属(3)、沟酸浆属(3)、鬼臼属(3)、碱毛茛属(3)、金粟兰属(3)、筋骨草属(3)、肋柱花属(3)、菱属(3)、梅花草属(3)、母草属(3)、千里光属(3)、雀稗属(3)、山麦冬属(3)、水毛茛属(3)、天南星属(3)、无心菜属(3)、鸭跖花属(3)、针茅属(3)、菝葜属(2)、白茅属(2)、贝母属(2)、扁莎属(2)、车轴草属(2)、酢浆草属(2)、大戟属(2)、地笋属(2)、发草属(2)、粉条儿菜属(2)、枫杨属(2)、蜂斗菜属(2)、附地菜属(2)、甘蔗属(2)、何首乌属(2)、黑三棱属(2)、狐尾藻属(2)、花点草属(2)、花锚属(2)、火绒草属(2)、茇茇草属(2)、蓟属(2)、假稻属2)、金发草属(2)、节节菜属(2)、荩草属(2)、莲子草属(2)、龙芽草属(2)、露珠草属(2)、芦苇属(2)、路边青属(2)、乱子草属(2)、落芒草属(2)、千金子属(2)、牵牛属(2)、荨麻属(2)、茄属(2)、蛇莓属(2)、石龙尾属(2)、水柏枝属(2)、水车前属(2)、水麻属(2)、水马齿属(2)、水莎草属(2)、水苏属(2)、水苋菜属(2)、梯牧草属(2)、甜茅属(2)、豨莶属(2)、细柄草属(2)、下田菊属(2)、香薷属(2)、小米草属(2)、荇菜属(2)、杨属(2)、野豌豆属(2)、异燕麦属(2)、薏苡属(2)、莠竹属(2)、泽兰属(2)、泽芹属(2)、泽泻属(2)、苎麻属(2)、醉鱼草属(2)；④仅含1种的属——矮泽芹属、艾麻属、白酒草属、百脉根属、半边莲属、半夏属、扁芒草属、扁穗草属、冰岛蓼属、播娘蒿属、薄荷属、穇属、草木犀属、扯根菜属、柽柳属、赤车属、翅果菊属、臭草属、莼属、刺子莞属、打碗花属、大豆属、大藻属、大蒜芥属、大钟花属、单花荠属、稻属、荻属、东风菜属、豆瓣菜属、毒芹属、鹅肠菜属、耳草属、番薯属、飞廉属、风眼蓝属、浮萍属、甘松属、刚竹属、高河菜属、沟稃草属、狗舌草属、狗牙根属、菰属、鬼针草属、过江藤属、孩儿参属、海乳草属、海芋属、和尚菜属、荷莲豆草属、荷青花属、黑藻属、虎杖属、画眉草属、黄鹌菜属、黄耆属、黄芩属、黄水枝属、活血丹属、藿香蓟属、鸡眼草属、积雪草属、棘豆属、蕺菜属、假马齿苋属、姜属、角果藻属、接骨木属、金鱼藻属、锦鸡儿属、菊三七属、聚花草属、卷耳属、看麦娘属、苦草属、款冬属、狼尾草属、箣竹属、类芦属、犁头尖属、鳢肠属、莲属、柳叶箬属、芦竹属、葎草属、裸蒴属、落羽杉属、马鞭草属、马齿苋属、马兰属、马桑属、马蹄黄属、毛连菜属、茅根属、茅香属、苜蓿属、囊颖草属、泥胡菜属、拟漆姑属、牛鞭草属、牛膝菊属、糯米团属、蟛蜞菊属、披碱草属、蒲儿根属、桤木属、漆姑草属、荠属、千屈菜属、青葙属、苘麻属、球柱草属、忍冬属、肉果草属、三白草属、三角草属、三毛草属、沙棘属、山蓊菜属、杉叶藻属、蛇床属、石荠苎属、石蒜属、绶草属、鼠耳芥属、鼠麴草属、鼠尾草属、鼠尾粟属、束尾草属、水鳖属、水棘针属、水麦冬属、水茫草属、水杉属、水蓑衣属、水蔗草属、睡菜属、睡莲属、桃儿七属、天名精属、田菁属、田麻属、铁苋菜属、通泉草属、兔耳草属、菟丝子属、茼草属、尾稃草属、乌蔹莓属、蜈蚣草属、舞花姜属、勿忘草属、雾水葛属、细柄茅属、虾子草属、夏枯草属、显子草属、苋属、小檗属、小草属、小丽草属、蝎子草属、新耳草属、星叶草属、血水草属、鸭儿芹属、沿沟草属、羊胡子草属、野海棠属、野黍属、野茼蒿属、叶下珠属、虉草属、羽衣草属、雨久花属、芋属、紫萍属。

四川湿地种子植物属的大小组成中，2～5种的属和仅含1种的属数量较大，所含物种数较多，分别占该区系总属数、总种数的88.59%、53.75%。说明四川省的自然环境限制了一些属的适应辐射，植物区系组成总体上较为古老。

2.2.3 优势类群

科或属的大小特征及种类构成分析表明，四川省湿地种子植物区系大量属或(和)种倾向集中于有限数量的科或属分类群中，即区系组成上具有优势现象。但与群落生态学上“优势”概念不同，植物区系优势类群是指在区系中属、种数量相对较多科或属，从某种意义上可理解为植物区系中物种多样性最丰富的科级或属级分类群。

2.2.3.1 优势科统计

优势科所含的属和种应当在区系各科所含的平均属、种数以上，且这些优势科所包括的属、种数量应达到区系属、种总数的至少百分之五十。四川省湿地种子植物各科所含属平均4.22个，平均所含种11.99个。根据这个标准，筛选出四川省湿地种子植物优势科有15个，含220属636种，分别占该区系各类总数的18.99%、66.07%、67.16%。包括禾本科(63:119)、莎草科(14:111)、菊科(35:90)、蓼科(7:60)、毛茛科(8:37)、玄参科(12:33)、十字花科(11:29)、荨麻科(11:28)、龙胆科(8:28)、蔷薇科(7:20)、伞形科(8:18)、石竹科(8:17)、百合科(6:17)、唇形科(11:16)、豆科(11:13)，这些科级分类群在四川湿地植被中分布有较多的建群种或优势种，构成了四川湿地种子植物区系的主要组成部分。

2.2.3.2 优势属统计

优势属即是区系中含种数最多的属级分类群，根据属级分类群的大小特征及种类构成确定四川湿地种子植物区系中含10种以上的15个属为优势属，占四川省湿地种子植物总属数的4.50%。包括薹草属(43)、蓼属(39)、灯心草属(21)、报春花属(20)、柳叶菜属(17)、橐吾属(15)、毛茛属(14)、嵩草属(14)、凤仙花属(13)、莎草属(13)、龙胆属(12)、马先蒿属(11)、碎米荠属(11)、珍珠菜属(11)、蒿属(11)。共含有265种，占该区系总种数的27.98%。这些属在四川湿地种子植物中占有重要地位，常构成四川湿地植被的优势种或建群种。

优势科和优势属中所含的物种在四川湿地环境中分布广泛、数量较多，组成的群落结构较复杂，常常相伴而生，是多数湿地植物群落的优势种、建群种或主要伴生种。如两栖蓼、萹蓄、水蓼、圆穗蓼、酸模叶蓼、火炭母等在四川省的大部分湿地中都广泛分布，是许多湿地的优势种或建群种；高秆薹草、溪生薹草、云雾薹草、亮绿薹草、褐果薹草、浆果薹草等也是四川省湿地植被的主要组成成分，通常和嵩草、碎米莎草等共同组成湿地植物群落，在四川省各湿地中较为常见；高山嵩草、西藏嵩草、喜马拉雅嵩草、截形嵩草、高原嵩草等以及长花马先蒿、管花马先蒿、小唇马先蒿等种在四川西部海拔2700~5400米范围的湿地中分布面积广，数量多，是四川省西部高山河流湿地和高山湖泊湿地的主要优势种或建群种；灰绿龙胆和假水生龙胆、水田碎米荠和白花碎米荠以及临时救和腺药珍珠菜等，在四川省的田边、溪边及潮湿草地等湿地群落中极为常见，是多数湿地植物群落的优势种；灯心草、野灯心草以及柳叶菜是部分溪、沟边湿地的主要建群种之一；钟花报春、穗状垂花报春等，为四川西南部高山沼泽草甸湿地的常见伴生种。

2.2.4 区系分布类型

参照吴征镒(2003，1991)关于"世界种子植物科的分布区类型"及"中国种子植物属的分布区类型"系统，并在张宏达(1980，1986，1994)的"华夏植物区系理论"的指导下，将四川湿地种子植物区系成分的分布区类型划分为世界分布、热带分布、华夏分布和温带分布等四大类，以及各大类下的若干亚型。

2.2.4.1 科的分布类型及亚型

统计表明，四川省湿地种子植物区系科的分布区类型共有3大类，归并为7个亚型和6个变型(表3-9)。其中，世界分布型42科，占总科数的53.16%；热带分布型21科，占总科数的26.58%；温带分布型13科，占总科数的20.25%。

表3-9 四川省湿地种子植物区系科的分布区类型统计

分布类型		科数(科)	比例(%)	含属(属)	比例(%)	含种(种)	比例(%)
世界分布	世界分布	42	53.16	255	76.58	747	78.88
热带分布	1. 泛热带分布	14	17.72	37	11.11	88	9.29
	(1)热带亚洲、非洲、南美洲间断	2	2.53	2	0.60	8	0.84
	(2)以南半球为主的泛热带	1	1.27	1	0.30	1	0.11
	2. 热带亚洲和热带美洲间断	1	1.27	2	0.60	2	0.21
	3. 热带亚洲至热带大洋洲	2	2.53	3	0.90	4	0.42
	4. 热带亚洲至热带非洲	—	—	—	—	—	—
	(1)南非(主要是好望角)	1	1.27	1	0.30	9	0.95

（续）

分布类型		科数（科）	比例（%）	含属（属）	比例（%）	含种（种）	比例（%）
温带分布	1. 北温带分布	3	3.80	9	2.70	20	2.11
	（1）北温带和南温带间断	8	10.13	13	3.90	53	5.60
	（2）旧世界和南美洲温带间断	1	1.27	3	0.90	5	0.53
	（3）地中海、东亚、新西兰和墨西哥—智利间断	1	1.27	1	0.30	1	0.11
	2. 东亚和北美洲间断	1	1.27	3	0.90	3	0.32
	3. 旧世界温带	2	2.53	3	0.90	6	0.63
合　计		79	100.00	333	100.00	947	100.00

注：世界分布科——败酱科、报春花科、车前科、唇形科、豆科、浮萍科、禾本科、虎耳草科、金鱼藻科、堇菜科、桔梗科、菊科、兰科、狸藻科、藜科、蓼科、柳叶菜科、龙胆科、马齿苋科、毛茛科、千屈菜科、茜草科、蔷薇科、茄科、伞形科、桑科、莎草科、十字花科、石竹科、水鳖科、水马齿科、睡莲科、滕黄科、香蒲科、小二仙草科、玄参科、旋花科、眼子菜科、泽泻科、紫草科、酢浆草科、茨藻科；泛热带分布科——大戟科、凤仙花科、谷精草科、金粟兰科、锦葵科、爵床科、马兜铃科、葡萄科、天南星科、苋科、荨麻科、鸭跖草科、野牡丹科、雨久花科，热带亚洲、非洲、南美洲间断分布科——鸢尾科、椴树科，以南半球为主的泛热带分布科——石蒜科；热带亚洲和美洲间断分布科——马鞭草科；热带亚洲至热带大洋洲分布科——姜科、马钱科；南非（主要是好望角）分布科——杜鹃花科；北温带分布分布科——百合科、杉叶藻科、忍冬科；北温带和南温带间断分布科——灯心草科、黑三棱科、胡桃科、胡颓子科、桦木科、杉科、杨柳科、罂粟科；欧亚和南美洲间断分布科——小檗科；地中海、东亚、新西兰和墨西哥—智利间断分布科——马桑科；东亚及北美间断分布科——三白草科；旧世界温带分布科——菱科、柽柳科。

1）世界分布类型

世界分布类型几乎遍布世界各大洲而没有特殊分布中心的科，或虽有一个或数个分布中心但包含世界分布属、种的科。

（1）世界分布亚型：该分布亚型在四川湿地种子植物科区系中共计 42 科，含 255 属 747 种，分别占区系同类总数的 53.16%、76.58%、78.88%，它们在区系中的地位十分显著。20 种以上的大科有禾本科（63:119）、莎草科（14:111）、菊科（35:90）、蓼科（7:60）、毛茛科（8:37）、玄参科（12:33）、报春花科（3:32）、十字花科（11:29）、龙胆科（8:30）、柳叶菜科（3:22）、蔷薇科（7:20）。此外，还有眼子菜科（2:9）、毛茛科（8:37）、睡莲科（3:3）、泽泻科（2:6）、水鳖科（4:5）、狸藻科（1:5）、金鱼藻科（1:1）、茨藻科（1:1）、水马齿科（1:2）和小二仙草科（1:2）等典型的湿地水生植物科，它们大部分植物为浮叶植物和沉水植物。

2）热带分布类型

四川湿地种子植物科区系中热带分布类型共有 21 科（不包括世界分布型），占区系总科数的 26.58%，含有 46 属 112 种，分别占属、种总数的 13.81% 和 11.83%。它们在科级水平上反映出了四川省湿地种子植物区系具有较高的热带性质，这与地史发展过程中全球热带范围逐渐向南移动有关，或者说与该地区檀物区系在地史上曾经历了漫长的热带气候密切相关。

（1）泛热带分布亚型：该分布亚型是热带分布类型主要组成部分，包括①荨麻科（11:28）、凤仙花科（1:13）、天南星科（7:11）、鸭跖草科（3:10）等 14 科；②热带亚洲、非洲、南美洲间断分布变型的鸢尾科（1:1）、椴树科（1:1）；③还有以南半球为主的泛热带分布变型的石蒜科（1:1），共计 17 科，含 40 属 97 种，分别占区系同类总数的 21.52%、12.01%、10.24%。其中谷精草科（1:

4)、鸭跖草科、雨久花科(2:2)、荨麻科、凤仙花科、鸢尾科(1:7)和椴树科等是四川湿地重要的植物资源，常构成湿地植被中的优势种或常见种，如椴树科的田麻在全省各地的河流、池塘岸边多有分布，是湿地植物群落中的常见物种之一。

(2)热带亚洲和热带美洲间断分布亚型：该分布亚型在四川省湿地种子植物区系中仅有马鞭草科，含2属2种，分别占区系同类总数的1.27%、0.60%、0.21%。科内的过江藤和马鞭草在四川湿地中分布非常广泛，常见于溪边、河边、湖边等地区。

(3)热带亚洲至热带大洋洲分布亚型：该分布亚型包括姜科(2:2)和马钱科(1:2)，含3属4种，分别占区系同类总数的2.53%、0.90%、0.42%。其中姜科的舞花姜、阳荷在四川省湿地植被中分布面积极小，大多数为栽培种，常见于沟边、库塘边；钱科的醉鱼草、密蒙花常分布于河边或河漫滩。

(4)热带亚洲至热带非洲分布亚型：该分布亚型在四川湿地种子植物区系科中，仅见南非(主要是好望角)分布变型的杜鹃花科。科数虽少，但科内所含物种较多，共1属9种，分别占区系同类总数的1.27%、0.30%、0.95%，科内粉紫杜鹃、雪层杜鹃等物种多分布于海拔较高的四川西部，生于沟谷溪边或高寒沼泽湿地中。

3)温带分布类型

四川湿地种子植物科区系中温带分布类型有16科，占总科数的20.25%，含32属88种，分别占属、种总数的9.61%、9.29%。因而在科级水平上区系的温带性质也较明显这与四川地区所处的特殊地理位置和具有复杂多样的环境气候条件密切相关。

(1)北温带分布亚型：该分布亚型在四川湿地种子植物科区系中共计13科，含26属79种，分别占区系同类总数的16.47%、7.81%、8.34%。包括①百合科(6:17)、忍冬科(2:2)、杉叶藻科(1:1)；②北温带和南温带间断分布变型的灯心草科(2:26)、黑三棱科(1:2)、胡桃科(1:2)、胡颓子科(1:1)、桦木科(1:1)、杉科(2:2)、杨柳科(2:11)、罂粟科(3:8)；③欧亚和南美洲间断分布变型的小檗科(3:5)；④以及地中海、东亚、新西兰和墨西哥—智利间断分布变型的马桑科(1:1)。本亚型在四川省湿地种子植物区系中占有重要地位，含有许多湿地植被的建群种或优势种，如百合科、灯心草科、黑三棱科、杉叶藻科，而胡桃科、桦木科、杉科等是少有的湿地木本植物科。

(2)东亚及北美间断分布亚型：该分布亚型在四川省湿地种子植物区系中仅有三白草科，含3属3种，分别占区系同类总数的1.27%、0.90%、0.32%。科内蕺菜、三白草、裸蒴在四川湿地中分布较广泛，常见于沟边、溪边、塘边、林下湿地中，是四川省湿地植被中的常见组成成分。

(3)旧世界温带亚型：该分布亚型的科包括菱科(1:3)、柽柳科(2:3)，含3属6种，分别占区系同类总数的2.53%、0.90%、0.63%。菱科物种主要分布于库塘、湖泊等，通常和莲、睡莲等组成水塘、湖泊植被群落；柽柳科物种主要分布于河流冲积平原、河岸边砂地，四川全省广泛分布。

2.2.4.2　属的分布类型及亚型

统计表明，四川省湿地种子植物区系属的分布区类型包括4大类14个变型和9个亚型。(表3-10)。其中，世界分布类型59属，占总属数的17.72%；热带分布类型94属，占总属数的28.22%；温带分布类型136属，占总属数的40.84%；华夏分布类型44属，占总属数的13.20%，以温带分布类型占优势，华夏分布类型的属相对较少。在各亚型中，北温带分布亚型相对突出，占区系总属数的 28.53%，其次是泛热带分布亚型和东亚分布亚型，分别占区系总属数的 19.82%、8.7%。可见，属的分布区类型反映出四川湿地种子植物区系的亚热带属性，对我国特别是南部和西南部湿地植物区系的亚热带属性有代表性。

1）世界分布类型

世界分布类型包括几乎遍布各大洲而没有特殊分布中心的属，或虽有一个或数个分布中心而包含世界广布种的属。

（1）世界分布亚型：该分布亚型在四川湿地种子植物属区系中共计 59 属，占区系总属数的 17.72%；含 319 种，占四川湿地种子植物总种数的 33.69%。10 种以上的属包括薹草属（43）、蓼属（39）、灯心草属（21）、毛茛属（14）、莎草属（13）、龙胆属（12）、碎米荠属（11）、珍珠菜属（11）。其中，有很多属如蓼属、薹草属、灯心草属等为重要的湿地植被建群种。在世界分布属中，存在多种生活型的植物类群，如挺水植物有香蒲属（4）、蓼属、珍珠菜属、薹草属等；浮叶植物有睡莲属（1）、荇菜属（1）、眼子菜属（8）等；漂浮植物有浮萍属（1）、紫萍属（1）等；以及沉水植物如狸藻属（5）、杉叶藻属（1）、金鱼藻属（1）等均是该区系重要的植物。

2）热带分布类型

四川湿地种子植物属区系中热带分布类型共有 94 属（不包括世界分布型），占区系总属数的 28.22%，含 178 种，占湿地种子植物总种数的 18.80%。泛热带分布亚型属及其所含种数在区系中均占较大比例；旧世界热带分布亚型和热带亚洲至热带非洲分布亚型在属数上趋于平衡，但含种数上存在一定的差异；其他分布亚型属、种数较少。

（1）泛热带分布亚型：四川湿地种子植物区系泛热带分布亚型属仅次于北温带分布亚型属而居各亚型的第二位，约 66 属，含 133 种，分别占区系同类总数的 19.82%、14.05%。包括①凤仙花属（13）、飘拂草属（7）、冷水花属（6）、狗尾草属（5）、谷精草属（4）、水蜈蚣属（4）、天胡荽属（4）、鸭跖草属（4）、砖子苗属（4）等 63 属；②以及热带亚洲、非洲、南美洲间断分布变型的 3 个属：簕竹属（1）、糯米团属（1）、雾水葛属（1）。泛热带分布亚型中有很多属的植物都是四川湿地植被中的常见物种，如冷水花属、凤仙花属、飘拂草属、鸭跖草属、假稻属的多种常见草本植物构成了四川湿地植被的优势种或建群种。

（2）热带亚洲和热带美洲间断分布亚型：该分布亚型在四川湿地种子植物属区系中包括凤眼蓝属、过江藤属、藿香蓟属，共 3 属 3 种，分别占区系同类总数的 0.90%、0.32%。其中凤眼蓝、藿香蓟已成为危害较大的入侵物种，尤以凤眼蓝在四川人工湿地中极为常见。凤眼蓝原产于南美洲亚马逊河流域，曾一度被许多国家引进，广泛分布于世界各地，亦被列入世界百大外来入侵物种之一；藿香蓟原产美洲，后引入我国，现在已成为一种危害较大的入侵植物。

（3）旧世界热带分布亚型：该分布亚型在四川湿地种子植物属区系中共有 10 属，占四川省湿地种子植物总属数的 3.00%，含 24 种，占四川省湿地种子植物总种数的 2.53%。包括①楼梯草属（9）、茅根属（1）、石龙尾属（2）、水蔗草属（1）、水竹叶属（5）、乌蔹莓属（1）、细柄草属（2）、雨久花属（1）；②以及热带亚洲、非洲和大洋洲间断分布变型的水鳖属（1）、小丽草属（1）。其中水竹叶属、水鳖属、雨久花属、石龙尾属等植物较为常见；小丽草属仅见于峨眉地区潮湿的山谷、溪旁草丛中。

表 3-10　四川省湿地种子植物区系属的分布区类型统计

分布类型		属数(属)	比例(%)	含种(种)	比例(%)
世界分布	世界分布	59	17.72	319	33.69
热带分布	1. 泛热带分布	63	18.92	130	13.73
	(1)热带亚洲、非洲、南美洲间断	3	0.90	3	0.32
	2. 热带亚洲和热带美洲间断	3	0.90	3	0.32
	3. 旧世界热带	8	2.40	22	2.32
	(1)热带亚洲、非洲和大洋洲间断	2	0.60	2	0.21
	4. 热带亚洲至热带大洋洲	5	1.50	5	0.53
	5. 热带亚洲至热带非洲	10	3.00	13	1.37
温带分布	1. 北温带分布	67	20.12	228	24.08
	(1)北极—高山分布	3	0.90	6	0.63
	(2)北温带和南温带间断分布	23	6.91	69	7.29
	(3)旧世界和南美洲温带间断	2	0.60	3	0.32
	2. 东亚和北美洲间断	9	2.70	13	1.37
	3. 旧世界温带	19	5.71	49	5.17
	(1)旧世界和南部非洲间断	3	0.90	3	0.32
	4. 温带亚洲分布	8	2.40	14	1.48
	5. 中亚分布	—	—	—	—
	(1)中亚至喜马拉雅和我国西南部分布	2	0.60	2	0.21
华夏分布	1. 热带亚洲(印度—马来西亚)分布	9	2.70	11	1.16
	2. 东亚分布	15	4.50	23	2.43
	(1)中国—喜马拉雅(SH)	9	2.70	17	1.80
	(2)中国—日本(SJ)	5	1.50	6	0.63
	3. 中国特有分布	6	1.80	6	0.63
合　计		333	100	947	100.00

注：世界分布属——半边莲属、荸荠属、藨草属、车前属、莼属、刺子莞属、灯心草属、地杨梅属、豆瓣菜属、繁缕属、浮萍属、沟酸浆属、鬼针草属、蔊菜属、狐尾藻属、黄耆属、黄芩属、剪股颖属、角果藻属、金丝桃属、金鱼藻属、堇菜属、拉拉藤属、狸藻属、藜属、蓼属、龙胆属、芦苇属、毛茛属、拟漆姑属、牛膝菊属、千里光属、千屈菜属、茄属、莎草属、杉叶藻属、鼠麴草属、鼠尾草属、水马齿属、水麦冬属、水茫草属、水莎草属、水苏属、水苋菜属、睡莲属、酸模属、碎米荠属、薹草属、甜茅属、苋属、香蒲属、荇菜属、眼子菜属、银莲花属、早熟禾属、泽芹属、珍珠菜属、紫萍属、酢浆草属；泛热带分布属——艾麻属、菝葜属、白酒草属、白茅属、扁芒草属、扁莎属、打碗花属、大戟属、大藻属、稻属、丁香蓼属、耳草属、凤仙花属、甘蔗属、狗尾草属、狗牙根属、谷精草属、荷莲豆草属、积雪草属、假稻属、假马齿苋属、节节菜属、金粟兰属、聚花草属、苦草属、狼尾草属、冷水花属、鳢肠属、莲子草属、柳叶箬属、芦竹属、马鞭草属、马齿苋属、母草属、囊颖草属、牛鞭草属、蟛蜞菊属、飘拂草属、千金子属、牵牛属、青葙属、苘麻属、球柱草属、雀稗属、䅟属、鼠尾粟属、水车前属、水蓑衣属、水蜈蚣属、天胡荽属、田菁属、铁苋菜属、菟丝子属、豨莶属、下田菊属、小草属、鸭跖草属、野黍属、叶下珠属、泽兰属、苎麻属、砖子苗属、醉鱼草属；热带亚洲、非洲、南美洲间断分布属——簕竹属、糯米团属、雾水葛属；热带亚洲和热带美洲间断分布属——凤眼蓝属、过江藤属、藿香蓟属；旧世界热带分布属——楼梯草属、茅根属、石龙尾属、水蔗草属、水竹叶属、乌蔹莓属、细柄草属、雨久花属；热带亚洲、非洲和大洋洲间断分布属——水鳖属、小丽草属；热带亚洲至热带大洋洲分布属——黑藻属、姜属、通泉草属、蜈蚣草属、新耳草属；热带亚洲至热带非洲分布属——大豆属、荩草属、菊三七属、类芦属、束尾草属、水麻属、尾稃草属、蝎子草属、野茼蒿属、莠竹属；北温带分布属——稗属、薄荷属、报春花属、贝母属、扁蕾属、播娘蒿属、车轴草属、葱属、地笋属、地榆属、毒芹属、杜鹃属、发草属、风毛菊属、蜂斗菜属、拂子茅属、狗舌草属、海乳草属、蒿属、何首乌属、虎耳草属、画眉草属、棘豆属、蓟属、碱毛茛属、接骨木属、苦苣菜属、肋柱花属、柳属、龙芽草属、露

珠草属、落芒草属、薹草属、马桑属、马先蒿属、茅香属、梅花草属、披碱草属、蒲公英属、桤木属、漆姑草属、荠属、忍冬属、绶草属、鼠耳芥属、睡菜属、嵩草属、天南星属、葶苈属、兔耳草属、菵草属、委陵菜属、细辛属、夏枯草属、小檗属、小米草属、鸭儿芹属、沿沟草属、羊茅属、杨属、野青茅属、羽衣草属、鸢尾属、泽泻属、针茅属、紫堇属、紫菀属；北极—高山分布属—冰岛蓼属、金莲花属、山萮菜属；北温带和南温带间断分布"全温带"分布属——臭草属、慈姑属、大蒜芥属、和尚菜属、黑三棱属、花锚属、卷耳属、柳叶菜属、路边青属、驴蹄草属、婆婆纳属、雀麦属、三毛草属、水毛茛属、梯牧草属、无心菜属、勿忘草属、荨麻属、羊胡子草属、野豌豆属、异燕麦属、藨草属、獐牙菜属；欧亚和南美温带间断分布属——火绒草属、看麦娘属；东亚和北美洲间断分布属——菖蒲属、扯根菜属、粉条儿菜属、菰属、黄水枝属、莲属、乱子草属、落羽杉属、三白草属；旧世界温带分布属——扁穗草属、草木犀属、柽柳属、鹅肠菜属、飞廉属、活血丹属、茇茇草属、筋骨草属、款冬属、菱属、毛连菜属、荞麦属、沙棘属、水柏枝属、水棘针属、水芹属、天名精属、橐吾属、香薷属；欧亚和南部非洲间断分布属——百脉根属、苜蓿属、蛇床属；温带亚洲分布属——大黄属、附地菜属、孩儿参属、虎杖属、锦鸡儿属、马兰属、细柄茅属、鸭跖花属；中亚至喜马拉雅和我国西南部分布属——高河菜属、三角草属；热带亚洲（印度—马来西亚）分布属——赤车属、翅果菊属、沟稃草属、海芋属、犁头尖属、蛇莓属、舞花姜属、薏苡属、芋属；东亚分布属——荻属、东风菜属、刚竹属、花点草属、黄鹌菜属、蕺菜属、金发草属、泥胡菜属、蒲儿根属、山麦冬属、石荠苎属、石蒜属、田麻属、沿阶草属、野海棠属；中国—喜马拉雅（SH）分布属——矮泽芹属、垂头菊属、大钟花属、单花荠属、甘松属、鬼臼属、肉果草属、桃儿七属、星叶草属；中国—日本（SJ）分布属——半夏属、枫杨属、荷青花属、鸡眼草属、显子草属；中国特有分布属——番薯属、裸蒴属、马蹄黄属、水杉属、虾子草属、血水草属。

（4）热带亚洲至热带大洋洲分布亚型：该分布亚型在四川湿地种子植物区系中共有5属，含5种，分别占区系同类总数的1.50%、0.53%。包括黑藻属、姜属、通泉草属、蜈蚣草属、新耳草属。其中黑藻属的黑藻常分布于淡水河流湿地中或静水池塘中；姜属的阳荷在四川多数地区常见栽培为主，野生种仅见于都江堰、峨眉地区；通泉草属的通泉草多分布于草坡、沟边、林缘等地；蜈蚣草属的假俭草广泛分布于水边、稻田中；新耳草属的薄叶新耳草常分布于林下或溪旁湿地。

（5）热带亚洲至热带非洲分布亚型：除泛热带分布亚型外，该分布亚型在四川湿地种子植物热带分布类型中优势相对突出，共10属，含13种，分别占区系同类总数的3.00%、1.37%。包括荩草属（2）、水麻属（2）、莠竹属（2）、大豆属（1）、菊三七属（1）、类芦属（1）、束尾草属（1）、尾稃草属（1）、蝎子草属（1）、野茼蒿属（1）。其中水麻属、荩草属、野茼蒿属在四川湿地中较常见，是四川湿地植被中的主要的伴生种或优势种。

3）温带分布类型

四川湿地种子植物属区系中温带分布类型共有5个亚型，总计136属，占区系总属数的40.84%，含387种，占区系总种数的40.87%，属、种数均位于四大分布类型之首，可见温带分布类型属在四川湿地种子植物区系成分组成中十分重要。其中以北温带分布亚型所含属种数在区系中占优势，其次为旧世界温带分布亚型，中亚分布亚型属种数量较少。

（1）北温带分布亚型：该分布亚型在四川湿地种子植物属区系中共有95属，占区系总属数的28.53%。包括①报春花属（20）、嵩草属（14）、蒿属（11）、马先蒿属（11）等67个属；②北极—高山分布变型的3个属：金莲花属（4）、冰岛蓼属（1）、山萮菜属（1）；③北温带和南温带（全温带）间断分布变型的柳叶菜属（17）、婆婆纳属（6）、獐牙菜属（6）、慈姑属（4）、驴蹄草属（4）、雀麦属（4）等23个属；④旧世界和南美洲温带间断分布变型的火绒草属（2）、看麦娘属（1），共含306种，占区系总种数的32.31%。这些属在该区系中占有重要地位，很多物种构成了湿地植被的主体成分，特别是在四川西部高寒湿地的嵩草属、报春花属、马先蒿属等占非常大的优势。除此之外，本分布亚型常见的属还有扁蕾属（3）、柳叶菜属、委陵菜属（9）、紫堇属（6）、驴蹄草属等。

（2）东亚和北美洲间断分布亚型：该分布亚型在四川湿地种子植物属区系中共有9属，含13种，分别占区系同类总数的2.70%、1.37%。包括菖蒲属（3）、粉条儿菜属（2）、乱子草属（2）、扯根菜属(1)、菰属(1)、黄水枝属(1)、莲属(1)、落羽杉属(1)、三白草属(1)。

(3)旧世界温带分布亚型：除北温带分布亚型外，该分布亚型在四川湿地种子植物温带分布类型中优势相对突出，共22属，占区系总属数的6.61%。包括①橐吾属(15)、水芹属(7)、荞麦属(4)、筋骨草属(3)、菱属(3)等18属；②旧世界和南部非洲间断分布变型的百脉根属(1)、苜蓿属(1)、蛇床属(1)，共含52种，占区系总种数的5.49%。其中，湿地中典型的属有菱属、水芹属、橐吾属等，是四川湿地植被中重要的组成部分。

(4)温带亚洲分布亚型：该分布亚型在四川湿地种子植物属区系中共有8属，含14种，分别占区系同类总数的2.40%、1.48%。包括大黄属(4)、鸭跖花属(3)、附地菜属(2)、孩儿参属(1)、虎杖属(1)、锦鸡儿属(1)、马兰属(1)、细柄茅属(1)。该亚型中很多属在喜马拉雅地区得到了进一步的发展，从而向西南各省四周发散。

(5)中亚分布亚型：该分布亚型在四川湿地种子植物区系属中，仅见中亚至喜马拉雅和我国西南部分布变型的高河菜属(1)、三角草属(1)，共2属2种，分别占区系同类总数的0.60%、0.21%。其中，高河菜属主要分布于川西及川西北3750~4200米的山沟水边；三角草属多分布于高原湖泊边沙地、河谷沙地、湖边石砾草地干燥处及河滩草地中。

4)华夏分布类型

华夏分布类型即以华夏植物区系范围为分布中心，主要包括热带亚洲分布、东亚分布和中国特有分布几个亚型。四川湿地种子植物属区系中华夏分布类型共有3个亚型，总计44属，占区系总属数的13.20%，含63种，占区系总种数的6.65%。

(1)热带亚洲(印度—马来西亚)分布亚型：该分布亚型在四川湿地种子植物属区系中共有9属，占四川湿地种子植物总属数的2.70%。包括蛇莓属(2)、薏苡属(2)、赤车属(1)、翅果菊属(1)、沟稃草属(1)、海芋属(1)、犁头尖属(1)、舞花姜属(1)、芋属(1)，含11种，占四川湿地种子植物总种数的1.16%。其中以蛇莓属、薏苡属、芋属等在湿地中较为常见，是四川湿地植被中常见的伴生种。

(2)东亚分布亚型：该分布亚型在华夏分布类型中占有重要地位，是四川湿地种子植物区系中重要的组成部分。共29属，占四川湿地种子植物总属数的8.71%。包括①沿阶草属(5)、山麦冬属(3)、花点草属(2)、金发草属(2)等15属；②中国—喜马拉雅(SH)分布变型的垂头菊属(7)、鬼臼属(3)、矮泽芹属(1)、大钟花属(1)等9属；③中国—日本(SJ)分布变型的枫杨属(2)、半夏属(1)、荷青花属(1)、鸡眼草属(1)、显子草属(1)，共计46种，占四川湿地种子植物总种数的4.86%。其中，很多属是中国—喜马拉雅区系的代表类群，如垂头菊属、鬼臼属等。

(3)中国特有分布亚型：该分布亚型在四川湿地种子植物属区系中共有6属，含6种，分别占区系同类总数的1.80%、0.63%。包括番薯属(1)、裸蒴属(1)、马蹄黄属(1)、水杉属(1)、虾子草属(1)、血水草属(1)。该亚型分布区域较小，这些特有属具有古老和原始、年青与进化的类型特征。

3 湿地维管植物区系特征

(1)植物种类丰富，珍稀物种较多：四川省湿地植物种类较为丰富，其中苔藓植物20科26属37种，蕨类植物15科17属24种，裸子植物1科2属2种，被子植物共78科331属945种。

其中，禾本科、莎草科、菊科、蓼科等科的种类最多。

湿地维管植物中国家重点保护与珍稀濒危植物种类较多，分布有国家保护植物7种，其中国家Ⅰ级保护植物3种，国家Ⅱ级保护植物4种；分布有珍稀濒危植物4种，其中稀有植物2种，渐危植物2种。

(2)优势物种明显，生境差异较大：四川湿地植被在不同的生态环境中发育的湿地植物群落均有比较明显的优势种。四川西部地区的高寒湿地生态系统中，湿地植物优势种主要有木里薹草、高山嵩草、藨草、条叶垂头菊、车前状垂头菊、花葶驴蹄草、矮泽芹和水毛茛等为优势的沼泽湿地植被，群落外貌表现比较鲜艳，杂类草花期表现黄色或白色，如若尔盖的花湖表现出季相变化和鲜艳色彩。另外，高杆薹草和绿穗薹草为优势种的沼泽湿地、木里薹草和喜马拉雅嵩草等组成的上层优势群落、水毛茛和木贼以及水生植物如杉叶藻和小眼子菜组成的下层优势群落，这些植被的群落外貌极为单调，季相变化极不显著。四川盆地、盆周山地以及川东、川南地区的湿地中，优势植物主要以斑茅、李氏禾、假稻、水葱、短叶水蜈蚣、菖蒲、喜旱莲子草、水蓼、狭叶香蒲等物种组成。其中，河漫滩湿地优势种有狗牙根、光头稗、稗、益母草、野胡萝卜、紫云英等；水生环境中优势种有泽泻、菹草、竹叶眼子菜等。

四川省从盆地到山地、最后到高山高原的各类型湿地中，依不同的水湿环境、海拔等，湿地植物的优势种存在着较大差异。除高寒湿地和河流湿地的优势种明显外，其余湿地优势种并不显著，约70%的种类为非优势种，有的甚至是偶见种或生态上的狭域种。另外，湿地植物中双子叶植物丰富度较高，单子叶植物在多度上占优势，湿地植被主要以单子叶植物为优势种或建群种。

(3)区系成分复杂，地区差异显著：四川湿地维管植物区系地理成分复杂，属的分布区亚型数量占到全国属的分布区亚型数量的93.33%(14/15)。其中，在属的分布区亚型中，超过20个属的分布区亚型达5个，包括世界广布、泛热带分布、北温带分布、旧世界温带分布和东亚分布亚型，涵盖了世界分布、热带分布、温带分布和华夏分布四大类型，并以温带分布的类型比例最高，反映了四川亚热带气候对植物的影响，突出了地带性特征。同时，除温带分布类型以外，以世界分布为主，亦表现出明显的隐域性特征。

根据《中国湿地植被》中四川划分的两个湿地区来看，四川省湿地植物种类在地理分布上表现出很强的地域性，物种组成具有很大差异。甘孜藏族自治州、阿坝藏族羌族自治州以及凉山彝族自治州的木里县主要为高寒湿地区，湿地植物主要以温带成分为主，其中北温带成分占优势，一些北温带分布的属在这些地区种类非常丰富，如报春花属、马先蒿属、嵩草属；该区域分布的龙胆科、毛茛科、菊科的很多属都是北温带分布亚型。四川东北秦巴山区、中部四川盆地以及川南山地区为西南湿地区，湿地植物组成较为复杂，世界广布、温带分布及热带分布成分均占到了相当大的比重。

(4)特有成分较少，入侵现象明显：四川湿地维管植物虽然种类较多，区系成分复杂，但中国特有属较少，仅包括水杉属、裸蒴属、马蹄黄属、虾子草属和血水草属，说明了四川湿地植被具有隐域性。

四川湿地维管植物区系中，出现了喜旱莲子草、凤眼蓝和藿香蓟等多种入侵植物。其中，喜旱莲子草和凤眼蓝多形成物种单一的群系，并广布于四川的低海拔湿地地区，对本土物种构成了严重的威胁。

4　湿地植被类型与分布

4.1　湿地植被区划

根据《中国湿地植被》的分区系统，四川湿地植被分属 2 个湿地区、4 个湿地亚区(图 3-3)，包括：

Ⅱ. 青藏高原高寒草丛沼泽区：

a. 青东南、川西北高原藏嵩草－薹草沼泽亚区；

b. 川滇西部山地高原杜鹃灌丛沼泽和泥炭藓沼泽亚区。

Ⅲ. 南部高原、山地、丘陵泥炭藓沼泽和浅水植物山地区：

a. 秦巴山地、四川盆地太白落叶松沼泽和藓类沼泽亚区；

b. 云贵高原浅水植物湿地和泥炭藓沼泽亚区。

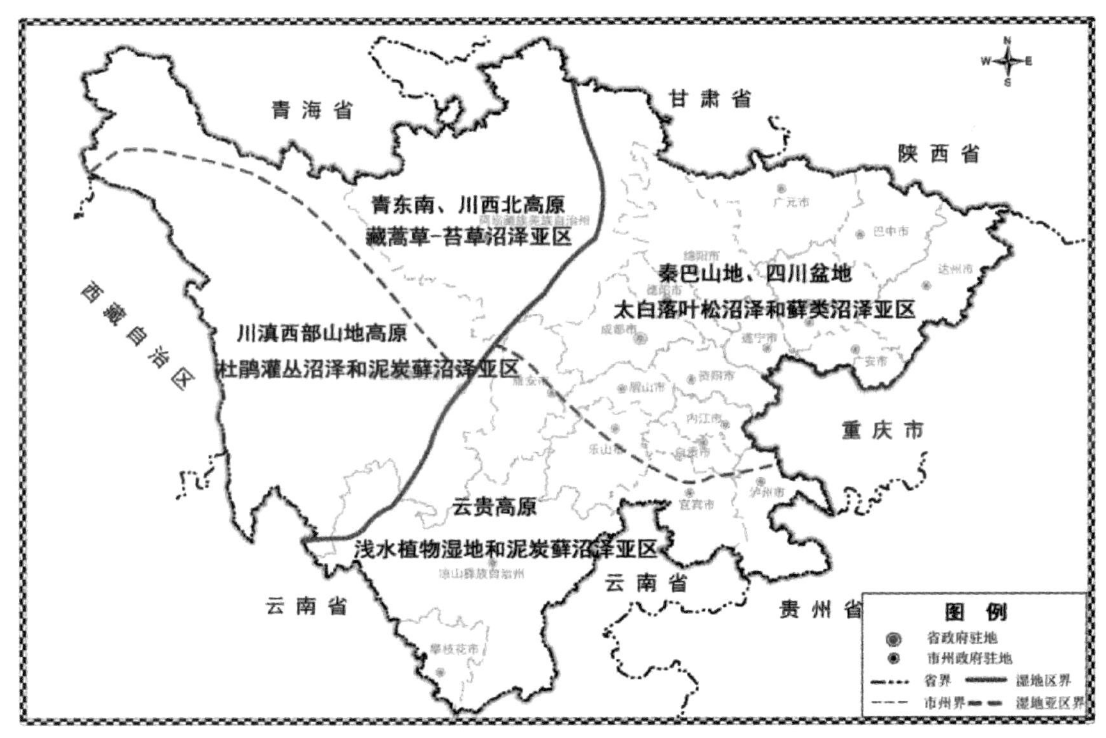

图 **3-3**　四川湿地植被区划示意图

4.2　湿地植被类型

基于《中国植被》中有关植被分类原则与系统，并参照《中国湿地植被》确定的湿地植被划分方法和依据，同时参考相关植被分类文献，结合四川省湿地植被的形成、发育和分布特征、四川湿地植被的特殊性前提下，根据四川省第二次湿地资源调查成果统计，依据植被型组—植被型—群系的分类系统，将四川省的湿地植被划分为 6 个植被型组、14 个植被型和 152 个群系(表 3-11)。其中，森林型群系 5 个、灌丛型群系 24 个、草丛型群系 94 个、苔藓型群系 1 个、挺水型群系3个、漂浮型群系6个、浮叶型群系8个、沉水型群系11个。植被分类系统序号连续编排，按《中国植被》编号用字，植被型组不用数字编号，植被型用Ⅰ. Ⅱ. Ⅲ. ……，群系用1. 2. 3. ……。

四川湿地植被中，典型植被包括4个植被型组、9个植被型和63个群系(表3-11)。其中，灌丛型群系2个、草丛型群系33个、苔藓型群系1个、挺水型群系2个、漂浮型群系6个、浮叶型群系8个、沉水型群系11个。

表3-11 四川湿地植被分类系统

植被型组	植被型	群系	是否典型
阔叶林湿地植被型组	Ⅰ. 亚热带落叶阔叶林	1. 枫杨群系	
		2. 桤木群系	
	Ⅱ. 竹林湿地植被型	3. 水竹群系	
针叶林湿地植被型组	Ⅲ. 暖性落叶针叶林	4. 水杉群系	
		5. 池杉群系	
灌丛湿地植被型组	Ⅳ. 落叶阔叶灌丛	6. 高山柳群系	
		7. 川西锦鸡儿群系	
		8. 川滇小檗群系	
		9. 皱叶醉鱼草群系	
		10. 窄叶鲜卑花群系	
		11. 康定柳群系	
		12. 具鳞水柏枝群系	典型
		13. 金露梅群系	
		14. 岩生忍冬群系	
		15. 乌柳群系	
		16. 山生柳群系	
		17. 沙棘群系	
		18. 水麻群系	典型
		19. 火棘群系	
		20. 醉鱼草群系	
		21. 皂柳群系	
	Ⅴ. 常绿阔叶灌丛	22. 多枝杜鹃群系	
		23. 隐蕊杜鹃群系	
		24. 毛蕊杜鹃群系	
		25. 马桑群系	
		26. 密枝杜鹃群系	
		27. 大白杜鹃群系	
		28. 长叶水麻群系	
	Ⅵ. 盐生灌丛湿地植被型	29. 清香木群系	

植被型组	植被型	群系	是否典型
草丛湿地植被型组	Ⅶ. 莎草型湿地植被型	30. 青藏薹草群系	
		31. 木里薹草群系	典型
		32. 绿穗薹草群系	
		33. 西藏嵩草群系	
		34. 喜马拉雅嵩草群系	典型
		35. 香附子群系	典型
		36. 水葱群系	典型
		37. 华扁穗草群系	典型
		38. 高原嵩草群系	典型
		39. 川滇薹草—木里薹草群系	
		40. 窄果薹草—木里薹草群系	典型
		41. 窄果薹草群系	典型
		42. 雅江薹草群系	典型
		43. 无脉薹草群系	典型
		44. 双柱头藨草群系	
		45. 牛毛毡群系	
		46. 荸荠群系	典型
		47. 水蜈蚣群系	
		48. 膨囊薹草群系	
		49. 水莎草群系	典型
		50. 刺子莞群系	
		51. 异型莎草群系	
		52. 日本薹草群系	
	Ⅷ. 禾草型湿地植被型	53. 芦苇群系	典型
		54. 荻群系	
		55. 菰群系	典型
		56. 黍群系	
		57. 李氏禾群系	典型
		58. 拂子茅群系	
		59. 稗群系	典型
		60. 细叶芨芨草群系	
		61. 长穗三毛草群系	
		62. 毛颖早熟禾群系	典型
		63. 白茅群系	
		64. 斑茅群系	
		65. 黄茅群系	
		66. 芦竹群系	
		67. 狗牙根群系	
		68. 狗尾草群系	
		69. 看麦娘群系	
		70. 光头稗群系	

植被型组	植被型	群系	是否典型
草丛湿地植被型组	Ⅷ. 禾草型湿地植被型	71. 长芒稗群系	典型
		72. 双穗雀稗群系	
		73. 假稻群系	典型
		74. 虉草群系	
		75. 荩草群系	
		76. 牛鞭草群系	
		77. 棒头草群系	
		78. 垂穗披碱草草甸	
		79. 菵草群系	典型
		80. 草地早熟禾群系	
		81. 高原早熟禾群系	
	Ⅸ. 杂草型湿地植被型	82. 香蒲群系	典型
		83. 菖蒲群系	典型
		84. 葱状灯心草群系	典型
		85. 灯心草群系	
		86. 杉叶藻群系	典型
		87. 斑唇马先蒿群系	
		88. 溪木贼群系	
		89. 节节草群系	
		90. 水烛群系	典型
		91. 栗花灯心草 + 展苞灯心草群系	
		92. 栗花灯心草群系	
		93. 珠芽蓼群系	
		94. 展苞灯心草群系	
		95. 渐尖毛蕨群系	
		96. 蕨群系	
		97. 问荆群系	
		98. 金星蕨群系	
		99. 水蕨群系	典型
		100. 小花灯心草群系	典型
		101. 水蓼群系	典型
		102. 红蓼群系	典型
		103. 青葙群系	
		104. 水芹群系	典型
		105. 小蓬草群系	
		106. 蛇莓群系	
		107. 黑三棱群系	典型
		108. 苍耳群系	
		109. 艾蒿群系	
		110. 柳叶菜群系	
		111. 褐毛垂头菊群系	

植被型组	植被型	群系	是否典型
草丛湿地植被型组	Ⅸ. 杂草型湿地植被型	112. 宽叶香蒲群系	典型
		113. 播娘蒿群系	
		114. 三裂碱毛茛群系	典型
		115. 马兰群系	
		116. 长苞灯心草群系	
		117. 鸭跖草群系	
		118. 黄花鸢尾群系	
		119. 齿萼凤仙花群系	
		120. 蛇床群系	
		121. 云生毛茛群系	
		122. 侧茎橐吾群系	
		123. 圆穗蓼群系	
苔藓湿地植被型组	Ⅹ. 苔藓湿地植被型	124. 泥炭藓群系	典型
浅水植物湿地植被型组	Ⅺ. 挺水植物型	125. 莲群系	典型
		126. 慈姑群系	典型
		127. 圆叶节节菜群系	
	Ⅻ. 漂浮植物型	128. 满江红群系	典型
		129. 浮萍群系	典型
		130. 紫萍群系	典型
		131. 槐叶苹群系	典型
		132. 凤眼蓝群系	典型
		133. 大薸群系	典型
	XⅢ. 浮叶植物型	134. 荇菜群系	典型
		135. 菱群系	典型
		136. 水皮莲群系	典型
		137. 浮叶眼子菜群系	典型
		138. 莼菜群系	典型
		139. 喜旱莲子草群系	典型
		140. 水毛茛＋穗状狐尾藻群系	典型
		141. 水毛茛群系	典型
	XⅣ. 沉水植物型	142. 菹草群系	典型
		143. 微齿眼子菜群系	典型
		144. 苦草群系	典型
		145. 金鱼藻群系	典型
		146. 黑藻群系	典型
		147. 水车前群系	典型
		148. 海菜花群系	典型
		149. 穗状狐尾藻群系	典型
		150. 狐尾藻群系	典型
		151. 毛柄水毛茛群系	典型
		152. 篦齿眼子菜群系	典型

4.3 湿地植被分布

4.3.1 阔叶林湿地植被型组

Ⅰ. 亚热带落叶阔叶林

(1)枫杨群系：全省中低海拔常见，多生长于河岸边，常为自然生长。盖度可达 70% 以上，高度可达 10 米以上。林下常见有水蓼、鱼腥草、稗等植物种类。

(2)桤木群系：全省各地普遍分布，多生长于山地湿润环境，在海拔 1500 米地带可成纯林。高度 8 米左右，盖度 90% 左右。林下常见有葎草、假柳叶菜、节节草等植物种类。

Ⅱ. 竹林湿地植被型

(1)水竹群系：分布于四川省中部、西部地区，多生长于中低海拔的河边、江边。林下常见有冷水花、葎草、雾水葛等植物种类。

4.3.2 针叶林湿地植被型组

Ⅲ. 暖性落叶针叶林

(1)水杉群系：全省各地广泛栽培。林下可见有葎草、水麻、狗牙根等常见植物种类。

(2)池杉群系：平坝地区偶见栽培。易形成单优势种群，林下可见狼把草、葎草等常见草本植物。

4.3.3 灌丛湿地植被型组

Ⅳ. 落叶阔叶灌丛

(1)高山柳群系：分布于四川西部及西北部地区，多生长于海拔 4000 米以上的高山水沟边或高寒湿地边。常见的伴生种类有薹草、嵩草等。

(2)川西锦鸡儿群系：分布于四川西部、西北部地区，多生长于海拔 3000 米以上的高山溪边或沼泽边缘。常见的伴生植物有长花马先蒿、西藏嵩草、珠芽蓼、华扁穗草等。

(3)川滇小檗群系：分布于四川西部、西南部地区，多生长于海拔 2000～3500 米的河边、林边、湖泊及沼泽边缘。已形成单优势种群，零星有问荆等分布于群落中。

(4)皱叶醉鱼草群系：分布于四川西部地区，多生长于岷江流域、大渡河流域干热河谷中，是典型的干热河谷植被。常与嵩草、薹草类组成灌丛—草本沼泽湿地。

(5)窄叶鲜卑花群系：分布于四川西部地区，多生长于海拔 2000 米以上的高山溪沟及河边山坡等。常见的伴生植物有金露梅、委陵菜、具鳞水柏枝等。

(6)康定柳群系：分布于四川西部地区，多生长于海拔 1500～4000 米的山沟河边，盖度可达 60% 以上，高度可达 6～9 米以上。易形成单优势种群，零星有岩生忍冬、川滇小檗分布于群落中。

(7)具鳞水柏枝群系：分布于四川西部地区，多生长于海拔 2400～4600 米的山地河滩、湖边等湿地中。常见的伴生植物有沙棘、岩生忍冬、金露梅、皂柳等。

(8)金露梅群系：四川西部地区广布，多生长于海拔 1000 米以上的河边、湖边、沼泽边缘等，极常见。常见伴生植物有嵩草、薹草等。

(9)岩生忍冬群系：四川西部地区广布，多生长于海拔 2100～4950 米的河滩草地和灌丛中。

常见伴生植物有高山绣线菊、沙棘、鹅绒委陵菜等。

(10)乌柳群系：全省均有分布，多生长于海拔750~3000米的山沟河边，高度可达2~3米，盖度可达70%以上。常见伴生植物有沙棘、水柏枝等。

(11)山生柳群系：分布于四川西部地区，多生长于海拔3200~4300米的山沟河边。常见伴生植物有康定柳、、窄叶鲜卑花、杜鹃等。

(12)沙棘群系：四川西部地区广布，多生长于海拔800~3600米的河滩、沼泽、季节性沼泽地中，盖度可达50%~70%，高度有3~5米。常见伴生植物有水柏枝、早熟禾、华扁穗草、委陵菜等。

(13)水麻群系：广布于全省各地，多生长于溪谷河流两岸潮湿地区。常见的伴生植物有鬼针草、鱼腥草、水蓼、稗等。

(14)火棘群系：全省各地广泛分布，多生长于海拔500~2800米的河沟边。田边习见栽培或做绿篱。

(15)醉鱼草群系：分布于四川中部地区，多生长于海拔200~2700米的河边灌丛中。常见伴生植物有狗尾草、千里光、鬼针草等。

(16)皂柳群系：广布于全省各地，多生长于山谷、溪流旁。常见伴生植物有窄叶鲜卑花、具鳞水柏枝、沙棘等。

V. 常绿阔叶灌丛

(1)多枝杜鹃群系：分布于四川西部(小金、美姑、康定及甘孜州)地区，常见于海拔3000~4300米的开阔高山草地或高寒潮湿的沼泽湿地或湿地边缘灌丛中。常见有珠芽蓼、苞叶大黄等伴生。

(2)隐蕊杜鹃群系：四川西部地区广布，多生长于海拔3500~4500米的沟谷溪边及沼泽边缘潮湿地。常见有条叶垂头菊、无脉薹草等伴生。

(3)毛蕊杜鹃群系：四川西部地区广布，多生长于海拔3200~4900米的潮湿草原及河滩地。常见有窄叶鲜卑花、委陵菜、山生柳、珠芽蓼等伴生。

(4)马桑群系：全省各地广泛分布，多生长于河滩、河边、湖边等。常见有早熟禾、水麻、千里光等伴生。

(5)密枝杜鹃群系：分布于四川西部地区，多生长于海拔3000~4500米的沟谷溪边。常见有苞叶大黄、嵩草等伴生。

(6)大白杜鹃群系：分布于四川西部至西南部地区，多生长于海拔3300~4000米的沟谷溪边及河流浅滩。

(7)长叶水麻群系：分布于峨眉山、芦山、乐山、平武、泸定、石棉县等地，多生长于海拔500~3200米的溪边灌丛。常见有水蓼、鱼腥草、水莎草等伴生。

VI. 盐生灌丛

(1)清香木群系：四川西部地区广泛分布，多生长于海拔580~2700米的河谷和河岸边，为干热河谷典型植被。常见有银叶委陵菜等伴生。

4.3.4 草丛湿地植被型组

Ⅶ. 莎草型湿地植被型

(1)青藏薹草群系：分布于石渠、康定、新龙、红原、若尔盖等地，多生长于海拔3400~5700米的高山灌丛草甸、高山草甸、湖边草地或低洼处，盖度30%~60%，高度15~20cm。常见的伴生植物有垂穗披碱草、扁穗草、碱茅等。

(2)木里薹草群系：分布于四川西部地区，如红原、若尔盖，稻城、木里、甘孜、阿坝等地，多生长于海拔3400~5200米的高海拔高寒沼泽湿地中。常见的伴生植物有条叶垂头菊、圆穗蓼、驴蹄草、委陵菜等。

(3)绿穗薹草群系：分布于四川西部、西北部地区，如木里、马尔康、松潘、理县、九寨沟等地，多生于海拔1150~3200米的高山坡灌木丛中、草地、河边、湖边等。常见的伴生植物有披碱草、扁穗草、圆穗蓼等。

(4)西藏嵩草群系：分布于四川西部、西北部地区，多生长于海拔3000~4600米的河滩地、湿润草地、高山灌丛草甸等，盖度40%~90%，高度在30厘米左右。常见的伴生植物有华扁穗草、矮生嵩草、三裂碱毛茛等。

(5)喜马拉雅嵩草群系：分布于四川西部及西北部地区，多生长于海拔3000~4600米的河滩地、湿润草地、沼泽草甸、高山灌丛草甸中。常见的伴生植物有藏北嵩草、矮生嵩草、尼泊尔嵩草等。

(6)香附子群系：分布于全省各地，生境多样。常见的伴生植物有毛轴莎草、水苋菜、碎米莎草、喜旱莲子草等。

(7)水葱群系：全省各地广泛分布，多生长于湖边或浅水池塘中，常见的伴生植物有杉叶藻、眼子菜、菹草、穗状狐尾藻等。

(8)华扁穗草群系：分布于四川西部、西北部及北部地区，多生长于海拔1000~4000米的溪边、河床、沼泽地等。常见的伴生植物有驴蹄草、三裂碱毛茛、无脉薹草、鹅绒委陵菜等。

(9)高原嵩草群系：分布于石渠县、阿坝县、若尔盖县等地区，多生长于海拔3200~4500米的高山草甸或沼泽草甸中。常见的伴生植物有小米草、珠芽蓼、川甘蒲公英等。

(10)川滇薹草—木里薹草群系：分布于四川西部、西南部地区，多生长于海拔3000~4200米的高山草甸、高寒沼泽等地。常见的伴生植物有风毛菊、灯心草等。

(11)窄果薹草—木里薹草群系：分布于四川西部及西北部地区，多生长于海拔2800~4200米的溪边、沼泽等湿润地，常见的伴生植物有圆穗蓼、栗花灯心草等。

(12)窄果薹草群系：分布于四川西部地区，多生长于溪边草地。常见的伴生植物有栗花灯心草、圆穗蓼、草玉梅等。

(13)雅江薹草群系：分布于雅江县，多生长于高寒湿地、高山草甸中。常见的伴生植物有斑唇马先蒿、雅灯心草、珠芽蓼等。

(14)无脉薹草群系：分布于九龙县、红原县，多生长于海拔2460~4500米的沼泽湿地或草甸潮湿处，常见的伴生植物有高原毛茛、华扁穗草、藏北嵩草、云生毛茛等。

(15)双柱头藨草群系：分布于四川西北部地区，多生长于海拔3200~3600米的沼泽草甸。常见的伴生植物有杉叶藻、水茫草、高原毛茛、蓝白龙胆等。

(16)牛毛毡群系：分布于四川中部、西部中低海拔地区，多生长于海拔 1600～3000 米的水田、池塘边。常见的伴生植物有长穗三毛草、犬问荆、三裂碱毛茛、杉叶藻等。

(17)荸荠群系：分布省内的平坝地区，多生长于沼泽、河边等湿地中，民间采集块茎作蔬菜食用，易形成单优群落，少见有杉叶藻零星分布于群落中。

(18)水蜈蚣群系：分布省内平坝地区、凉山州及攀枝花等地，多生长于水边、田边。易形成单优势种群。

(19)膨囊薹草群系：分布于四川西部、西北部地区，多生长于海拔 2900～4100 米的溪边、山坡草地。

(20)水莎草群系：广布于省内平坝地区，多生长于浅水湿地中，常见的伴生植物有问荆、水蕨等。

(21)刺子莞群系：分布于乐山、西昌地区，海拔 100～1400 米，生境多样。常见的伴生植物有香附子、野慈姑、稗等。

(22)异型莎草群系：分布于四川中部、西部地区，多生长于海拔 850～2000 米的水田或水边潮湿处。

(23)日本薹草群系：分布于成都及周边地区，多生长于海拔 500～1200 米的山谷沟边或林下阴湿处。常见的伴生植物有风轮菜、艾、风轮菜、柳叶菜等。

Ⅷ．禾草型湿地植被型

(1)芦苇群系：分布于四川北部等地，多生长于河边、湖旁、池塘沟渠沿岸等湿润地，除森林生境不生长之外，有水源之处均能生长。常见有野青茅、长叶水麻、稗等伴生。

(2)荻群系：分布于全省低海拔地区，多生长于河岸湿地。

(3)菰群系：分布于四川西南部地区，多生长于河岸、溪边或沼泽湿地中。茎可做蔬菜“茭白”食用，常见人工栽培，具有较高经济价值。易形成单优势种群，常有糙野青茅生长于群落中。

(4)黍群系：全省各地广泛分布，多生长于水边湿地。

(5)李氏禾群系：广泛分布于全省各地，尤其以盆地、盆周山地、川东和川南部等地区分布较广，多生长于河岸、沟边和田间等湿润之地。常见有双穗雀稗、齿果酸模等伴生。

(6)拂子茅群系：分布于四川东部、西部和北部地区，生长于海拔 160～3900 米的潮湿地及河岸沟渠旁，是固定泥沙、保护河岸的良好材料。

(7)稗群系：广布于全省低海拔地区，多生长于水田、沟边及沼泽地中。常见有鬼针草、喜旱莲子草、葎草等伴生。

(8)细叶芨芨草群系：分布于四川西部地区，多生长于海拔 2200～4000 米的河滩及高山沼泽草甸。

(9)长穗三毛草群系：四川西部地区广泛分布，多生长于海拔 1900～4300 米的高寒沼泽草甸。常见有糙野青茅等伴生。

(10)毛颖早熟禾群系：分布于四川西北部地区，多生于海拔 2900～4800 米的潮湿草地、沼泽草甸中。常见有无脉薹草、四川嵩草等伴生。

(11)白茅群系：分布于四川西部和北部等地区，多生长于低山带平原河岸草地、砂质草甸、荒漠与海滨。易形成单优势种群。

(12)斑茅群系：分布于四川中部地区，多生长于山坡或溪涧旁。

(13)黄茅群系：主要分布于四川西南部，多生长于海拔400～2300米的山坡草地，尤以干热的草坡居多。

(14)芦竹群系：分布于四川中部和北部等地区，多生长于河岸、道旁，为优良护堤植物。常见有甘青蒿、糙野青茅等伴生。

(15)狗牙根群系：主要分布于四川中部和南部等地，多生长于道旁河岸、荒地山坡，根茎蔓延力很强，广铺地面。易形成单优势种群。

(16)狗尾草群系：广泛分布于全省各地，多生长于海拔4000米以下的杂草群落中，生境多样。

(17)看麦娘群系：主要分布于四川中部和南部地区，北部部分地区可见，多生长于海拔较低的田边和湿润之处。常见有川甘蒲公英、华丽龙胆等伴生。

(18)光头稗群系：广泛分布于全省各地，多生于田野湿地、路旁，为田间杂草。

(19)长芒稗群系：广布于全省各地，多生长于海拔2500米以下的田边、路旁及河边湿润处。常见有狗牙根、早熟禾、狗尾草等伴生。

(20)双穗雀稗群系：广泛分布于全省低海拔地区，生境多样，多生长于溪边、库塘边、水田边。零星有沿沟草、酸模叶蓼、假稻等伴生。

(21)假稻群系：广布于全省各地，尤以平坝地区、盆地及盆周山地、川东丘陵及川南等地居多，多生长于海拔600米以下的河岸、沟边、路旁及田间等湿润之处。常见有甘青蒿、剪股颖等伴生。

(22)虉草群系：分布于四川北部地区，多生长于海拔3200米以下的林下、湿润草地或水湿处，幼嫩时为优良牧草。常见有柳叶菜、穗状狐尾藻、小眼子菜、酸模等伴生。

(23)荩草群系：广泛分布于全省各地，多生长于山坡、草地等阴湿和气候温暖区域，在湿地边缘或沟谷或河岸林下湿地居多。常见有水蓼等伴生。

(24)牛鞭草群系：分布于四川中部等地，多生长于田间、水沟及河滩等湿润之处。

(25)棒头草群系：主要分布于四川东部和南部等地，多生长于海拔100～3600米的山坡、沟边及田间湿润处等。常见有甘青蒿、草地早熟禾、鸭舌草等伴生。

(26)垂穗披碱草群系：分布于四川西部地区，多生长于海拔2000～3500米山坡、溪边、湖边、草地等。常见有狭果薹草、云生毛茛、早熟禾等伴生。

(27)茵草群系：广布于全省各地，多生长于海拔3700米以下的沼泽中、水沟边、流动浅水处、河漫滩等地，该植物可用作牲畜的饲料。常见有双柱头针蔺、两栖蓼、杉叶藻、水茫草等伴生。

(28)草地早熟禾群系：分布于四川西部、西北部地区，生境多样，海拔100～4800米的阴湿环境中极常见。常见有小米草、矮火绒草、蓬子菜等伴生。

(29)高原早熟禾群系：分布于四川西部，多生长于海拔700～3500米的沼泽及溪边湿地。常见有柳叶菜、三裂碱毛茛、北水苦荬等伴生。

Ⅸ．杂草型湿地植被型

(1)香蒲群系：全省各地均有分布，多生于库塘、湖泊浅水区或水流较缓的河流边。常见伴生种有柳叶菜、问荆、小眼子菜等。

(2)菖蒲群系：分布于四川中部、西南部、南部及东部丘陵区，多生长于海拔2600米以下的水边、沼泽、河滩等地。易形成单优势群落，盖度可达60%以上。

(3)葱状灯心草群系：分布于四川西部、西南部地区，多生长于海报1800～4700米的山坡、草地、林下湿地及河谷、水边等湿地中。常见有驴蹄草、水麦冬、华丽龙胆、条叶垂头菊等生长于群落中。

(4)灯心草群系：分布于四川中部、西部、西南部及东部丘陵区，多生长于海拔1650～3400米的河边、库塘旁、水沟，稻田旁、草地及沼泽。常见有条叶垂头菊、驴蹄草、水蓼等伴生。

(5)杉叶藻群系：分布于四川西部地区，多生长于海拔3500～5000米的高海拔沼泽、湖泊、溪流、水塘、江河两岸等浅水处，稻田内亦有生长。常见有沼生水马齿、三裂碱毛茛、驴蹄草、水毛茛等伴生。

(6)斑唇马先蒿群系：分布于四川西部地区，多生长于海拔2700～5300米的高山草甸及溪旁。常见有鹅绒委陵菜等伴生。

(7)溪木贼群系：分布于四川东部地区，多生长于海拔500～3000米的溪边湿地。

(8)节节草群系：全省各低海拔地区常见，生境多样。易形成单优势种群，有时零星有看麦娘等分布于群落中。

(9)水烛群系：分布于全省各地，尤以平坝地区、凉山州、川北地区居多，多生长于河流、湖泊、沟渠、沼泽、池塘等浅水处。常见有狗尾草、狗牙根等生长于群落边缘。

(10)栗花灯心草＋展苞灯心草群系：分布于四川凉山州、甘孜州地区，多生长于海拔2100～3300米的沼泽、林边、溪边、湿润草甸。常见有草玉梅、杉叶藻等伴生。

(11)栗花灯心草群系：分布于四川西部、西北部地区，多生长于海拔2100～3100米的山地湿润草甸、沼泽地。常见有银叶委陵菜、三裂碱毛茛、花葶驴蹄草、高原毛茛等伴生。

(12)珠芽蓼群系：四川西部地区广泛分布，生境多样，多生长于海拔2000～4500米的潮湿环境中。常见有三裂碱毛茛、垂穗披碱草、湿生扁蕾等伴生。

(13)展苞灯心草群系：分布于四川西部至北部地区，多生于海拔2800～4300米的高山草甸、池边、沼泽地及林下潮湿处。常见有斑唇马先蒿、珠芽蓼、高原毛茛等伴生。

(14)渐尖毛蕨群系：分布于除四川北部地区以外的各地，多生长于海拔100～2700米的灌丛、草地、田边、路边、沟旁湿地及山谷乱石中。

(15)蕨群系：广泛分布于低海拔地区，常生长于林下或溪沟边阴湿处。常见有中华凤尾蕨、铁线蕨等混生。

(16)问荆群系：分布于四川中部及东部的各低海拔地区，生境多样。常见有华蟹甲草、紫花碎米荠、车前等伴生。

(17)金星蕨群系：广布省内各低海拔地区，多生长于溪边、水田边、林下等湿润地。常见有千屈菜、柳叶菜等伴生。

(18)水蕨群系：分布省内的平坝地区，多生长于水田、溪边、库塘边等地。常见有水莎草等生长于群落中。

(19)小花灯心草群系：分布于四川西部和西南部地区，多生于海拔1200～3680米的草甸、沙滩、溪边、河边、沟边及河漫滩湿地。常见有无脉薹草、条叶垂头菊等伴生。

(20)水蓼群系：分布于省内的平坝地区，多生长于水边或浅水区域。常见有马齿苋、光头稗、藜、喜旱莲子草等伴生。

(21)红蓼群系：分布于省内的平坝地区，多生长于水边或浅水区域。零星有喜旱莲子草、湿生扁蕾等混生于群落中。

(22)青葙群系：四川省平坝地区及丘陵地区常见，多生长于平原、田边、丘陵、山坡、河漫滩或洒河岸。

(23)水芹群系：分布于省内的平坝地区及低海拔山区，多生长于水边或浅水区域、河边或沟边等湿地中。民间常作野菜食用，易形成单优势群落。

(24)小蓬草群系：全省均有分布，海拔跨度大，生境多样，为常见杂草。

(25)蛇莓群系：全省均有分布，海拔跨度大，生境多样，极常见。

(26)黑三棱群系：分布于省内的平坝地区及东部丘陵区，多生长于水边或浅水区域。常见有睡莲、杉叶藻、浮叶眼子菜等伴生。

(27)苍耳群系：全省均有分布，多生长于海拔1500米以下沟边、水田、路边等。零星有野艾蒿分布于群落中。

(28)艾蒿群系：全省均有分布，多生长于河边、湖边、田间、民宅附近等，为民间嗜好品，常见栽培。

(29)柳叶菜群系：分布于四川西部地区，常见于海拔2500米以上河滩、草地。常见有火绒草、铁线蕨等伴生。

(30)褐毛垂头菊群系：分布于四川西部及西北部地区，多生长于海拔3000～4300米的沼泽草甸、河滩草甸、水边。常见有小舌紫菀、青蒿、狗牙根等伴生。

(31)宽叶香蒲群系：广布于全省各地，多生长于海拔500～1200米的湖泊、池塘、沼泽、沟渠、河流的缓流浅水带。常见有柳叶菜、问荆、金鱼藻、眼子菜等伴生。

(32)播娘蒿群系：广布于全省各地，生境多样，多生长于海拔500～3500米的河滩潮湿地。常见有小白藜等伴生。

(33)三裂碱毛茛群系：分布于四川北部地区，多生长于海拔3000～3500米的山坡、山谷湿地。常见有驴蹄草、柳叶菜、高原早熟禾、灯心草类等伴生。

(34)马兰群系：广泛分布于全省各地，多生长于田边、河滩、河边等阴湿地。常见有稗、白茅、狗牙根等伴生。

(35)长苞灯心草群系：分布于四川西部地区，多生长于海拔3000～4500米的湿润草地及沼泽地。

(36)鸭跖草群系：广布于全省各地，生境多样，多生长于海拔500～1500米的阴湿环境中，极常见。常见有香附子、藿香蓟等伴生。

(37)黄花鸢尾群系：分布于四川省中部、西部地区，多生长于海拔1900～4300的山坡草丛、林缘草地及河旁沟边的湿地。

(38)齿萼凤仙花群系：分布于四川东部地区，多生长于海拔1000～2700米的山沟溪边。

(39)蛇床群系：分布于四川的平坝地区及中低海拔山区，多生长于海拔500～2400米的河边、沟边。常见有齿果酸模、风轮菜等伴生。

(40)云生毛茛群系：广布于四川西部地区，多生长于海拔3000～5000米的山沟、溪边。常见有侧茎垂头菊、葱状灯心草等伴生。

(41)侧茎橐吾群系：四川西部分布较广，多生长于海拔3000～5000米的溪边湿地。常见有侧茎垂头菊、火绒草、珠芽蓼等伴生。

(42)圆穗蓼群系：广布于全省各地，多生长于山坡、沟边。常见有火绒草、苞叶大黄等伴生。

4.3.5　苔藓湿地植被型组

X. 苔藓湿地植被型

(1)泥炭藓群系：分布于四川西部地区，多生长于林下湿地。常见伴生植物种类有水毛花、水蓼等。

4.3.6　浅水植物湿地植被型组

XI．挺水植物型

(1)莲群系：分布于省内的平坝地区，多生长于库塘、湖泊或观景水池中。根状茎做蔬菜莲藕食用，种子做杂粮莲米或做中药莲子使用，胚芽做中药莲心使用。多见人工栽培，常形成单优势群落，盖度可达90%，群落中时有杉叶藻、狐尾藻等零星分布于群落中。

(2)慈姑群系：广布于全省各地，多见人工栽培，常形成单优势种群。

(3)圆叶节节菜群系：分布于四川西部至南部地区，海拔500～1200米，多生长于沟边、溪谷浅水区。常见有牛毛毡、苹等伴生。

XII．漂浮植物型

(1)满江红群系：常见于省内中低海拔地区，多生长于库塘、水田及其他静平静的水面，易形成单优势种群，盖度近100%。

(2)浮萍群系：广布于省内各地，多生长于海拔2000～3000米的水田、库塘或沼泽静水区，呈小片分布，易形成单优势种群，盖度近60%。

(3)紫萍群系：常见于省内中低海拔地区，多生长于库塘、水田、湖湾及其他静水水体或缓流水面。常伴生有沉水植物金鱼藻、黑藻、苦草等，有时紫萍亦可形成单优势种群。

(4)槐叶苹群系：常见于省内中低海拔地区，多生长于库塘、水田等静水湿地中。常见伴生种类有浮萍、紫萍等。

(5)凤眼莲群系：全省各地均有分布，是省内常见的入侵植物。易形成单优势种群，时有葎草、喜旱莲子草、浮萍等零星分布于群落中。

(6)大薸群系：常见于凉山州、攀枝花地区，多生长于湖泊、库塘或人工栽培。易形成单优势种群，盖度可达50%。

XIII．浮叶植物型

(1)荇菜群系：分布于省内低海拔地区，如盆地平原、攀枝花、西昌等地。多生长于湖泊湿地边缘，主要伴生种类有野菱、黑藻、眼子菜、菹草等。

(2)菱群系：分布于省内中低海拔地区，多生长于库塘、湖泊或人工栽培。易形成单优势种群，时有喜旱莲子草、轮叶狐尾藻等零星分布于群落中。

(3)水皮莲群系：四川省有标本记载，分布地不详。

(4)浮叶眼子菜群系：广布于省内中低海拔地区，多生长于湖泊浅水区、河流静水水域。常见伴生种类有杉叶藻、沼生水马齿等，盖度可达70%。

(5)莼菜群系：分布于四川西南部至南部地区，多生长于静水水体或缓流水域中。易形成单优势种群，时有喜旱莲子草等零星分布于群落中。

(6)喜旱莲子草群系：广布于全省各地，是省内常见的入侵植物。常见伴生种有双穗雀稗、浮萍等。

(7)水毛茛＋穗状狐尾藻群系：分布于四川西北部的中高海拔地区，多生长于湖泊、沼泽、沟渠或流速减缓的河流湿地中。常见伴生种类有杉叶藻、沼生水马齿、水茫草等，有时穗状狐尾藻可形成单优势种群。

(8)水毛茛群系：分布于四川西部及西北部的中高海拔地区，多生长于湖泊、山谷溪流及水塘中。常见伴生种类有杉叶藻、沼生水马齿、穗状狐尾藻等。

XIV. 沉水植物型

(1)菹草群系：广布于全省各地，多生长于池塘、水沟、水田、灌渠或缓流河水中。常见伴生种类有金鱼藻、黑藻、杉叶藻、苦草等。

(2)微齿眼子菜群系：广布于全省各地，多生长于河道、沟渠、溪流、沼泽中。常见伴生种类有狐尾藻、菹草、苦草、金鱼藻、黑藻等。

(3)苦草群系：分布于全省各地，多生长于湖泊及水流较缓的河流中。常见伴生种类有水莎草等。

(4)金鱼藻群系：分布于全省的平坝地区，多生长于湖泊、库塘、溪流中。常见伴生种类有沼生水马齿、穗状狐尾藻、眼子菜等。

(5)黑藻群系：分布于全省各地，多生长于湖泊、库塘、溪流中。常见伴生种类有穗状狐尾藻、金鱼藻、小眼子菜、苦草等。

(6)水车前群系：广布于全省各地，多生长于湖泊、沟渠、水塘、积水洼地中。常见伴生种类有水莎草、平车前、大车前等。

(7)海菜花群系：原分布泸沽湖、邛海等地，近年由于围湖造田、水位下降等目前极少见。

(8)穗状狐尾藻群系：分布于四川西部至西北部地区，多生长于海拔3000～4300米的湖泊、沼泽等湿地中。常见伴生种类有黑藻、菹草、茨藻、金鱼藻、眼子菜等。

(9)狐尾藻群系：广布于全省各地，多生长于池塘、河沟、沼泽中。常见伴生种类有杉叶藻、沼生水马齿、水毛茛等。

(10)毛柄水毛茛群系：分布于四川北部地区，多生长于海拔3200～4300米的高原湖泊及缓流溪流中。常见伴生种类有穗状狐尾藻、杉叶藻、沼生水马齿等。

(11)篦齿眼子菜群系：广布于全省各地，多生长于河沟、水渠、池塘等水域中。常见伴生种类有穗状狐尾藻、菹草、苦草、金鱼藻、黑藻等。

第二节 湿地动物资源

1 湿地动物组成

1.1 湿地动物界定

野生动物是湿地生态系统中最为活跃的因素，因其自身所具有的生物学特性以及某些生存于湿地生态系统中的动物物种具有较强的适应能力，使得它们不仅能在湿地环境中生存也可以在其他生境类型中存在，因而湿地动物较难加以准确划分或界定。目前我国各地所编撰的湿地相关专著中，对湿地动物的界定标准不一，以至各地的湿地动物数量相差较大。

湿地动物的界定既要考虑动物的整个生命周期或重要阶段(觅食、繁殖、越冬等)在湿地中的适应性和依赖性，同时也应考虑该物种在湿地生态系统结构和功能的完整性中占据的地位与作用。如果某种动物不能适应湿地生态环境，且在湿地生态系统成分组成中的存在性无关紧要，只是偶见其在湿地中路过或做短暂停歇等，这类动物不应当列入湿地动物中。

本书湿地动物的划分依据按照“动物的整个生命周期或重要阶段(觅食、繁殖、越冬)需依赖于湿地生态系统，其存在又使湿地生态系统的结构完整、功能齐全的动物物种”来进行湿地动物界定，主要包括三层含义：①某一物种是否是湿地动物，要看其生命周期是否完全依赖于湿地生态系统，如所有鱼类；②其生命周期的重要阶段，如觅食、繁殖或越冬等至少有一个阶段依赖于湿地生态系统，如两栖类；③该物种的存在使湿地生态系统结构得以完整、功能得以齐全，如鹗等猛禽。由此，湿地动物可划分为湿地中的典型湿地动物和湿地外边缘地带渗入湿地中的草原、林地及农田的动物。

1.2 湿地动物种类及数量

湿地动物是湿地生态环境和湿地生物多样性的重要组成部分，也是国家的重要湿地资源。四川省复杂、多样的湿地类型、气候和自然环境为众多野生动物，特别是鱼类、两栖类、水禽类、爬行类等提供了理想的栖息繁衍场所，形成了丰富的湿地野生动物资源。

统计表明，四川现有湿地脊椎动物570种，隶属5纲29目78科。其中，鱼类9目21科239种，两栖类2目10科105种，爬行类2目8科25种，鸟类11目22科147种，哺乳类5目17科54种(表3-12)。

现已记录的湿地脊椎动物中典型湿地动物有5纲26目59科510种，包括全部鱼类、两栖类、鸟类，爬行类2目4科14种、哺乳类2目2科5种。

表 3-12 四川省湿地脊椎动物与中国湿地、四川及中国物种的比较*

类群		四川湿地（个）	中国湿地（个）	占中国湿地（%）	四川（个）	占四川（%）	中国（个）	占中国（%）
鱼类	目	9	13	69.23	9	100	43	20.93
	科	21	38	55.26	21	100	282	7.45
	种	239	770	31.04	239	100	2831	8.44
两栖类	目	2	3	66.67	2	100	3	66.67
	科	10	11	90.91	10	100	11	90.91
	种	105	180	58.33	105	100	374	28.07
爬行类	目	2	3	66.67	2	100.00	3	66.67
	科	8	17	47.06	12	66.67	24	33.33
	种	25	130	19.23	105	23.81	412	6.07
鸟类	目	11	12	91.67	21	52.38	24	45.83
	科	22	32	68.75	81	27.16	101	21.78
	种	147	271	54.24	705	20.85	1332	11.04
哺乳类	目	5	9	55.56	9	55.56	14	35.71
	科	17	31	54.84	36	47.22	47	36.17
	种	54	110	49.09	225	24.00	556	9.71

注：中国湿地脊椎动物数据引自刘子刚等(2008)，其中鱼类数据为内陆湿地鱼类统计数据；四川省鱼类、两栖类、爬行类、鸟类、哺乳类数据分别引自丁瑞华(1994)、费梁等(2001)、赵尔宓等(2003)、付长坤等(2014)、胡锦矗等(2007)；中国鱼类、两栖类、爬行类、鸟类、哺乳类数据分别引自成庆泰等(1987)、姚明灿(2014)、赵尔宓等(2000)、郑光美(2011)、(美)史密斯等(2009)。

四川现有湿地脊椎动物中，鱼纲最多，为239种，占湿地脊椎动物的41.93%；其次是鸟纲147种，占湿地脊椎动物的25.79%；两栖纲105种，占湿地脊椎动物的18.42%；爬行纲25种，占湿地总数的4.34%；哺乳类54种，仅占湿地脊椎动物的9.47%(图3-4)。

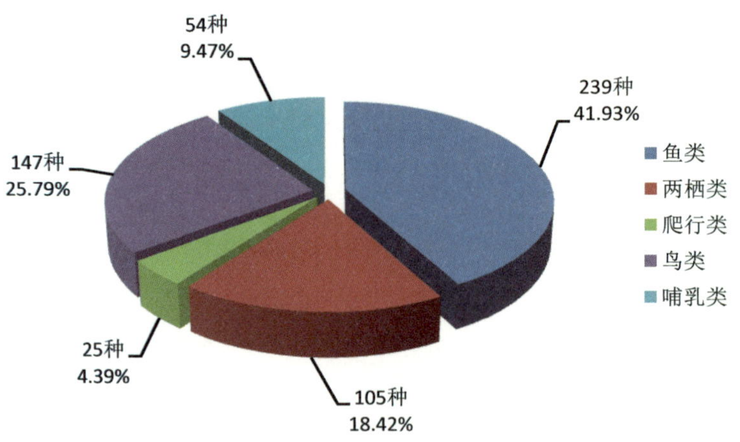

图 **3-4** 四川省湿地脊椎动物种类组成

1.3 湿地动物资源特征

1.3.1 湿地动物资源丰富

按湿地动物划分及界定内涵，四川省湿地脊椎动物达570种，隶属5纲29目78科。其中，鱼类9目21科239种，两栖类2目10科105种，爬行类2目8科25种，，鸟类11目22科147种，哺乳类5目17科54种。

从省级水平来看，湿地脊椎动物目、科、种数分别占全省脊椎动物同类总数的67.44%、48.75%、41.33%。其中鱼类和两栖类均为湿地物种，是典型湿地动物的重要组成部分；爬行类目、科、种数分别占全省爬行类同类总数的100.00%、66.67%、23.81%；鸟类目、科、种数分别占全省鸟类同类总数的52.38%、27.16%、20.85%；哺乳类目、科、种数分别占全省哺乳类同类总数的55.56%、47.22%、24.00%。由此可见，湿地是四川境内野生脊椎动物分布最为集中的聚居地之一，多样的湿地环境为种类和数量巨大的湿地动物提供了理想的栖息繁衍场所，保护湿地对于维护四川的生物多样性具有重要意义。

从国家水平来看，四川湿地脊椎动物目、科、种数分别占全国脊椎动物同类总数的33.33%、16.77%、10.35%。其中，鱼类目、科、种数分别占全国鱼类同类总数的20.93%、7.45%、8.44%；两栖类目、科、种数分别占全国两栖类同类总数的66.67%、90.91%、28.07%；爬行类目、科、种数分别占全国爬行类同类总数的66.67%、33.33%、6.07%；鸟类目、科、种数分别占全国鸟类同类总数的45.83%、21.78%、11.04%；哺乳类目、科、种数分别占全国哺乳类同类总数的35.71%、36.17%、9.71%。同时表明了四川省是全国重要的湿地动物分布区之一，维护四川湿地生物多样性对维护国家生态平衡、生态安全及可持续发展具有重要的战略意义。

1.3.2 珍稀保护物种繁多

四川湿地动物不但资源丰富，而且珍稀保护物种繁多。从保护物种数量上看，四川省现已记录的湿地脊椎动物中，属国家和省级重点保护的物种数量达124种，占湿地脊椎动物总数的21.75%。其中国家Ⅰ级保护野生动物10种，国家Ⅱ级保护野生动物41种，省级重点保护野生动物78种，分别占全省湿地脊椎动物总数的1.75%、7.19%、13.68%。

从保护物种类群上看，在239种鱼类中，属于国家重点保护的鱼类有5种。其中国家Ⅰ级保护鱼类3种，分别是达氏鲟、中华鲟、白鲟；国家Ⅱ级保护鱼类2种，分别是胭脂鱼、虎嘉鱼。省级重点保护鱼类共39种，主要包括拟鲇高原鳅、四川栉鰕虎鱼、青石爬鮡、嘉陵裸裂尻鱼、细鳞裂腹鱼、西昌白鱼、邛海红鲌、松潘裸鲤、扁咽齿鱼、岩原鲤等。

在105种两栖动物中，属于国家重点保护物种的有4种，均为国家Ⅱ级保护动物，分别为大鲵、文县疣螈、大凉疣螈、虎纹蛙。省级重点保护两栖动物有8种，分别为巫山北鲵、龙洞山溪鲵、凉北齿蟾、金项齿突蟾、峨眉髭蟾、中国林蛙、仙琴蛙、洪佛树蛙。

在25种爬行动物中，无国家重点保护物种分布，省级重点保护动物有3种，分别是中华鳖、潘氏闭壳龟、乌龟。

在147种湿地鸟类中，属于国家重点保护鸟类有23种。其中国家Ⅰ级保护鸟类4种，分别是东方白鹳、黑鹳、中华秋沙鸭、黑颈鹤；国家Ⅱ级保护鸟类19种，分别是角䴙䴘、白鹈鹕、彩鹮、白鹮、白琵鹭、黑脸琵鹭、红胸黑雁、白额雁、大天鹅、小天鹅、疣鼻天鹅、鸳鸯、鹗、灰鹤、蓑羽鹤、棕背田鸡、花田鸡、小鸥、黄脚渔鸮。省级重点保护鸟类23种，主要包括小䴙䴘、普通鸬鹚、绿鹭、紫背苇鳽、秃鹳、鸿雁、红胸秋沙鸭、红胸田鸡、水雉、彩鹬、黑尾鸥、银鸥等。

在54种湿地哺乳动物中，属于国家重点保护物种有19种。其中国家Ⅰ级保护动物3种，分别是林麝、马麝、白唇鹿；国家Ⅱ级保护动物16种，分别是水獭、小爪水獭、石貂、豺、马熊、黑熊、兔狲、猞猁、漠猫、丛林猫、金猫、水鹿、白臀鹿、藏原羚、鬣羚、斑羚。省级重点保护哺乳动物5种，分别是香鼬、赤狐、藏狐、豹猫、毛冠鹿。

1.3.3 “三有”动物比例较高

“三有”动物是指有益的或者有重要经济、科学研究价值的陆生野生动物。从“三有”动物数量上看，四川省现已记录的湿地脊椎动物(鱼类除外)中，国家“三有”动物物种总数达214余种，占湿地陆生脊椎动物总数的64.65%；四川省“三有”动物物种57余种，占湿地陆生脊椎动物总数的17.22%。

从“三有”动物类群上看，在105种两栖动物中，属国家“三有”动物有60种，主要包括龙洞山溪鲵、盐源山溪鲵、大蹼铃蟾、疣刺齿蟾、平武齿突蟾、南江角蟾、圆疣蟾蜍、四川湍蛙、饰纹姬蛙、多疣狭口蛙等。属四川省“三有”动物有31种，主要包括利川铃蟾、普雄齿蟾、瓦屋角蟾、华西雨蛙、高原林蛙、滇侧褶蛙、越南趾沟蛙、沼水蛙、筠连臭蛙、泽陆蛙、峨眉树蛙等。

在25种爬行动物中，属国家“三有”动物有22种，主要包括中华鳖、潘氏闭壳龟、乌龟、蹼趾壁虎、秦岭滑蜥、锈链腹链蛇、赤链华游蛇、白条锦蛇、翠青蛇、乌梢蛇、丽纹蛇、高原蝮等。属四川省“三有”动物有2种，分别是乌华游蛇、四川温泉蛇。

在147种湿地鸟类中，属国家“三有”鸟类有119种，主要包括小䴙䴘、彩鹬、鹮嘴鹬、东方白鹳、凤头麦鸡、普通鸬鹚、苍鹭、黑尾鸥、普通燕鸻、普通秧鸡、翻石鹬、中贼鸥、水雉等。属四川省“三有”鸟类有5种，分别是白腰杓鹬、须浮鸥、白翅浮鸥、冠鱼狗、白胸翡翠。

在54种湿地哺乳动物中，属国家“三有”动物有13种，分别是香鼬、猪獾、狗獾、黄鼬、狼、赤狐、藏狐、豹猫、小麂、毛冠鹿、狍、岩松鼠、灰尾兔。属四川省“三有”动物有19种，主要包括云南鼩鼱、黑齿鼩鼱、小长尾鼩、甘肃鼹、喜马拉雅旱獭、大耳姬鼠、根田鼠、四川林跳鼠、高原鼢鼠、藏鼠兔等。

2 湿地鸟类

2.1 湿地鸟类组成

以《中国鸟类志》《中国鸟类野外手册》为基础，参照《中国鸟类种和亚种分类名录大全》(第2版)中的分类系统，根据《四川鸟类原色图鉴》《四川鸟类鉴定手册》以及相关文献记载，并结合四川省第二次湿地资源调查、2012年四川省水鸟专项调查等相关资料及调查成果统计，四川省湿地鸟类有147种，隶属11目22科。鸟类目、科、种数分别占全省鸟类同类总数的52.38%、27.16%、20.85%，占全国鸟类同类总数的45.83%、21.78%、11.04%。

2.1.1 目、科内种数统计

以目为单位，四川省湿地鸟类由多到少的目依次为鸻形目 > 雁形目 > 鹳形目 > 鸥形目 > 鹤形

目 > 鹈鹕目 = 佛法僧目 > 鹈形目 > 鸮形目 = 隼形目 = 潜鸟目(图 3-5)。鸻形目鸟类物种数量最多，其中鹬科鸟类占了较大比例；雁形目中仅包括鸭科，物种数量在科的水平中含种数最多；鹳形目、鸥形目、鹤形目各自含种数都在 10 种以上；鸮形目、隼形目、潜鸟目物种数量少，各仅有 1 科 1 种。由此可见，鸻形目、雁形目、鹳形目、鸥形目、鹤形目中在整个湿地鸟类组成中占有优势地位，是四川湿地鸟类构成的重要组成部分。

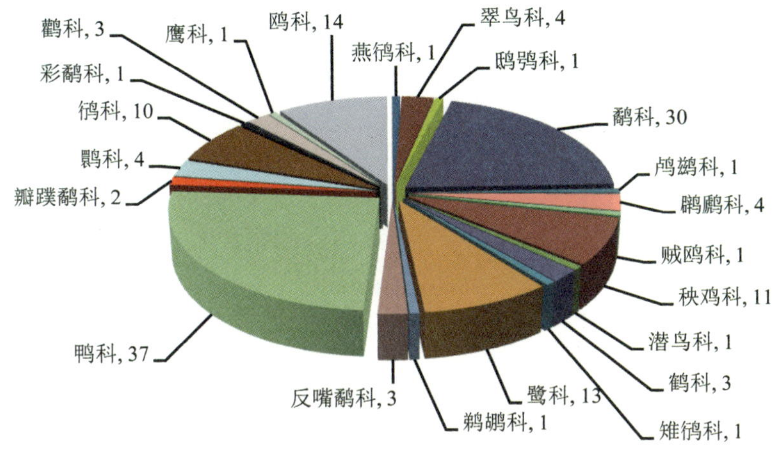

图 3-5　四川湿地鸟类目内含种数统计

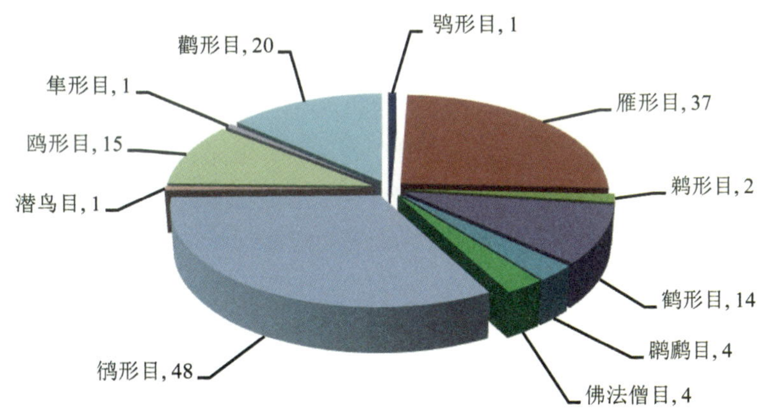

图 3-6　四川湿地鸟类科内含种数统计

以科为单位，四川省湿地鸟类含 10 种以上的科有鸭科、鹬科、鸥科、鹭科、秧鸡科、鸻科组成(图 3-6)，分别归属于雁形目、鸻形目、鸥形目、鹳形目、鹤形目、鸻形目，这些科含鸟类种数达 110 余种，占全省湿地鸟类总数的 78. 23% 。亦说明了以上 5 目在湿地鸟类组成中的地位与作用，同时表明这些科所含物种是四川湿地鸟类组成中不可或缺的典型代表。

2. 1. 2　居留型数量统计

从鸟类居留型来看，四川省湿地鸟类中旅鸟有 58 种，夏候鸟 36 种，冬候鸟 35 种，留鸟 17 种，迷鸟 1 种。分别占湿地鸟类种数的 39. 46% 、24. 49% 、23. 81% 、11. 56% 、0. 68% (图 3-7)。

可见，四川湿地鸟类组成以旅鸟和候鸟为主，占总数的87.76%，留鸟仅占11.56%。所有种类中，旅鸟所占比例最高，占总数的39.46%，说明四川省湿地作为鸟类南北迁移的中转站在鸟类迁徙过程中具有非常重要的意义。夏候鸟和冬候鸟所占比较高，说明四川省鸟类组成具有比较明显的季节现象。

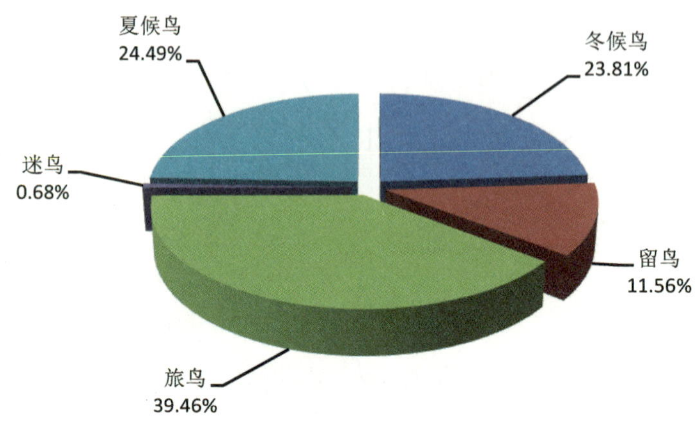

图 3-7 四川湿地鸟类居留型数量统计

2.2 湿地鸟类数量及分布

2.2.1 国家重点保护鸟类数量及分布

2.2.1.1 种类组成

四川省湿地鸟类计有11目22科147种，包括国家重点保护鸟类23种。其中国家Ⅰ级保护鸟类4种，占全省湿地鸟类种数的2.72%，分别是东方白鹳、黑鹳、中华秋沙鸭、黑颈鹤；国家Ⅱ级保护鸟类19种，占全省湿地鸟类种数的12.93%，分别是角䴙䴘、白鹈鹕、彩鹮、白鹮、白琵鹭、黑脸琵鹭、红胸黑雁、白额雁、大天鹅、小天鹅、疣鼻天鹅、鸳鸯、鹗、灰鹤、蓑羽鹤、棕背田鸡、花田鸡、小鸥、黄脚渔鸮。

2.2.1.2 分布及数量

基于四川省第二次湿地资源调查、2012年四川省水鸟专项调查、《四川鸟类原色图鉴》及国内外相关资料等统计分析，对四川省国家Ⅰ、Ⅱ级保护湿地鸟类种类分布状况简要分析如下。

1) 国家Ⅰ级保护湿地鸟类

(1)东方白鹳：凉山州盐源泸沽湖有越冬记录(崔学振等，1992；何芬奇等，1993)，阿坝州若尔盖湿地迁徙时有过记录。数量极少。

(2)黑鹳：凉山州盐源泸沽湖有越冬记录(崔学振等，1992；崔扬韬等，1993；何芬奇等，1993)；夏季繁殖季节主要分布于甘孜、阿坝的川西高原湿地，迁徙和越冬季节见于盆地内的河道和凉山州高原湿地。

多年观察表明，在四川乐安州级自然保护区有比较稳定的越冬种群，数量约10只左右。成都观鸟协会沈尤曾在红原日干乔发现37只。四川省第二次湿地资源调查中，在四川长沙贡马国家级自然保护区发现5只，四川乐安州级自然保护区发现20只。

(3)中华秋沙鸭：曾于雅安、乐山和眉山市洪雅县有过记录，2008 年 2 月 5 日由阙品甲在德阳旌湖记录到，2008 年 12 月 6 日在德阳旌湖再次记录到，2009 年 11 月 13 日在德阳广汉市鸭子河县级湿地自然保护区有记录；2010 年冬季、2011 年春季由沈尤在南充市阆中金沙湖记录到，推测为罕见冬候鸟。

四川省第二次湿地资源调查中，在凉山邛海湿地自然保护区发现 3 只，四川雅安野外救护 1 只。

(4)黑颈鹤：繁殖于甘孜、阿坝的川西高原湿地(若尔盖湿地)，迁徙时沿大渡河峡谷向南，见于宜宾市、雅安市、甘孜州的石渠、理塘和巴塘县、凉山州等地的大渡河、雅砻江河谷及湖泊和沼泽湿地(泸沽湖、乐安湿地)。

据杨晓君等 2009 最新调查显示，若尔盖湿地约有黑颈鹤 2635 只，其中若尔盖县约有黑颈鹤 586 只(四川省湿地保护中心，2009)；张正旺 2008 年 7 月在甘孜州海子山自然保护区纪录到 29 只繁殖种群。2012 年水鸟专项调查期间，在黄河支流白河流域月亮湾处发现 160 只的大集群。总体上，四川省黑颈鹤种群数量比较稳定。

2)国家 II 级保护湿地鸟类

(1)角䴙䴘：2006 年 5 月 13 日由张俊首次记录于德阳广汉市鸭子河县级湿地自然保护区，2009 年 11 月 22 至 30 日和 12 月 6 日分别于德阳旌湖和成都青龙湖有记录，2010 年 10 月底记录于乐山市峨边县，2012 年 5 月 12 日于雅安天全县有记录；罕见冬候鸟及过境旅鸟。数量极少。

(2)白鹈鹕：曾于南充市郊有过记录。2003 年 9 月 27 日在南充市西北郊外舞凤山下发现 16 只，李操等(2004)予以正式报道。

(3)彩鹮：2008 年 12 月 30 日首次记录于西昌，2009 年 1 月 19 和 21 日在成都再次记录，2009 年 2 月 19 日在西昌又有记录(可能与 2008 年的为同一个体)。数量稀少。

(4)白鹮：曾见单个栖息于南充市郊嘉陵江边(李桂垣，1993)。数量极少。

(5)白琵鹭：见于长寿、西昌和川西地区的河流、湖泊、水库岸边及其浅水处；多单个活动，也曾见 3 只一小群在湖边觅食，喜与苍鹭混群。

西昌有过记录；2012 年 5 月在阿坝州若尔盖湿地有记录，2012 年 11 月在乐山市区肖粪嘴岷江河中石滩上见到 3 只。

(6)黑脸琵鹭：1957 年 11 月曾于南充有过标本采集记录(BirdLife Internantional 2001)，1980 年 1 月和 6 月在南充还有过记录(邓其祥等，1980)，邓其祥等(1983)还报道了在南充营山县幸福水库的记录。数量极少。

(7)红胸黑雁：2011 年 1 月 3 日和 4 日邱竞和胡萍、顾海军分别首次记录于德阳广汉市鸭子河县级湿地自然保护区，顾海军等(2011)和 Zhu *et al.* (2012)分别予以正式报道。数量极少。

(8)白额雁：1955 年 1 月 16 日首次记录于成都市郊(张俊范等，1984)，为罕见冬候鸟。数量极少。

(9)大天鹅：1960 年 12 月 18 日记录于阿坝州若尔盖县(张俊范等，1964)，其后在若尔盖湿地冬季多有记录，还见于甘孜州色达和石渠；迁徙季节偶见于绵阳、广元、九寨沟县等。

多年观察表明，在四川长沙贡马国家级自然保护区有比较稳定的越冬种群，数量约 5 ~ 10

只。四川省第二次湿地资源调查中，在四川长沙贡马国家级自然保护区发现5只。

(10)小天鹅：见于若尔盖(若尔盖湿地)、成都、西昌(邛海湿地)、南江、营山、三台、仁寿、简阳等地，栖息于宽阔河湾、湖沼及大型水库等地。数量极少。

(11)疣鼻天鹅：繁殖季节见于甘孜州的德格、石渠县和阿坝州的若尔盖等川西高原湿地中。四川省第二次湿地资源调查中，在四川长沙贡马国家级自然保护区发现5只，是四川省野生天鹅中数量较少的一类。

(12)鸳鸯：1950年3月22日首次记录于成都(梁中宇等，1959)，阿坝州汶川、凉山州盐源县也有越冬记录，迁徙时见于多地(德阳、南充、广元、达州)。多成对或小群活动，曾见20余只结群。

(13)鹗：多见于凉山州、阿坝州；西昌和金堂有过记录(李桂垣，1993)数量较多。

(14)灰鹤：冬季曾见于成都、南充、乐山、雅安、凉山州和甘孜州。2013年5月在阿坝州若尔盖记录到1只。

(15)蓑羽鹤：曾见于宝兴，徐志清等于1986年4月在宝兴巴斯沟海拔1470米处的沟旁灌丛发现，经李桂垣等鉴定证实。数量极少。

(16)棕背田鸡：见于乐山市峨边和金口河区。数量极少。

(17)花田鸡：1912年4月首次记录于泸州，1998年9月21日再次记录于成都(冉江洪等，1999)，可能为罕见旅鸟。数量极少。

(18)小鸥：2007年12月由张铭首次记录于德阳(徐雨等，2008)，罕见冬候鸟。数量极少。

(19)黄脚渔鸮：见于广元、阿坝州、达州、凉山州，栖息于丘陵及低山区，常在溪边活动。数量稀少。

2.2.2 非国家重点保护鸟类数量及分布

(1)种群数量：调查显示，四川湿地鸟类中以雁形目鸭科的斑嘴鸭、绿头鸭、赤麻鸭、绿翅鸭、凤头潜鸭、红头潜鸭，鹳形目鹭科的白鹭、苍鹭，鸥形目的红嘴鸥和鹤形目的白骨顶等为优势种，种群数量较多；一些鸭科、鹭科、鸊鷉科以及鸻科的种类，如鹊鸭、赤颈鸭、翘鼻麻鸭、小鸊鷉和凤头麦鸡等比较常见；而一些迁徙的鸻鹬类和珍稀保护种类数量较少，如黑尾塍鹬、白腰杓鹬、反嘴鹬、中华秋沙鸭等为少见种。

(2)分布状况：四川省典型的盆地地形、特殊的自然气候、复杂的自然植被，使得全省湿地鸟类的地理分布有所差异，时空分布上具有明显的地域性和季节性。除大多数鹭科、翠鸟科、少数鸻鹬科和鸭科在全省范围内繁殖外，多数水鸟都在盆地边缘的川西高原湿地进行繁殖；而在迁徙和越冬季节，迁飞到盆地内和云贵高原边缘(凉山州)的河流、湖泊和沼泽中，停息或越冬。

2.3 栖息地及其保护状况

2.3.1 主要栖息地类型

四川拥有河流、湖泊、沼泽、库塘等多种湿地类型，湿地面积大、分布广，众多的湿地类型为鸟类繁殖、栖息、迁徙、越冬提供了重要场所。全省地处全国中、西部鸟类迁徙路线上，是数百种鸟类的最佳中途驿站、越冬地和庇护所，是众多世界珍稀鸟类的故乡。基于湿地生态环境形成的鸟类生态类群的初步统计，全省湿地鸟类群的栖息地主要包括沼泽环境栖息地和河流—湖泊—库塘湿地栖息地两大类。

沼泽环境栖息地主要分布于四川西北部、南部和东部地区，在湿地植被区划上分布属于西藏嵩草—薹草沼泽亚区、浅水植物湿地和泥炭藓沼泽亚区、太白落叶松和藓类沼泽亚区，典型的湿地植被及众多的湿地类型为湿地鸟类的栖息、觅食、繁殖、越冬提供了主要场所。如若尔盖湿地、泸沽湖湿地、嘉陵江等，都是四川省水鸟重要的繁殖区、越冬地和迁徙通道。

四川省境内有大小河流1400多条，水库、湖泊分布面广。岷江、沱江、嘉陵江、涪江、渠江、金沙江、雅砻江、岷江、大渡河等河流构成了全省河流湿地的主体框架；在川西北高原及川西南山地分布有大小面积不一的湖泊、水库，四周的溪流构成湖泊、水库的汇水区，其周围有各类植物资源或成片的沼泽地，构成了仅次于沼泽环境的鸟类栖息地。

2.3.2 栖息地保护状况

湿地鸟类是湿地野生动物中最具代表性的类群，是湿地生态系统的重要组成部分，其种类、数量及分布与湿地环境的变迁密切相关。经过多年的努力，四川省湿地野生鸟类及栖息地保护工作已取得了较大进展。

(1)湿地自然保护区及湿地公园建立：目前，四川已建立湿地自然保护区52个，如若尔盖湿地国家级自然保护区、九寨沟国家级自然保护区、察青松多国家级自然保护区等。其中国家级6个，省级16个，市州级11个，县级19个；另外已建立湿地公园39个，如四川南河国家湿地公园、邛海国家湿地公园、四川构溪河国家湿地公园(试点)等，其中国家湿地公园(含试点)20个，省级湿地公园19个。湿地自然保护区及湿地公园总面积近400万公顷，全省半数以上的湿地得到了有效保护。这些湿地自然保护区及湿地公园的建立，保护了四川典型的湿地植被类型及植被演替过程，支持了丰富的鸟类生物多样性，是沼泽、湖泊、河流和库塘湿地鸟类资源最集中的分布区域。与此同时，缓解了人类活动对湿地鸟类的干扰，有效地保护了鸟类的栖息环境，众多湿地资源和多种国家重要保护水禽在保护区和湿地公园内得到了直接的、有效的保护。

(2)政策法律法规保障：2006年四川省林业厅等有关厅局编制了《四川省湿地保护工程规划》，明确地提出了湿地保护的规划思想与目标、总体布局与建设重点、湿地保护与管理规划以及规划保障举措；2010年四川省第十一届人民代表大会常务委员会第十七次会议通过了《四川省湿地保护条例》。既明确了湿地的范围、保护原则和管理体制，又明确了湿地保护投入机制和补偿制度，明确县级政府保护湿地的责任，规定了湿地保护措施、开发利用要求和违法责任等内容，使湿地保护真正有法可依。这些政策法律法规的颁布，有效打击了针对水禽的非法狩猎活动，推动了湿地鸟类的保护研究进程，有效保护了湿地鸟类栖息地。

(3)规范化快速发展轨道：2014年10月四川省林业厅发布了《四川省林业推进生态文明建设规划纲要(2014～2020年)》，纲要中强调了“划定湿地红线、推进湿地保护与恢复工程、实施湿地保护与恢复行动、升级一批国家重要湿地、认定一批省级重要湿地”等湿地建设路径，到2020年末，四川湿地保有量将控制在2500万亩以上，届时湿地生态系统的功能和效益将得到充分发挥，湿地鸟类栖息地及湿地生态环境质量将得到了进一步的保护与提高。

3 鱼 类

3.1 鱼类组成

四川地处长江中上游，省内地形复杂，江河纵横，湖泊众多。特殊的地理条件及复杂多变的水资源环境，孕育了丰富的鱼类资源，其中珍稀和特有鱼类、经济鱼类较多，是重要的种子基因库。以《四川鱼类志》为基础，根据众多学者多年实地调查资料及近代相关报道进行整理。统计表明，四川现有鱼类资源239种(2012年底)，隶属9目21科，其目、科、种数分别占全国鱼类同类总数的20.93%、7.45%、8.44%。

3.1.1 目、科内种数统计

以目为单位，四川省鱼类由多到少的目依次为鲤形目 > 鲇形目 > 鲈形目 > 鲟形目 > 颌针鱼目 = 鳉形目 = 合鳃鱼目 = 鳗鲡目 = 鲑形目(图3-8)。鲤形目种类最多，有188种，占全省鱼类总种数的78.66%；其次为鲇形目29种，占12.13%；鲈形目14种，占5.86%；鲟形目3种，占1.26%；颌针鱼目、鳉形目、合鳃鱼目、鳗鲡目、鲑形目各1种，各占0.42%。由此可见，鲤形目、鲇形目、鲈形目是四川鱼类组成的主体部分，在四川鱼类组成中占有重要地位。

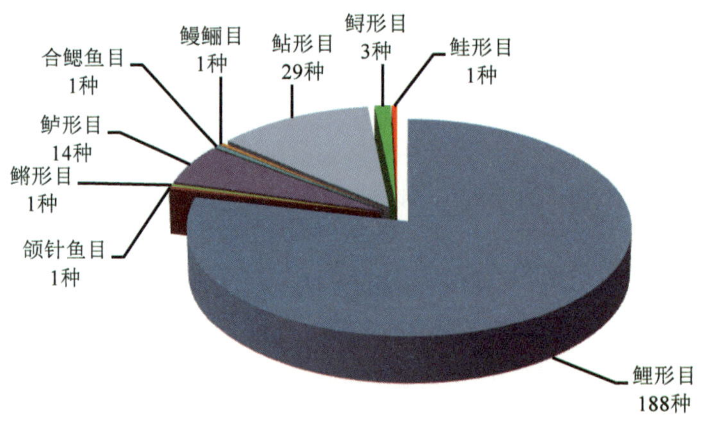

图3-8 四川鱼类各目内含种数统计

以科为单位，四川省鱼类含10种以上的科有鲤科、鳅科、鲿科、平鳍鳅科、𬶏科组成(图3-9)，归属于鲤形目和鲇形目，这些科含鱼类种数达210种，占全省鱼类总数的87.87%。其中又以鲤科鱼类的类群最多，成为四川鱼类组成的主体部分，这与我国淡水鱼类组成中以鲤科鱼类为主要成分的特点颇为相似。

3.1.2 重点保护及特有鱼类组成

在239种四川鱼类中，国家和省重点保护鱼类种数较多，分别占全省鱼类总种数的2.09%、16.32%。属国家重点保护鱼类有5种。其中国家Ⅰ级保护鱼类3种，分别是达氏鲟、中华鲟、白鲟，均属鲟形目；国家Ⅱ级保护鱼类2种，分别是胭脂鱼、虎嘉鱼，分别归属于鲤形目和鲑形目。省级重点保护鱼类39种，主要包括似鲇高原鳅、四川栉鰕虎鱼、青石爬𬶏、嘉陵裸裂尻鱼、细鳞裂腹鱼、西昌白鱼、邛海红鲌、松潘裸鲤、扁咽齿鱼、岩原鲤等。

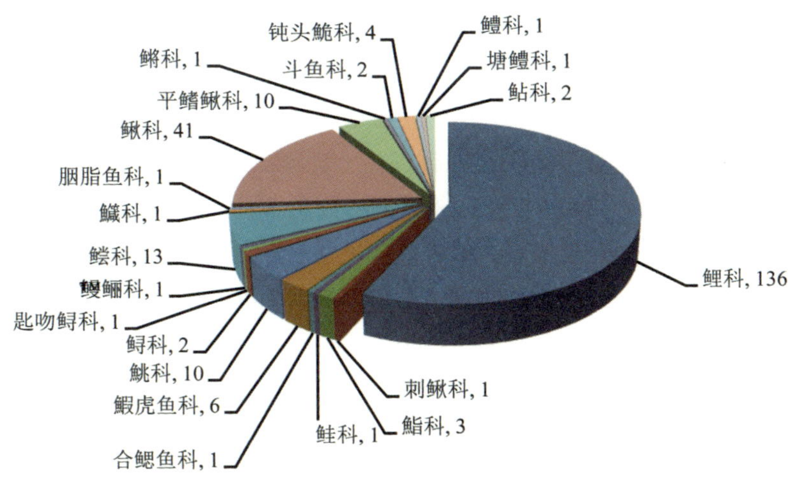

图 **3-9**　四川鱼类各科内含种数统计

据初步统计，分布于四川的长江上游特有鱼类约 80 种，占全省鱼类总种数的 33.5%，其中有 40 多种为四川的特有鱼类，约占全省鱼类总种数的 16.7%。模式产地在四川的鱼类有 90 多种，约占全省鱼类总种数的 37.7%。这些特有鱼类中有许多种类具有重要的科学价值和经济意义，是养鱼业的重要种质资源。种类主要包括达氏鲟、虎嘉鱼、小眼薄鳅、成都鱲、稀有鮈鲫、四川鲴、方氏鲴、高体近红鲌、黑尾近红鲌、汪氏近红鲌、黑尾䱗、四川华鳊、西昌白鱼、邛海白鱼、邛海红鲌、厚颌鲂、彭县似䱻、圆口铜鱼、钝吻棒花鱼、异鳔鳅鮀、裸体异鳔鳅鮀、华鲮、短须裂腹鱼、长丝裂腹鱼、齐口裂腹鱼、细鳞裂腹鱼、重口裂腹鱼、四川裂腹鱼、长须裂腹鱼、裸腹重唇鱼、软刺裸裂尻鱼、大渡裸裂尻鱼、嘉陵裸裂尻鱼、岩原鲤、邛海鲤、侧沟爬岩鳅、短身间吸鳅、中华间吸鳅、窑滩间吸鳅、青石爬鮡、青石爬鮡、中华鮡、壮体鮡、四川鮡、前臀鮡、四川栉鰕虎鱼、成都栉鰕虎鱼等。

3.2　地理分布

四川鱼类受地貌、水文、气候、植被和食源等自然条件的影响，鱼类区系复杂，地理分布亦因之而呈现相应的规律。四川东部主要分布有江河平原鱼类区系以及较多的热带山区鱼类，有许多是长江上游特有鱼类；西部高山高原地区的种类主要是裂腹鱼类和高原鳅类，而广泛分布于东部地区的种类几乎绝迹。

四川鱼类不仅在东、西部的分布上有着很大差异，而且在同一区域不同水系或同一水系不同江段也表现出较大差别。由于地形、水文、食物、气候、流速和流态等自然环境因素的不同，鱼类分布呈现明显的区域性、复杂性和多样性。

3.2.1　西部高山高原区鱼类分布

四川西部地势高，起伏大，河流切割剧烈，一般都在 2000～4600 米；冰封期 6～7 个月，气候高寒；在宽谷、沼泽和峡谷河段的自然条件悬殊较大。区域内河流主要有金沙江上段，雅砻江中、上游，大渡河中、上游和岷江上游，还包括黄河上游和嘉陵江支流等。据初步统计，分布于本区的鱼类约 40 余种，占四川鱼类总种数的 16.7%。

（1）西部高原地区：在甘孜县以上和黄河的白河、黑河等地处高原，地势高，多为丘状高原，气温低，冰封期长，分属长江水系和黄河水系。鱼类主要有东方高原鳅、黑体高原鳅、硬刺高原鳅、拟硬刺高原鳅、黄河高原鳅、似鲇高原鳅、梭形高原鳅、斯氏高原鳅、短须裂腹鱼、长丝裂腹鱼、裸腹重唇鱼、厚唇裸重唇鱼、软刺裸裂尻鱼、黄河裸裂尻鱼等20多种，其中许多种在该地区广泛分布，表现出适应于高寒地区生态条件的生物学特性，这些种类很少下降到上述江段以下生活。在本区的阿坝、红原和若尔盖一带多为丘状高原沼泽地区，与前属丘状高原区有一定差异。分布于白河和黑河有黄河高原鳅、似鲇高原鳅、黑体高原鳅、硬刺高原鳅、黄河裸裂尻鱼、骨唇黄河鱼和扁咽齿鱼等7种为黄河上游特有鱼类，其中骨唇黄河鱼和扁咽齿鱼亦为我国特有种。还有梭形高原鳅、斯氏高原鳅、东方高原鳅、拟硬刺高原鳅和厚唇裸重唇鱼等同时分布于长江上游水系。这反映出黄河上游地区的鱼类具有特殊的地理学意义，同时表明两水系上游地区在历史动物地理学上曾有过一定的关系。

（2）西部高山峡谷区：在高原区以下至虎跳峡、木里、泸定、茂县、平武以上江段，地处高山峡谷地带，河床深切，水流湍急，水量少，气温低，变化大。在区内分布有安氏高原鳅、短尾高原鳅、长丝裂腹鱼、长须裂腹鱼、四川裂腹鱼、松潘裸鲤和大渡河软刺裸裂尻鱼等20多种鱼类。它们适应于这一地区特殊的自然地理环境，一般具细长的身体，下颌有角质边缘，喜冷和流水生活等特点，很难下降到盆地周围低山区生活。其中长丝裂腹鱼、四川裂腹鱼、大渡河软刺裸裂尻鱼等10多种为本区特有种。此外，还分布有石爬鮡鱼类。

3.2.2　东部盆地区鱼类分布

本区鱼类约有140余种，约占四川鱼类总种数的58.6%。其中约120余种为广布种，在区内许多江段均有分布。成都鱲、彭县似䱻、四川栉鰕虎鱼、成都栉鰕虎鱼等20多种为狭布种，一些种类仅分布于某一水系或江段。分布本区的四川特有鱼类有宽体沙鳅、宜宾鲴和四川华鳊等20多种，约占四川特有种的40.0%。此外本区的长江上游特有种约50多种。

四川东部盆地区域内的地貌为平原、丘陵和平行岭谷及低山区等类型，气温较高，季节差异明显，河流为长江上游支流的中下游，各江段的水文、流速、流态以及饵料生物等自然条件不同，对鱼类分布产生影响而呈现差异，如主要分布于长江上游干流的鲟类和圆口铜鱼等鱼类，仅季节性见于较大支流中下游。然而，其他大多数栖息于支流的种类，难见于长江上游干流，如短体副鳅、乌江副鳅、贝氏高原鳅等，有的种类在长江上游干流出现，数量甚少。岷江、沱江和嘉陵江等较大支流在盆地内江段之间，绝大多数鱼类在区内江段几乎都有分布，但由于各江段自然条件不同，鱼类的分布亦呈现出不均衡性。岷江尚未发现中华花鳅、刺鲃、泸溪直口鲮、云南盘鮈等种类，嘉陵江缺乏鲈鲤、泉水鱼、直口鲮、墨头鱼、盘鮈和爬岩鳅类等鱼类。

3.2.3　盆周山地区鱼类分布

四川盆周山地区多为低山地带，自然条件与盆地和高山区有一定的差异。区内分布有一些适应性较强的种类，多为东部的广布种，如长薄鳅、中华沙鳅、齐口裂腹鱼、重口裂腹鱼、岩原鲤、宜昌鳅蛇等60多种，其中尖头鲹齐口裂腹鱼、重口裂腹鱼等鱼类受地理、水文和温度等条件的制约，限制了它们在四川只能沿着盆地周缘分布，一般难以进入严酷的高山高原地区，也难在盆地内气温较高的江段生活，这是四川鱼类分布的特点之一。

4 两栖类、爬行类和哺乳类

4.1 两栖动物

4.1.1 种类组成

统计表明，四川省湿地两栖动物共有105种，隶属2目10科，目、科、种数分别占全国两栖动物同类总数的66.67%、90.91%、28.07%。

四川省湿地两栖动物中以无尾目动物资源占绝对优势(图3-10)，共有7科94种，占全省两栖动物总种数的89.52%，主要包括利川铃蟾、大蹼铃蟾、南江齿蟾、宝兴齿蟾、峨山掌突蟾、瓦屋角蟾、西藏蟾蜍、圆疣蟾蜍、华西雨蛙(亚种)、中国林蛙、滇侧褶蛙、威宁趾沟蛙、合江棘蛙、四川湍蛙、斑腿树蛙、经甫树蛙、饰纹姬蛙、四川狭口蛙等，另外无尾目中还包括外来引进类猪蛙、牛蛙、河蛙3种。有尾目物种较少，仅有3科11种，占全省两栖动物总种数的10.48%，主要包括普雄原鲵、秦巴拟小鲵、龙洞山溪鲵、大鲵、文县疣螈等。

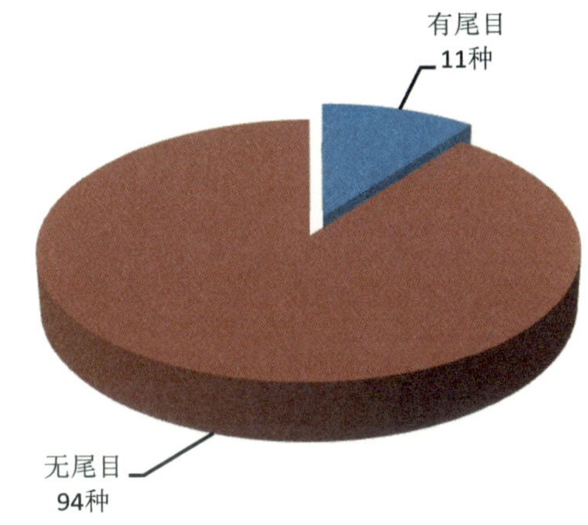

图3-10 四川湿地两栖动物各目内含种数统计

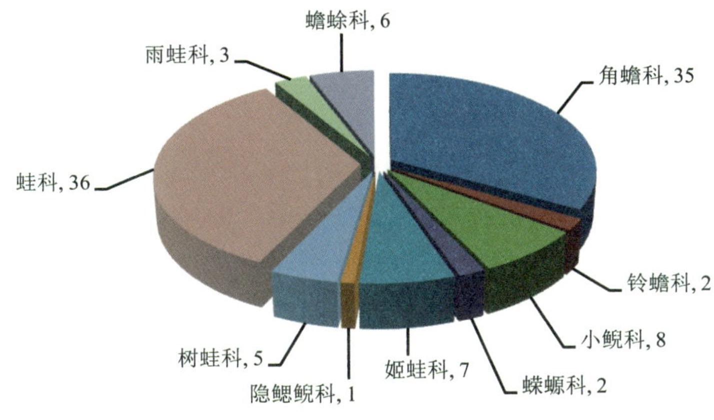

图3-11 四川湿地两栖动物各科内含种数统计

四川省湿地两栖动物中含5种以上的科包括蛙科、角蟾科、小鲵科、姬蛙科、蟾蜍科、树蛙科(图3-11)，这些科含两栖类种数达97种，占全省湿地两栖动物总种数的92.38%。其中以蛙科、角蟾科的类群最多，超过湿地两栖动物科内含种平均水平，成为四川两栖动物的重要组成部分，在湿地两栖动物中占有重要地位。

在105种两栖动物中，属于国家重点保护物种的有4种，均为国家Ⅱ级保护动物，分别为大鲵、文县疣螈、大凉疣螈、虎纹蛙。省级重点保护两栖动物有8种，分别为巫山北鲵、龙洞山溪鲵、凉北齿蟾、金项齿突蟾、峨眉髭蟾、中国林蛙、仙琴水蛙、洪佛树蛙。

4.1.2　主要分布

从四川地形特点分析，四川东部(属东洋界的华中区)与四川西部(西北部高原区属古北界、川西山区属东洋界的区南区)的两栖动物分布差异明显、各有特点，这与四川的地貌、气候均较复杂，植被和水域类型显著不同有密切关系。

4.1.2.1　四川东部地区

本区现有两栖类约50余种，约占全省总种数的50%左右，其中约25种在四川西部无分布。根据其地貌差异，可分为3个分布小区。

(1)盆底地区：本区海拔一般在200~750米之间，少数山岭在1000米以上，其两栖类物种类较单纯，以静水类型为主。分布于该区的物种约20余种，静水型约15种，流溪型约5种；其中有尾目2种，无尾目约18种；以华中区、华中及华南区物种占主要成分。文县疣螈、红点齿蟾、利川齿蟾分布于盆底边缘山区，其数量较少；湖北侧褶蛙广布于华中，虎纹蛙广布于华中华南，在当地均属优势种，但在四川分布区狭窄，属于分布边缘、数量稀少；其他物种在四川均为常见种，数量胜甚多，是农田区害虫的主要天敌。本区的突出特点是以华中区物种为主，缺少西南区和华南区成分。

(2)盆地东北山区：本区海拔一般在600~2200米，其两栖类物种静水和流溪型兼有。分布于该区的物种约30余种，静水型约15种，流溪型约15种；其中有尾目约4种，无尾目约26种；本区主要以华中区、华中华南区物种为主，约占全省两栖类物种的60%左右，除古北及东洋广布的3种外，仅少数西南区种(斑腿树蛙、粗皮姬蛙、饰纹姬蛙、泽陆蛙)向北分布在四川地区的极限，本区特有种主要有南江齿蟾、南江角蟾、光雾臭蛙，目前仅见于南江县山区，其分布狭窄，数量较少。本区缺少华南物种，其分布与陕西汉中地区相近，东边与湖北西部邻近地区类同，其华中区成分典型。

(3)盆地东南山区：本区海拔一般为400~2000米，其两栖类物种静水型和流溪型兼有。分布于该区的物种约40种，静水型约15种，流溪型约25种；其中有尾目仅2种，无尾目38种。本区主要以华中区、华中华南区物种为主，除古北及东洋界广布的3种外，本区与前述两个小区不同的是西南区的物种成分增加，即小角蟾、峨眉角蟾、峨山掌突蟾、无指盘臭蟾4种分布到本区；华中及华南区种约7种，即沼水蛙、泽陆蛙、华南湍蛙、斑腿树蛙、粗皮姬蛙、饰纹姬蛙6种与盆底区相同外，广布于华南区的小弧斑姬蛙分布到本区的合江等地，本区特有种有3种，即川南短腿蟾、合江臭蛙和合江棘蛙，目前仅见于筠连、合江。本区华南区的物种仅1种。

4.1.2.2　四川西部地区

本区约有两栖类物种80余种，其中四川东部地区无分布的种约有60种，与川东共有种约25

种。国内仅见于本区的四川特有种约 25 种，是四川省东部特有种的 5 倍；西南区的种约 40 种，华中区的种约 15 种，其他区的成分比例甚少。本区突出的特点是高山高寒物种较多，如主要分布于青藏高原地区的西藏山溪鲵、齿突蟾和猫眼蟾的多数种以及倭蛙、高原林蛙等分布在高山区；还有齿蟾属物种的多数种、部分角蟾属的物种分布于本区中山区，尤以突出的是锄足蟾科的物种十分丰富。而主要分布于热带的蛙类在此横断山区也有分布。根据其地貌差异，可将四川西部地区分为 4 个分布小区。

(1)盆地西缘山区：本区海拔一般在 500～3000 米，分布于该区的两栖类约 54 种，为四川省物种最丰富的地区，其中静水型和流溪型兼有，前者约 20 余种，后者约 30 余种，有尾类 5 种，无尾类近 50 种；本区与前述 3 个小区不同的是西南地区物种增多，约 20 余种，约占本区种数的 39%，其次是华中区的种约 13 种(占 24% 左右)，古北界种和华中及华南区种各约 7 种(各占 13% 左右)，其他区的物种仅占 1～3 种。本区特有种较多，其中锄足蟾科特有种多集中在分布于本区。

(2)川西南高山深谷区：本区位于横断山东侧，属云贵高原向北延伸的一部分，一般海拔在 1500～3000 米，分布于该区的两栖类约 45 种，其中静水型约 17 种，流溪型约 28 种；有尾类 6 种，无尾类约 39 种。分布于该区的两栖类中西南区物种甚为丰富，超过 30 余种，约占本区物种的 66.7%。该区分布物种与云贵高原物种关系密切，而有别于四川其他各小区，即云贵高原地区的习见种如大蹼铃蟾、华西雨蛙景东亚种、无指盘臭蛙、昭觉臭蛙、双团棘胸蛙、滇侧褶蛙、威宁趾沟蛙、云南小狭口蛙、多疣狭口蛙等均分布到本区，而四川其他小区则无分布。主要分布于我国南方地区的宽头短腿蟾向北分布达本区的北纬 26°～28.5°的雅砻江流域，黑眶蟾蜍北达攀枝花、会理一带。本区的大凉山、小相岭地区是云贵高原和川西山区某些相近物种的分界地区，如峨眉林蛙与昭觉林蛙、黑斑侧褶蛙与滇侧褶蛙、绿臭蛙与无指盘臭蛙、棘腹蛙与双团棘胸蛙、华西雨蛙川西亚种与景东亚种、四川狭口蛙与多疣狭口蛙等相互为相近种，前者主要分布于川西山区，而后者主要分布于云贵高原，它们都以大凉山地区为分界地区，即分布于会理、西昌、冕宁以南的云贵高原物种受阻于大凉山和小相岭，反之分布于川西山区的相近种也受阻于大凉山和小相岭，而在冕宁、西昌以南地区则无分布，以上相近种在该地区形成地理替代现象。

(3)川西山原和极高山地区：山原海拔一般在 4000～4500 米，河谷与山原面相对高差达 1000～2000 米，该区气候寒冷，两栖类物种显然较上述邻近小区减少，约 20 种，其中静水型约 5 种，流溪型约 15 种，有尾类 3 种，无尾类约 17 种。本区以古北区物种为主，约 12 种，约占本区物种的 60%，其次西南区物种约 7 种(占 35%)，华南区 1 种(宽头短腿蟾)均分布与本区的南部或东部边缘河谷地带，华中及华南区的种在本区缺乏。分布于该区的四川特有种约 4 种，但仅九龙猫眼蟾为本区所特有。

(4)川西丘状高原区：本区属青藏高原东部边缘，海拔一般在 3500～4500 米之间，呈丘状高原地貌。该区两栖类物种稀少，约 6 种(西藏山溪鲵、西藏齿突蟾、刺胸猫眼蟾、岷山蟾蜍、倭蛙、高原林蛙)，均为古北界种，也是分布于青藏高原东部地区的习见种，均属高原高寒类群。本区没有四川特有种。

4.2 湿地爬行动物

4.2.1 种类组成

统计表明，四川省湿地爬行类动物共有25种，隶属2目8科。其目、科、种数分别占全省爬行动物同类总数的100%、66.67%、23.81%，占全国爬行动物同类总数的66.67%、33.33%、6.07%。

四川省湿地爬行动物中以有鳞目物种占优势(图3-12)，共5科21种，占全省爬行动物总种数的20%。主要包括锈链腹链蛇、棕网腹链蛇、瓦屋山腹链蛇、腹斑腹链蛇、八线腹链蛇、丽纹腹链蛇、棕黑腹链蛇(指名亚种)、赤链华游蛇、乌华游蛇(指名亚种)、四川温泉蛇等。龟鳖目物种较少，仅3科4种，占全省爬行动物总种数的3.81%，包括中华鳖、潘氏闭壳龟、乌龟、巴西龟(红耳龟)。

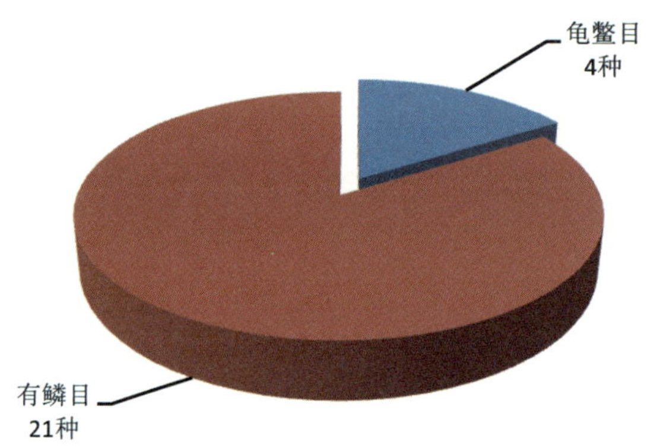

图3-12 四川湿地爬行动物各目内含种数统计

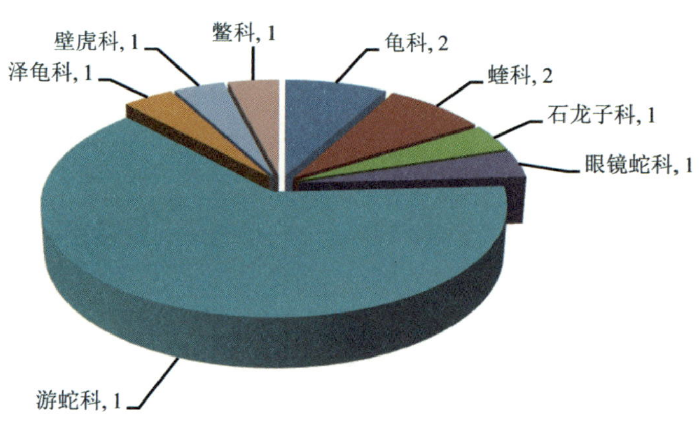

图3-13 四川湿地爬行动物各科内含种数统计

由图3-13可知，四川省湿地爬行动物中游蛇科种类最多，共计16种，占四川省湿地爬行动物总种数的64.00%。其中，锈链腹链蛇、棕网腹链蛇、瓦屋山腹链蛇、腹斑腹链蛇、八线腹链蛇、丽纹腹链蛇、棕黑腹链蛇(指名亚种)、赤链华游蛇、乌华游蛇(指名亚种)、四川温泉蛇是湿地典型的水栖或半水栖爬行动物；鳖科、龟科、泽龟科所含物种虽少，但其整个生命周期或重要阶段都依赖于湿地生态系统，也是典型的湿地水栖或半水栖爬行动物。

另外，在湿地环境中常见的爬行动物有 11 种，即蹼趾壁虎、秦岭滑蜥、白条锦蛇、黑眉锦蛇、玉斑锦蛇、翠青蛇、虎斑颈槽蛇、乌梢蛇、丽纹蛇、竹叶青蛇、高原蝮，这些种类的存在使湿地生态系统的结构更加完整、功能更加齐全。

在 25 种湿地爬行动物中，无国家重点保护物种分布。省级重点保护动物有 3 种，分别是中华鳖、潘氏闭壳龟、乌龟。

4.2.2 主要分布

四川省湿地爬行动物主要地理分布概述如下：

(1)龟鳖目：该目含 3 科 4 种。其中，中华鳖除川西北高山高原区无分布外，在四川各地均有分布；潘氏闭壳龟仅分布于盆地东北缘山地区；乌龟和红耳龟分布于全省各地。

(2)有鳞目：该目含 5 科 21 种，主要包括绣链腹链蛇、棕网腹链蛇、瓦屋山腹链蛇、腹斑腹链蛇、八线腹链蛇、丽纹腹链蛇、棕黑腹链蛇、赤链华游蛇、乌华游蛇、四川温泉蛇等，这些种主要见于川西南高山峡谷区、盆地西缘山地区、盆地东北缘山地区、盆中平原丘陵低山区；川西北高山高原区分布少。

4.3 湿地哺乳动物

4.3.1 种类组成

统计表明，四川省湿地哺乳动物共有 54 种，隶属 5 目 17 科。其目、科、种数分别占全省哺乳动物同类总数的 55.56%、47.22%、24.00%，占全国哺乳动物同类总数的 35.71%、36.17%、9.71%。其中典型湿地哺乳动物有 2 目 2 科 5 种，占全省哺乳类种数的 2.22%，包括斯氏水鼩、喜马拉雅水鼩、蹼麝鼩、水獭、小爪水獭。另外，在湿地环境中常见的哺乳动物有 5 目 17 科 49 种。四川湿地哺乳动物各目、科内含种数统计见图 3-14、图 3-15。

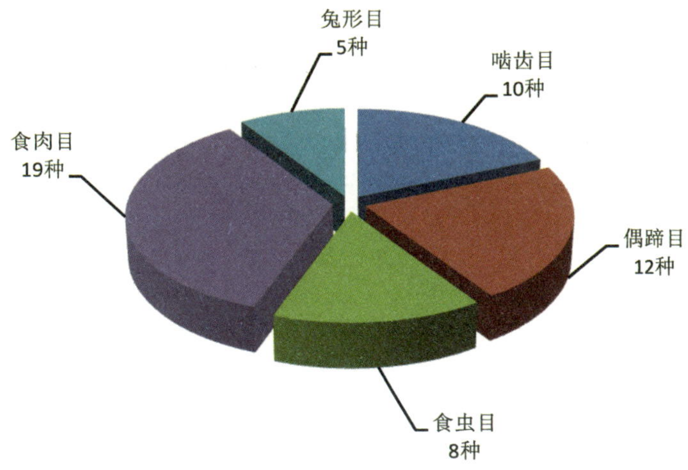

图 3-14　四川湿地哺乳动物各目内含种数统计

在 54 种湿地哺乳动物中，属于国家重点保护物种有 19 种。其中国家 Ⅰ 级保护动物 3 种，分别是林麝、马麝、白唇鹿；国家 Ⅱ 级保护动物 16 种，分别是水獭、小爪水獭、石貂、豺、马熊、

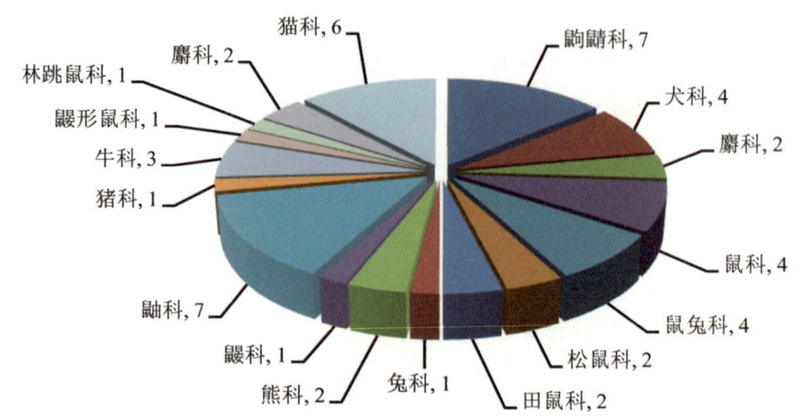

图 **3-15**　四川湿地哺乳动物各科内含种数统计

黑熊、兔狲、猞猁、漠猫、丛林猫、金猫、水鹿、白臀鹿、藏原羚、鬣羚、斑羚。省级重点保护哺乳动物 5 种，分别是香鼬、赤狐、藏狐、豹猫、毛冠鹿。

4.3.2　主要分布

四川省湿地哺乳动物分布范围广而复杂，生活类型多样。以典型湿地哺乳动物为例，简述其分布如下：

在 54 种四川省湿地哺乳动物中，典型湿地哺乳动物含 2 目 2 科 5 种，包括斯氏水鼩、喜马拉雅水鼩、蹼麝鼩、水獭、小爪水獭。主要分布状况见表 3-13。

表 3-13　四川省典型湿地哺乳动物分布状况

目	科	种	主要分布
食虫目	鼩鼱科	斯氏水鼩	川西北亚高山地带
		喜马拉雅水鼩	川西南山地、川西北平原以及川北盆缘山地
		蹼麝鼩	峨眉山、川北及川西地区
食肉目	鼬科	水獭	除川西北高原外，省内各江河均有零星分布
		小爪水獭	川西南与西藏毗邻的亚热带河谷两岸

第四章 湿地资源利用

第一节 湿地资源利用现状及其利用方式

1 湿地资源类型及利用现状

1.1 湿地土地资源

1.1.1 湿地土地资源类型

湿地土地资源是一种特殊的土地类型，它与水相结合，被水体覆盖或地表过湿，受湿地形成因素的影响，一般地势平坦，土层深厚。四川省湿地土地总面积381.14万公顷(包括稻田/冬水田)，占全省土地总面积的7.84%。其中，有174.78万公顷基本处于自然状态(包括除稻田/冬水田外的人工湿地)，受人为干扰较轻，另外还有206.36万公顷被开垦为稻田(2013年)，属于熟化土地。除稻田湿地外，河流湿地面积45.23万公顷，占调查湿地总面积的25.88%；湖泊湿地面积3.73万公顷，占调查湿地总面积的2.14%；沼泽湿地面积117.59万公顷，占调查湿地总面积的67.28%；人工湿地面积8.22万公顷，占调查湿地总面积的4.71%。

依据湿地的组成结构和土壤属性特征，四川省湿地土地资源又可分为三种类型：首先是明水覆盖的湿地，如河流、湖泊、库塘等；其次是沼泽湿地，包括森林沼泽、灌丛沼泽、草本沼泽等；第三是稻田。这三种湿地土地资源面积比例约为2:4:7。

1.1.2 湿地土地资源利用现状

河流、湖泊、库塘等有明水覆盖的湿地土地，依据湿地生态功能特点，主要用于汇集径流、储存淡水，成为人类生产生活用水的水源地，必要时用于调节洪峰、宣泄洪水、引水排水、抗旱排涝等。长江流域是流经四川省面积最大的一级流域，支流密集、水量充沛，是全省大部分地区生活用水、农业灌溉、工矿用水的主要来源，它与流经川西北的黄河流域共同覆盖着四川省的所有土地，共同发挥着提供水源、输送水源、平衡地区水资源的重要作用；泸沽湖、邛海、马湖等具有较强的拦蓄洪水能力，在每年的洪水季节发挥着重要作用；升钟湖水库、黑龙滩水库、大桥水库、江口水库、鲁班水库等是城镇居民用水的重要水源地，在多雨季节，又起到拦蓄洪水、减轻洪水压力的作用。

沼泽湿地土地资源土壤有机质含量丰富，潜在肥力高，其有机质含量超过黑土有机质含量，氮元素更是超过一般土壤的几倍或几十倍。经过排水翻耕后沼泽土中的有机质分解，成为能被植物吸收的养分，沼泽就变成了肥沃的稻田。长期以来，沼泽和沼泽化土地是我国主要“荒地”类型之一，特别湿地草本沼泽地面平整，土壤肥沃，水源充足，适于农耕。因此，20世纪 80 年代以来，开发强度明显增强。除偏远的沟谷沼泽外，大部分河漫滩和阶地上的薹草沼泽已垦为农田。

四川省湿地土地资源开发利用主要包括水产养殖、围湖造田、沼泽开垦等几方面，开发利用形式单一，强度较大，对湿地生态系统造成了比较严重的破坏。2008 年的暴雨洪涝和 2009 年暴雨诱发的多起地质灾害为我们敲响了警钟，湿地土地资源的开发应从维护湿地生态系统、尊重自然的角度，合理利用，科学开发。

1.2 湿地水资源

1.2.1 湿地水资源类型

湿地是淡水之源，河流、湖泊和库塘是水资源的主要载体，沼泽能涵养水源、净化水质、补充地下水，其间接供水能力更为突出。四川湿地有着丰富的地表水和地下水资源，全省水资源总量为 3489.7 亿立方米，其中地表水 3331.41 亿立方米，地下水 546.9 亿立方米，重复水量 388.61 亿立方米，水资源占全国总量的 10%。全省人均占有水资源较全国水平高 50%，人均水资源占有量为 3242 立方米。

地表水资源主要分为河流水资源、湖泊水资源、库塘水资源。四川省河流水资源以长江为主。除西北部若尔盖沼泽的白河和黑河属黄河水系外，其他均为长江水系，包括长江干流及其部分支流、金沙江(含雅砻江)、岷江(含大渡河和青衣江)、沱江、嘉陵江(含嘉陵江干流、涪江和渠江)、汉江 6 大流域组成，河流径流总量 2547.60 亿立方米；境内遍布大小湖泊 1000 多个，湖泊总蓄水量约 15 亿立方米；四川省有 8 公顷以上的水库 1600 余座，库塘湿地面积 7.98 万公顷，占人工湿地面积的 97.04%。这些河流、湖泊和库塘承载着全省大部分地表水资源。

地下水资源主要以沼泽蓄水和地下径流为主，其沼泽湿地水资源丰富，为长江、黄河源头最重要的水源供给区，总贮水量在 200 亿立方米以上。据有关专家测算，从若尔盖湿地注入黄河的水量，在枯水期占黄河上游流量的 40%，丰水期 26%。

1.2.2 湿地水资源利用现状

淡水资源是人类赖以生存和经济社会发展不可缺少的基本要素之一。湿地是淡水资源的主要载体，湿地水资源是水资源利用的主体部分。尤其以江河、库塘、湖泊等地表水资源对人类的生产生活具有重要影响，发挥着举足轻重的重要作用。湿地水资源利用主要包括城镇及农村居民生活用水、工业用水、农业用水和生态用水等几方面。

(1)生活用水：供水组成主要包括地表水源和地下水源，其中地表水源主要指河流、库塘和湖泊等为主体的湿地水资源。由于经济社会的发展水平限制，目前四川省农村居民生活用水水源以地下水源为主，城镇居民生活用水基本上利用地表水源。

(2)工业用水：供水组成比较复杂，其水源的选择受城镇供水网的供水能力、工矿企业所处的地理位置等外部供水环境的限制，也受企业自身经济能力、技术水平和产品成本构成等经济因素影响。一般地处城镇或距地表水源较近的企业以及用水量较大或经济技术较高的企业多以地表水源为主。

(3)农业用水：包括农田灌溉、牧业、渔业等几方面。农业用水与工业用水一样，用水水源的选取受水源条件和成本核算等经济因素的影响，农业用水尤其受水源条件的制约。四川省西部地区雨量充沛，河流纵横，农业用水以地表水源为主，东部地区除江河两岸能够辐射的小部分地区以外，多数地区以抽取地下水或靠天然降水为主。

(4)生态用水：是指用于森林、湿地等生态系统建设、恢复或维护的水资源。包括为了植树造林、修建库塘、恢复湿地、保持湿地面积和维护湿地生态系统功能而开展的各类工程措施。四川省丰富的河川径流是生态用水的重要基础，但是由于工农业用水量的增加和农业现代化水平的落后以及受经济社会发展的传统观念束缚，使生态用水难以保障，尤其在湿地保护和恢复方面的生态用水更是困难重重。沼泽水资源是生态用水的重要来源，因其较难被生产生活所利用，使其成为湿地生态用水的专有水源，具有专属属性，是湿地保护的重要对象。尤其在生态用水受限制的情况下，在开发湿地资源和外围经济建设过程中，对沼泽水资源的利用应慎重。

四川省人均占有水资源量约 3242 立方米，属于中度缺水省份。随着经济社会发展，生产生活对水资源需求量的逐年增加，与水资源供应能力的矛盾将日益突出。湿地水资源的持续开发，使湿地减少，沼泽萎缩，调节能力下降，加之地下水的开采量越来越多，所占比重越来越大，四川省水资源短缺现象将更加严重。

1.3　湿地植物资源

1.3.1　湿地植物资源类型

四川省湿地植物按照资源功能可分为药用植物、食用植物、饲用植物、观赏植物等类别。目前，有规模开发利用的湿地植物种类主要是莲、菱、慈姑、香蒲等食用和观赏类植物，其他湿地植物资源的开发都处于实验研究或初步尝试阶段。

1.3.2　湿地植物资源利用现状

(1)药用植物。湿地植被中药用植物种类较多，许多植物的根、茎、叶或花、花粉、果实可以入药。芦苇的根和茎含有天门冬酰胺和多种维生素，可以清热解毒、利尿、生津止渴。水木贼、香蒲、毛茛、眼子菜、浮萍、灯心草等，可消炎止痛。菖蒲、半边莲、蒲公英等可医治腹泻、健胃、化痰。雨久花治喘息、解热。睡莲、龙胆等可制健胃药，睡莲还可用于催眠、镇静。地瓜苗、黑三棱等通经、镇静、医治妇科病，黑三棱还可催乳。野豌豆医治风湿……对各种药用植物，应有计划的引种，严禁过度采挖，保持资源的可持续利用。

(2)食用植物。全省湿地食用植物种类丰富，例如著名的“水八鲜”(茭白、菱、莲藕、茭瓜、慈姑、芡实、芋头、荸荠)，茭白、莲藕、芋头和慈姑等均形成了一定规模的产业，菰、莲、荸荠、菱、慈姑等是公众喜爱的水生食用蔬菜。

(3)饲用植物。芦苇的嫩芽是较好的牧草。菹草等可以作为贮存的饲草。薹草春季返青早、叶嫩、可食性好，可做早春牧草。湖泊中的水生植物叶嫩，是鱼类的天然饵料。

(4)观赏植物。沼泽和沼泽化草甸中的草本植物繁多，每当6~8月花期，百花盛开，万紫千红，沼泽外貌分外娇艳，如盛开黄色花朵的金莲花、紫色花朵的龙胆、白色小花的地榆、粉色花朵的牻牛儿苗等，为欣赏自然美的旅游观光增添了一份佳境。另外，在城市、园林及水景应用中，众多水生植物得到了较好的应用与发展，如莕菜、芡实、水龙、眼子菜等可作为庭园浮叶植物观赏，狐尾藻、苦草、菹草等可作为水族箱的观赏植物。

1.4 湿地动物资源

1.4.1 湿地动物资源类型

野生动物是在国家法律保护范围之内的珍贵资源，四川省对野生动物资源实施立法保护后，较多动物资源得到了恢复。因此对湿地野生动物资源的利用仅限于科学研究、实验教学、观赏游览或驯养繁殖后加以利用。

1.4.2 湿地动物资源利用现状

湿地鸟类的利用主要以观赏和科学研究为主。目前社会众多人士对观鸟极为感兴趣，具有较高观赏价值的有丹顶鹤、蓑羽鹤、中华秋沙鸭和鸳鸯等。

鱼类利用主要以有经济价值的鱼类资源为主。即除了人工养殖具有经济取向的鱼类以外，还包括可以批量获取、资源丰富、具有经济价值的野生鱼类资源。在已知293种鱼类资源中，经济鱼类大约有70余种，其中个体较大、数量较多、在江河捕捞业中占有一定地位的主要经济鱼类约有20余类，如鲤、铜鱼类、鲇类、白甲鱼、中华倒刺鲃、大鳍鳠、鲫鱼、长吻鮠、红鲌类、鲟鱼类、裂腹鱼类、岩原鲤、鲴类、吻鮈类、鲋类、鳊类、墨头鱼等。盆地内最重要的捕捞对象是鲤、大口鲇和鲇、铜鱼、圆口铜鱼、白甲鱼、中华倒刺鲃；盆周及川西高原则是裂腹鱼类、四川白甲鱼、华鲮、墨头鱼、吻鮈类、多鳞铲颌鱼等资源。其他经济鱼类以蛇鮈、䱗、宽鳍鱲、马口鱼、黄颡鱼类、长薄鳅、黑尾䱗、红尾副鳅等数量较多，分布较广。近年来，由于过度捕捞和环境污染，野生鱼类资源十分枯竭，四川经济鱼类资源主要靠人工放养或以淡水养殖加以利用，主要以草鱼、鲢、鳙鱼、鲤鱼、鲫鱼、鲇、鲂、鳜、黄鳝、泥鳅、裂腹鱼类、白甲鱼等养殖为主，其中有名特优鱼类品种约20种以上，以大口鲇、鳜、长吻鮠、裂腹鱼类等为主。

两栖类利用主要包括养殖的牛蛙等常见经济食用蛙类为食材和用于科学研究的两栖类物种。一些大专院校、科研院所在教学、科研、医药卫生检验等方面，将蛙类作为实验动物，常用于解剖、遗传、胚胎发育以及生物工程等研究，成为重要的实验材料。据不完全统计，四川省用于实验的两栖动物有20种左右。

爬行类利用主要以驯养繁殖利用为主。省内驯养繁殖的种类主要有龟鳖目的中华鳖及有鳞目的乌梢蛇等。其中中华鳖的养殖及蛇类的养殖在省内有一定的规模。中华鳖很久以来就被誉为滋补佳品，营养丰富、肉味鲜美，其肌肉富含蛋白质、钙、铁和维生素等，因此一直是人工养殖的首选品种。蛇类药材与蛇类药用产品的开发利用包括蛇肉、蛇胆汁、蛇毒等，如蛇毒可用于制造抗血清、提取各种有酶类，对肿瘤等疾病具有一定的治疗效果。

湿地兽类中的一些动物，如水獭和小爪水獭过去被作为重要的毛皮兽而遭到狩猎，现在已实施严格的保护措施。

1.5 湿地景观资源

1.5.1 湿地景观资源类型

湿地是一个自然综合体，是有机生命与无机载体的统一，是有形的物体与无形的阳光、空气等的结合，人类崇拜自然、欣赏自然，湿地景观是人类的心灵与大自然相碰撞的产物，它是大自然固有的，又被人类赋予了第二生命。四川省湿地类型多样，湿地动植物种类丰富，结合多变的地貌特征和四季分明的气候特点，组合演化出独特的自然生态景观。

目前为止，四川省依托湿地景观资源(河流湿地景观、湖泊湿地景观、沼泽湿地景观、人工湿地景观)开发旅游产业效果显著，一大批具有较高的美学、文化和观赏价值的湿地类型，吸引了越来越多的人前往旅游观光，业已成为了省内最具开发潜力的景观资源，如凉山州的邛海、泸沽湖，甘孜州的新路海、海子山、察青松多，阿坝州的九寨沟、黄龙寺、若尔盖、南莫且，遂宁的观音湖等。除此之外，省内的国际重要湿地、国家级及省级的湿地保护区、湿地公园等，以其奇特的景观、原始的自然风光以及独特的湿地生物多样性资源，也具有极高的生态旅游价值，成为生态旅游、休闲、科考的理想去处，其潜在的旅游资源价值正被发掘和合理利用。

1.5.2 湿地景观资源利用现状

湿地被人们所欣赏而成为景观，湿地景观因人类的精神需求而成为资源，湿地景观资源是发展湿地旅游的基本条件。湿地生态旅游就是建立在保护湿地自然环境基础之上，以欣赏、研究、亲近自然为目的的环保活动。旅游者以湿地作为观光、游览或体验对象，洞察湿地丰富的物种、多彩的景观和优美的环境，从而陶冶情操、修身养性。四川省湿地生态旅游已开展多年，自建立若尔盖、海子山、察青松多等湿地自然保护区以来，湿地生态旅游已逐渐走向规模化、产业化、国际化。

开展不以破坏为目的的生态旅游是湿地景观资源利用的最佳途径，即可增加本地区的就业机会，又能通过收取门票、提供导游等服务以及开发各类旅游产品，如观鸟、观兽、划船、漂流、实物资源产品、纪念品等增加经济收入。同时，对提高公众的环境保护意识，激发人们热爱自然、保护生态具有积极的促进作用。四川省湿地景观资源丰富，科学利用湿地景观资源，开展湿地生态旅游的意义重大。这种意义不仅在于经济方面以生态旅游的形式对湿地景观资源进行开发，而且是促进湿地保护与合理利用湿地景观资源最环保的形式，它最终将成为实现湿地可持续发展的核心助力。

1.6 湿地泥炭资源

1.6.1 湿地泥炭资源类型

泥炭又称“草炭”、“泥煤”，是沼泽中死亡的植物体在土壤水饱和或有地表积水，处于还原环境下不能完全分解形成的，是在沼泽中不断积累的有机质沉积物。泥炭广泛分布于四川省西部冷湿的川西北高原区，类型较为齐全，有富营养泥炭(草本泥炭、木本泥炭、草本+木本泥炭)，中营养泥炭(草木、藓泥炭)，贫营养泥炭(泥炭藓泥炭)。其中富营养泥炭分布最广，中营养和贫营养泥炭面积较小。

四川省是泥炭资源最丰富的省份之一，其储量达 20 亿吨，占全国储量的 40% 以上，我国仅有的 6 个超亿吨的泥炭矿床，在若尔盖就有 5 个。

1.6.2 湿地泥炭资源利用现状

泥炭是沼泽区特有的有机矿产资源，在工业、农业、环境保护以及医药卫生等方面有着广泛的用途，尤其在农业上的应用前景广阔。湿地泥炭资源利用主要有以下几方面。

(1)肥料：泥炭富含有机质及腐殖酸，是制作肥料的优质原料。根据东北师大多年试验研究，先后研制了有机—无机复合肥、生物复合菌肥和生化复合肥等系列产品，证明其具有增加土壤有机质、改善土壤理化性质、提高化肥利用率、增强作物抗逆能力等作用，可提高作物产量和改善作物品质。经过田间试验，增产效果显著，大田作物增产 10% 左右，蔬菜增产 20% ~30%，烟草提高中上等的比例 10% ~15%。

(2)营养土：营养土是以泥炭为原料，加以适量的氮、磷、钾和微量元素等制成的“人工土壤”，是人工合成的营养土。

(3)泥炭营养体：利用泥炭和纸浆，制成圆形、方形或条形的营养体，也可直接用泥炭土塑形压制营养块，育苗成活率高，果树座果率高。

(4)土壤改良剂：泥炭熟化后，施于土壤中作为土壤改良剂。增加土壤的有机质，改善土壤结构，提高土壤吸附力，起到保水、保肥作用，提高土壤肥力。

(5)植物生长调节素：从泥炭中提取腐殖酸类物质，配置一定浓度腐殖酸溶液或黄腐殖酸溶液，用浸种、蘸根和喷施等方法，促进作物生长发育，改善品质，提高产量等方面具有重要作用。腐殖酸类物质还可用于蓄电池阴板膨胀剂、水泥减水剂等。

(6)泥炭型煤：利用泥炭剂制成泥炭砖、泥炭蜂窝煤，其燃烧性能好、清洁、使用方面。

(7)净化吸附材料：由于泥炭结构疏松、吸附能力强，可用于处理污水，包括含重金属、油、放射性物质的污水。

目前，四川省的泥炭资源开发利用并没有统一规划，地方政府在审批上随意性大，在开发方式、工艺、强度及植被恢复方面没有一定的技术标准，缺乏监管，造成资源浪费和生态破坏日趋严重。更有部分商家未经允许收购活体泥炭藓用于园艺，造成泥炭沼泽地表植被的严重破坏，使泥炭沼泽的碳汇功能大大削弱。

2 湿地资源利用方式、范围及程度

湿地是重要的自然资源和人类生存资本，在支撑人类社会和谐发展和自然系统有序循环等方面有着举足轻重的作用。湿地生态系统作为地球三大生态系统之一，其中物质与能量的循环流动是系统平衡的基础，各组成成分之间相互依存、相互作用，保持系统平衡与活力。同时，湿地生态系统具有自我调节功能，它受到外界干扰时，有一定的自我恢复能力。因此，人类社会从自身的需求出发，科学利用湿地资源，使湿地生态系统的各种服务属性得以充分发挥，促进了系统物质与能量的循环速度，而不至于破坏系统平衡。基于联合国千年生态系统评估(MA)框架，将湿地资源服务利用功能分为供给利用、调节利用、文化利用和支持利用等。

2.1　供给利用

2.1.1　提供淡水

湿地是淡水之源，淡水是人类生存和发展的基础。湿地作为淡水资源的主要载体，具有生命保障的重要意义，以此湿地是人类社会不可分割的生存环境。四川省地表淡水资源总量3331.41亿立方米，是城镇民生活用水、工矿用水、农业用水的保障性水源。岷江、沱江、嘉陵江、涪江、渠江、金沙江、雅砻江、大渡河等河流，泸沽湖、邛海、马湖、月亮湖等湖泊，黑龙滩、大桥、江口、鲁班等水库，都是四川省的重要水源供应地。

湿地水资源的供给主要通过地表水工程来实现，主要包括蓄水、引水、提水、调水等四大工程。湿地不但具有直接供水能力，而且具有间接供水能力。湿地通过蒸发和渗透作用，提高空气湿地，增加降雨量，补充地下水，起到平衡水量和促进水循环的重要作用。

2.1.2　提供食物

湿地中的许多动植物资源具有较高的食用价值，能为人类提供食物或食品原料(水果、蔬菜、肉类等)。四川省丰富的菰、莲、荸荠、菱、慈姑等可作为食用蔬菜，据以往统计资料记载，2001年湿生蔬菜种植面积为2.1万公顷，2008年增加到了2.8万公顷(不包括芋)，2009年全省水生蔬菜种植面积达3.8万公顷；河流、湖泊中的鱼类以及通过驯化的其他动物可为人类提供丰富的肉类食品，据初步统计，2013年全省水产养殖面积19.7万公顷，水产品产量126.1万吨，主要经济鱼类有青、草、鲢、鳙、鲤、黄鳝等，优势特色水产品的精深加工产业主要有银鱼、青虾、鱼肉等。但是，湿地为人类提供数量最多，也是最有效的食物是水稻。四川省现有水田总面积206.36万公顷(2013年)，占全省耕地面积的34.41%。因此，从一定意义上讲，湿地在保障粮食安全方面具有举足轻重的战略意义。

2.1.3　提供能源

目前，湿地能源的利用主要是通过有机质燃烧和水能发电等途径。湿地的植被可直接用于燃烧获取能量，但其作为能源价值与生态价值相比意义不大。四川省湿地泥炭储量丰富，具有一定的开发潜力，利用泥炭制成泥炭砖、泥炭蜂窝煤，其燃烧性能好、清洁、使用方便，发热量一般为14.5兆焦耳/公斤，最高达16.6兆焦耳/公斤。

水能发电是湿地能源利用的主体，在全社会的电能开发利用中占有重要地位。截至2013年年底，四川省水能资源理论蕴藏量达1.43亿千瓦，占全国的21.2%，仅次于西藏。其中：技术可开发量1.03亿千瓦，占全国的27.2%；经济可开发量7611.2万千瓦，占全国的31.9%，均居全国首位，是中国最大的水电开发和西电东送基地。水能资源集中分布于川西南山地的大渡河、金沙江、雅砻江三大水系，约占全省水能资源蕴藏量的2/3，也是全国最大的水电“富矿区”，其技术开发量占理论蕴藏量的79.2%，占全省技术开发量的80%。雅砻江上的二滩水电站总装机容量达330万千瓦。

2.1.4　提供生产资料

湿地资源丰富多样，能满足一定的工农业生产需要，提供农业生产资料和工业原料，如芦苇等植物中的纤维含量丰富，可用于造纸；薹草、木贼等蛋白质含量较高，可做饲料；半边莲、蒲公英等很多湿地植物具有药用价值；湿地泥炭富含多种营养成分，具有独特性质，在农业、工业和环境保护等方面有着广泛用途，可做肥料、营养土、土壤改良剂、提取腐殖酸类物质做植物生长调节剂等，在农业上应用前景广阔。泥炭结构疏松、吸附力强，可制作净化吸附材料。

湿地为社会生产提供原料的功能正在不断被人们发现和认识，很多湿地资源被生产加工成为商品进入流通领域，随着湿地资源利用强度的加大，生态系统所承受的压力也在逐渐加强。因此，积极引导、科学利用和有序开发是当前更应该重视的问题。四川省湿地中丰富的药用植物、观赏植物、泥炭资源等分布广，但系统规划暂处于初级阶段，没形成较大规模，开发秩序较混乱，缺乏较为合理的科学引导和丰富的人工培育的实践经验。

2.2 调节利用

2.2.1 净化水质

湿地系统中的沼生、水生植物，在减缓水流的同时，促进固体物质沉降，吸收有毒物质，从而净化水质。如芦苇、香蒲、旱伞草、水竹等都已成功地用于处理污水，包括处理含有高浓度重金属如镉、银、镍等的污水。吸收了有毒物质的水生植物在其组织中富集的重金属浓度比周围水体高万倍以上，有毒物随水生植物的收割而离开水体，从而净化了水体和土壤环境。相比于其他的生态系统，湿地具有很强的降解污染功能，许多自然湿地生长的湿地植物、微生物通过物理过滤、生物吸收和化学合成与分解等把人类排入湖泊、河流等湿地的有毒有害物质转化为无毒无害甚至有益的物质。

历史上全省广阔的湿地对降解城乡污染、农业面源污染，维护生态系统平衡和全省生态环境质量发挥了巨大的作用，但由于过度排放，全省许多自然湿地污染较严重，湿地不堪重负，湿地的生态功能退化。

2.2.2 调节小气候

湿地积水蒸发和植被蒸腾作用，每年可向大气输送大量的水分，在一定区域内保持稳定的空气湿地，降低气温和增加降水量，常形成特殊的湿润的局部小气候，使区域气候条件长期处于适于生物生长和发育的良好状态，凸显出湿地调节气候的能力。

湿地还能有效吸附和消灭空气中的粉尘和细菌，起到净化空气的作用。湿地植被不断地吸收二氧化碳、二氧化硫等有害气体，调节大气的组成、提高空气质量，减轻人类生产生活对大气的破坏程度。

2.2.3 碳汇功能

湿地是地球表层系统中的重要碳汇，对于吸收大气中的温室气体，减缓全球气候变暖有重要作用。在许多生态系统中，植物被降解，碳则以二氧化碳的形式回到大气中。湿地生态系统具有巨大的能量与物质循环功能，湿地含有大量未被分解的有机物质，因此起着碳库的作用，所以湿地是全球性碳汇。湿地植物是水域生态系统的重要组成部分，为生态系统提供了关键的自然生产力，同时具有极大的碳汇潜力和经济价值。

据《若尔盖泥炭地碳动态评估报告》分析，四川若尔盖是全国最大的泥炭分布区，共有泥炭地442个，泥炭地总面积为4605.28平方公里。按照年碳汇量986吨/平方公里计算，若尔盖泥炭湿地每年最大碳汇量为454万吨。按每吨碳交易价格10欧元计，可产生经济效益超过5亿元人民币。

2.2.4　调蓄洪水

四川省湿地在控制洪水，调节水流方面功能巨大，在蓄水、调节河川径流、补给地下水和维持区域水平衡中发挥着重要作用，是全省蓄水防洪的天然“海绵”。四川降水时空分配不均匀，通过天然和人工湿地的调节，储存来自降雨、河流过多的水量，从而避免发生洪水灾害，保证工农业生产有稳定的水源供给。据本次调查统计，四川省拥有大中型水100余处，在洪水季节调整水位，人为控制水位，保证了周边居民经济、生命安全；在干旱季节，为周边提供水源，保证居民生活用水和工农业生产用水。

2.3　文化利用

2.3.1　湿地文化

四川省的湿地文化丰富多彩，既有长期的农耕文化的积淀，也有现代文明的衍生，它是人类物质文明与精神文明相结合的产物。如世界遗产之地——九寨沟、黄龙，文化遗产之地——青城山、都江堰等，湿地都扮演着重要角色。湿地文化与经济的发展和人类文明的进步相伴而生，相得益彰，并将不断发展壮大，在四川大地上绽放绚丽华章。

四川西部的若尔盖隐秘着锦绣多姿的湿地文化，留下了众多的人类文明和特色文化底蕴。走进若尔盖，就走进了美丽，走进了风景。可以枕黄河涛声，观日落牧归，共水天一色；卧花湖栈道、看鸥翔鹤舞、任云卷云舒。还可以跨河曲骏马飞身天际，入峡谷探白龙江源，寻找红军当年的足迹……

四川东部的成都平原沉淀了古老的农耕文化，代表了成都地区湿地环境与农耕文明的变迁史。走进成都平原，这里有被称为“冬水田”“烂坝子”“下湿田”等湿地田园风光。此一类湿地环境除了记录并展现着自然生态环境的变迁之外，还是农业生产最重要的环境载体，也是生物多样性的环境基础。根据成都平原的地质特性与历史文献记载，成都平原在数千年时间内由天然的湿地泽国逐渐演变成现今的周期性平原人工湿地，社会生产方式也从古蜀时期的渔业过渡到今天以水稻生产为主的农业方式……

2.3.2　湿地科研

湿地以其丰富的资源和多种功能为人类服务，人类从湿地中获取宝贵的食物、淡水及其他生产生活资料。人类依附于自然而生存，并在不断地观察自然，努力掌握自然规律。湿地的发生、发展以及系统循环规律等一直是科研工作者不断追求的目标，而湿地本身也就理所当然地成为最理想的天然实验室，为人们提供广阔的实验场地和丰富的实验材料。四川省若尔盖、海子山、察青松多、鸭子河等湿地自然保护区是许多珍稀、濒危动植物的繁育地和栖息地，为人们观察湿地动植物的生活习性、生物学特性和生态习性等提供了理想的科研场所。

多年来，四川省部分湿地因显示着过去和现在生态过程的痕迹，而被用来开展环境监测、全球环境变化趋势、对照实验等科学研究；部分湿地因包含着生物进化、环境演变等方面的重要信息，而被用来开展湿地动植物观测、湿地演化等科学研究。这些重要湿地为众多国内外湿地专家、学者提供了理想的科研实验场，湿地生态、湿地植物及湿地动物等众多湿地资源研究一直在持续向前。湿地是人类了解自然、掌握自然规律的窗口，尊重自然规律从了解自然规律开始。

2.3.3 湿地教育

为了更好地保护湿地，提高人们对湿地的科学认识，强化环境保护意识，向广大学生和社会公众开放湿地自然保护区，扩大宣传，积极吸引，展示湿地的科研成果是非常必要的手段。让人们对湿地有更加科学和全面的了解，是湿地保护和管理工作的重要内容。

举办湿地“爱鸟周”“湿地日”等公益科普活动，可以向人们进行湿地保护的宣传教育，在增长人们的自然科学知识的同时，提高人们保护生物多样性和湿地生态环境的积极性，培养群众的公众意识，为保护湿地提供最广泛的社会基础。从认识到了解、再到自觉保护，需要一个过程，宣传教育是一项长期的任务。近年来，四川省已举办数次的湿地相关科普活动，展示内容以湿地野生动植物标本和图片为主，通过宣传手册、视频等手段展示湿地生物多样性，通过文字标牌和讲解词让人们认识湿地、了解湿地。

2.3.4 湿地休闲娱乐

湿地作为自然景观的重要组成部分，是人们欣赏自然过程中不可或缺的关键元素。湿地中包含江河、湖泊、库塘、森林、草地、沼泽，是点、线、面的完美组合。随着季节的变化湿地可以变幻出丰富的色彩，是一幅鲜活的画卷。湿地不仅有优美的景色、清新的空气让人放松身心，而且丰富的负氧离子对人体具有保健功能，更有丰富、独特的湿地植物和湿地动物满足人们猎奇心理。

湿地为旅游者提供欣赏优美大自然的场地，也是休闲娱乐的极佳场所。例如若尔盖国际重要湿地，在蓝天白云之下，湖畔绿草之边，黑颈鹤或展翅飞翔、或翩翩起舞、或昂首挺胸、或怡然自得。成群结队的野鸭云集湖面，荡游、戏水，不时潜入水中觅食，好一派美好风光，旅游者心旷神怡，陶醉在大自然境界中，享受自然美。湿地除了自身固有的典型特征以外，由于湿地的类型不同、成因不同或地域不同等因素，使得每个湿地又具有其独特的一面，如峡谷、喀斯特等地貌景观，九寨、黄龙等历史文化遗产等，为湿地旅游休闲提供了新的内容。为了让人们更加亲近自然、与自然形成互动，可以利用湿地的资源优势和地势特点等，开展丰富多彩的娱乐活动，如划船、漂流、采摘以及参加湿地公益性活动等，在休闲娱乐的同时，了解一些湿地知识，在陶冶情操的同时，为湿地做一些公益，使休闲娱乐更有意义。

2.4 支持利用

2.4.1 保护遗传物质和生物多样性

湿地是一个复杂的生态系统，具有丰富的生物资源，是一个储量庞大的天然物种基因库，这些物种具有为改善经济物种提供基因材料的潜力。湿地生态系统在地理分布、水文状况及生物群落上的过渡性，使其成为直接支持动植物生命循环的重要生境。湿地生态系统类型多样，生物种类繁多，且具有特有、孑遗种及经济种多的特点。

四川省现有湿地脊椎动物共有5纲29目78科570种。其中，鱼纲9目21科239种，两栖纲2目10科105种，爬行纲2目8科25种，鸟纲11目22科147种，哺乳纲5目17科54种；属国家重点保护野生动物有51种，其中国家Ⅰ级保护野生动物10种，国家Ⅱ级保护野生动物41种。四川现有湿地高等植物114科376属1008种(含种下等级)。其中，苔藓植物20科26属37种，蕨类植物15科17属24种，裸子植物1科2属2种，被子植物78科331属945种。属国家重点保护野生植物有7种，其中国家Ⅰ级保护野生植物3种，国家Ⅱ级保护野生植物4种。这些特有物种、孑遗物种、经济物种和国家重点保护物种等众多动植物种类对于保护区域遗传资源，维持生物多样性方面具有难以替代的生态价值。

2.4.2 提供栖息地

湿地为众多野生动植物提供完成全部或部分生命循环所需的全部因子，为物种的延续提供了必要的条件，同时也是濒危鸟类、迁徙候鸟以及其他野生动物的重要栖息与繁殖场所。如若尔盖高原沼泽是我国已知黑颈鹤繁殖地中繁殖种群最大的地区，每年约数百只在此繁殖；四川乐安州级自然保护区存在着比较稳定的黑鹳越冬种群，数量约10只左右等。

四川省依赖湿地生存、繁衍的野生动植物极为丰富，其中许多是珍稀特有物种。四川湿地面积大(特别是沼泽湿地)，分布广泛，包含物种丰富，是我国水禽的重要栖息地之一。

2.4.3 促进物质与能量循环

湿地作为全球三大生态系统之一，具有很高的生物多样性和生产力，是促进物质与能量循环的最为重要的场所。例如，湿地植物从发芽、生长、枯萎、分解；湿地动物从出生、成长、死亡、腐烂；湿地水分从降水、入渗、吸收、蒸腾；以及生物的食物链、河水的流动等，无一不是物质与能量的循环过程。另外，随着工农业生产和人类其他活动以及径流等自然过程带来的化肥、农药、除草剂、工业污染物、有毒物质进入湿地，湿地的物理、生物和化学过程可使有毒物质沉淀、降解和转化，使当地和下游区域受益。其中，水是湿地的灵魂，河流湿地、湖泊湿地和沼泽湿地都是地表水的主要承载区，丰富的地表积水是补充地下水的重要来源。湿地一旦遭到破坏，则会导致沼泽萎缩、河流干涸、地下水位下降等严重后果。

自80年代以来大面积的湿地被垦为稻田，天然湿地减少，湿地功能下降，造成地下水位明显下降，湿地的自然生态平衡被打破，物质与能量循环收到了一定的阻碍。

3 湿地资源利用存在问题及解决措施

3.1 存在问题

近50年来，由于经济社会和城镇交通的快速发展以及全球气候趋暖，加之人们对湿地生态价值认识不足，保护管理力量薄弱，全省湿地存在面积减少、质量下降、生态功能逐步退化的不良趋势，湿地资源保护利用方面存在的问题较为突出。

(1)公众的湿地资源保护意识薄弱：公众是湿地资源可持续利用的主体。湿地资源的有效性和和合理性利用水平的提高在很大程度上取决于公众的和管理决策者对湿地重要性的认识和观念的转变。目前，四川省保障湿地资源可持续性利用的资源保护意识薄弱，对湿地资源的重要意义认识不足，开垦和随意侵占湿地的现象依然存在，不少湿地污染严重，滥捕、滥采湿地野生种植物的行为屡禁不止。为此，必须借助多种信息传播媒介进行对外宣传和教育，使人们懂得湿地可持续利用与发展的重要性，提高湿地保护的责任感和积极性，确保湿地资源的可持续利用。

(2)自然河流修筑堤坝使河流湿地转变为人工湿地：在发展航运、交通、水电、农业等利益驱使下，四川省部分河流或者是河流的部分河段修建了水库(主要是灌溉工程)和堤坝(主要是水电航运工程)，使得自然河流湿地转变为人工湿地。部分设施没有兼顾配套建设鱼类和虾蟹类等水生动物的洄游通道，造成生物通道的人为隔断，破坏了鱼、虾、蟹类、珍稀水禽的栖息与繁殖生境。

(3)资源过度利用使湿地生物资源日益减少：湿地生物资源是利用最普遍、受害最严重的自然资源之一，而捕捞、狩猎、砍伐、采挖、放牧等又是获取湿地生物资源最传统和最主要的方式。由于长期重捕轻养，许多湖泊经济鱼类的土著种和珍稀特有种捕获量明显下降。鱼类资源的下降，往往引起捕捞网眼愈来愈小。从渔捕物的情况看，种类日趋单一，种群结构低龄化、小型化。同时因过度渔猎造成鱼类资源锐减，从而影响食鱼鸟类和兽类的食物来源。

挖沟排水、滥垦滥伐、开采泥炭等行为严重破坏了湿地植被，改变了湿地自然环境，从而使湿地动植物种类组成发生改变，影响了湿地物种的多样性，并为湿地的退化创造了条件。

过度放牧也对湿地造成了严重的破坏。少数民族地区牧民经济收入来源单一，以饲养牲畜为主。由于人口增加，为了获得更多的经济收入，牧民们不得不增加牲畜数量。如若尔盖县在新中国成立初期牲畜为12万混合头，1958年为30万混合头，至20世纪80年代时发展到80多万混合头，到2009年已发展到118万混合头，而人口则从2.8万增加到7万多。牛羊的数倍增长，人口的急剧增加，给湿地保护带来了巨大压力。

(4)湿地保护与开发利用矛盾突出：四川省自然湿地大多处在经济欠发达地区，湿地周边社区生计依赖于湿地资源，如水产种养殖业、牧业和旅游业等。在快速致富的大背景下，往往以牺牲环境为代价，大力发展短平快产业，加速了湿地资源的枯竭，破坏了生态平衡，有些已难以修复。

基建和城市化也逐渐成为威胁湿地的重要因子。一方面基建和城市化带来许多生活垃圾，污染湿地，并干扰了动物的栖息；另一方面，基建和城市化大大改变甚至破坏了湿地原有的自然景观，代之而起的是兴建了许多人文景观。

3.2 解决措施

目前，湿地资源利用范围较广、程度较大、问题较多，已给湿地资源保护带来了较大压力和考验。因而，急需采取相关措施以加强湿地资源保护、利用与管理。

(1)加强对现有湿地资源特别是自然湿地资源的抢救性保护：湿地生态系统是全省重要的自然生态资本。现有湿地资源整体上呈现湿地面积减少、生态质量下降、生态功能退化。合理利用湿地资源的首要前提就是要加强对现有资源的抢救性保护，降低或消除目前湿地生态环境受到的威胁。尽快建立比较完善和运作良好的全省湿地保护管理协调机制，严格实施《四川省湿地保护条例》，以法规范和协调湿地保护与利用活动。根据全省湿地资源现状，采取恢复植被、退牧还草、堵沟还湿、退田还湖、清淤扩湖、控制污染等措施，减缓湿地退化，逐步恢复湿地功能。

(2)制定全省和区域性的湿地保护与合理利用规划：加快制定全省和区域性的湿地保护利用规划，明确保护与开发利用的目标，确定保护行动和经费保障，加快湿地保护的科技支撑。坚决杜绝随意侵占湿地和擅自改变湿地属性的行为发生，严格禁止围垦、采挖湿地，禁止堤岸工程、景点建设、餐饮宾馆建设侵占湿地；对已经大面积围垦的湖泊水域，适时退田还湖(水、湿)，特别是对沿江河湿地湖泊群，综合评估生态安全、防洪抗旱、经济可持续发展等多方面客观需求等，实施积极的退田还湖措施。本着生态优先的原则，制定科学的湿地利用规划，明确开发和利用的区域，合理控制规模和速度，注重保留和保护湿地生态系统及其生物多样性。

(3)合理利用湿地景观资源发展湿地生态旅游：在维护湿地生态平衡、保护湿地功能和生物多样性的前提下，通过合理规划，促进湿地自然保护区、湿地公园的部分功能区开展湿地生态旅游，展示湿地自然景观和独特的生物多样性、湿地文化，发挥湿地旅游休闲、科普教育等方面的作用，最大限度发挥湿地的经济、社会效益，促进地方经济社会的可持续发展。

(4)建立湿地合理利用示范促进湿地资源健康发展：湿地资源是水资源、土地资源、生物资源、景观资源、矿产资源、能源资源等多种资源类别的综合体，涉及林业、农业、渔业、能源、矿产、水利、土地等多个行业。选择一些有代表性的湿地，积极开展生态旅游、水产养殖、珍稀水禽繁殖、生态农业等示范工程建设，以调整湿地资源的利用方式，提高湿地资源的综合利用率和科技含量，示范湿地合理利用的有效途径，促进湿地资源健康发展。

第二节
湿地资源可持续利用前景

1　湿地资源可持续利用潜力

四川省独特的地形、地貌以及气候条件孕育了独特而丰富湿地类型及湿地资源。湿地作为重要的国土资源和自然资源，与人类的生存和发展息息相关，是自然界最富有生物多样性的生态景观和人类追重要的生存环境之一。它不仅为人类的生产生活提供多种物质资源，而且具有巨大的环境功能和生态效益。步入 21 世纪以来，全省湿地资源的开发利用、保护管理及科学研究工作也进入了一个新的历史时期，如何重新评估全省湿地资源的可持续利用潜力及前景已显得尤为重要。同时，它对我们在新的历史时期更加科学合理的利用湿地资源、保护湿地生态环境方面有着重要的现实意义。

1.1　可持续利用影响因素

1.1.1　优势因素

(1)湿地资源面积大，湿地类型多样：四川省共有 4 个湿地类，占全国湿地类总数的 80.00%；有 17 个湿地型(野外调查 14 个湿地型)，占全国湿地型总数的 50.00%。野外调查湿地总面积为 174.78 万公顷，占全省国土总面积的 3.60%。其中沼泽湿地分布面积最大，为 117.59 万公顷，占全省湿地总面积的 67.28%；河流湿地次之，为 45.23 万公顷，占全省湿地总面积的 25.88%；人工湿地面积较小，为 8.22 万公顷，占全省湿地总面积的 4.71%；湖泊湿地面积最小，为 3.73 万公顷，仅占全省湿地总面积的 2.14%。此外，四川省有水稻田湿地面积 206.36 万公顷(2013 年)，含水稻田的全省湿地面积为 381.14 万公顷，占全省国土总面积的 7.84%。由此可见，类型多样的湿地资源及分布广泛的湿地面积为全省湿地资源的可持续利用提供了基础保障。

(2)湿地野生动植物资源丰富，国家重点保护物种繁多：四川省现有湿地脊椎动物共有 5 纲 29 目 78 科 570 种。其中，鱼纲 9 目 21 科 239 种，两栖纲 2 目 10 科 105 种，爬行纲 2 目 8 科 25

种，鸟纲11目22科147种，哺乳纲5目17科54种；属国家重点保护野生动物有51种，其中国家Ⅰ级保护野生动物10种，国家Ⅱ级保护野生动物41种。四川现有湿地高等植物114科376属1008种(含种下等级)。其中，苔藓植物20科26属37种，蕨类植物15科17属24种，裸子植物1科2属2种，被子植物78科331属945种。属国家重点保护野生植物有7种，其中国家Ⅰ级保护野生植物3种，国家Ⅱ级保护野生植物4种。由此可见，四川省湿地野生动植物资源及国家重点保护物种在全省湿地资源中占有重要地位。

(3)湿地景观类型复杂多样，旅游资源独具魅力：四川省湿地资源独具魅力，景观类型复杂多样、旅游资源颇具特色。东部盆地区江河纵横，沃野千里，造就了湿地富甲一方的天府之国；川西高原区沟壑纵横，残山绵延，构筑了具有世界意义的高寒湿地。这里镶嵌着青藏高原价值最高、体态最美的"湿地巨碧"——若尔盖湿地，它拥有地球上发育最典型、中国面积最大、含量最丰富的高原泥炭资源；这里承载着人类的"湿地梦幻世界，人间最美天堂"——九寨沟湿地，它凝聚了世界最美、最具观赏价值的高山湖泊群；这里隐匿着最具独特的"诸神码字盘"——海子山湿地，它铸就了青藏高原数量最多、密度最大的高山古冰体遗迹海子群……另外，四川省局部湿地成因复杂，形成了各具特色的古冰川、堰塞湖等重要旅游湿地资源。一些著名的湿地旅游胜地已成为世界自然文化遗产，或开发为国家级风景名胜区和森林公园，成为当今旅游的热点，在四川旅游业中异军突起，享誉中外，成为了地方经济发展的支柱产业之一。除此之外，很多国际重要湿地、国家级及省级的湿地保护区，以其奇特的景观、完好的原始自然风光以及众多珍禽异兽，也具有极高的生态旅游价值，成为生态旅游、休闲、科考的理想去处，其潜在的旅游资源价值正被发掘和合理利用。

1.1.2 劣势因素

(1)湿地资源利用方式落后，利用程度低：湿地是地球上生产力最高的生态系统，一般来说，其总体生产力是其他资源的二至四倍，以此为人类提供了丰富的动植物产品、矿产能源等生产生活原材料。但从目前来看，四川省在湿地资源利用上显得尤为粗糙，大多数湿地资源的利用主要表现在原材料的粗放应用方式上，缺乏湿地资源的高科技利用及高新产品推广应用，未全力挖掘及发挥湿地资源应有的应用价值，利用程度低下。

(2)湿地资源利用缺乏系统科学规划，产业效益低：由于资源利用技术较为落后，资金短缺等问题，四川省湿地资源利用产业链还不够完善，利用程度有限，湿地资源可持续利用优势没有得到充分挖掘。四川省湿地资源主要分布于川西、川西北等高寒边缘地带，该地区经济发展发展落后，市场发展潜力有限，其湿地资源利用主要靠外来流动人口及中心城市经济发展的带动，现有市场层次基本是大众消费层，缺乏完整、系统、科学的资源利用策划，不利于湿地资源的可持续利用和发展。另外，部分地区没有经过合理的论证而盲目过渡的进行湿地资源开发利用，以及只重视经济效益而忽略环境生态效益，使得资源的保护与利用的矛盾十分突出，出现了一系列的环境污染和生态环境破坏等问题，不利用湿地资源的可持续利用与发展。如何有效合理的利用湿地资源，促进湿地资源的可持续发展，已成为一个重要的战略任务。

(3)湿地保护管理力量薄弱，受胁程度高：虽说四川省湿地资源的开发利用已有悠久历史，但一些不利因素制约着湿地资源的可持续发展与利用。当前围绕四川湿地资源利用问题上的最突出矛盾就是管理力量薄弱，众多湿地资源的开发利用、保护管理牵涉面广、部门较多，尚未形成良好的管理、协调机制。不同地区、不同部门或同一地区不同部门，因在湿地资源利用、保护管理方面的利益不同、目标不同，各自为政，各行其是，影响了湿地资源的可持续利用和科学管理。理顺四川省湿地资源的管理体制，增强湿地保护管理力量，促进湿地资源的可持续利用，已是迫在眉睫。

(4)湿地生态补偿机制尚未健全，保障基础差：目前，四川省西部及西北部少数民族地区，至今还保留着较大面积的原生湿地环境，而绝大多数湿地由于城市建设、水利水电开发、旅游开发以及湿地地区居民的生产生活已被分割，受到了不同程度的破坏。全省湿地保护的总投入额度较少，多数抢救性保护、示范工程得不到全面保障。多数地方级湿地保护区没有纳入同级财政预算，制约着湿地资源的可持续利用与发展。因此，应加快建立湿地生态效益补偿制度与办法，明确湿地生态效益的补偿主体(谁来补)，明确湿地生态效益产出价值或因利用而损失的价值认定(补多少)，明确补偿的客体(补给谁)，明确补偿过程的管理程序(怎么补)。通过湿地生态效益补偿制度建立可以消除湿地保护与利用中的经济外部性，遏制湿地资源锐减趋势，协调湿地保护与利用的关系，促成保护成本与利用收益的对等，从而确保湿地资源的可持续发展。

1.1.3 机会因素

(1)生态文明建设为湿地保护与可持续利用提供了空前的机遇：2012 年 11 月召开的党的十八大将大力推进生态文明建设提到了前所未有的新高度，并提出“扩大湿地面积”“完善湿地生态补偿制度”等具体要求；2014 年 10 月四川省林业厅发布了《四川省林业推进生态文明建设规划纲要(2014 ~ 2020 年)》，纲要中强调了“划定湿地红线、推进湿地保护与恢复工程、实施湿地保护与恢复行动、升级一批国家重要湿地、认定一批省级重要湿地”等湿地建设路径。

湿地生态文明建设是改善人与湿地关系，促进湿地资源可持续发展的重要战略举措。四川省作为西南地区生态文明建设的桥头堡，湿地是四川建设长江上游生态屏障的重要保障，湿地资源保护和合理开发利用已成为生态文明建设的重要内容，国家和省委省政府已给予了高度重视和大力支持。

(2)各地在湿地资源合理利用中已探索出成功的经验：四川省依托湿地资源，积极发展生态旅游产业，已经走在国内前沿。随着人们生活水平的不断提高，人们的消费观念发生了翻天覆地的变化，拿钱买休闲、买健康已成为一种时尚，湿地生态旅游正好满足了人们的这种愿望，带动了全省经济发展。四川省得天独厚的湿地资源，如九寨、黄龙、若尔盖、黄河九曲第一湾等已发展成为相对成熟的湿地生态旅游产品，在全省可持续发展中起到了积极的引领作用。

1.1.4 威胁因素

(1)湿地保护与开发利用矛盾突出：四川省主要的湿地资源、湿地自然保护区大多处在经济欠发达地区，湿地周边社区主要依靠传统的畜牧业发展。在加快城镇化建设和产业发展的大背景下，受开发空间限制，一些地方出现城镇、道路等基础设施建设侵占湿地的现象；在湿地生态旅游开发过程中没有很好地坚持规划先行，依法依规，而是急速冒进、无序开发，兴建宾馆、旅游设施，湿地原有的自然景观被大量的人造景观所污染，湿地资源被占用。

(2)生物入侵威胁本土湿地生态系统稳定：四川省湿地生态系统的入侵物种种类和危害程度有逐步加重的趋势。调查发现，四川湿地中主要入侵植物种有喜旱莲子草与凤眼蓝。喜旱莲子草在全省各地湿地中都有分布，严重影响本地土著植物的生存空间。随着水体富营养化的加剧，凤眼蓝的危害日益严重。近年来，加拿大一枝黄花的入侵，虽未达到爆发的程度，但其危害性不可低估。调查发现，四川湿地生态系统的入侵动物种主要有有福寿螺、红耳龟、牛蛙等。在邛海湿地公园、遂宁观音湖湿地公园和广元南河湿地公园都发现有福寿螺入侵记录，在九寨沟国家级自然保护区曾发现有人为放生的红耳龟。

1.2 可持续利用前景

基于以上四川省湿地资源可持续利用潜力因素的分析和总结，明确了四川湿地可持续利用与发展的优势与劣势，基本掌握了四川湿地可持续发展所面临的机遇与挑战。

综上所述，目前湿地资源可持续利用优势大于劣势，机遇大于威胁。丰富的湿地类型、多样的湿地动植物、独特的湿地景观资源、深厚的湿地文化底蕴等将为四川湿地的可持续利用与发展带来无限前景和美好憧憬。合理利用湿地资源，进一步发掘四川湿地最具典型性、代表性的自然、人文特色，凸显四川湿地的品牌地位，在可持续利用与发展的理论指导下，利用自身优势，逐步治理、恢复湿地生态系统，改善湿地生态环境及功能，确保湿地资源的可持续利用与发展，达到经济、社会、环境效益最大化、合理化，功在当代，利在千秋。

2 生态建设背景下的湿地可持续利用优势

四川湿地资源丰富，战略地位重要，是长江、黄河上游重要水源涵养地和补给区，对我国中东部地区的经济社会可持续发展具有极其重要的价值，对保证我国西部生态安全、水安全具有重要的战略意义。四川湿地也是建设长江上游生态屏障的重要保障，是四川生态文明建设和资源可持续利用的重要基础，在湿地资源生态建设及可持续利用方面具有显著优势地位。

(1)丰富的湿地资源是四川省建设长江上游生态屏障的重要保障：四川省是长江、黄河的重要水源涵养区，丰富的湿地资源具有水源涵养、水资源补给、水土保持、生物多样性保护、区域气候调节等多种生态功能。该区孕育了金沙江、雅砻江、岷江、黑河、白河等众多河流及大量的沼泽、湖泊湿地，黄河上游水量的10%～20%、长江上游水量的46.8%来自四川，直接影响着长江流域尤其是三峡库区的生态安全。四川省是我国泥炭沼泽分布最为集中和储量最大的地区，泥炭储量近20亿吨，其巨大的储水量对下游水量调节，水量平衡和均化洪水有着不可替代的功能作用，对长江上游、青藏高原乃至全球碳循环以及大气温室气体平衡产生重要影响，是国内外高度关注的生态敏感区。在《全国主体功能区规划》中，位于四川西部的川西藏区是提供生态产品为主体功能的国家级重点生态功能区，是保障长江黄河中下游地区生态安全、构建国家生态安全战略格局的重要支撑。

(2)川西高原湿地具有重要的国际/国家保护价值：川西高原分布有众多享誉国内外的著名湿地，如若尔盖湿地、海子山湿地等，这些区域的湿地资源具有典型性、独特性乃至唯一性，具有重要的国际/国家保护价值。

四川若尔盖湿地以高寒泥炭沼泽湿地生态系统和黑颈鹤等珍稀野生动物为主要保护对象。湿地吸纳储蓄淡水总量近100亿立方米，黄河在枯水期和丰水期流经该区域后，流量相应分别增加近40%和26%。若尔盖高原湿地中泥炭沼泽有4900平方公里，泥炭深度0.3～8.8米，最深达38米，泥炭总储量近20亿吨，约占全国泥炭总量的40%。该湿地是高寒湿地生态系统的典型代表，是全球生物多样性最关键地区之一，区域内栖息着9种国家Ⅰ级和41种国家Ⅱ级保护野生动物。湿地及周边分布着广大农牧民赖以生存的优质牧场，为川西藏区广大农牧民提供了最主要的生产、生活资料，是促进区域经济发展和维护社会稳定的重要物质基础。

四川海子山湿地是青藏高原面积较大、集中连片的沼泽—湖泊群复合高寒湿地之一，其生态系统功能非常完整，是金沙江和雅砻江的水源涵养地和水源补给地，是青藏高原古冰川地貌发育最典型、保存最好、面积最大的区域，是四川省高山湖泊最多、密度最大的湿地，具有较高的生态、经济和社会价值。

(3)湿地景观已经成为支撑生态旅游可持续发展的重要基础：四川省湿地景观资源丰富，以山地湿地景观和高原湿地景观最为典型和最具代表性，吸引了国内外众多游客，成为了区域生态旅游产业开发的绝对优势和基础资源，业已形成了全省和区域第三产业发展的支柱性资源。例如，四川九寨沟国家级自然保护区属石灰岩地区，岩溶地貌发育，境内有高山湖泊108个，整个湖泊群多以激流、瀑布所串连，似念珠串式沿谷底绵延数十里。保护区以其水色之秀，山光之美为国内外喻为“人间仙境”“神话世界”。若尔盖高原湿地属典型的高寒湿地类型，是全省最大的沼泽湿地，水面开阔，生物多样性丰富，高寒湿地特征典型。该湿地分布着类型多样的沼泽植被、湿草甸等植被景观类型。

(4)川西高山峡谷区河流湿地具有重要的经济价值：四川水系发达，河流多达1400多条，全境水能资源量大且集中。省内各河流均发源于川西北高原或区域内的边缘山地，河流大多具有谷坡陡、河床窄、落差大、险滩多、流速急等几个特点，为梯级开发水能资源提供了优越的自然条件，因此成为了全省水力资源开发的重要能源之一，尤以川西高原最为显著和最具代表性。据普查资料，全省水能理论蕴藏量达14269万千瓦，技术可开发量为10346万千瓦，经济可开发量为7611.2万千瓦，占全国的1/4，年发电量4.95亿千瓦小时，居全国第一位。其中，可建设1万千瓦以上的水电站200多处，建100万千瓦以上的水电站20余处。随着经济社会的快速发展，能源需求快速增长，大力开发全省河流水力资源，特别是川西高山峡谷区，对全省及地区经济发展具有十分重大的意义。

(5)盆地及丘陵区库塘湿地是农业生产生活的基础保障：四川盆地及丘陵区库塘湿地资源数量众多，全省库塘湿地面积达7.98万公顷，一直是川中丘陵区农业生产生活的主要水源补给之一。全省库塘分布集中在川中丘陵区，尤以干旱、半干旱区库塘数量较多，如攀枝花等干热河谷地区，库塘成为了农业用水的重要来源，为该地区蔬菜基地建设和蔬菜市场的经营等提供了重要水源保障；而成都平原区的渠塘和库塘，成为了该区粮食生产基地的主要水源补给来源。因此，建设盆地及丘陵区渠塘和库塘工程，为“巴蜀粮仓”的持续发展提供了基础保障，具有十分重要的意义。

3　湿地资源可持续利用的保障措施

目前，虽然四川省在保障湿地资源可持续利用方面所做工作取得了一些成绩，但仅限个案，较难推广。基于全省湿地资源面临的种种问题，应尽快制定全面、综合性的湿地资源可持续利用保障措施，加强湿地资源的科学研究工作，对湿地生态系统进行有效管理，有计划地进行湿地资源保护，以保证湿地资源的可持续利用与发展。

(1)加大湿地资源的专项和综合性调查：迄今为止，四川省除了两次全省性的湿地资源调查外，其他针对湿地资源进行的专项和综合性调查极少，严重妨碍了四川省湿地规划的制定和湿地资源的合理开发利用。为此，今后将加大湿地资源的调查工作，系统地掌握湿地自然环境和周边社会经济状况等基本资料，弄清湿地资源的动态变化规律及影响机制，为湿地资源的可持续发展提供科学依据。

(2)制定湿地保护管理与可持续利用长远规划和行动计划：湿地资源保护管理与可持续利用涉及内容较多，知识面广，需要制定一个长远的规划和行动计划，以进一步协调城乡发展、土地利用、水利水电发展的关系，停止一切不合理的湿地转向利用活动，防止湿地资源的进一步破坏。同时，专项规划应充分考虑湿地资源的保护与合理开发利用，切实维护和保护湿地生态系统及湿地资源。通过组织实施长远规划、专项规划以及行动计划等，使湿地资源得以全面保护与恢复，做到湿地资源的可持续利用与发展。

(3)开展全面系统的湿地及湿地资源科学研究：四川省湿地资源的保护与管理工作起步晚，有关的理论研究还有不少空白。在湿地资源可持续利用与发展方面尚有许多问题需要依靠科学研究来解决。另外，四川省湿地生态系统具有一定的独特性和代表性，相关研究涉及面广、学科综合性强，需要加强多学科的综合系统研究，为湿地资源开发、生态保护和资源管理等提供科学依据。

(4)完善湿地资源可持续利用的配套法规：根据四川省湿地资源现状，及时制定配套的湿地管理法规。同时依靠法律手段，理顺湿地开发利用与保护的关系，以及各部门与地区之间的关系，使湿地资源得到可持续利用与发展，并获得最大的经济效益、社会效益和生态效益。

(5)积极争取并加大有关湿地保护管理及可持续利用发展的资金及投入：湿地资源保护与可持续利用是一项长期的系统性工程，需要大量的资金投入。当前经费投入严重不足已成为制约湿地资源可持续发展的瓶颈。因资金短缺，使得许多湿地保护项目和行动难以实施，已建立的湿地自然保护区、湿地公园等不能发挥正常的功能，必要的湿地基础研究难以进行。因此，必须尽快建立多渠道、多元化、多层次的资金投入机制，保证湿地资金的投入。各级政府应将湿地资源保护及开发利用纳入国民经济和社会发展规划，加大对湿地资源保护与可持续利用的资金投入。同时，应争取国际资金的融入，运用市场机制，鼓励社会各类投资主体在有利于湿地保护的前提下，加大对湿地资源保护与合理利用的资金投入。

第五章 湿地资源评价

第一节 湿地生态状况

随着对湿地生态系统服务功能和价值的进一步认识，湿地已被认为是一个国家或地区重要的战略性生态资源，湿地的破坏和退化消失，将严重威胁区域和国家的生态安全，加强湿地保护恢复和管理已经成为世界各国的自觉行动。目前，湿地保护、恢复与管理一体化，湿地生态系统、生物多样性保护与水资源管理协同进行、相互促进，已成为国际上的共识。由于地球几乎所有的湿地资源都已受到人类活动的影响，导致不同程度的退化，通过科学的方法和技术手段恢复、重建并管理湿地、促进湿地生态结构的持续健康已成为湿地保护的必由之路。因此，科学评价湿地生态状况对于全面认识、了解、开发、利用湿地是十分必要和不可缺少的基础工作，并成为湿地保护、管理、合理利用及生态恢复的重要前提条件。

利用四川省第二次湿地资源调查数据，对全省重点调查的 77 处湿地的生态状况进行系统评价，以期较全面地反映四川省重点湿地的生态状况，为湿地的保护、管理及合理利用提供依据。

1 湿地水文状况

湿地水文状况主要包括水源补给、地面水流出状况和地表水积水状况。

四川省湿地水源补给方式多样，主要包括地表径流、大气降水、人工补给和综合补给四种类型。在全省重点调查湿地中，湿地水源补给主要以综合补给为主，少数湿地表现为地表径流、大气降水和人工补给方式进行水源补给。其中以综合补给方式进行水源补给的重点调查湿地 39 处，湿地面积达 90.95 万公顷，占全省湿地总面积的 52.04%；以地表径流方式进行水源补给的重点调查湿地 32 处，湿地面积 5.03 万公顷，占全省湿地总面积的 2.88%；以大气降水方式进行水源补给的重点调查湿地 5 处，湿地面积仅为 0.56 万公顷，占全省湿地总面积的 0.32%；以人工补给的重点调查湿地仅 1 处，湿地面积不足 0.02 万公顷，仅占全省湿地总面积的 0.01%。

四川省湿地地表水流出状况包括永久性流出、季节性流出、间歇性流出和偶尔流出。在全省重点调查湿地中，湿地地表水流出形式以永久性流出和间歇性流出为主，以季节性流出和偶尔流出为辅。其中，永久性流出的重点调查湿地 40 处，湿地面积为 8.05 万公顷，占全省湿地总面积的 8.34%；间歇性流出的重点调查湿地 19 处，湿地面积达 74.27 万公顷，占全省湿地总面积的

42.49%；季节性流出的重点调查湿地7处，湿地面积为6.28万公顷，占全省湿地总面积的6.50%；偶尔流出的重点调查湿地11处，湿地面积为7.99万公顷，占全省湿地总面积的8.25%。

四川省湿地地表水积水状况包括永久性积水、季节性积水、间歇性积水和季节性水涝四种类型。在全省重点调查湿地中，永久性积水的重点调查湿地49处，湿地面积达10.22万公顷，占全省湿地总面积的5.85%；季节性积水的重点调查湿地8处，湿地面积为11.34万公顷，占全省湿地总面积的6.49%；间歇性积水的重点调查湿地15处，湿地面积为72.50万公顷，占全省湿地总面积的41.48%；季节性洪涝的重点调查湿地5处，湿地面积为2.51万公顷，占全省湿地总面积的1.44%。

四川省重点调查湿地水文状况见表5-1。

表5-1 四川省重点调查湿地水文状况

序号	重点调查湿地名称	补给状况	流出状况	积水状况
1	四川唐家河国家级自然保护区	地表径流	永久性流出	永久性积水
2	四川观雾山省级自然保护区	地表径流	永久性流出	永久性积水
3	四川翠云廊古柏省级自然保护区	综合补给	季节性流出	永久性积水
4	四川嘉陵江源市级自然保护区	地表径流	永久性流出	永久性积水
5	四川南河国家湿地公园	地表径流	永久性流出	永久性积水
6	四川诺水河珍稀水生动物国家级自然保护区	地表径流	永久性流出	永久性积水
7	四川柏林省级湿地公园	地表径流	季节性流出	永久性积水
8	四川护安省级湿地公园	地表径流	永久性流出	永久性积水
9	四川三台白鹳及湿地县级自然保护区	地表径流	永久性流出	永久性积水
10	四川周公河省级自然保护区	地表径流	永久性流出	永久性积水
11	四川天全河省级自然保护区	地表径流	永久性流出	永久性积水
12	四川宝兴河市级自然保护区	地表径流	永久性流出	永久性积水
13	四川五通桥湿地县级自然保护区	地表径流	永久性流出	永久性积水
14	四川长江上游珍稀特有鱼类国家级自然保护区	地表径流	永久性流出	永久性积水
15	四川赤水河市级自然保护区	地表径流	永久性流出	永久性积水
16	四川云台湖省级湿地公园	大气降水	季节性流出	永久性积水
17	四川七仙湖省级湿地公园	大气降水	季节性流出	永久性积水
18	马湖湿地	综合补给	间歇性流出	永久性积水
19	邛海湿地	大气降水	永久性流出	永久性积水
20	四川泸沽湖州级自然保护区	综合补给	永久性流出	永久性积水
21	四川鸭嘴省级自然保护区	综合补给	永久性流出	永久性积水
22	四川恰朗多吉市级自然保护区	综合补给	永久性流出	永久性积水
23	四川二滩鸟类省级自然保护区	综合补给	永久性流出	永久性积水
24	四川乐安州级自然保护区	地表径流	永久性流出	永久性积水
25	四川百草坡省级自然保护区	综合补给	永久性流出	永久性积水
26	四川桫椤湖国家湿地公园	地表径流	永久性流出	永久性积水

（续）

序号	重点调查湿地名称	补给状况	流出状况	积水状况
27	四川大瓦山国家湿地公园	地表径流	永久性流出	永久性积水
28	四川三岔湖县级自然保护区	大气降水	季节性流出	永久性积水
29	四川龙女湖省级湿地公园	地表径流	永久性流出	永久性积水
30	四川太和鹭鸟市级自然保护区	地表径流	永久性流出	永久性积水
31	四川鸭子河湿地县级自然保护区	地表径流	间歇性流出	季节性积水
32	四川射洪中华涪江湿地走廊市级自然保护区	地表径流	永久性流出	永久性积水
33	四川彭州湔江国家湿地公园	地表径流	永久性流出	永久性积水
34	四川盐亭白鹤县级自然保护区	大气降水	永久性流出	季节性水涝
35	四川游仙水禽湿地县级自然保护区	地表径流	间歇性流出	永久性积水
36	四川升钟湖省级湿地公园	地表径流	间歇性流出	永久性积水
37	四川构溪河国家湿地公园	地表径流	永久性流出	永久性积水
38	四川驷马省级自然保护区	地表径流	永久性流出	永久性积水
39	四川构溪河湿地县级自然保护区	地表径流	永久性流出	永久性积水
40	四川剑阁西河市级湿地自然保护区	地表径流	永久性流出	永久性积水
41	四川柏林湖国家湿地公园	地表径流	永久性流出	永久性积水
42	四川米仓山国家级自然保护区	地表径流	永久性流出	永久性积水
43	四川大小兰沟省级自然保护区	地表径流	永久性流出	永久性积水
44	四川新路海省级自然保护区	综合补给	永久性流出	永久性积水
45	四川神仙山省级自然保护区	综合补给	偶尔流出	季节性水涝
46	四川嘎金雪山县级自然保护区	综合补给	偶尔流出	季节性水涝
47	四川阿须县级湿地自然保护区	综合补给	季节性流出	季节性积水
48	四川亿比措省级自然保护区	综合补给	永久性流出	永久性积水
49	四川孜龙河坝县级自然保护区	地表径流	永久性流出	永久性积水
50	四川莲宝叶则省级湿地公园	综合补给	偶尔流出	季节性积水
51	四川若尔盖国家湿地公园	综合补给	间歇性流出	间歇性积水
52	四川曼则塘省级湿地自然保护区	综合补给	偶尔流出	间歇性积水
53	若尔盖国家重要湿地	综合补给	间歇性流出	间歇性积水
54	四川格木县级自然保护区	综合补给	偶尔流出	间歇性积水
55	四川亚丁国家级自然保护区	综合补给	偶尔流出	季节性水涝
56	四川滚巴县级自然保护区	综合补给	间歇性流出	间歇性积水
57	四川海子山国家级自然保护区	综合补给	间歇性流出	季节性积水
58	四川措普沟县级自然保护区	综合补给	间歇性流出	间歇性积水
59	四川察青松多国家级自然保护区	综合补给	偶尔流出	间歇性积水
60	四川日巴雪山县级自然保护区	人工补给	永久性流出	永久性积水
61	四川长沙贡马国家级自然保护区	综合补给	间歇性流出	间歇性积水
62	四川南莫且省级自然保护区	综合补给	偶尔流出	间歇性积水

（续）

序号	重点调查湿地名称	补给状况	流出状况	积水状况
63	四川杜苟拉市级自然保护区	综合补给	偶尔流出	间歇性积水
64	四川泥拉坝县级自然保护区	综合补给	间歇性流出	季节性水涝
65	四川贡嘎山国家级自然保护区	综合补给	间歇性流出	间歇性积水
66	四川卡娘县级自然保护区	综合补给	永久性流出	永久性积水
67	四川卡沙湖省级自然保护区	综合补给	永久性流出	永久性积水
68	四川日干乔湿地州级自然保护区	综合补给	季节性流出	季节性积水
69	四川若尔盖湿地国家级自然保护区	综合补给	间歇性流出	间歇性积水
70	四川喀哈尔乔湿地县级自然保护区	综合补给	间歇性流出	间歇性积水
71	四川九寨沟国家级自然保护区	综合补给	间歇性流出	季节性积水
72	四川贡杠岭省级自然保护区	综合补给	间歇性流出	间歇性积水
73	四川黄龙省级自然保护区	综合补给	偶尔流出	永久性积水
74	九寨沟国家重要湿地	综合补给	间歇性流出	季节性积水
75	四川友谊县级自然保护区	综合补给	间歇性流出	永久性积水
76	四川雄龙西州级自然保护区	综合补给	间歇性流出	季节性积水
77	四川扎嘎神山县级自然保护区	综合补给	偶尔流出	间歇性积水

2 湿地水质状况

湿地水质状况主要包括酸碱度、矿化度、透明度和富营养化状况等。

四川省湿地地表水 pH 值介于4.8～8.38，平均值为6.27，地下水 pH 值介于4.90～8.26，平均值为6.70，地表水与地下水均介于酸性至弱碱性之间。

四川省湿地地表水和地下水矿化度介于0～0.9 克/升，平均值分别为0.57 克/升、0.68 克/升，矿化程度较低，淡水。

四川省湿地水体透明度介于0～12 米，平均透明度达2.71 米，透明度介于不透明至清之间。

四川省湿地水质营养状况表现为：总氮(TN)介于0～4.50 毫克/立方米，总磷(以 P 计)介于0～3.10 毫克/立方米，地表水化学需氧量介于0～27.51 毫克/立方米，水体营养状况差距较大，表现为贫营养化、中营养化、富营养化。

根据地表水环境质量标准(GB3838—2002)评价标准，四川省重点调查湿地中，湿地水质以地表Ⅰ类水为主，其重点调查湿地数量达40 处，湿地面积为90.73 万公顷，占全省湿地总面积的51.91%；地表Ⅱ类水的重点调查湿地数量17 处，湿地面积为1.32 万公顷，占全省湿地总面积的0.81%；地表Ⅲ类水的重点调查湿地数量仅为18 处，湿地面积为4.19 万公顷，占全省湿地总面积的2.40%；地表Ⅳ、Ⅴ类水的重点调查湿地数量少，各1 处，湿地面积分别约为0.02 万公顷和0.2 万公顷，分别占全省湿地总面积的0.01%、0.11%。

四川省重点调查湿地地表水水质状况见表5-2。

表 5-2　四川省重点调查湿地地表水水质状况

序号	重点调查湿地名称	地表水pH 值	地表水矿化度	地表水透明度	地表水营养化	地表水水质
1	四川唐家河国家级自然保护区	弱碱性	淡水	浑浊	贫营养	Ⅰ
2	四川观雾山省级自然保护区	弱碱性	淡水	浑浊	中营养	Ⅲ
3	四川翠云廊古柏省级自然保护区	弱碱性	淡水	浑浊	中营养	Ⅱ
4	四川嘉陵江源市级自然保护区	弱碱性	淡水	浑浊	中营养	Ⅱ
5	四川南河国家湿地公园	弱碱性	淡水	浑浊	中营养	Ⅲ
6	四川诺水河珍稀水生动物国家级自然保护区	弱碱性	淡水	浑浊	中营养	Ⅱ
7	四川柏林省级湿地公园	弱碱性	淡水	浑浊	富营养	Ⅳ
8	四川护安省级湿地公园	弱碱性	淡水	浑浊	中营养	Ⅲ
9	四川三台白鹳及湿地县级自然保护区	中性	淡水	浑浊	中营养	Ⅲ
10	四川周公河省级自然保护区	中性	淡水	浑浊	中营养	Ⅱ
11	四川天全河省级自然保护区	中性	淡水	浑浊	中营养	Ⅱ
12	四川宝兴河市级自然保护区	中性	淡水	浑浊	富营养	Ⅱ
13	四川五通桥湿地县级自然保护区	弱碱性	淡水	不透明	贫营养	Ⅲ
14	四川长江上游珍稀特有鱼类国家级自然保护区	中性	淡水	很浑浊	富营养	Ⅲ
15	四川赤水河市级自然保护区	中性	淡水	很浑浊	富营养	Ⅲ
16	四川云台湖省级湿地公园	中性	淡水	不透明	中营养	Ⅱ
17	四川七仙湖省级湿地公园	中性	淡水	不透明	中营养	Ⅱ
18	马湖湿地	微酸性	淡水	浑浊	中营养	Ⅱ
19	邛海湿地	中性	淡水	清	中营养	Ⅲ
20	四川泸沽湖州级自然保护区	中性	淡水	清	贫营养	Ⅰ
21	四川鸭嘴省级自然保护区	微酸性	淡水	浑浊	贫营养	Ⅱ
22	四川恰朗多吉市级自然保护区	微酸性	淡水	清	贫营养	Ⅱ
23	四川二滩鸟类省级自然保护区	中性	淡水	很浑浊	中营养	Ⅴ
24	四川乐安州级自然保护区	微酸性	淡水	清	贫营养	Ⅰ
25	四川百草坡省级自然保护区	微酸性	淡水	清	贫营养	Ⅰ
26	四川桫椤湖国家湿地公园	中性	淡水	很浑浊	富营养	Ⅲ
27	四川大瓦山国家湿地公园	中性	淡水	浑浊	富营养	Ⅱ
28	四川三岔湖县级自然保护区	中性	淡水	浑浊	富营养	Ⅱ
29	四川龙女湖省级湿地公园	弱碱性	淡水	浑浊	中营养	Ⅲ
30	四川太和鹭鸟市级自然保护区	弱碱性	淡水	很浑浊	中营养	Ⅲ
31	四川鸭子河湿地县级自然保护区	中性	淡水	浑浊	富营养	Ⅲ
32	四川射洪中华涪江湿地走廊市级自然保护区	弱碱性	淡水	浑浊	中营养	Ⅲ
33	四川彭州湔江国家湿地公园	弱碱性	淡水	浑浊	富营养	Ⅲ
34	四川盐亭白鹤县级自然保护区	弱碱性	淡水	浑浊	富营养	Ⅲ
35	四川游仙水禽湿地县级自然保护区	中性	淡水	浑浊	中营养	Ⅲ

（续）

序号	重点调查湿地名称	地表水pH值	地表水矿化度	地表水透明度	地表水营养化	地表水水质
36	四川升钟湖省级湿地公园	弱碱性	淡水	清	中营养	Ⅱ
37	四川构溪河国家湿地公园	弱碱性	淡水	清	中营养	Ⅱ
38	四川驷马省级自然保护区	弱碱性	淡水	浑浊	中营养	Ⅲ
39	四川构溪河湿地县级自然保护区	弱碱性	淡水	清	中营养	Ⅱ
40	四川剑阁西河市级湿地自然保护区	弱碱性	淡水	浑浊	富营养	Ⅱ
41	四川柏林湖国家湿地公园	弱碱性	淡水	浑浊	中营养	Ⅲ
42	四川米仓山国家级自然保护区	弱碱性	淡水	浑浊	贫营养	Ⅰ
43	四川大小兰沟省级自然保护区	弱碱性	淡水	浑浊	贫营养	Ⅰ
44	四川新路海省级自然保护区	微酸性	淡水	清	贫营养	Ⅰ
45	四川神仙山省级自然保护区	微酸性	淡水	清	贫营养	Ⅰ
46	四川嘎金雪山县级自然保护区	微酸性	淡水	清	贫营养	Ⅰ
47	四川阿须县级湿地自然保护区	微酸性	淡水	清	贫营养	Ⅰ
48	四川亿比措省级自然保护区	微酸性	淡水	清	贫营养	Ⅰ
49	四川孜龙河坝县级自然保护区	微酸性	淡水	清	贫营养	Ⅰ
50	四川莲宝叶则省级湿地公园	酸性	淡水	清	贫营养	Ⅰ
51	四川若尔盖国家湿地公园	微酸性	淡水	清	贫营养	Ⅰ
52	四川曼则塘省级湿地自然保护区	微酸性	淡水	清	贫营养	Ⅰ
53	若尔盖国家重要湿地	微酸性	淡水	清	贫营养	Ⅰ
54	四川格木县级自然保护区	微酸性	淡水	清	贫营养	Ⅰ
55	四川亚丁国家级自然保护区	微酸性	淡水	清	贫营养	Ⅰ
56	四川滚巴县级自然保护区	微酸性	淡水	清	贫营养	Ⅰ
57	四川海子山国家级自然保护区	微酸性	淡水	清	贫营养	Ⅰ
58	四川措普沟县级自然保护区	微酸性	淡水	清	贫营养	Ⅰ
59	四川察青松多国家级自然保护区	微酸性	淡水	清	贫营养	Ⅰ
60	四川日巴雪山县级自然保护区	微酸性	淡水	清	贫营养	Ⅰ
61	四川长沙贡马国家级自然保护区	微酸性	淡水	清	贫营养	Ⅰ
62	四川南莫且省级自然保护区	微酸性	淡水	清	贫营养	Ⅰ
63	四川杜荀拉市级自然保护区	微酸性	淡水	清	贫营养	Ⅰ
64	四川泥拉坝县级自然保护区	微酸性	淡水	清	贫营养	Ⅰ
65	四川贡嘎山国家级自然保护区	微酸性	淡水	清	贫营养	Ⅰ
66	四川卡娘县级自然保护区	微酸性	淡水	清	贫营养	Ⅰ
67	四川卡沙湖省级自然保护区	微酸性	淡水	清	贫营养	Ⅰ
68	四川日干乔湿地州级自然保护区	微酸性	淡水	清	贫营养	Ⅰ
69	四川若尔盖湿地国家级自然保护区	微酸性	淡水	清	贫营养	Ⅰ
70	四川喀哈尔乔湿地县级自然保护区	微酸性	淡水	清	贫营养	Ⅰ

（续）

序号	重点调查湿地名称	地表水 pH 值	地表水矿化度	地表水透明度	地表水营养化	地表水水质
71	四川九寨沟国家级自然保护区	微酸性	淡水	清	贫营养	I
72	四川贡杠岭省级自然保护区	微酸性	淡水	清	贫营养	I
73	四川黄龙省级自然保护区	微酸性	淡水	清	贫营养	I
74	九寨沟国家重要湿地	微酸性	淡水	清	贫营养	I
75	四川友谊县级自然保护区	微酸性	淡水	清	贫营养	I
76	四川雄龙西州级自然保护区	微酸性	淡水	清	贫营养	I
77	四川扎嘎神山县级自然保护区	微酸性	淡水	清	贫营养	I

3　生态状况评价

3.1　评价指标选取

3.1.1　指标选取原则

湿地生态系统是自然—经济—社会的复合系统，其生态状况的好坏是湿地可持续利用与发展的重要保障。湿地生态系统要持久地维持或支持内在组分、结构和功能的健康发展，必须要实现其生态合理性、经济有效性和社会可接受性，才能有助于实现湿地的可持续发展。因此，湿地生态状况评价指标的选取应将生态、经济、社会三要素相整合，同时还需考虑其他影响条件下所导致的湿地生态过程、经济结构、社会组成的动态变化。

另外，湿地是陆地与水生系统之间的过渡地带，其地表为浅水所覆盖或其水位在地表附近变化。换句话说，湿地可被视为一个内部过程长期为水所控制的生态系统。可见，湿地生态状况评价属于区域生态系统评价的范畴。因此，湿地生态状况评价指标的选取应以生态学理论，尤其是生态系统生态学和群落生态学理论为基础。

(1)指标的可比性：湿地类型多样，仅从成因划分就包括海成、海湾成因、河成、湖泊成因和沼生湿地系统 5 大类，每一大类又有成分更细的许多亚类。较强的可比性保证评价指标具有一定的适用范围。

(2)指标的代表性：为使评价结果更加科学，评价指标应该最能代表湿地生态系统本身固有的自然属性及其受干扰和破坏的程度。

(3)指标的可获取性：湿地生态评价的目的是加强对湿地资源的保护，评价指标应在相对有限的时间尺度上容易获取，评价结果才能及时提供有效的信息。

3.1.2　评价指标构建

湿地生态状况评价涉及指标较多，根据前述原则，结合四川省第二次湿地资源调查获取的数据，参考国际重要湿地生态评价办法，按照整体性、敏感性、生态脆弱性、科学性和可操作性等原则，从湿地自然属性和人为干扰状况两方面入手，筛选出能够较好反映湿地生态状况的 13 项指标，构建湿地生态状况评价体系。其中湿地自然属性包括景观生态、生物多样性、水环境所涵盖的 9 个子指标，人为干扰状况包括湿地利用、湿地受威胁状况所涵盖的 4 个子指标(表 5-3)。

表 5-3 四川省湿地生态状况评价指标体系一览表

一级指标	二级指标	三级指标	指标因子
自然指标(A_1)	景观指标(B_1)	自然湿地率(C_1)	自然湿地面积/湿地总面积
		湿地密度(C_2)	平均斑块面积/湿地总面积
		湿地斑块密度(C_3)	湿地斑块数/湿地总面积
	生物多样性指标(B_2)	单位面积物种多度(C_4)	物种数量/湿地面积
		植被覆盖度(C_5)	植被面积/湿地面积
		外来物种入侵(C_6)	有、无
	水环境指标(B_3)	污染物(C_7)	有、无
		富营养(C_8)	贫、中、富 3 级
		水质级别(C_9)	Ⅰ、Ⅱ、Ⅲ、Ⅳ、Ⅴ5 级
人为干扰指标(A_2)	社会指标(B_4)	人口密度(C_{10})	人口数量/重点调查面积
		利用情况(C_{11})	工(旅游)、农、水、未 4 级
	威胁指标(B_5)	威胁因子数量(C_{12})	数量
		威胁程度(C_{13})	安全、轻、重 3 级

3.2 评价方法

3.2.1 评价指标权重及赋值

权重是以某种数量对比的形式，衡量各个因素对被评价的事物相对重要程度的量值，由于不同的权重常常会导致不同的评价结果，因此评价指标权重的确定对于湿地生态状况评价具有重要的影响。

采用层次分析法(AHP)和德尔菲法对评价指标进行分级、确定指标权重，采用专家咨询法对各指标进行赋值。各指标分级与赋值方法如下：

(1)自然湿地率、湿地密度、湿地斑块密度、单位面积物种多度、植被覆盖度、人口密度六个指标根据大小分为五级，数据量级相差悬殊的数据采用极差变换方法进行标准化处理，然后再进行分级，分别赋值 1 分、3 分、5 分、7 分、9 分，分值越高，表示生态状况越好。

(2)外来物种入侵和污染物两个指标，分两个等级，“有”赋值 2 分，“无”赋值 8 分。

(3)营养状况分三级，贫营养赋值 8 分，中营养赋值 5 分，富营养赋值 2 分。

(4)水质级别分五级，分别赋值 9 分、7 分、5 分、3 分、1 分。

(5)利用情况分四级，工业(旅游)赋值 3 分，农业(种植、牧业、林业)赋值 5 分，水源地赋值 7 分，未利用赋值 9 分。

(6)威胁因子数量分十级，采用“10 - 数量”进行赋值。

(7)威胁程度分三级，安全赋值 8 分，轻度赋值 5 分，重度赋值 2 分。

基于以上指标值分级与赋值方法，通过层次分析法计算得到各类型指标权重见表 5-4。

表 5-4　四川省湿地生态状况评价指标体系权重表

一级指标	权重	二级指标	权重	三级指标	权重
自然指标(A_1)	0.6	景观指标(B_1)	0.1	自然湿地率(C_1)	0.03
				湿地密度(C_2)	0.012
				湿地斑块密度(C_3)	0.018
		生物多样性指标(B_2)	0.45	单位面积物种多度(C_4)	0.108
				植被覆盖度(C_5)	0.108
				外来物种入侵(C_6)	0.054
		水环境指标(B_3)	0.45	污染物(C_7)	0.054
				富营养(C_8)	0.081
				水质级别(C_9)	0.135
人为干扰指标(A_2)	0.4	社会指标(B_4)	0.4	人口密度(C_{10})	0.064
				利用情况(C_{11})	0.096
		威胁指标(B_5)	0.6	威胁因子数量(C_{12})	0.084
				威胁程度(C_{13})	0.156

3.2.2　评价分值计算与等级划分

指标体系得分是评价湿地生态状况的重要参考依据，生态状况综合得分整体上反映了各评价单元之间的生态状况的优劣程度。根据评价指标体系标准得分及各指标权重，利用统计学累计求和公式，计算每处重点调查湿地生态状况综合得分。

$$\text{综合得分} = \sum \text{指标值} \times \text{权重} \tag{5-1}$$

利用 ArcGIS 中的自然断点分级法对重点湿地的生态状况综合得分进行划分，分为好、中、差 3 个等级。

3.3　生态状况评价及保护措施

3.3.1　评价结果

结果显示，按照自然断点法(natural breaks)划分的四川省 77 处重点调查湿地的生态状况综合得分等级中，“好”等级的综合得分范围为 5.905≤好<6.715，“中”等级的综合得分范围为 4.962≤中<5.905，“差”等级的综合得分范围为 2.959≤差<4.962。

四川省 77 处重点调查湿地中，生态状况为“好”的有 25 处，占重点调查湿地总数的 32.47%；湿地面积为 34.78 万公顷，占重点湿地总面积的 36.02%。生态状况为“中”的有 21 处，占重点调查湿地总数的 27.27%；湿地面积为 56.04 万公顷，占重点湿地总面积的 58.03%。生态状况为“差”的有 31 处，占重点调查湿地总数的 40.26%；湿地面积为 5.75 万公顷，占重点湿地总面积的 5.95%(表 5-5)。

表 5-5 四川省重点调查湿地生态状况评价结果

序号	重点调查湿地名称	地理位置	湿地面积（hm^2）	综合得分（分）	评价等级
1	四川唐家河国家级自然保护区	E104°37′～104°53′，N32°32′～32°41′	141.80	5.695	中
2	四川观雾山省级自然保护区	E104°41′～104°59′，N31°53′～32°10′	184.36	5.128	中
3	四川翠云廊古柏省级自然保护区	E105°04′～105°49′，N31°31′～32°20′	8.09	6.118	好
4	四川嘉陵江源市级自然保护区	E105°46′～105°57′，N32°31′～32°38′	1319.97	4.21	差
5	四川南河国家湿地公园	E105°50′～105°52′，N32°25′～32°25′	91.84	3.772	差
6	四川诺水河珍稀水生动物国家级自然保护区	E107°08′～107°40′，N31°56′～32°28′	2262.22	4.306	差
7	四川柏林省级湿地公园	E106°56′～106°58′，N31°08′～31°13′	216.07	2.959	差
8	四川护安省级湿地公园	E106°32′～107°03′，N30°18′～30°50′	174.00	4.324	差
9	四川三台白鹳及湿地县级自然保护区	E104°42′～105°03′，N30°50′～31°15′	4677.83	3.94	差
10	四川周公河省级自然保护区	E102°59′46″，N29°46′31″(中心)	315.07	5.29	中
11	四川天全河省级自然保护区	E102°36′～102°16′，N29°49′～30°20′	557.89	5.206	中
12	四川宝兴河市级自然保护区	E102°52′00″，N30°27′16″(中心)	180.35	5.131	中
13	四川五通桥湿地县级自然保护区	E103°48′09″，N29°24′59.5″(中心)	2070.32	4.939	差
14	四川长江上游珍稀特有鱼类国家级自然保护区	E104°09′～106°30′，N27°29′～29°04′	16344.76	4.192	差
15	四川赤水河市级自然保护区	E106°11′34″，N28°39′28″(中心)	1133.71	3.865	差
16	四川云台湖省级湿地公园	E104°10′38″，N28°59′45″(中心)	60.51	5.326	中
17	四川七仙湖省级湿地公园	E104°37′22″，N28°31′30″(中心)	120.78	4.554	差
18	马湖湿地	E103°41′～103°50′，N28°18′～28°30′	731.06	4.858	差
19	邛海湿地	E102°15′～102°21′，N27°46′～27°52′	2870.14	4.192	差
20	四川泸沽湖州级自然保护区	E100°46′～100°55′，N27°40′～27°44′	3062.29	4.963	中
21	四川鸭嘴省级自然保护区	E101°02′～101°13′，N28°06′～28°13′	311.38	6.157	好
22	四川恰朗多吉市级自然保护区	E100°23′～100°35′，N28°11′～28°33′	9.04	6.361	好
23	四川二滩鸟类省级自然保护区	E101°22′～101°52′，N26°51′～27°21′	1961.41	3.616	差
24	四川乐安州级自然保护区	E102°53′～103°03′，N27°27′～27°42′	152.30	5.203	中
25	四川百草坡省级自然保护区	E103°04′～103°26′，N27°48′～27°57′	184.15	6.439	好
26	四川桫椤湖国家湿地公园	E103°45′～103°51′，N29°08′～29°11′	154.64	4.921	差
27	四川大瓦山国家湿地公园	E102°58′～103°02′，N29°17′～29°25′	229.57	4.651	差
28	四川三岔湖县级自然保护区	E104°11′～104°53′，N30°04′～30°39′	2148.99	4.003	差
29	四川龙女湖省级湿地公园	E106°11′～106°17′，N30°18′～30°26′	762.00	4.104	差
30	四川太和鹭鸟市级自然保护区	E105°45′～106°00′，N30°27′～30°54′	299.42	4.108	差

（续）

序号	重点调查 湿地名称	地理 位置	湿地面积 （hm^2）	综合得分 （分）	评价 等级
31	四川鸭子河湿地县级自然保护区	E104°09′～104°19′，N30°57′～31°02′	534.39	4.021	差
32	四川射洪中华涪江湿地走廊市级自然保护区	E105°12′～105°29′，N30°44′～31°02′	2939.60	4	差
33	四川彭州湔江国家湿地公园	E103°46′～103°56′，N31°01′～31°14′	659.00	4.417	差
34	四川盐亭白鹤县级自然保护区	E105°20′～105°27′，N31°14′～31°28′	394.18	3.325	差
35	四川游仙水禽湿地县级自然保护区	E104°47′～104°56′，N31°28′～31°36′	810.56	4.396	差
36	四川升钟湖省级湿地公园	E105°30′～105°46′，N31°27′～31°37′	3510.37	4.498	差
37	四川构溪河国家湿地公园	E106°03′～106°12′，N31°32′～31°40′	381.98	4.618	差
38	四川驷马省级自然保护区	E106°55′～107°04′，N31°37′～31°46′	1870.75	4.876	差
39	四川构溪河湿地县级自然保护区	E106°04′～106°21′，N31°30′～31°46′	424.01	4.054	差
40	四川剑阁西河市级湿地自然保护区	E105°12′～105°48′，N31°33′～32°12′	1612.45	3.955	差
41	四川柏林湖国家湿地公园	E105°50′～105°55′，N32°03′～32°11′	132.65	4.24	差
42	四川米仓山国家级自然保护区	E106°24′～106°39′，N32°29′～32°41′	126.65	6.271	好
43	四川大小兰沟省级自然保护区	E106°50′～106°57′，N32°37′～32°43′	37.83	5.947	好
44	四川新路海省级自然保护区	E98°54′～99°14′，N31°42′～31°58′	1770.80	5.371	中
45	四川神仙山省级自然保护区	E100°43′～100°57′，N29°37′～29°53′	4610.77	6.163	好
46	四川嘎金雪山县级自然保护区	E99°07′～99°19′，N28°40′～28°58′	345.91	6.343	好
47	四川阿须县级湿地自然保护区	E98°57′～99°07′，N32°20′～32°30′	2994.84	6.415	好
48	四川亿比措省级自然保护区	E101°12′～101°27′，N30°20′～30°27′	19289.64	6.631	好
49	四川孜龙河坝县级自然保护区	E101°05′～101°10′，N30°57′～31°00′	176.74	5.395	中
50	四川莲宝叶则省级湿地公园	E101°08′～101°18′，N33°02′～33°09′	1400.44	5.611	中
51	四川若尔盖国家湿地公园	E102°29′～102°59′，N33°25′～34°00′	1213.15	5.947	好
52	四川曼则塘省级湿地自然保护区	E101°37′～102°14′，N32°44′～33°27′	39295.89	6.079	好
53	若尔盖国家重要湿地	E101°38′～103°24′，N32°35′～34°05′	247414.48	5.503	中
54	四川格木县级自然保护区	E100°11′～100°36′，N29°09′～29°43′	2414.37	6.499	好
55	四川亚丁国家级自然保护区	E99°58′～100°28′，N28°11′～28°34′	670.89	4.963	中
56	四川滚巴县级自然保护区	E100°19′～100°37′，N28°53′～29°04′	1833.39	6.499	好
57	四川海子山国家级自然保护区	E99°33′～100°31′，N29°06′～30°06′	32456.04	5.731	中
58	四川措普沟县级自然保护区	E99°18′～99°38′，N30°19′～30°37′	4051.43	6.031	好
59	四川察青松多国家级自然保护区	E99°11′～99°42′，N30°33′～31°06′	9014.89	6.415	好
60	四川日巴雪山县级自然保护区	E100°05～100°25′，N31°21′～31°31′	191.43	5.899	中
61	四川长沙贡马国家级自然保护区	E97°22′～98°39′，N33°18′～34°12′	181711.91	6.163	好
62	四川南莫且省级自然保护区	E101°06′～101°29′，N32°00′～32°25′	10123.60	6.247	好
63	四川杜苟拉市级自然保护区	E100°31′～100°59′，N31°57′～32°27′	2159.54	6.631	好

（续）

序号	重点调查 湿地名称	地理 位置	湿地面积 （hm^2）	综合得分 （分）	评价 等级
64	四川泥拉坝县级自然保护区	E99°21′～100°03′，N32°32′～33°00′	19063.28	6.247	好
65	四川贡嘎山国家级自然保护区	E101°29′～102°12′，N29°01′～30°05′	805.75	4.807	差
66	四川卡娘县级自然保护区	E100°20′～101°05′，N31°09′～31°52′	5081.54	6.247	好
67	四川卡沙湖省级自然保护区	E100°10′～100°27′，N31°24′～31°43′	124.23	5.347	中
68	四川日干乔湿地州级自然保护区	E102°37′～103°13′，N32°58′～33°19′	57204.23	5.671	中
69	四川若尔盖湿地国家级自然保护区	E102°29′～102°59′，N33°25′～34°00′	112923.47	5.611	中
70	四川喀哈尔乔湿地县级自然保护区	E102°08′～103°13′，N33°08′～33°36′	100914.68	5.479	中
71	四川九寨沟国家级自然保护区	E103°46′～104°05′，N32°55′～33°16′	432.28	5.059	中
72	四川贡杠岭省级自然保护区	E103°24′～103°48′，N33°02′～33°44′	1513.39	5.947	好
73	四川黄龙省级自然保护区	E103°37′～104°04′，N32°38′～32°55′	49.91	5.683	中
74	九寨沟国家重要湿地	E103°26′～103°56′，N33°00′～33°40′	1945.67	4.807	差
75	四川友谊县级自然保护区	E99°43′～100°07′，N30°36′～31°03′	14421.38	6.715	好
76	四川雄龙西州级自然保护区	E99°44′～100°14′，N30°37′～31°23′	18351.92	6.499	好
77	四川扎嘎神山县级自然保护区	E99°46′～100°15′，N30°10′～30°40′	9612.22	6.499	好

注：九寨沟国家重要湿地涵盖九寨沟国家级自然保护区、贡杠岭省级自然保护区；若尔盖国家重要湿地涵盖若尔盖湿地国家级自然保护区、若尔盖国家湿地公园、曼则塘省级自然保护区、日干乔州级自然保护区和喀哈尔乔县级自然保护区。

从不同类别重点调查湿地的生态状况看：①四川省现有1处国际重要湿地和3处国家重要湿地，这些重要湿地在生物地理上的典型性和稀有性，以及物种多样性保护等方面具有重要意义。在这4处湿地中，生态状况为“中”的有3处，包括若尔盖国际重要湿地、若尔盖国家重要湿地、泸沽湖国家重要湿地；生态状况为“差”的有1处，即九寨沟国家重要湿地。由此可见，四川省重要湿地的生态状况不容乐观，污染、干扰等威胁现象明显，亟待加强对重要湿地的保护、恢复、生态状况监测及管理，逐渐减轻和消除湿地威胁因子。②湿地生态状况等级为“好”的自然保护区24处，占生态状况“好”的重点调查湿地总数的96.00%，包括国家级自然保护区3处，省级自然保护区9处，市(州)级自然保护区3处，县级自然保护区9处。由此可见，自然保护区对维护湿地生态环境质量发挥着极其重要的作用。③湿地公园的湿地生态状况以“差”为主，数量达11处；生态状况为“好”的湿地公园仅1处，即四川若尔盖国家湿地公园，仅占生态状况“好”的重点调查湿地总数的4.00%。由此可见，湿地公园的湿地环境受人为影响较大，湿地生态质量面临的形势已十分严峻。

从不同生态状况湿地的分布格局(图5-1)看：①生态状况为“好”的重点调查湿地主要分布于川西高海拔地区，处于高山、亚高山或川西边境地区，这里人口密度低，社会经济活动对湿地产生的压力小。②生态状况为“中”的重点调查湿地多分布于川西低海拔及川西北地区，该区社会经济发展水平相对较高，人口密度较大，对区域内湿地环境产生了明显的负面影响，湿地生态系统有进一步恶化的趋势。③生态状况为“差”的重点调查湿地则主要分布于川东盆地及盆周山地区，该区域人口密度大且集中、人类扰动强，人类不合理的生产活动如排污、过渡捕捞、放牧等破坏了湿地生态系统，导致湿地退化严重，并且该区域生态环境脆弱性较高，环境承载力较低，长期不护理的开发利用和持续污染已对湿地生态系统造成严重破坏。

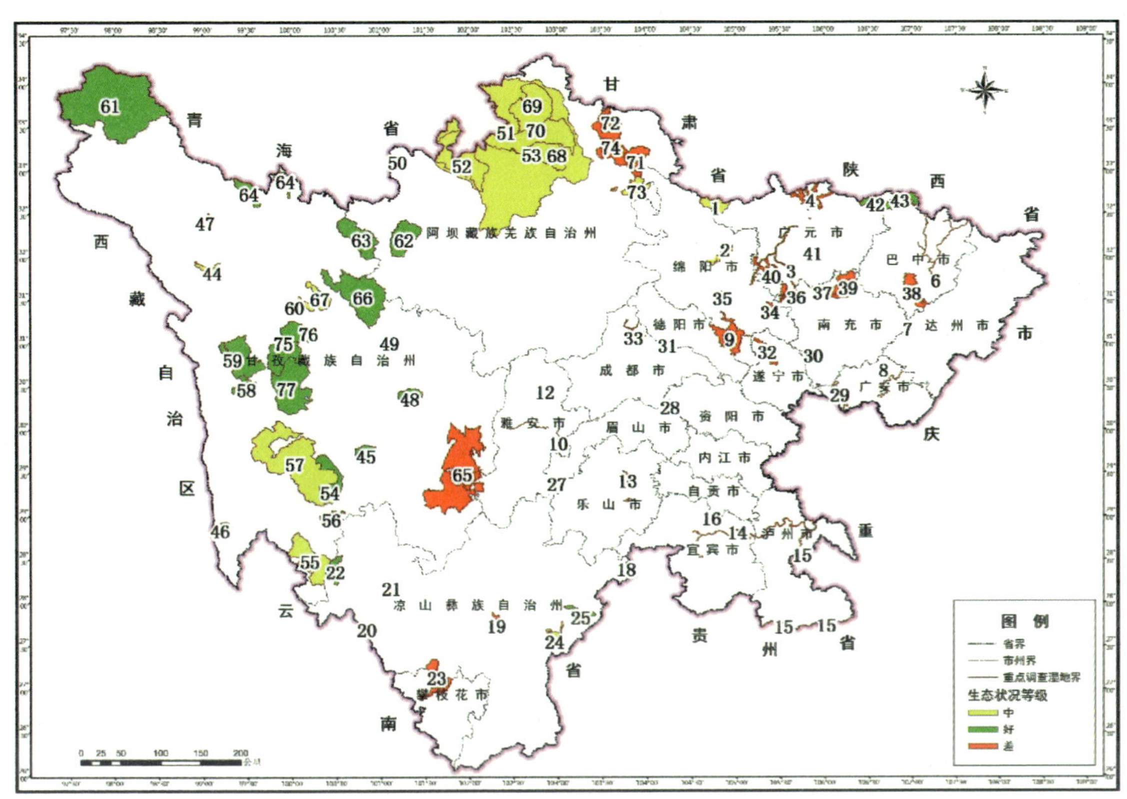

图 5-1 四川省重点调查湿地生态状况分布格局

总体上来看，四川省重点调查湿地的生态状况不容乐观，生态状况为“好”的湿地数量虽较多，但面积较小，主要分布于自然保护区内，人类活动对其影响较轻，这类湿地是人们最重要的安全饮用淡水水源供给地；生态状况为“中”的湿地面积最大，构成了全省重点湿地生态状况的主体，说明了人类活动对这些湿地的开发利用不尽合理，已引起湿地的某些属性改变甚至退化，对湿地及区域可持续发展构成了威胁；生态状况为“差”的湿地数量最多，面积较小，主要为众多湿地公园和局部自然保护区构成，此类湿地已遭到人类活动的严重干扰和污染，湿地生态状况恶化，部分湿地丧失了基本生态功能，严重威胁区域经济社会的可持续发展。

3.3.2 保护措施

四川省湿地覆盖率较小，其中能够有效利用的湿地资源更少，然而，全省社会经济发展高度依赖于十分有限的湿地资源，尤其是分布于高原地区的湖泊、沼泽和分布于坝区的河流、库塘，这些湿地资源为全省社会经济的发展提供了重要支撑，承载了过于沉重的生存、发展压力，也因此受到过度利用、不合理利用的严重威胁，形成了目前湿地生态状况及其分布格局，更加突显四川省湿地资源的珍贵和确定湿地生态红线的重要意义。

针对四川省湿地生态状况，今后必须建立完善的保护与管理体系，提升湿地保护和管理能力，加强全省主要湿地区域和重要湿地类型的保护与管理，制定湿地生态红线管理措施，杜绝随意侵占破坏湿地资源，全面维护湿地生态系统的结构和功能。对于生态状况为“好”的湿地，要加强保护力度，实施湿地生态补偿，尤其要加大对高海拔、脆弱地区的湖泊和沼泽的保护；对生态状况为“中”的湿地，要大幅度削减污染和人为干扰为重点，控制城镇村庄生活生产废水排入湿地，并采取措施提高湿地的自净能力和生态承载力；对生态状况为“差”的湿地，尤其是湿地公园，应以治理为重点，从截污控源、人工修复、退耕还湿，内源清除和生态补水等方面开展综合治理。

第二节 湿地受威胁状况

分析湿地威胁因子，了解湿地受威胁状况，采取有针对性的保护措施，是保护湿地生态环境，维护湿地生态系统平衡的基础。四川省湿地受到各种因子的威胁，但受威胁的程度各有不同，中东部湿地受威胁相对较重，西部湿地相对安全，全省湿地总体受威胁状况评价等级为轻度。

1 湿地主要受威胁因素

四川省湿地的威胁因子主要有基建、围垦、污染、过度捕捞和采集、生物入侵、过度放牧、旅游开发等负面影响。其中围垦、污染、过牧和生物入侵对湿地的威胁相对较重。

(1)基建和城市化建设过度开发，湿地污染严重：近年来，全省城市化建设发展迅速，各地高楼大厦等沿河、湖迅速崛起；城市人口过快增长，使河流、湖泊等湿地面临着湿地面源污染、湿地萎缩、水质下降、生物多样性降低等众多威胁。据不完全统计：自2000年以来，本次调查的重点湿地中受基建与城市化建设影响的湿地面积达7155公顷，主要包括川鸭子河湿地县级自然保护区、四川赤水河市级自然保护区、四川贡杠岭省级自然保护区等近10处重点调查湿地都遭到了不同程度的破坏。

(2)滩涂资源过度围垦，天然湿地面积逐渐减少：滩涂资源开发利用快速发展，天然湿地面积呈逐步减少趋势。据统计，自20世纪70年代以来，一些沿河、湖等的滩涂湿地资源逐步变成耕地、水浇地，因此而导致湖泊等湿地萎缩，湿地面积逐年减少。以邛海湿地为例，自1970年以来，平均每年大致近10公顷的滩涂湿地被围垦、开发。另外，部分滩涂资源开发利用与自然淤涨之间已出现不平衡趋势，滩涂资源的动态平衡一定程度上受到了破坏，一定时期内影响了滩涂资源的“再生”能力，对滩涂湿地、海洋生物多样性等已经产生较大影响，且较难逆转。

(3)农村、城市生活污水等随处排放，水质污染日趋严重：四川省境内的湖泊众多，河网密布。由于区域社会经济的快速发展，工业、农业和城市生活污水等的排放，致使湿地环境污染和水体富营养化现象严重，部分天然湿地成为工农业废水、生活污水的主要承泄区。湿地水体污染导致历史上自然形成的一些重要鸟类、经济鱼、虾、蟹和贝藻类生物产卵场、育肥场或越冬场逐渐消失。据不完全统计，自2000年以来，本次调查的重点湿地中受污染影响的湿地面积达5719.62公顷，主要包括四川长江上游珍稀特有鱼类国家级自然保护区、四川太和鹭鸟市级自然保护区、四川柏林省级湿地公园等近10处重点调查湿地。

(4)过度捕捞与采集，湿地生物多样性降低：湿地生物资源是利用最普遍、受害最严重的自然资源之一，而捕捞、狩猎、砍伐、采挖等又是获取湿地生物资源最传统和最主要的方式。由于长期重捕轻养，许多湖泊经济鱼类的土著种和珍稀特有种捕获量明显下降。鱼类资源的下降，往往引起捕捞网眼愈来愈小。从渔捕物的情况看，种类日趋单一，种群结构低龄化、小型化。因此，因过度捕捞与采集，将使湿地生态系统平衡受到严重干扰。据统计，在全省湿地资源利用中，鱼、虾等资源年平均捕捞量近1800吨，在一定程度上，制约着湿地生物多样性的发展。

(5)生物入侵威胁严重，破坏着原有湿地生态系统：湿地良好的环境条件不仅有利于本地种的生存，也利于外来物种的入侵。四川省湿地生态系统中危害较大的入侵植物物种有凤眼蓝、喜旱莲子草等。凤眼蓝和喜旱莲子草大面积覆盖浅水域，造成河道阻塞，阻碍了河道的排灌和泄洪，破坏了原有湿地生态系统；入侵湿地动物中包括牛蛙、福寿螺等，这些动物的入侵将改变其他本土水生、湿生生物的群落结构，影响了水鸟的栖息与觅食环境，严重威胁到湿地生物多样性和稳定性。

(6)过度放牧致使沼泽草甸退化，湿地沙化严重：随着人口的增加以及人们改善生活质量的迫切需求，一些地区畜牧业发展过快，导致过度放牧，致使很多湿地植物不能有规律的完成其生活周期，湿地植物多样性丧失，破坏了湿地生态系统的良性循环，生态功能降低或丧失，致使沼泽草甸退化、湿地沙化严重。以若尔盖湿地为例，自1987年以来，湿地沙化面积达累计51.70万公顷，沙化正以每年11.65%的速度进行着，严重的沙化不仅造成了环境的恶化，也影响了牧业的发展，并造成严重的经济损失。本次调查还发现：在全省重点调查湿地中，诸如四川喀哈尔乔湿地县级自然保护区、四川日干乔湿地州级自然保护区、四川曼则塘省级湿地自然保护区等高寒湿地保护区都存在不同程度的过牧现象。

(7)湿地旅游活动加剧，湿地面临多种潜在威胁：开展湿地生态旅游不可避免地要在湿地上架设眺望台或游步道，有时还需提供水上交通工具，这些旅游设施在湿地的突然出现，毫无疑问会对湿地的生态环境和湿地野生动物的日常生活产生一定的负面影响。一些湿地经营和管理部门为了增加旅游收入而去迎合某些游客的需要，在湿地范围内大兴土木，建设各种餐饮设施和住宿设施，这些设施不但侵占了湿地，使湿地面积缩减。与此同时，湿地游客的旅游活动将增加湿地垃圾、污水排放，存在着潜在的面源污染，并增加外来物种入侵的风险。这些现象在四川省九寨沟自然保护区、黄龙自然保护区、稻城亚丁自然保护区等众多知名旅游景区尤为突出，致使四川省湿地资源面临着众多潜在威胁。

2　湿地受威胁程度

虽然四川省湿地类型独特而丰富，湿地面积分布不均，地理分布差异较大，是全国湿地资源较丰富的省份之一，但近年来，随着四川省经济的快速发展，自然湿地逐步丧失，湿地景观破碎化，受到水源不足、水质下降等威胁，湿地变成了“孤岛”。湿地功能退化，湿地植物丰度度及生物生产量下降，濒危植物增加，濒危动物，特别是珍稀水禽数量逐年减少，自然湿地已经面临着严重威胁，加之长期以来人们对湿地生态价值认识不足，全省湿地存在湿地面积逐步减少、生态质量逐步降低、生态功能逐步退化的不良趋势，目前的湿地生态环境状况已给人们敲响了警钟。

统计结果显示：在全省重点调查湿地中，估计62%的重要湿地受到轻度或重度威胁，而且随着经济和人口的增加，威胁会继续加大。其中，受轻度威胁的重点调查湿地面积65.60万公顷，占重点调查湿地总面积的67.93%，占全省湿地总面积的37.53%；，受重度威胁的重点调查湿地面积21.42万公顷，占重点调查湿地总面积的22.18%，占全省湿地总面积的12.25%；，安全的重点调查湿地面积9.55万公顷，占重点调查湿地总面积的9.89%，占全省湿地总面积的5.46%。由此可见，四川省湿地生态状况不容乐观，湿地生态安全总体上亦只处于中等水平。

第三节 湿地资源变化及其原因分析

根据国家林业局的统一部署，四川省于1999～2000年和2012～2013年分别进行了两次全省范围的湿地资源调查，初步建立了湿地资源数据库，为准确掌握四川省的湿地资源现状，推进湿地研究的进一步深入，奠定了基础，提供了第一手资料。同时，在全省范围内湿地资源进行连续清查，为湿地资源监测体系的建立提供了宝贵的经验；通过连续清查数据对湿地资源的动态进行分析，不仅可以掌握湿地生态系统的发展和演化规律，而且可以为湿地保护管理和科学开发提供引导。下面就四川省两次湿地资源调查的结果做简要对比分析。

1 两次湿地资源调查概况

1.1 第一次全省湿地资源调查

1.1.1 基本情况

调查时间：1999～2000年

队伍组成：林业厅成立了调查工作领导小组，负责全省的湿地、珍稀动物和植物资源调查工作。领导小组组长由林业厅分管野生动植物保护区管理工作的副厅长担任。调查队员主要是各市、县、区林业局和林业站技术骨干组成。

技术规程：原林业部调查规划设计院制定的《全国湿地资源调查与监测技术规程》。

调查方法：主要以收集资料为主，部分结合实地调查通过地形图勾绘而成。主要收集水文、地质、环保等部门最新的统计资料，尽可能采用最新的数据成果。

调查范围：面积100公顷(含)以上的湖泊、沼泽、近海和海岸湿地、库塘；宽度≥10米，长度>5公里的全国主要水系的四级以上支流以及其他具有特殊重要意义的湿地。

湿地分类：4类13型

重点调查范围：国际重要湿地、列为国家级自然保护区的国家重要湿地、省级自然保护区中的湿地和省区特有类型湿地等。

一般调查内容：湿地地理位置(地理坐标)、类型、面积和海拔。

重点调查内容：湿地区的气候、土壤、水文；湿地动物的种类、分布及生境状况；重要水鸟数量及其迁徙习性；湿地植物种类、分布和生境状况；湿地植被状况；湿地周边地区社会经济状况；湿地资源利用状况；湿地受破坏或威胁的现状及主要威胁因子；湿地管理等。

1.1.2　调查结果

全省共有湿地96.17万公顷，占四川省国土面积1.98%，其中天然湿地91.95万公顷，占湿地总面积95.62%；人工湿地4.21万公顷，占湿地总面积4.38%。自然湿地中，河流湿地56.37万公顷；湖泊湿地1.34万公顷，人工湿地中，库塘湿地4.21万公顷(表5-6)。

表5-6　四川省第一次湿地资源调查结果表

湿地类	湿地型	一般调查		重点调查		湿地型面积（公顷）	湿地型比例（%）
		斑块数（个）	面积（公顷）	斑块数（个）	面积（公顷）		
河流湿地	永久性河流	352	563868	0	0	563868	58.63
湖泊湿地	永久性淡水湖	34	10212	1	2734	12946	1.35
	季节性淡水湖	2	430	0	0	430	0.04
沼泽湿地	草本沼泽	46	30080	2	312218	342298	35.59
人工湿地	库塘湿地	78	32038	1	10100	42138	4.38
合　计		512	636628	4	325052	961680	100

1.2　第二次全省湿地资源调查

1.2.1　基本情况

调查时间：2012~2013年

队伍组成：根据国家林业局的要求和相应的机构设置，四川成立了第二次湿地资源调查工作领导小组，下设领导组办公室。同时，按照第二次全国湿地资源调查的工作要求，结合四川省湿地资源调查需要，组建了以国家林业局规划院、四川省林业调查规划院、四川省林业科学研究院、四川省自然资源研究院、四川省社会科学研究院、中国科学院成都生物研究所、四川省林业厅野保站、四川大学、成都理工大学、四川师范大学、西华师范大学和宜宾学院为依托的专家组和湿地调查队。湿地调查队包括省调查队和地方调查队，直接参加调查的专业技术人员达2072人。

技术规程：国家林业局制定的《全国湿地资源调查技术规程(试行)》《四川省湿地资源调查技术实施细则》(四川省林业厅，2012年4月)。

调查方法：实地调查与"3S"技术相结合，并进行资料收集、内业汇总与检查评审。

调查范围：面积8公顷(含8公顷)以上、覆盖四川省政区的湖泊湿地、沼泽湿地、泥炭地、人工湿地以及宽度10米以上、长度5公里以上的河流湿地。

湿地分类：4类17型(新增：喀斯特溶洞湿地、运河/输水河、水产养殖场、稻田/冬水田)

重点调查范围：国际重要湿地、国家重要湿地及各级自然保护区、自然保护小区、湿地公园中的湿地和省区特有类型等湿地。

区划方法：省(自治区、直辖市)→湿地区→湿地斑块的方式进行湿地区划。

一般调查内容：湿地斑块名称和序号、所属湿地区名称、湿地区编码、湿地型、湿地面积、湿地分布、平均海拔、所属流域、河流级别(河流湿地)、湿地植被类型及面积、湿地水源补给状况、湿地土地所有权、湿地主要优势物种、湿地斑块区划因子、湿地保护管理状况。

重点调查内容：在首次调查内容的基础上，增加了流域水资源、湿地生态系统服务、湿地资源利用等调查内容，并进行更详细的调查，包括湿地水环境要素，野生动物的种类、分布及生境状况，湿地利用状况，社会经济状况和受威胁状况等。

1.2.2　调查结果

全省共有湿地174.78万公顷，占四川省国土面积3.60%，其中自然湿地(包括湖泊湿地、河流湿地、沼泽湿地)湿地斑块4987个，自然湿地面积为166.56万公顷，占湿地总面积95.29%，占全省国土面积3.43%；人工湿地斑块1712个，人工湿地面积为8.22万公顷，占湿地总面积4.71%，占全省国土面积0.17%。自然湿地中，河流湿地面积为45.23万公顷，其中永久性河流39.06万公顷，季节性河流不足0.01万公顷，洪泛平原湿地6.17万公顷，喀斯特溶洞湿地不足0.01万公顷；湖泊湿地3.73万公顷，其中永久性淡水湖3.69万公顷，季节性淡水湖0.04万公顷；沼泽湿地117.59万公顷，其中草本沼泽0.37万公顷，灌丛沼泽11.91万公顷，森林沼泽0.02万公顷，沼泽化草甸105.30万公顷，地热湿地不足0.01万公顷。人工湿地中，库塘为7.98万公顷，运河/输水河0.11万公顷，水产养殖场0.13万公顷(表5-7)。

表5-7　四川省第二次湿地资源调查结果表

湿地类	湿地型	一般调查		重点调查		湿地型面积与比例		湿地类面积(公顷)	湿地类比例(%)
		斑块数(个)	湿地面积(公顷)	斑块数(个)	湿地面积(公顷)	面积小计(公顷)	比例(%)		
河流湿地	永久性河流	2187	330141.38	182	60425.15	390566.53	86.35	452289.00	25.88
	季节性河流	1	24.55	0	0	24.55	0.01		
	洪泛平原湿地	621	54037.87	76	7642.21	61680.08	13.64		
	喀斯特溶洞湿地	1	17.84	0	0	17.84	0.004		
湖泊湿地	永久性淡水湖	445	13182.87	265	23744.51	36927.38	98.94	37323.46	2.14
	季节性淡水湖	12	260.61	3	135.47	396.08	1.06		
沼泽湿地	草本沼泽	15	1541.57	5	2117.91	3659.48	0.31	1175936.84	67.28
	灌丛沼泽	83	22677.92	140	96389.68	119067.60	10.13		
	森林沼泽	2	179.40	0	0	179.40	0.02		
	沼泽化草甸	661	294691.17	287	758317.00	1053008.17	89.55		
	地热湿地	1	22.19	0	0	22.19	0.002		
人工湿地	库塘	1589	63199.76	48	16606.50	79806.26	97.04	82239.53	4.71
	运河、输水河	29	1016.66	5	95.92	1112.58	1.35		
	水产养殖场	39	1162.48	2	158.21	1320.69	1.61		
合　计		5686	782156.27	1013	965632.56	1747788.83	400.00	1747788.83	100.00

2　两次调查数据对比筛选

2.1　同口径数据筛选

由于首次湿地资源调查的范围是100公顷(含，下同)以上，而第二次湿地资源调查的范围是8公顷(含，下同)以上，因此湿地资源动态分析把数据标准统一到100公顷以上。

根据四川省第二次湿地资源调查成果数据统计，四川省单块湿地面积100公顷以上的湿地类型主要包括永久性河流、季节性/间歇性河流、永久性淡水湖、季节性淡水湖、草本沼泽、灌丛沼泽、森林沼泽、沼泽化草甸、库塘、运河/输水河、水产养殖场11种类型。四川省第二次湿地资源调查中100公顷以上的湿地面积统计见表5-8。

表5-8　100公顷以上湿地资源调查面积统计

湿地类	湿地型	湿地型面积(公顷)	湿地类面积(公顷)	占湿地总面积比例(%)
总计		1599345.45		91.51
河流湿地	永久性河流	329333.90	373501.16	18.84
	季节性/间歇性河流	44167.26		2.53
湖泊湿地	永久性淡水湖	21748.80	21856.07	1.24
	季节性淡水湖	107.27		0.01
沼泽湿地	草本沼泽	3143.62	1155565.95	0.18
	灌丛沼泽	114609.61		6.56
	森林沼泽	149.60		0.01
	沼泽化草甸	1037663.12		59.37
自然湿地		1550923.18		88.74
人工湿地	库塘	47944.93	48422.27	2.74
	运河/输水河	243.97		0.01
	水产养殖场	233.37		0.01
人工湿地		48422.27		2.77

2.2　可比湿地斑块数据筛选

基于四川省第一次湿地资源调查成果数据统计，在咨询首次湿地调查数据处理技术人员的基础上，进行两次调查遥感影像解译成果重叠对比。以湖泊湿地为例，在第一次湿地资源调查数据库中提取与本次调查具有相同属性(类型相同、同地块)的湖泊湿地斑块信息。

第一次四川省湿地资源调查中，共调查到湖泊湿地斑块37个，筛选提取出与本次调查具有相同属性的湖泊湿地斑块25个，抽取率67.57%。具可比性的湖泊湿地斑块信息见表5-9。

表 5-9 第一次四川湿地调查可比、同地块斑块提取(以湖泊湿地为例)

序号	湿地名称	湿地类型	湿地面积(公顷)	所属县、市	所属二级流域	备注
1	措尼巴	永久性淡水湖	151	巴塘	金沙江石鼓以上	长江
2	错拉比	永久性淡水湖	116	石渠	金沙江石鼓以下	长江
3	错拉合措	永久性淡水湖	253	巴塘	金沙江石鼓以上	长江
4	错拉坚	永久性淡水湖	250	若尔盖	龙羊峡以上	黄河
5	庚地措	永久性淡水湖	110	理塘	金沙江石鼓以下	长江
6	哈丘	永久性淡水湖	620	若尔盖	龙羊峡以上	黄河
7	哈日若根措	永久性淡水湖	109	理塘	金沙江石鼓以下	长江
8	卡莎措	永久性淡水湖	122	炉霍	金沙江石鼓以上	长江
9	泸沽湖	永久性淡水湖	2734	盐源	金沙江石鼓以下	长江
10	马湖	永久性淡水湖	738	雷波	金沙江石鼓以下	长江
11	木格措	永久性淡水湖	166	康定	岷沱江	长江
12	邛海	永久性淡水湖	2685	西昌	金沙江石鼓以下	长江
13	尾海中人	永久性淡水湖	130	康定	岷沱江	长江
14	希措	永久性淡水湖	138	稻城	金沙江石鼓以下	长江
15	相阳措	永久性淡水湖	162	白玉	金沙江石鼓以上	长江
16	小娃罗沟海子	永久性淡水湖	282	金川	岷沱江	长江
17	辛开措	永久性淡水湖	100	理塘	金沙江石鼓以下	长江
18	新路海	永久性淡水湖	273	德格	金沙江石鼓以下	长江
19	兴措	永久性淡水湖	405	若尔盖	龙羊峡以上	黄河
20	兴伊措北	永久性淡水湖	376	稻城	金沙江石鼓以下	长江
21	兴伊措南	永久性淡水湖	304	稻城	金沙江石鼓以下	长江
22	亚莫措根	永久性淡水湖	197	巴塘	金沙江石鼓以上	长江
23	银措	永久性淡水湖	188	稻城	金沙江石鼓以下	长江
24	赞多措那玛	永久性淡水湖	378	新龙	金沙江石鼓以下	长江
25	哲如措	永久性淡水湖	230	理塘	金沙江石鼓以下	长江

3 湿地资源变化

3.1 湿地总面积变化

由表 5-10 可知，四川省第二次湿地资源调查总面积比第一次增加了 78.61 万公顷(不包括稻田)，其中河流湿地面积减小了 11.16 万公顷，湖泊湿地面积增加了 2.39 万公顷，沼泽湿地面积增加了 83.36 万公顷，人工湿地面积增加了 4.01 万公顷。

表 5-10 四川省两次调查湿地总面积变化情况统计表*（公顷）

湿地类	河流湿地	湖泊湿地	沼泽湿地	人工湿地	合 计
1999～2000 年	563868.00	13376.00	342298.00	42138.00	961680.00
2012～2013 年	452289.00	37323.46	1175936.84	82239.53	1747788.83
差 值	-111579.00	23947.46	833638.84	40101.53	786108.83
%	-19.79	179.03	243.54	95.17	81.74

注：不包括稻田/冬水田，下同

3.2 同口径湿地面积变化

（1）湿地类面积变化。由表 5-11 可知，四川省第二次湿地资源调查中，面积 100 公顷以上的湿地面积为 159.93 万公顷，比第一次调查增加了 63.77 万公顷。其中，100 公顷以上的河流湿地减少了 19.04 万公顷，100 公顷以上的湖泊湿地增加了 0.85 万公顷，100 公顷以上的沼泽湿地增加了 81.33 万公顷，100 公顷以上的人工湿地增加了 0.63 万公顷。

表 5-11 四川省面积 100 公顷以上各湿地类面积变化情况统计表（公顷）

湿地类	河流湿地	湖泊湿地	沼泽湿地	人工湿地	合 计
1999～2000 年	563868.00	13376.00	342298.00	42138.00	961680.00
2012～2013 年	373501.16	21856.07	1155565.95	48422.27	1599345.45
差 值	-190366.84	8480.07	813267.95	6284.27	637665.45
%	-33.76	63.40	237.59	14.91	66.31

（2）湿地型面积变化。在四川省第一次湿地资源调查中，湿地调查包括永久性河流、永久性淡水湖、季节性淡水湖、草本沼泽、库塘湿地 5 个湿地型，与第二次湿地资源调查中的相同口径、相同类型的湿地资源对比可知，河流湿地中的永久性河流湿地面积减少了 23.45 万公顷；湖泊湿地中的永久性淡水湖湿地面积增加了 0.88 万公顷，季节性淡水湖湿地面积减少了 0.03 万公顷；沼泽湿地中的草本沼泽湿地面积减少了 33.92 万公顷；人工湿地中的库塘湿地面积增加了 0.58 万公顷（表 5-12）。

表 5-12 四川省面积 100 公顷以上的湿地型面积变化情况统计表（公顷）

湿地型	永久性河流	永久性淡水湖	季节性淡水湖	草本沼泽	库塘湿地	合 计
1999～2000 年	563868	12946	430	342298	42138	961680
2012～2013 年	329333.90	21748.80	107.27	3143.62	47944.93	402278.52
差 值	-234534.10	8802.80	-322.73	-339154.38	5806.93	-559401.48
%	-41.59	68.00	-75.05	-99.08	13.78	-58.17

3.3 可比湿地斑块面积变化

以湖泊湿地为例，对四川省两次湿地资源调查中具有相同属性（类型相同、同地块）的 25 块湖泊湿地信息进行整理统计与对比。结果表明：具可比性的湿地斑块面积减少了617.79公顷，少量的湿地斑块面积有所增加，面积变小的湿地斑块面积减小量大于面积变大的湿地斑块面积增加量。其中，68%的湿地都出现湿地萎缩退化状态；起止时间以10年计算，抽样湿地年萎缩速率为0.55%(表5-13)。

表5-13　可比、同地块湿地斑块面积比较(公顷)

第一次斑块名称	第二次斑块名称	湿地类型代码	湿地面积		所属县市
			第一次调查	第二次调查	
措尼巴	措尼巴3	301	151	26.14	巴塘县
	措尼巴31	301		146.59	巴塘县
	措尼巴33	301		29.69	巴塘县
错拉比	错拉比	301	116	83.64	石渠县
错拉合措	措纳学措	301	253	219.6	巴塘县
错拉坚	措热洼坚	301	250	256.95	若尔盖县
庚地措	庚地措	301	110	83.84	稻城县
哈　丘	哈丘错干	301	620	574.83	若尔盖县
哈日若根措	哈日若根措21	301	109	89.41	理塘县
卡莎措	卡沙湖	301	122	105.33	炉霍县
泸沽湖	泸沽湖1	301	2734	2509.86	盐源县
马　湖	马湖	301	738	701.63	雷波县
木格措	木格措	301	166	192.28	康定县
邛　海	邛海7	301	2685	2644.45	西昌市
尾海中人	人中海尾	301	130	234.54	康定县
希　措	希希措	301	138	12.24	稻城县
相阳措	纳塔乡相阳措	301	162	154.37	白玉县
小娃罗沟海子	小娃罗沟海子	301	282	78.03	金川县
辛开措	辛开措	301	100	87.26	稻城县
新路海	新路海	301	273	241.8	德格县
兴　措	兴错	301	405	472.74	若尔盖县
兴伊措北 兴伊措南	兴伊措104	301	376 304	349.51	稻城县
	兴伊措105	301		87.29	稻城县
	兴伊措107	301		293.38	稻城县
亚莫措根	亚莫措根	301	197	203.49	巴塘县
银　措	银错	301	188	173.81	稻城县
赞多措那玛	赞多措拉玛	301	378	352.96	新龙县
哲如措	哲如措	301	230	193.55	稻城县

3.4 典型湿地面积变化

以若尔盖沼泽湿地为例，分析两次湿地资源调查的湿地面积变化。四川省第一次湿地资源调查中，若尔盖沼泽湿地面积为29.81万公顷；第二次湿地资源调查中，若尔盖高原沼泽湿地面积为56.41万公顷，沼泽湿地面积增加了24.60万公顷。

4 湿地面积变化原因分析

4.1 湿地类型面积变化原因

由于采用的调查方法不同，起调面积不同，和第一次湿地资源调查结果相比，湿地总面积有所增加，且主要表现在沼泽湿地的增加(+83.36万公顷)。另外，100公顷以上湿地面积总体上比第一次增加了63.77万公顷(河流湿地减少了19.04万公顷，湖泊湿地增加了0.85万公顷，沼泽湿地的增加了81.33万公顷，人工湿地增加了0.63万公顷)。

从整体上分析，主要原因有以下两点：

第一次湿地调查是以资料收集为主，技术手段有一定的局限性，由各地市上报数据，部分地市的湿地与本次调查结果出入很大，统计数据也存在一些偏差。第二次湿地调查采用遥感卫片与地形图结合判读的方式，由各县(市、区)实地进行验证，准确度大大提高。

第一次湿地调查的起点面积为100公顷，100公顷以下面积的湿地斑块均没有计入调查成果数据，第二次实地调查的起点面积为8公顷，因此面积增加实为正常。

从湿地类型上分析，主要表现为：

(1)从河流湿地面积变化看：第一，两次调查的河流湿地范围不同，第一次为面积100公顷以上较大面积的河流湿地；第二次为宽度10米以上、长度5公里以上的河流湿地。第二，两次调查方法不同，第一次调查综合采用了1:5000、1:10000和部分遥感卫片进行调查，技术不统一，在河流面积计算时，笼统的采用“长×宽”进行；第二次调查采用遥感解译，以地理信息处理软件区划斑块，大型河流直接求面积，小型单线河流由软件量算长度，调查平均宽度，求算面积，计算精度较高，面积准确可靠。第三，第一次湿地调查将人工运河/输水河纳入了自然河流中，而本次调查则单独作为一种湿地类型。第四，近年来河流段区域内修闸建坝，造成了一些自然河流湿地转变为人工湿地。综上，河流湿地面积减少实属正常。

(2)从湖泊湿地面积变化看：湖泊湿地中永久性淡水湖湿地面积增加主要是由于近年来四川各地自然灾害不断频发，泥石流、滑坡、山洪暴发等灾害时有发生，导致部分河流堵塞，形成湖泊，以及两次地震(汶川地震、芦山地震)引起的次生灾害形成了面积较大的堰塞湖，致使湖泊湿地面积略有增加；季节性淡水湖湿地面积减少主要是由于近年来的连年干旱使湖面萎缩，水位下降，湿地面积减少。另外，干旱使湖水变浅，挺水植物迅速生长，占据水面，使部分湖面转变为沼泽。总体上看，湖泊湿地还是呈萎缩趋势，部分湖泊湿地类型上发生了转化。两次湿地资源调查中湖泊湿地面积数据相差不大，这也说明了随着新的湖泊湿地不断形成，原有的天然湖泊湿地面积却逐渐萎缩，面积逐渐减小，部分湖泊湿地类型上发生了转化。

(3)从沼泽湿地面积变化看：沼泽湿地总面积增加的主要原因是由于近年来持续的高温干旱，使部分湖泊水位下降，水生植物生长旺盛，尤以西部高山高原区的湖泊最为明显，导致湖泊逐渐退化为沼泽。另一方面是由于调查标准改变，首次调查主要以草本沼泽为主，部分沼泽化草甸被统计到草本沼泽中，很多大面积的沼泽湿地（例如沼泽化草甸）未进行统计；第二次湿地调查新增了沼泽化草甸过渡类型，并对草本沼泽和沼泽化草甸进行了严格界定，导致沼泽湿地面积总增加，草本沼泽湿地面积减少。

（4）从人工湿地面积变化看，由于十年来人为活动的影响，部分自然湿地转化成为人工湿地，特别是转化成人工养殖场或者库塘；另外第一次湿地调查将人工运河/输水河纳入了自然河流中，第二次湿地调查将其作为人工湿地中一个单独的湿地型进行调查，使得人工湿地面积有所增加。

4.2 可比湿地斑块湿地面积变化原因

在第一次湿地调查可比斑块整理基础上，通过抽取的25个典型斑块与本次调查中同地块湿地比较，整体上可比湿地斑块面积减少了617.79公顷，其中68%的湿地都出现湿地萎缩退化状态。起止时间以10年计算，抽样湿地年萎缩速率为0.55%。主要原因表现为以下几点：

（1）据调查显示，四川高原湖泊湿地数量占全省湖泊湿地的82.09%，面积大，数量多。由于近年来四川西部高山地区气温呈逐年增加趋势（川西各气象站数据显示），随着气温逐渐升高，地表及水域表面蒸发量增加，导致湖泊水位下降（图5-1），湖泊湿地面积缩小。

（2）在川西及川西北部地区，特别是少数民族聚居区，随着经济快速发展，牧区家畜数量逐渐增加，出现过度放牧现象，造成湿地及湿地周围出现旱生群落斑块或湿地沙化（图5-2），湿地质量功能退化。

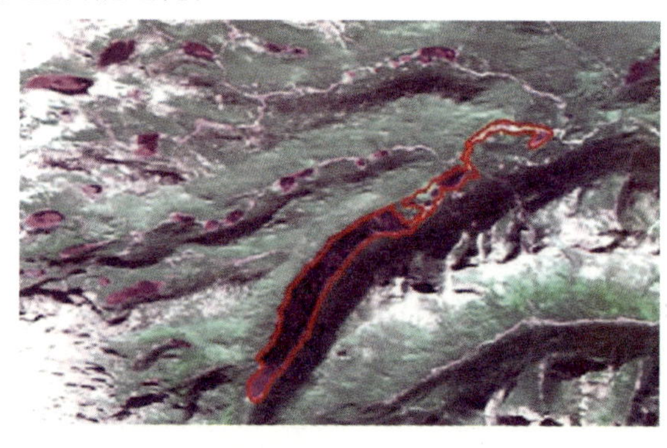

图 **5-1** 湖泊水位下降（赞多措拉玛）

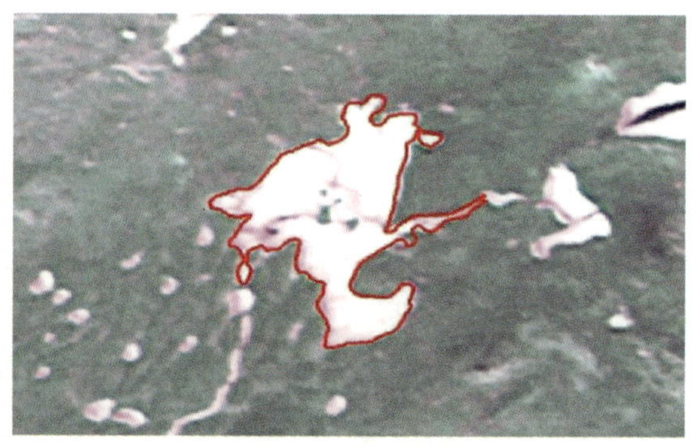

图 **5-2** 湿地沙化（哲如措）

（3）在一些大型湖泊或水域周围，兴修水库（主要是养殖工程）和堤坝（主要是水电工程），使得自然河流湿地转变为人工湿地（图5-3），自然湿地面积减小，生态结构破坏，湿地功能降低。

（4）在大型湿地周围，由于植被退化，人为影响等造成湿地斑块破碎化严重（图5-4）。

（5）由于降水不均，时间分配不平衡等因素，造成湿地水域季节性消退严重（图5-5），从而影响湿地面积计算。

（6）盐渍化是四川高原湿地普遍面临问题之一，盐渍化现象不仅与气候变化有关（图5-6），也与人为干扰分不开，道路的修建、过度放牧等也是造成盐渍化的原因之一。

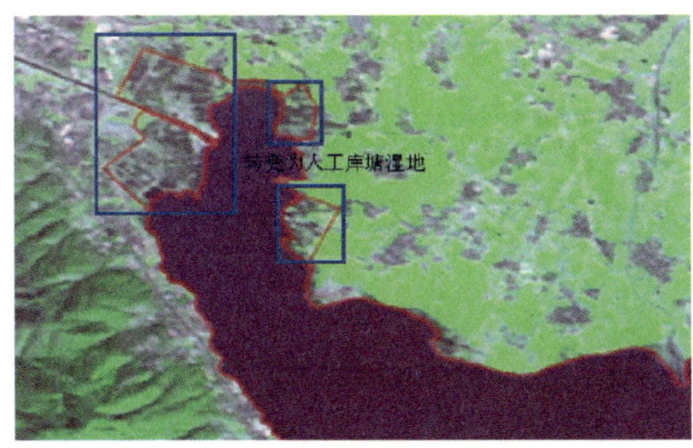

图 **5-3** 自然湿地转变为库塘湿地(邛海)

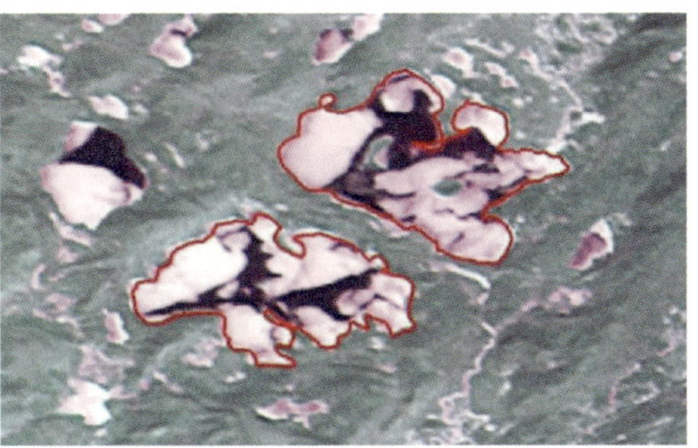

图 **5-4** 景观破碎化严重(兴伊措)

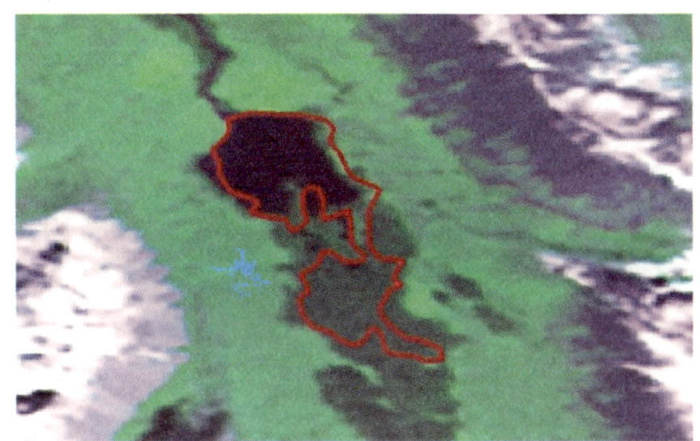

图 **5-5** 水域季节性消退(错拉比)

图 **5-6** 湿地盐碱化(冬错)

4.3 若尔盖沼泽湿地面积变化原因

在若尔盖湿地两次湿地资源调查中，第一次调查主要以草本沼泽为主，沼泽化草甸未被统计或部分被统计到草本沼泽中；本次调查对草本沼泽和沼泽化草甸进行了严格界定，导致若尔盖高原沼泽湿地面积增加(主要是沼泽化草甸的增加)。

相关研究表明：近 40 年来，若尔盖湿地总体呈退化趋势，湿地面积大幅度减小而且退化严重，与 20 世纪 60 年代相比，2000 年湿地景观面积仍呈萎缩状态；湿地景观的斑块数呈先下降后持平的变化趋势，而平均斑块面积则表现为增加的变化趋势。沈松平等通过遥感数据动态分析，从 1975 ~ 2006 年间，若尔盖地区湿地面积变小，沙化地面积增大，景观破碎化加剧，湿地面积呈现出不同程度的萎缩状态(图 5-7)。

尽管本次调查显示，若尔盖高原沼泽湿地的面积比第一次调查面积有所增加，这主要是调查技术不同所致。对现有面积大于 100 公顷的沼泽湿地斑块分析，结合野外调查表明：若尔盖沼泽湿地已经退化或正在退化，湿地环境结构、功能逐渐下降，生态安全水平呈下降趋势。

根据本次野外调查结合遥感影像分析：若尔盖沼泽湿地区生态环境恶化、沼泽退化十分严重，呈现出沼泽旱化、沼泽类型改变(图 5-8)、沼泽逆向生态演替、沼泽区沙化(图 5-9)、野生动物种类和种群数量减少、土壤浅层水位下降(图 5-10)、草场退化(图 5-11)、沼泽水质变劣和鼠害猖獗等退化现象。

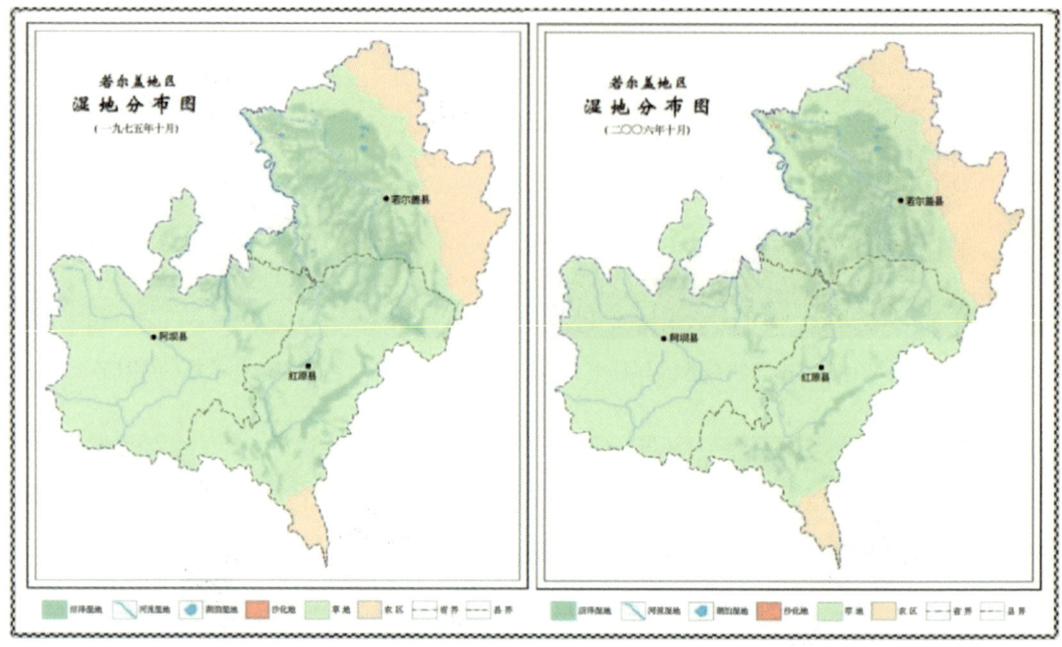

图 **5-7**　若尔盖地区湿地变化对比(引自：若尔盖地区湿地遥感解译简要报告)

图 **5-8**　若尔盖典型湿地斑块 **1**

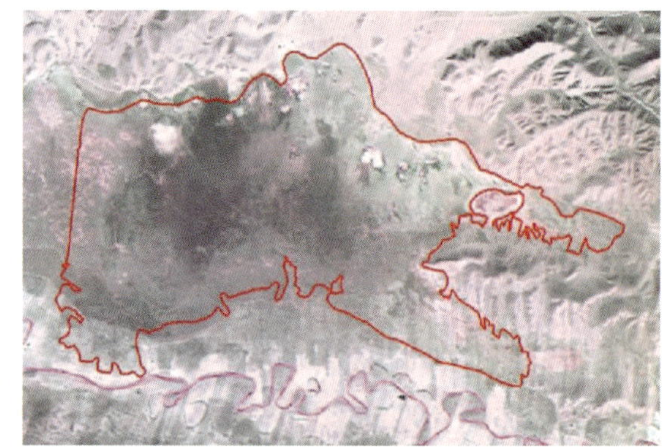

图 **5-9**　若尔盖典型湿地斑块 **2**

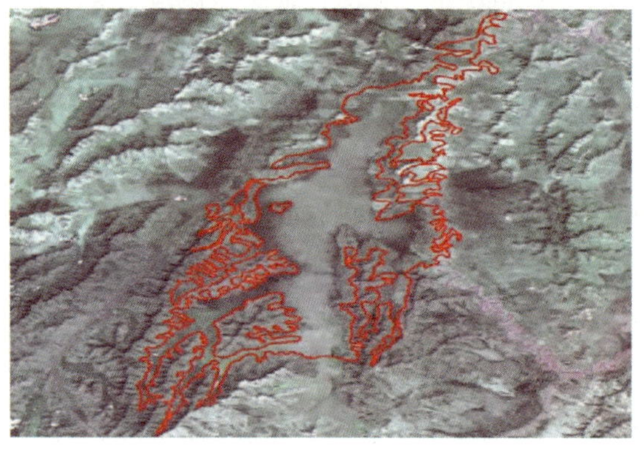

图 **5-10**　若尔盖典型湿地斑块 **3**

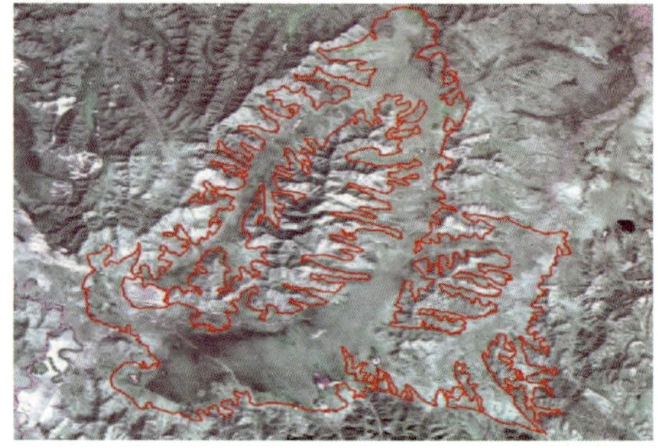

图 **5-11**　若尔盖典型湿地斑块 **4**

第六章
湿地保护与管理

第一节
湿地保护管理现状

湿地在生态环境保护和国民经济发展等方面发挥着巨大的作用。但是，自20世纪80年代后，由于人口的增加和经济的快速发展，人类活动对湿地的干扰随之加剧，导致湿地资源不断减少，湿地生态功能严重退化，湿地资源保护与管理工作尤显重要。

四川省非常重视湿地资源保护与管理，始终坚持把保护湿地生态系统和改善湿地生态功能作为湿地保护管理工作的中心，积极立法，加强法规体系建设，使湿地资源管理有法可依。不断加强保护管理体系建设，加强湿地调查与监测，并在全省重要湿地区域，划建了一批湿地自然保护区、保护小区和湿地公园，实施重点保护。通过湿地保护与恢复工程建设，改善了管理条件，巩固了保护成果。在湿地科研与国际交流方面做了卓有成效的工作。经过几十年的不懈努力，四川省湿地资源保护与管理工作取得了显著成效。但是，由于社会发展增速，经济建设步伐的加快，湿地所面临的来自各方面的压力也在不断增加，矛盾凸显，问题增多，湿地资源保护与管理难度加大。

1　保护状况

1.1　保护形式

四川省湿地保护形式主要包括建立国际/国家/省级重要湿地、湿地自然保护区/保护小区、湿地公园等3种类型。

(1)国际/国家/省级重要湿地建设：截至目前，四川省已经建立了多处国际/国家/省级重要湿地，其中，国际重要湿地1处，即若尔盖国际重要湿地；国家重要湿地3处，包括泸沽湖、九寨沟和若尔盖高原沼泽湿地；省级重要湿地尚未开展认定。这些重要湿地的成立与建设，对湿地生态资源保护等发挥了极其重要的作用。

(2)湿地自然保护区/保护小区建设：从20世纪60年代开始，四川省就加强了湿地保护区的建设，经过50年的努力，目前四川省已建立湿地自然保护区52个，其中国家级6个，省级16个，市州级11个，县级19个，保护区总面积超过340万公顷。这些湿地自然保护区的建立，对保护典型湿地生态系统、大江大河源头水资源、珍稀濒危水生动物、鸟类以及候鸟繁殖和越冬栖息地等发挥了极其重要的作用。

(3)湿地公园的建设：自2005年第一个国家湿地公园诞生以来，四川省高度重视湿地公园的申报和建设工作。截至目前，四川省已建立湿地公园39个，其中国家湿地公园20个(正式国家湿地公园2个，试点国家湿地公园18个)，省级湿地公园19个。这些湿地公园已经成为四川省湿地保护体系的重要组成部分。

1.2　受保护面积及湿地保护率

四川省受保护湿地主要为第二次湿地资源调查中的重点调查湿地，受保护湿地总面积为96.56万公顷，湿地保护率(占全省湿地面积)达55.25%。在受保护湿地中，自然湿地面积94.88万公顷，占受保护湿地总面积的98.25%，人工湿地面积1.69万公顷，占受保护湿地总面积的1.75%。在自然湿地中，河流湿地面积6.81万公顷，占受保护湿地总面积的7.05%；湖泊湿地面积2.39万公顷，占受保护湿地总面积的2.47%；沼泽湿地面积85.68万公顷，占受保护湿地总面积的88.73%。四川省受保护湿地湿地面积统计见表6-1。

表6-1　四川省受保护湿地面积统计

湿地类	湿地型	斑块数(个)	面　积(公顷)	湿地类面积(公顷)	比　例(%)
河流湿地	永久性河流	182	60425.15	68067.36	7.05
	季节性河流	0	0.00		
	洪泛平原湿地	76	7642.21		
	喀斯特溶洞湿地	0	0.00		
湖泊湿地	永久性淡水湖	265	23744.51	23879.98	2.47
	季节性淡水湖	3	135.47		
沼泽湿地	草本沼泽	5	2117.91	856824.59	88.73
	灌丛沼泽	140	96389.68		
	森林沼泽	0	0.00		
	沼泽化草甸	287	758317.00		
	地热湿地	0	0.00		
人工湿地	库塘	48	16606.50	16860.63	1.75
	运河/输水河	5	95.92		
	水产养殖场	2	158.21		
合　计		1013	965632.56	965632.56	100.00

1.3　受保护湿地分布

四川省受保护湿地(主要为重点调查湿地)所属二级流域为龙羊峡以上、金沙江石鼓以上、金沙江石鼓以下、岷沱江、嘉陵江流域，三级流域主要包括河源至玛曲流域、直门达至石鼓流域、雅砻江流域、石鼓以下干流流域、大渡河流域、青衣江和岷江干流流域、沱江流域、广元昭化以上流域、涪江流域、广元昭化以下干流流域、渠江流域。受保护湿地范围不均匀的分布于四川全省。

从面积上看，全省受保护湿地主要集中分布在川西北高原地区，以重要湿地、自然保护区为主，行政区划上包括甘孜州的道孚、雅江、康定、石渠、理塘、稻城等县以及阿坝州的若尔盖、红原、松潘、九寨沟、阿坝、壤塘等县，其面积比例约占全省重点调查湿地的93.61%，其他受保护湿地零散分布于川东地区、川南片区、攀枝花及凉山州地区以及盆地及周缘山区等各县(市)。

2 管理状况

2.1 湿地管理机构与管理机制

湿地管理是一项跨部门、跨行业、跨地区的综合工作，需由多个部门的协调与合作才能完成。2004 年国务院办公厅发出了《关于加强湿地保护管理的通知》(国办发[2004]50 号)，明确湿地保护是生态环境建设的重要内容，规定保护湿地是各级政府的重要职责，要求林业部门要做好组织协调工作，并对进一步加强保护湿地管理做出了部署。2005 年四川省人民政府办公厅发出《关于加强湿地保护管理的通知》(川办函[2005]40 号)，要求各级政府要充分认识加强湿地保护的重要性和紧迫性；明确了四川省湿地保护管理的指导思想和奋斗目标；提出了全力推进四川省湿地保护管理工作的措施。2008 年，经中共四川省机构编制办公室批准，四川省野生动物资源调查保护管理站增挂“四川省湿地保护中心”牌子，落实了省级管理机构。市(州)县(区)湿地管理机构有待进一步完善。

近年来，各级林业行政主管部门积极做好协调工作，相关部门按照职责分工作好湿地的保护管理工作，湿地保护管理力度大幅提升，但综合协调管理和利用监督机制尚未建立。目前湿地保护管理主要依托重要湿地、自然保护区、湿地公园等平台。

2.2 湿地管理立法、政策和措施

近十多年来，我国、四川省颁布出台了一系列有关湿地保护的法律、法规、纲领性文件和政策性规划。2000 年国家林业局等 17 个部(委、局)联合颁布了《中国湿地保护行动计划》，该计划已成为各部门和各级政府开展湿地保护工作的行动指南，也是实施湿地保护和合理利用工作的纲领性文件。2001 年国家林业局颁布和实施了《全国野生动植物保护及自然保护区建设工程总体规划》。湿地保护和恢复是其主要内容之一。规划明确了今后湿地和野生动植物保护的总体目标和建设重点，重点突出了天然湿地保护和主要依靠生物措施恢复天然湿地等内容。2002 年水利部会同国务院有关部局委编制《全国水资源综合管理规划》，对湿地水资源保护、湿地生态用水的调配、优化等提出了指导意见。2004 年国务院批准了由国家林业局等 10 个部委共同编制的《全国湿地保护工程规划》，提出了湿地保护的指导思想、任务目标、建设重点和主要措施。

四川省结合本省实际，积极推动法规和制度建设，努力改善湿地保护的法制环境。2006 年四川省林业厅等有关厅局编制了《四川省湿地保护工程规划》，明确地提出了湿地保护的规划思想与

目标、总体布局与建设重点、湿地保护与管理规划以及规划保障举措。2010年四川省第十一届人民代表大会常务委员会第十七次会议通过了《四川省湿地保护条例》。既明确了湿地的范围、保护原则和管理体制，又明确了湿地保护投入机制和补偿制度，明确县级政府保护湿地的责任，规定了湿地保护措施、开发利用要求和违法责任等内容，使湿地保护真正有法可依。2014年10月四川省林业厅发布了《四川省林业推进生态文明建设规划纲要(2014～2020年)》，纲要中强调了"划定湿地红线、推进湿地保护与恢复工程、实施湿地保护与恢复行动、升级一批国家重要湿地、认定一批省级重要湿地"等湿地建设路径。

2.3 湿地科学研究

自20世纪50年代开始，四川有关部门和科研教学院所对湿地分类、形成演化、生态保护、污染治理、合理利用与管理等领域开展了多方面的科学考察与研究，积累了大量资料。进入20世纪80年代以来，在湿地生态、演变机理、湿地资源与合理开发利用、湿地生物多样性、湿地对禽类的影响等方面做了大量研究，特别是对国家重点保护的珍稀水禽类、鸟类、两栖爬行动物、鱼类等的地理分布、种群数量、生态习性、饲养繁殖、致危因素以及保护对策等做了深入的研究，如黑颈鹤的数量与分布、繁殖、迁涉、越冬等生物生态特性的研究，中华鲟、胭脂鱼等物种的人工繁殖等已取得了突破性进展，在湿地水生植物方面，在甘孜和阿坝两州的重点湿地和湖泊开展了水生植物群落、物种数量与分布、适生环境等领域的研究，也取得了较大进展。

根据原林业部办公厅(厅护字[1994]82号)《林业部办公厅关于开展湿地资源调查的通知》要求，四川省林业厅组织专业调查队，按照国家统一的调查技术规程，从1994年始，历时6年，完成了四川省第一次系统全面的湿地资源调查，为有效保护湿地生态系统及其物种多样性，科学管理湿地和合理利用湿地资源提供了科学依据。

四川省林业部门还结合自然保护区规划、保护与管理的需要，从不同学科开展了湿地调查与研究。1997年，四川省林业科学研究院组织四川大学、中国科学院成都生物所等单位的专家对若尔盖国家级湿地自然保护区进行了本底调查；2000年四川省林科院组织西南师范大学、四川大学、中国科学院成都生物所等单位的专家对察青松多自然保护区进行了调查；2000年四川省了林科院、西南师范大学生物系、四川大学、四川师范大学等联合开展了黄龙自然保护区本地调查；2002年四川林科院组织北京大学、西南师范大学、四川大学、中国科学院成都生物所等单位的专家对九寨沟自然保护区进行了历时两年的系统调查，完成了《九寨沟生物多样性》专著；2003年四川省林科院对阿坝州严波也则自然保护区、壤塘县南莫且湿地进行了调查和总体规划；同年，四川省林科院对四川若尔盖自然保护区进行了湿地恢复可行性研究和初步设计；2004年四川省林科院完成了海子山湿地自然保护区的本底调查和总体规划；2005年四川省林科院组织四川大学等单位对长沙贡玛湿地自然保护区进行了本底调查；2006年四川省林科院组织了西南师范大学、四川大学、西南林学院、河北大学等单位有关专家对卡沙湖湿地自然保护区进行了本底调查。

2.4 湿地资源调查

四川省于1999～2000年和2012～2013年开展了两次全省湿地资源调查，都是有国家林业局统一安排，在省林业厅的直接指挥、协调下进行的。并分别成了湿地资源调查工作领导小组，设立了领导小组办公室，成立了专家组或专家技术委员会，邀请了国家林业局调查规划设计院、四川省林业勘察设计研究院等相关科研院所作为技术支撑单位。依托四川省林业科学研究院、四川大学、成都理工大学、四川师范大学、西华师范大学和宜宾学院等成立了湿地专业调查队伍。四川省首次湿地资源调查参加人数超过百人，第二次湿地资源调查的参加总人数达2072人，全面完成了国家林业局下达的湿地调查任务。通过湿地资源调查，全面掌握了全省湿地资源现状及湿地野生动植物的分布特点，完善了湿地资源数据库，初步分析了湿地资源消长变化规律，为四川省湿地资源的保护管理与合理利用提供了重要的科学依据。

2.5 湿地宣传教育

四川省林业厅等相关湿地管理部门充分利用"世界湿地日""爱鸟周""世界湿地日""保护野生动物宣传月"等特殊时机，通过发放宣传品、举办湿地图片展、利用媒体宣传(广播、电视、报纸等)、举办报告会等多种形式，积极开展湿地保护与宣传教育活动，向人们介绍湿地相关知识和湿地保护的重要意义，提高公众特别是湿地周围的居民对湿地保护重要性的认识。与此同时，省厅还通过召开全省湿地保护管理工作会议，开展《四川省湿地保护条例》宣传行动、湿地保护执法大检查行动、加强湿地保护能力建设行动、湿地恢复建设行动、湿地科学研究与技术推广项目行动、湿地保护国际交流与合作行动、召开新闻发布会等内容，加大湿地宣传力度。

湿地自然保护区是开展湿地生态环境保护、生物多样性保护等宣传教育的重要场所。四川省部分湿地自然保护管理机构成立了专门的宣传队伍，配备宣传教育设备和人员，开展湿地保护相关法律法规、环保等方面的宣传教育活动，为湿地保护管理保驾护航。同时，各湿地自然保护区纷纷建立网站，借助网络优势，扩大宣传面，普及湿地知识，吸引更多人关注和参与湿地保护。

2.6 湿地保护国际交流

四川省积极与各类国际组织开展相关湿地内容的交流与合作，拓宽国际合作空间，得到了有关国际组织的关注与支持。尤其是与湿地国际(WI)、全球环境基金(GEF)、世界自然基金会(WWF)、保护国际(CI)在湿地保护、调查、规划以及湿地自然保护区的人员培训、设备购置、宣传教育、社区发展等方面进行了合作。20世纪80~90年代甘孜州林业局与日本早稻田大学合作，对白玉县察青松多自然保护区的白唇鹿进行了较系统的观测与研究；1991年湿地国际与四川省林业厅、四川省林科院、中国科学院成都生物所、四川大学合作考察了若尔盖、红原沼泽，提出了建立以保护黑颈鹤及沼泽自然生态系统为主的自然保护区建议，1993年9月~1994年6月，完成了若尔盖沼泽区土地利用现状及其黑颈鹤等珍稀水禽和栖息地的威胁程度调查，编写了《四川省辖曼自然保护区建立可行性报告》；1999年开始，中国政府和联合国开发计划署、全球环境基金会合作，实施"中国湿地生物多样性保护与可持续利用"项目，四川省若尔盖湿地是四个项目实施区之一；2005年，在CI支持下，四川省林业厅组织有关单位完成了《甘孜州湿地保护工程规划》。近年来，四川的重要湿地泸沽湖、若尔盖高原沼泽列入了《亚洲湿地名录》，有32种水禽列入日、中澳候鸟保护协定名录。

四川省在与国际组织开展国内交流合作的同时，也多次组织人员参加国际组织开展的湿地保护网络的交流与培训，走出去，请进来，有效提高了四川省湿地保护与管理人员的业务素质和管理水平。

3 存在问题

虽然四川省在湿地资源保护等方面做出了较大努力，但目前仍存在较多问题，主要表现在以下几方面。

(1)湿地管理涉及部门众多，综合协调与分部门管理难度大：湿地是多资源组成的资源复合体，湿地保护管理涉及的部门众多，有林业、环保、水利、农业、渔业、国土、建设、交通、旅游等多个部门。由于历史和管理体制等原因，湿地保护与管理工作存在多头管理和交叉管理，各个部门分别管理湿地生态系统内部的一个资源要素，并均有相应的法规作为行政管理的依据。要素式、部门分割式管理模式体制与湿地生态系统本身的特性不相适应，割裂了管理的系统性，造成湿地保护与围垦、城市化进程、旅游开发、水利防洪设施建设、水资源调配等诸多冲突。干扰和破坏了珍稀动植物，特别是鸟类的栖息环境。林业部门牵头与组织协调的职责难于落实，很难协调各相关部门基于部门利益对湿地的各种管理需求，责任和义务分离，管理权利分割，很大程度上制约了湿地保护工作的有效开展。

(2)湿地保护管理机构及专业人员缺乏，保护管理力量薄弱：除了省林业行政主管部门外，各市、县级行政单位绝大部分未建立专门的湿地保护管理机构，缺乏专职工作人员，更缺专业技术人员，湿地保护管理力量薄弱，严重影响湿地保护管理工作的开展，尤其是湿地保护与恢复工程的实施。

(3)湿地保护法律法规体系不健全，有法不依现象时有发生：目前，国家层面还没有出台湿地保护专项法律，湿地保护和管理只能根据相关部门法规和国务院办公厅、国家林业局文件来开展。已有的相关部门法规职能交叉重叠现象严重，增加了依法管理的难度，造成管理执法不力，工作协调难度大，影响了湿地保护、恢复等工程的顺利实施。

(4)湿地自然保护区管理水平偏低，湿地公园建设与管理亟待规范：全省虽已相继建立了一批湿地自然保护区，但其管理水平偏低；部分地区受制于机构、人力和资金投入，湿地自然保护区批而不建、建而不管的现象仍大量存在。

湿地公园是湿地保护体系的重要组成部分，建立湿地公园是落实国家湿地分级分类保护管理策略的一项具体措施，也是当前形势下维护和扩大湿地面积的有效途径。截至目前，四川已建立国家湿地公园20个(正式国家湿地公园2个，试点国家湿地公园18个)，省级湿地公园19个，对推动全省湿地保护发挥了积极的作用。然而，湿地公园建设刚刚起步，缺乏行业规范指导和湿地专业人才技术支持，投入不足，湿地公园的管理和建设现状不容乐观。

(5)湿地保护意识有待提高，湿地生境退化的威胁仍然存在：湿地虽然与人们的生活密切相关，但湿地这一概念是1992年我国加入《湿地公约》后才引起人们的重视。虽然近年来对湿地的各种报道宣传逐渐增多，但公众对湿地概念、价值和功能，及其在经济社会可持续发展中的重要性仍缺乏足够的认识。而且客观上由于人口持续增长的压力和土地资源缺乏，湿地往往被作为一种后备土地资源被不合理开垦或转为它用，甚至基于直接经济利益的驱动，湿地作为一种独特生态系统的价值和功能被忽视或弱化。

湿地周边人口密度大、开发利用强度高，工农业生产、交通建设、电力设施、围垦、生态旅游等，容易导致湿地生境破碎，对水禽栖息、迁徙和鱼类洄游构成威胁；过度放牧、过度养殖等，造成湿地生产力的严重下降和生物多样性的丧失。此外，泥沙淤积和沼泽化又加速了湿地萎缩进程。近年来，工农业面源污染、高密度水产养殖等不仅造成湿地水体的污染，而湿地动植物是污染的直接受害者，由此影响了湿地生产力和湿地功能的整体发挥。随着社会经济的快速发展，环境污染越来越成为湿地保护的重要威胁因子，湿地健康状况不容乐观，湿地保护任务还相当艰巨。

(6)湿地监测无法广泛开展，湿地科研合作不足：四川省湿地利用历史由来已久，湿地管理和科研却起步较晚，对湿地的系统研究相对滞后和薄弱。现有湿地研究多局限于湿地功能、现状评估、湿地基本生态过程等，对湿地的监测主要局限于对水质污染、水文、关键动植物物种等个别指标的监测，监测设备和手段较落后。由于缺乏技术人员和经费，全省湿地监测还没有进入日常工作，仅有少数重要湿地开展监测活动且缺乏科学性和延续性。

(7)保护和建设资金投入不足，湿地保护管理基础设施不完善：近年来，国家非常重视湿地类型自然保护区、湿地公园的建设和发展，湿地保护投入逐年增加，但仅限于少数重要湿地，很难满足大范围的湿地保护资金需求。四川省处于西部地区，地方财政较为困难，省级财政对湿地的支持刚刚起步，地方投入自然保护区、湿地公园等的基础设施经费和管理经费更显不足，一些地区甚至不能保证正常开展工作。

第二节
湿地保护管理建议

湿地是重要的生态资源，与人们的生产、生活息息相关，从某种意义上讲，保护好湿地就是在保护人类自己。健康的湿地是国家生态安全的重要组成部分和经济社会可持续发展的重要基础。但是，由于人口、经济与环境的矛盾日益突出，湿地生态系统受到严重威胁，从从而导致湿地生态环境的恶化和生物多样性的下降。因此，必须采取相应的措施，寻求湿地资源的可持续利用方式，达到湿地资源的保护与利用的有机协调。针对四川省湿地资源的保护管理现状，以及湿地保护管理工作存在的问题，站在国土安全、生态安全的角度，从湿地保护与利用的可持续性原则出发，提出四川省湿地保护管理建议。

1　加强宣传　强化意识

湿地保护是一项社会性、群众性很强的工作，广大群众的自觉参与是做好这项事业的社会基础。进一步加大宣传力度，切实提高全民湿地保护意识，通过广播、电视、报纸、书刊等媒介，利用公益活动、学校教育、网络宣传等手段，大力宣传湿地保护的重要性与紧迫性，普及有关湿地保护与合理利用的科普知识。结合“世界湿地日”“爱鸟周”“观鸟节”等各类活动，精心安排、积极组织一些群众喜闻乐见、丰富多彩的湿地宣传教育项目，开展广泛、深入、持久的宣传教育活动，切实提高社会公众对保护湿地的责任意识，在全社会形成爱护湿地、保护生态的良好社会风气，促进政府全面履行保护湿地的职责，激发社会各界广泛参与保护湿地的热情。结合《四川省湿地保护条例》的实施，大力宣传有关湿地保护的法律意识，强化广大群众的湿地保护法律意识，做到知法、懂法、守法。重点针对湿地自然保护区、保护小区、湿地公园、生态重要区域和生态脆弱区域，深入基层，深入农村，扩大宣传效果。

2 加强领导 落实责任

各级政府要将实地保护工作纳入工作重点，层层负责。主要领导要对本辖区的湿地保护负总责。针对湿地保护与合理利用等工作内容，建立领导干部任期目标责任制，将其作为考核政绩的一项重要指标。加强推进和检查，做到有人看、有人管、有人监督。对违反湿地保护有关法律、法规，不履行法律义务，以及因决策失误造成重大损失的，要追究其相应责任。

3 完善法制 加强执法

《四川省湿地保护条例》于2010年10月1日起实施，各级地方政府及湿地自然保护区、湿地保护小区、湿地公园等管理机构应根据本地湿地资源状况和面临的生态、经济形势，以及湿地保护与管理中亟待解决的问题，进一步制定实施细则，修改和完善本部门管理条例中与《四川省湿地保护条例》不相适应的部分，健全湿地保护法规体系，就湿地保护职责、范围、要求、湿地合理利用审批程序、执法与处罚、机构建设等作出明确规定。尤其是各级政府及相关部门的责任、任务要落实明确，制定湿地资源开发和合理利用的限制性条款，对涉及占用天然湿地或改变自然状态以及湿地开发利用的项目，行政主管部门都要会同有关部门按有关法律规定实行严格的审批。坚决制止随意侵占和破坏湿地的违法行动，坚决杜绝对湿地资源滥采、滥捕、滥用的现象。

省级湿地主管部门要依法履行指导、监督职责，全面贯彻落实《条例》的各项内容，并通过地方反馈、案例分析、跟踪调研等方式总结经验。进一步完善《条例》，尽快出台《条例》实施细则，明确执法主体、执法程序等相关内容。加强执法监督，建立案件追踪、案件复核、案件反馈等执法监督制度，坚决杜绝有法不依现象。

4 完善体系 健全机制

湿地保护管理体系主要包括以下几方面：一是进一步完善湿地管理机构，建立组织完备、设备齐全、技术过硬的管理体系。各级地方政府，特别是重要湿地区域所在地的地方政府，也应按省级湿地管理体制的设置，建立健全本级湿地管理机构，由上至下，形成一个完整、协调、有效的湿地管理体系。还没有建立专门的湿地保护管理机构的，应尽快组织建立。已经建立湿地保护管理机构的，应尽快解决人员不齐、设备不全、经费不够等问题，积极开展技术培训工作。二是进一步健全包括湿地自然保护区、湿地保护小区、湿地公园、重要湿地在内的湿地保护体系。结合第二次湿地资源调查，增加一批四川省重要湿地，结合湿地保护工程规划建立一批湿地自然保护区、湿地保护小区、湿地公园。三是在全省湿地资源调查的基础上，建立省级监测中心、重要湿地监测站、典型湿地检测样地三级监测网络，形成全省布局合理、类型齐全的湿地监测体系。掌握全省及区域性湿地资源的动态变化和预测发展趋势，定期提供动态监测数据，为全省湿地保护与合理利用提供科学依据。

湿地主管部门要充分发挥职能作用，按照湿地保护管理条例的要求切实履行好职责，积极协调各实施部门的关系，充分调动和发挥各部门的积极性，发挥各自优势，团结协作，做好相关的湿地保护管理工作。湿地管理涉及各级政府、多个部门，建立一个责任明确、组织有序的协调机制是十分必要的。在此基础上应进一步健全运行机制，定期开展湿地保护管理协调例会，建立应急反应协调机制等，着力解决四川省湿地保护工作中存在的湿地围垦、湿地污染等难点和热点问题，力争在机制建设上有新突破。

5 科学规划 协调发展

四川省是农业大省，协调解决湿地保护与合理利用的关系，是湿地管理工作的重要内容，对全省湿地管理进行科学、全面规划，才能正确处理湿地保护与农业生产、矿业开发、水利水电兴建、道路建设等各项事业的关系。制定省级湿地保护利用总体规划，明确湿地保护对象、保护内容、保护等级与保护管理目标，明确禁止开发利用、可以开发利用和鼓励开发利用的湿地资源范围。该规划要与四川省国民经济与社会发展总体规划、四川省土地利用总体规划、四川省林地保护利用规划及相关各部门的规划相协调，争取纳入国民经济和社会发展下一个五年总体规划之中。在省级规划的总体框架下，湿地所在地政府及有关部门要制定本地的湿地保护规划，从流域生态角度出发，强调结合流域生态特点，在充分研究各重要湿地生态功能的基础上，重视湿地保护和恢复的整体布局，制定湿地保护规划，确定四川省湿地保护的优先项目，有计划地实施湿地保护战略，促进湿地资源保护与利用的协调与可持续性。

6 加大投入 生态补偿

资金投入是做好湿地保护工作的标保障，各级政府及有关部门要制定有关湿地保护的鼓励和支持政策，多形式、多层次、全方位开辟融资渠道，逐步建立起政府和社会各界共同参与的湿地保护投入机制，加大湿地保护的资金投入。在争取国家对湿地的建设投资的同时，扩大资金来源，优化投资结构，重点支持湿地自然保护区、湿地保护小区、湿地公园为主的重要湿地保护建设。对亟须保护的重要湿地，政府应支付必要的费用。对因保护而影响所有者收益的，应予以生态效益补偿。对确因人为因素改变湿地自然供水条件的重要湿地，应建立常态人工补水机制，由政府予以资金支持。各级政府应将湿地保护管理工作经费，湿地生态系统恢复、修复与重建等方面的投入纳入财政预算。

建议省政府尽快制定湿地生态补偿法，建立湿地生态效益补偿机制。一方面争取国家补偿资金支持，另一方面按照“谁利用、谁补偿”的原则，向湿地开发利用有关部门和单位征收生态补偿费，以利于湿地资源的保护和建设。

7 巩固成果 树立典型

四川省湿地保护体系已基本建立，但是，由于经费投入不足，湿地保护管理专业人员缺乏，保护管理力量薄弱等方面都存在许多困难和问题，极大地制约了湿地保护工作的开展。各级政府和有关部门要统筹研究，认真解决，保证湿地管理工作的正常开展，巩固多年来建立的工作成果。

要将湿地保护与恢复工程纳入当地国民经济和社会发展规划，保证投入资金份额，加大湿地保护与恢复工程建设。通过将湿地生态保护内容纳入水资源保护管理、水污染防治、区域生态环境建设等重大规划，解决长期以来影响湿地生态系统健康的主要制约因素，使湿地得到更加有效地保护与恢复。统筹协调区域内、流域内的水资源规划，兼顾好湿地生态用水。当湿地生态用水缺乏时，应采取工程措施实施生态补水，确保重要湿地不断流、不干涸。积极采取退耕还湿、围堵造湿、引水增湿、移民保湿等各种措施，加大对退化湿地的恢复改造力度。

为了有效实施湿地保护战略，恢复受损湿地的生态功能，在确定全省湿地恢复与重建区域的基础上，选择具有开发潜力、有示范意义的区域和项目，建立一批湿地保护与恢复示范区、湿地重建示范区、湿地合理利用示范区、湿地综合开发示范区等各类典型区域，采取多种形式开展湿地资源可持续利用示范区建设，以此引领全省湿地保护管理的正确方向。

8 深入研究 加强合作

加强湿地生态、湿地资源等基础性研究，开展湿地合理开发利用模式、湿地可持续利用途径、退化湿地生态系统恢复技术等领域的科学研究，将有助于进一步提高湿地保护工作的水平。科技主管部门对有关湿地的科研课题要优先立项，重点支持。争取在湿地管理机构、行政主管部门、科研部门的共同努力下，拿出一批具有较高学术水平、较大推广应用价值、国内领先、国际先进的研究成果，为湿地资源可持续发展和利用奠定科技基础。从全省湿地资源现状看，需优先开展的科学研究主要包括：

(1)湿地自然过程和人类活动关系及影响；

(2)湿地生态与环境功能研究，重点研究湿地的减灾效益、湿地开发阈值以及湿地承载力，评价湿地在保护生物多样性、提供社会公益服务和直接产品的价值；

(3)开展四川湿地综合评价指标体系研究。如四川湿地健康与安全评价、四川湿地综合分类、四川重要湿地评价与可利用湿地资源定量评估等指标体系；

(4)开展退化与污染湿地生态系统恢复与重建研究。如典型湿地污染与退化机制分析、湿地生态环境需水量研究、湿地恢复与重建的关键生态过程与技术研究等；

(5)研究建立四川重要湿地优化管理试验与示范。如国家和国际重要湿地的保护与开发阈值、不同类型重要湿地合理利用模式与技术等。

与此同时，今后应进一步加强湿地国际(WI)、联合国计划开发署(UNDP)、世界自然基金会(WWF)、国际鹤类基金会(ICF)等国际湿地与湿地鸟类保护国际组织合作，积极从国际上争取湿地保护资金，密切关注国际湿地保护工作的新动向，积极倡议、参与和推动国际湿地保护工作的新行动，努力做好《湿地公约》的履行工作，进一步扩大四川省在国际湿地保护领域中的影响，把湿地生态环境保护管理工作提高到一个新的水平。

9 扩大保护范围 提高保护级别

四川省目前建立的各级自然保护区、保护小区、湿地公园等，受保护的湿地面积占全省调查湿地总面积的55.25%。实践证明，建立湿地自然保护区、湿地公园是保护湿地最积极、最有效的措施，是湿地保护管理的重要手段。但是，还有大部分湿地处于完全开放状态，湿地安全受到严重威胁。要加快湿地自然保护区、湿地公园的建设，强化重要湿地的保护管理力度。要积极组织专家开展重要湿地认定工作，对符合条件的应鼓励申报建立湿地自然保护区或湿地公园，把河源地区、风沙干旱地区、饮用水水源区、风景名胜区、珍稀濒危野生动物栖息地、珍稀濒危野生植物生长地、生物多样性丰富的等重要湿地生态区域，以及距离城镇较近、社会效益明显的湿地保护起来，扩大湿地保护范围，提高重要湿地的保护级别。

附录1 四川湿地调查区域植物名录

序号	科	属	种		生活型	外来
			中文名	拉丁名		
一、苔藓植物						
1	护蒴苔科	护蒴苔属	* 沼生护蒴苔	*Calypogeia sphagnicola*	湿生	
2	拟大萼苔科	拟大萼苔属	狭叶拟大萼苔	*Cephaloziella elachpista*		
3	合叶苔科	合叶苔属	* 沼生合叶苔	*Scapania paludicola*	湿生	
4	毛叶苔科	毛叶苔属	毛叶苔	*Ptilidium ciliare*		
5	地钱科	地钱属	* 地钱	*Marchantia plymorpha*	湿生	
6	钱苔科	钱苔属	* 叉钱苔	*Riccia fluitans*	漂浮	
7		浮苔属	* 浮苔	*Riccocarpus natans*	漂浮	
8	万年藓科	万年藓属	万年藓	*Climacium dendroides*		
9	丛藓科	拟合睫藓属	拟合睫藓	*Pseudosymboepharis papillosrla*		
10	凤尾藓科	凤尾藓属	* 卷叶凤尾藓	*Fissidens cristatus*	湿生	
11	葫芦藓科	立碗藓属	* 尖叶立碗藓	*Physcomitrium acuminatum*	湿生	
12		葫芦藓属	* 葫芦藓	*Funaria hygrometrica*	湿生	
13	灰藓科	毛梳藓属	毛梳藓	*Ptilium crista – castrensis*		
14	柳叶藓科	牛角藓属	* 牛角藓	*Cratoneuron filicinum*	湿生	
15		镰刀藓属	* 镰刀藓	*Drepanocladus aduncus*	沉水	
16			* 钩枝镰刀藓	*Drepanocladus uncinatus*	沉水	
17		湿原藓属	* 湿原藓	*Calliergon cordifolium*	湿生	
18	青藓科	毛尖藓属	* 毛尖藓	*Cirriphyllum piliferum*	湿生	
19	塔藓科	塔藓属	塔藓	*Hylocomium splendens*		
20		垂枝藓属	垂枝藓	*Rhytidium rugosum*		
21	金发藓科	金发藓属	* 金发藓	*Polytrichum commune*	湿生	
22			* 细叶金发藓	*Polytrichum gracile*	湿生	
23	泥炭藓科	泥炭藓属	* 卵叶泥炭藓	*Sphagnum ovatum*	湿生	
24			* 泥炭藓	*Sphagnum palustre*	湿生	
25			* 粗叶泥炭藓	*Sphagnum squarrosum*	湿生	
26			* 偏叶泥炭藓	*Sphagnum subsecundum*	湿生	
27	牛毛藓科	牛毛藓属	* 黄牛毛藓	*Ditrichum pallidium*	湿生	

（续）

序号	科	属	种		生活型	外来
			中文名	拉丁名		
28		角齿藓属	* 角齿藓	*Ceratodon purpureus*	湿生	
29	曲尾藓科	曲尾藓属	* 细肋黄尾藓	*Dicranum bonjeanii*	湿生	
30			* 长叶曲尾藓	*Dicranum elongatum*	湿生	
31			* 折叶曲尾藓	*Dicranum flagifolium*	湿生	
32			* 曲尾藓	*Dicranum scoparium*	湿生	
33			* 皱叶曲尾藓	*Dicranum undulatum*	湿生	
34	真藓科	真藓属	真藓	*Bryum argenteum*		
35			* 丛生真藓	*Bryum caespiticium*	湿生	
36	珠藓科	泽藓属	* 泽藓	*Philonotis fontana*	湿生	
37			* 四川泽藓	*Philonotis setschuanica*	湿生	
二、蕨类植物						
1	卷柏科	卷柏属	伏地卷柏	*Selaginella nipponica*		
2			翠云草	*Selaginella uncinata*		
3	水韭科	水韭属	* 高寒水韭①	*Isoetes hypsophila*	挺水	
4	木贼科	木贼属	* 问荆	*Equisetum arvense*	湿生	
5			* 披散木贼	*Equisetum diffusum*	湿生	
6			* 木贼	*Equisetum hyemale*	湿生	
7			* 犬问荆	*Equisetum palustre*	湿生	
8			* 节节草	*Equisetum ramosissimum*	湿生	
9			* 笔管草	*Equisetum ramosissimum subsp. debile*	湿生	
10	紫萁科	紫萁属	紫萁	*Osmunda japonica*		
11			华南紫萁	*Osmunda vachellii*		
12	姬蕨科	姬蕨属	* 姬蕨	*Hypolepis punctata*	湿生	
13	蕨科	蕨属	蕨	*Pteridium aquilinum var. latiusculum*		
14	凤尾蕨科	凤尾蕨属	* 井栏边草	*Pteris multifida*	湿生	
15	铁线蕨科	铁线蕨属	铁线蕨	*Adiantum capillus - veneris*		
16	水蕨科	水蕨属	* 水蕨②	*Ceratopteris thalictroides*	漂浮	
17	蹄盖蕨科	假蹄盖蕨属	假蹄盖蕨	*Athyriopsis japonica*		
18	金星蕨科	毛蕨属	* 渐尖毛蕨	*Cyclosorus acuminatus*	湿生	
19		金星蕨属	金星蕨	*Parathelypteris glanduligera*		
20		沼泽蕨属	沼泽蕨	*Thelypteris palustris*		
21	乌毛蕨科	乌毛蕨属	乌毛蕨	*Blechnum orientale*		
22	苹科	苹属	* 苹	*Marsilea quadrifolia*	浮叶	

（续）

序号	科	属	种		生活型	外来
			中文名	拉丁名		
23	槐叶苹科	槐叶苹属	*槐叶苹	*Salvinia natans*	漂浮	
24	满江红科	满江红属	*满江红	*Azolla imbricata*	漂浮	
三、裸子植物						
1	杉科	水杉属	水杉①	*Metasequoia glyptostroboides*		
2		落羽杉属	池杉	*Taxodium ascendens*		
四、被子植物						
1	胡桃科	枫杨属	湖北枫杨	*Pterocarya hupehensis*		
2			枫杨	*Pterocarya stenoptera*		
3	杨柳科	杨属	山杨	*Populus davidiana*		
4			冬瓜杨	*Populus purdomii*		
5		柳属	垂柳	*Salix babylonica*		
6			乌柳	*Salix cheilophila var. cheilophila*		
7			*绵毛柳	*Salix erioclada*	湿生	
8			新紫柳	*Salix neowilsonii*		
9			山生柳	*Salix oritrepha*		
10			康定柳	*Salix paraplesia*		
11			*硬叶柳	*Salix sclerophylla*	湿生	
12			秋华柳	*Salix variegata*		
13			皂柳	*Salix wallichiana*		
14	桦木科	桤木属	桤木	*Alnus cremastogyne*		
15	桑科	葎草属	葎草	*Humulus scandens*		
16	荨麻科	苎麻属	序叶苎麻	*Boehmeria clidemioides var. diffusa*		
17			赤麻	*Boehmeria silvestris*		
18		水麻属	*长叶水麻	*Debregeasia longifolia*	湿生	
19			*水麻	*Debregeasia orientalis*	湿生	
20		楼梯草属	华南楼梯草	*Elatostema balansae*		
21			锐齿楼梯草	*Elatostema cyrtandrifolium*		
22			梨序楼梯草	*Elatostema ficoides*		
23			钝叶楼梯草	*Elatostema obtusum*		
24			小叶楼梯草	*Elatostema parvum*		
25			宽叶楼梯草	*Elatostema platyphyllum*		
26			多脉楼梯草	*Elatostema pseudoficoides*		
27			庐山楼梯草	*Elatostema stewardii*		

（续）

序号	科	属	种		生活型	外来
			中文名	拉丁名		
28	荨麻科		疣果楼梯草	*Elatostema trichocarpum*		
29		蝎子草属	红火麻	*Girardinia suborbiculata subsp. triloba*		
30		糯米团属	糯米团	*Gonostegia hirta*		
31		艾麻属	艾麻	*Laportea cuspidata*		
32		花点草属	花点草	*Nanocnide japonica*		
33			毛花点草	*Nanocnide lobata*		
34		赤车属	蔓赤车	*Pellionia scabra*		
35		冷水花属	山冷水花	*Pilea japonica*		
36			大叶冷水花	*Pilea martinii*		
37			冷水花	*Pilea notata*		
38			少花冷水花	*Pilea pauciflora*		
39			透茎冷水花	*Pilea pumila*		
40			粗齿冷水花	*Pilea sinofasciata*		
41		雾水葛属	*雾水葛	*Pouzolzia zeylanica*	湿生	
42		荨麻属	*麻叶荨麻	*Urtica cannabina*	湿生	
43			宽叶荨麻	*Urtica laetevirens*		
44	蓼科	荞麦属	疏穗野荞麦	*Fagopyrum caudatum*		
45			金荞麦②	*Fagopyrum dibotrys*		
46			荞麦	*Fagopyrum esculentum*		
47			疏穗小野荞麦	*Fagopyrum leptopodum var. grossii*		
48		何首乌属	卷茎蓼	*Fallopia convolvulus*		
49			齿翅蓼	*Fallopia dentatoalata*		
50		冰岛蓼属	*冰岛蓼	*Koenigia islandica*	湿生	
51		蓼属	*两栖蓼	*Polygonum amphibium*	浮叶	
52			阿萨姆蓼	*Polygonum assamicum*		
53			萹蓄	*Polygonum aviculare*		
54			毛蓼	*Polygonum barbatum*		
55			钟花蓼	*Polygonum campanulatum*		
56			头花蓼	*Polygonum capitatum*		
57			火炭母	*Polygonum chinense*		
58			大箭叶蓼	*Polygonum darrisii*		
59			稀花蓼	*Polygonum dissitiflorum*		
60			冰川蓼	*Polygonum glaciale*		

（续）

序号	科	属	种		生活型	外来
			中文名	拉丁名		
61			洼点蓼	*Polygonum glaciale* var. *przewalskii*		
62			长箭叶蓼	*Polygonum hastato - sagittatum*		
63			*水蓼	*Polygonum hydropiper*	挺水	
64			蚕茧草	*Polygonum japonicum*		
65			愉悦蓼	*Polygonum jucundum*		
66			酸模叶蓼	*Polygonum lapathifolium*		
67			密毛酸模叶蓼	*Polygonum lapathifolium* var. *lanatum*		
68			长鬃蓼	*Polygonum longisetum*		
69			圆基长鬃蓼	*Polygonum longisetum* var. *rotundatum*		
70			圆穗蓼	*Polygonum macrophyllum*		
71			狭叶圆穗蓼	*Polygonum macrophyllum* var. *stenophyllum*		
72			大海蓼	*Polygonum milletii*		
73			小蓼花	*Polygonum muricatum*		
74			*红蓼	*Polygonum orientale*	挺水	
75			杠板归	*Polygonum perfoliatum*		
76	蓼科	蓼属	春蓼	*Polygonum persicaria*		
77			*习见蓼	*Polygonum plebeium*	湿生	
78			多穗蓼	*Polygonum polystachyum*		
79			丛枝蓼	*Polygonum posumbu*		
80			伏毛蓼	*Polygonum pubescens*		
81			*西伯利亚蓼	*Polygonum sibiricum*	湿生	
82			箭叶蓼	*Polygonum sieboldii*		
83			柔毛蓼	*Polygonum sparsipilosum*		
84			支柱蓼	*Polygonum suffultum*		
85			细穗支柱蓼	*Polygonum suffultum* var. *pergracile*		
86			戟叶蓼	*Polygonum thunbergii*		
87			香蓼	*Polygonum viscosum*		
88			珠芽蓼	*Polygonum viviparum*		
89			球序蓼	*Polygonum wallichii*		
90		虎杖属	虎杖	*Reynoutria japonica*		
91			苞叶大黄	*Rheum alexandrae*		
92		大黄属	滇边大黄	*Rheum delavayi*		
93			药用大黄	*Rheum officinale*		

（续）

序号	科	属	种		生活型	外来
			中文名	拉丁名		
94	蓼科		掌叶大黄	*Rheum palmatum*		
95		酸模属	酸模	*Rumex acetosa*		
96			小酸模	*Rumex acetosella*		
97			* 水生酸模	*Rumex aquaticus*	湿生	
98			* 皱叶酸模	*Rumex crispus*	湿生	
99			齿果酸模	*Rumex dentatus*		
100			羊蹄	*Rumex japonicus*		
101			尼泊尔酸模	*Rumex nepalensis*		
102			巴天酸模	*Rumex patientia*		
103			长刺酸模	*Rumex trisetifer*		
104	马齿苋科	马齿苋属	马齿苋	*Portulaca oleracea*		
105	石竹科	无心菜属	西南无心菜	*Arenaria forrestii*		
106			无心菜	*Arenaria serpyllifolia*		
107			具毛无心菜	*Arenaria trichophora*		
108		卷耳属	缘毛卷耳	*Cerastium furcatum*		
109		荷莲豆草属	荷莲豆草	*Drymaria cordata*		
110		鹅肠菜属	鹅肠菜	*Myosoton aquaticum*		
111		孩儿参属	蔓孩儿参	*Pseudostellaria davidii*		
112		漆姑草属	无毛漆姑草	*Sagina saginoides*		
113		拟漆姑属	拟漆姑	*Spergularia salina*		
114		繁缕属	中国繁缕	*Stellaria chinensis*		
115			繁缕	*Stellaria media*		
116			鸡肠繁缕	*Stellaria neglecta*		
117			* 沼生繁缕	*Stellaria palustris*	湿生	
118			* 湿地繁缕	*Stellaria uda*	湿生	
119			雀舌草	*Stellaria uliginosa*		
120			雀舌草原变种	*Stellaria uliginosa* var. *uliginosa*		
121			箐姑草	*Stellaria vestita*		
122	藜科	藜属	藜	*Chenopodium album*		
123			土荆芥	*Chenopodium ambrosioides*		
124			菊叶香藜	*Chenopodium foetidum*		
125			灰绿藜	*Chenopodium glaucum*		
126			细穗藜	*Chenopodium gracilispicum*		

（续）

序号	科	属	种		生活型	外来
			中文名	拉丁名		
127	苋科	莲子草属	*喜旱莲子草	*Alternanthera philoxeroides*	挺水	外来
128			*莲子草	*Alternanthera sessilis*	挺水	
129		苋属	反枝苋	*Amaranthus retroflexus*		
130		青葙属	青葙	*Celosia argentea*		
131	毛茛科	星叶草属	星叶草	*Circaeaster agrestis*		
132		银莲花属	打破碗花花	*Anemone hupehensis*		
133			草玉梅	*Anemone rivularis*		
134			*湿地银莲花	*Anemone rupestris*	湿生	
135			岩生银莲花	*Anemone rupicola*		
136			匙叶银莲花	*Anemone trullifolia*		
137		水毛茛属	*水毛茛	*Batrachium bungei*	沉水	
138			*黄花水毛茛	*Batrachium bungei* var. *flavidum*	沉水	
139			*毛柄水毛茛	*Batrachium trichophyllum*	沉水	
140		驴蹄草属	驴蹄草	*Caltha palustris*		
141			*空茎驴蹄草	*Caltha palustris* var. *barthei*	湿生	
142			掌裂驴蹄草	*Caltha palustris* var. *umbrosa*		
143			花葶驴蹄草	*Caltha scaposa*		
144		碱毛茛属	水葫芦苗	*Halerpestes cymbalaria*		
145			*三裂碱毛茛	*Halerpestes tricuspis*	湿生	
146			*浅三裂碱毛茛	*Halerpestes tricuspis* var. *intermedia*	湿生	
147		鸭跖花属	脱萼鸭跖花	*Oxygraphis delavayi*		
148			鸭跖花	*Oxygraphis glacialis*		
149			小鸭跖花	*Oxygraphis tenuifolia*		
150		毛茛属	禺毛茛	*Ranunculus cantoniensis*		
151			*茴茴蒜	*Ranunculus chinensis*	湿生	
152			西南毛茛	*Ranunculus ficariifolius*		
153			宿萼毛茛	*Ranunculus glacialiformis*		
154			毛茛	*Ranunculus japonicus*		
155			*长茎毛茛	*Ranunculus longicaulis*	湿生	
156			*云生毛茛	*Ranunculus longicaulis* var. *nephelogenes*	湿生	
157			美丽毛茛	*Ranunculus pulchellus*		
158			*石龙芮	*Ranunculus sceleratus*	挺水	
159			扬子毛茛	*Ranunculus sieboldii*		

（续）

序号	科	属	种		生活型	外来
			中文名	拉丁名		
160	毛茛科	毛茛属	高原毛茛	*Ranunculus tanguticus*		
161			毛果高原毛茛	*Ranunculus tanguticus var. dasycarpus*		
162			猫爪草	*Ranunculus ternatus*		
163			褐鞘毛茛	*Ranunculus? vaginatus*		
164		金莲花属	小金莲花	*Trollius pumilus*		
165			青藏金莲花	*Trollius pumilus var. tanguticus*		
166			* 毛茛状金莲花	*Trollius ranunculoides*	湿生	
167			云南金莲花	*Trollius yunnanensis*		
168	小檗科	小檗属	川滇小檗	*Berberis jamesiana*		
169		鬼臼属	六角莲	*Dysosma pleiantha*		
170			川八角莲	*Dysosma veitchii*		
171			八角莲	*Dysosma versipellis*		
172		桃儿七属	桃儿七	*Sinopodophyllum hexandrum*		
173	睡莲科	莼属	* 莼菜①	*Brasenia schreberi*	浮叶	
174		莲属	* 莲②	*Nelumbo nucifera*	挺水	
175		睡莲属	* 睡莲	*Nymphaea tetragona*	浮叶	
176	金鱼藻科	金鱼藻属	* 金鱼藻	*Ceratophyllum demersum*	沉水	
177	三白草科	裸蒴属	裸蒴	*Gymnotheca chinensis*		
178		蕺菜属	蕺菜	*Houttuynia cordata*		
179		三白草属	三白草	*Saururus chinensis*		
180	金粟兰科	金粟兰属	鱼子兰	*Chloranthus elatior*		
181			多穗金粟兰	*Chloranthus multistachys*		
182			及已	*Chloranthus serratus*		
183	马兜铃科	细辛属	短尾细辛	*Asarum caudigerellum*		
184			尾花细辛	*Asarum caudigerum*		
185			铜钱细辛	*Asarum debile*		
186			杜衡	*Asarum forbesii*		
187			单叶细辛	*Asarum himalaicum*		
188	藤黄科	金丝桃属	黄海棠	*Hypericum ascyron*		
189			地耳草	*Hypericum japonicum*		
190			单花遍地金	*Hypericum monanthemum*		
191			金丝梅	*Hypericum patulum*		
192			遍地金	*Hypericum wightianum*		

（续）

序号	科	属	种		生活型	外来
			中文名	拉丁名		
193	罂粟科	紫堇属	圆萼紫堇	*Corydalis amplisepala*		
194			穆坪紫堇	*Corydalis flexuosa*		
195			小花宽瓣黄堇	*Corydalis giraldii*		
196			平武紫堇	*Corydalis pingwuensis*		
197			川北钩距黄堇	*Corydalis pseudohamata*		
198			地锦苗	*Corydalis sheareri*		
199		血水草属	* 血水草	*Eomecon chionantha*	湿生	
200		荷青花属	* 荷青花	*Hylomecon japonica*	湿生	
201	十字花科	鼠耳芥属	鼠耳芥	*Arabidopsis thaliana*		
202		荠属	荠	*Capsella bursa - pastoris*		
203		碎米荠属	光头山碎米荠	*Cardamine engleriana*		
204			纤细碎米荠	*Cardamine gracilis*		
205			碎米荠	*Cardamine hirsuta*		
206			弹裂碎米荠	*Cardamine impatiens*		
207			白花碎米荠	*Cardamine leucantha*		
208			水田碎米荠	*Cardamine lyrata*		
209			大叶碎米荠	*Cardamine macrophylla*		
210			小叶碎米荠	*Cardamine microzyga*		
211			* 紫花碎米荠	*Cardamine tangutorum*	湿生	
212			三小叶碎米荠	*Cardamine trifoliolata*		
213			云南碎米荠	*Cardamine yunnanensis*		
214		播娘蒿属	播娘蒿	*Descurainia sophia*		
215		葶苈属	毛葶苈	*Draba eriopoda*		
216			球果葶苈	*Draba glomerata*		
217			小花葶苈	*Draba parviflora*		
218			云南葶苈	*Draba yunnanensis*		
219		山萮菜属	云南山萮菜	*Eutrema yunnanense*		
220		高河菜属	高河菜	*Megacarpaea delavayi*		
221		豆瓣菜属	豆瓣菜	*Nasturtium officinale*		
222		单花荠属	* 单花荠	*Pegaeophyton scapiflorum*	湿生	
223		蔊菜属	广州蔊菜	*Rorippa cantoniensis*		
224			无瓣蔊菜	*Rorippa dubia*		
225			* 高蔊菜	*Rorippa elata*	湿生	

（续）

序号	科	属	种		生活型	外来
			中文名	拉丁名		
226	十字花科	蔊菜属	风花菜	*Rorippa globosa*		
227			蔊菜	*Rorippa indica*		
228			沼生蔊菜	*Rorippa islandica*		
229		大蒜芥属	垂果大蒜芥	*Sisymbrium heteromallum*		
230	虎耳草科	梅花草属	* 鸡心梅花草	*Parnassia crassifolia*	湿生	
231			短柱梅花草	*Parnassia brevistyla*		
232			* 三脉梅花草	*Parnassia trinervis*	湿生	
233		扯根菜属	扯根菜	*Penthorum chinense*		
234		虎耳草属	* 沼地虎耳草	*Saxifraga heleonastes*	湿生	
235			山羊臭虎耳草	*Saxifraga hirculus*		
236			道孚虎耳草	*Saxifraga lumpuensis*		
237			山地虎耳草	*Saxifraga montana*		
238			垂头虎耳草	*Saxifraga nigroglandulifera*		
239		黄水枝属	* 黄水枝	*Tiarella polyphylla*	湿生	
240	蔷薇科	龙芽草属	龙芽草	*Agrimonia pilosa*		
241			黄龙尾	*Agrimonia pilosa var. nepalensis*		
242		羽衣草属	羽衣草	*Alchemilla japonica*		
243		蛇莓属	蛇莓	*Duchesnea indica*		
244			小叶蛇莓	*Duchesnea indica var. microphylla*		
245		路边青属	路边青	*Geum aleppicum*		
246			柔毛路边青	*Geum japonicum var. chinense*		
247		委陵菜属	* 蕨麻	*Potentilla anserina*	湿生	
248			蛇莓委陵菜	*Potentilla centigrana*		
249			三叶委陵菜	*Potentilla freyniana*		
250			* 蛇含委陵菜	*Potentilla kleiniana*	湿生	
251			* 条裂委陵菜	*Potentilla lancinata*	湿生	
252			银叶委陵菜	*Potentilla leuconota*		
253			* 脱毛银叶委陵菜	*Potentilla leuconota var. brachyphyllaria*	湿生	
254			西南委陵菜	*Potentilla lineata*		
255			* 康定委陵菜	*Potentilla tatsienluensis*	湿生	
256		地榆属	* 矮地榆	*Sanguisorba filiformis*	湿生	
257			地榆	*Sanguisorba officinalis*		
258			长叶地榆	*Sanguisorba officinalis var. longifolia*		

（续）

序号	科	属	种		生活型	外来
			中文名	拉丁名		
259		马蹄黄属	马蹄黄	*Spenceria ramalana*		
260	豆科	黄耆属	紫云英	*Astragalus sinicus*		
261		锦鸡儿属	川西锦鸡儿	*Caragana erinacea*		
262		大豆属	* 野大豆	*Glycine soja*	湿生	
263		鸡眼草属	鸡眼草	*Kummerowia striata*		
264		百脉根属	百脉根	*Lotus corniculatus*		
265		苜蓿属	天蓝苜蓿	*Medicago lupulina*		
266		草木犀属	* 草木犀	*Melilotus officinalis*	湿生	
267		棘豆属	甘肃棘豆	*Oxytropis kansuensis*		
268		田菁属	田菁	*Sesbania cannabina*		
269		车轴草属	红车轴草	*Trifolium pratense*		
270			白车轴草	*Trifolium repens*		
271		野豌豆属	窄叶野豌豆	*Vicia angustifolia*		
272			救荒野豌豆	*Vicia sativa*		
273	酢浆草科	酢浆草属	酢浆草	*Oxalis corniculata*		
274			红花酢浆草	*Oxalis corymbosa*		
275	大戟科	铁苋菜属	铁苋菜	*Acalypha australis*		
276		叶下珠属	叶下珠	*Phyllanthus urinaria*		
277		大戟属	斑地锦	*Euphorbia maculata*		
278			大狼毒	*Euphorbia jolkinii*		
279	马桑科	马桑属	马桑	*Coriaria nepalensis*		
280	凤仙花科	凤仙花属	* 锐齿凤仙花	*Impatiens arguta*	湿生	
281			短柄凤仙花	*Impatiens brevipes*		
282			耳叶凤仙花	*Impatiens delavayi*		
283			齿萼凤仙花	*Impatiens dicentra*		
284			* 柳叶菜状凤仙花	*Impatiens epilobioides*	湿生	
285			脆弱凤仙花	*Impatiens infirma*		
286			细柄凤仙花	*Impatiens leptocaulon*		
287			水金凤	*Impatiens noli – tangere*		
288			翼萼凤仙花	*Impatiens pterosepala*		
289			黄金凤	*Impatiens siculifer*		
290			康定凤仙花	*Impatiens soulieana*		
291			扭萼凤仙花	*Impatiens tortisepala*		

（续）

序号	科	属	种		生活型	外来
			中文名	拉丁名		
292			条纹凤仙花	*Impatiens vittata*		
293	葡萄科	乌蔹莓属	乌蔹莓	*Cayratia japonica*		
294	锦葵科	苘麻属	* 苘麻	*Abutilon theophrasti*	湿生	
295	椴树科	田麻属	田麻	*Corchoropsis tomentosa*		
296	胡颓子科	沙棘属	* 沙棘	*Hippophae rhamnoides*	湿生	
297	堇菜科	堇菜属	鸡腿堇菜	*Viola acuminata*		
298			南山堇菜	*Viola chaerophylloides*		
299			球果堇菜	*Viola collina*		
300			深圆齿堇菜	*Viola davidii*		
301			七星莲	*Viola diffusa*		
302			长萼堇菜	*Viola inconspicua*		
303			深山堇菜	*Viola selkirkii*		
304	柽柳科	水柏枝属	* 具鳞水柏枝	*Myricaria squamosa*	湿生	
305			* 疏花水柏枝	*Myricaria laxiflora*	湿生	
306		柽柳属	* 柽柳	*Tamarix chinensis*	湿生	
307	千屈菜科	水苋菜属	* 耳基水苋	*Ammannia auriculata*	挺水	
308			* 水苋菜	*Ammannia baccifera*	挺水	
309		千屈菜属	* 千屈菜	*Lythrum salicaria*	挺水	
310		节节菜属	* 节节菜	*Rotala indica*	挺水	
311			* 圆叶节节菜	*Rotala rotundifolia*	挺水	
312	菱科	菱属	* 菱	*Trapa bispinosa*	浮叶	
313			* 丘角菱	*Trapa japonica*	浮叶	
314			* 野菱②	*Trapa incisa var. quadricaudata*	浮叶	
315	野牡丹科	野海棠属	红毛野海棠	*Bredia tuberculata*		
316	柳叶菜科	柳叶菜属	* 毛脉柳叶菜	*Epilobium amurense*	湿生	
317			柳兰	*Epilobium angustifolium*		
318			* 长柱柳叶菜	*Epilobium blinii*	湿生	
319			* 腺茎柳叶菜	*Epilobium brevifolium subsp. trichoneurum*	湿生	
320			* 圆柱柳叶菜	*Epilobium cylindricum*	湿生	
321			柳叶菜	*Epilobium hirsutum*		
322			* 锐齿柳叶菜	*Epilobium kermodei*	湿生	
323			* 沼生柳叶菜	*Epilobium palustre*	湿生	
324			硬毛柳叶菜	*Epilobium pannosum*		

（续）

序号	科	属	种		生活型	外来
			中文名	拉丁名		
325	柳叶菜科	柳叶菜属	小花柳叶菜	*Epilobium parviflorum*		
326			阔柱柳叶菜	*Epilobium platystigmatosum*		
327			长籽柳叶菜	*Epilobium pyrricholophum*		
328			短梗柳叶菜	*Epilobium royleanum*		
329			鳞片柳叶菜	*Epilobium sikkimense*		
330			亚革质柳叶菜	*Epilobium subcoriaceum*		
331			滇藏柳叶菜	*Epilobium wallichianum*		
332			埋鳞柳叶菜	*Epilobium williamsii*		
333		露珠草属	高山露珠草	*Circaea alpina*		
334			高原露珠草	*Circaea alpina* subsp. *imaicola*		
335		丁香蓼属	* 假柳叶菜	*Ludwigia epilobioides*	湿生	
336			* 毛草龙	*Ludwigia octovalvis*	湿生	
337			* 黄花水龙	*Ludwigia peploides* subsp. *stipulacea*	浮叶	
338	小二仙草科	狐尾藻属	* 穗状狐尾藻	*Myriophyllum spicatum*	沉水	
339			* 狐尾藻	*Myriophyllum verticillatum*	沉水	
340	杉叶藻科	杉叶藻属	* 杉叶藻	*Hippuris vulgaris*	沉水	
341	伞形科	积雪草属	积雪草	*Centella asiatica*		
342		矮泽芹属	矮泽芹	*Chamaesium paradoxum*		
343		毒芹属	* 毒芹	*Cicuta virosa*	湿生	
344		蛇床属	蛇床	*Cnidium monnieri*		
345		鸭儿芹属	鸭儿芹	*Cryptotaenia japonica*		
346		天胡荽属	红马蹄草	*Hydrocotyle nepalensis*		
347			天胡荽	*Hydrocotyle sibthorpioides*		
348			破铜钱	*Hydrocotyle sibthorpioides* var. *batrachium*		
349			肾叶天胡荽	*Hydrocotyle wilfordii*		
350		水芹属	* 短辐水芹	*Oenanthe benghalensis*	湿生	
351			* 高山水芹	*Oenanthe hookeri*	湿生	
352			* 水芹	*Oenanthe javanica*	湿生	
353			卵叶水芹	*Oenanthe rosthornii*		
354			蒙自水芹	*Oenanthe rivularis*		
355			* 线叶水芹	*Oenanthe linearis*	湿生	
356			* 多裂叶水芹	*Oenanthe thomsonii*	湿生	
357		泽芹属	* 滇西泽芹	*Sium frigidum*	湿生	

（续）

序号	科	属	种		生活型	外来
			中文名	拉丁名		
358			*泽芹	*Sium suave*	湿生	
359			大白杜鹃	*Rhododendron decorum*		
360			密枝杜鹃	*Rhododendron fastigiatum*		
361			粉紫杜鹃	*Rhododendron impeditum*		
362			隐蕊杜鹃	*Rhododendron intricatum*		
363	杜鹃花科	杜鹃属	雪层杜鹃	*Rhododendron nivale*		
364			多枝杜鹃	*Rhododendron polycladum*		
365			千里香杜鹃	*Rhododendron thymifolium*		
366			紫丁杜鹃	*Rhododendron violaceum*		
367			毛蕊杜鹃	*Rhododendron websterianum*		
368		海乳草属	*海乳草	*Glaux maritima*	湿生	
369			*泽珍珠菜	*Lysimachia candida*	湿生	
370			细梗香草	*Lysimachia capillipes*		
371			过路黄	*Lysimachia christinae*		
372			临时救	*Lysimachia congestiflora*		
373			锈毛过路黄	*Lysimachia drymarifolia*		
374			红根草	*Lysimachia fortunei*		
375		珍珠菜属	长蕊珍珠菜	*Lysimachia lobelioides*		
376			*小叶珍珠菜	*Lysimachia parvifolia*	湿生	
377			矮星宿菜	*Lysimachia pumila*		
378			腺药珍珠菜	*Lysimachia stenosepala*		
379	报春花科		*云贵腺药珍珠菜	*Lysimachia stenosepala* var. *flavescens*	湿生	
380			橙红灯台报春	*Primula aurantiaca*		
381			*霞红灯台报春	*Primula beesiana*	湿生	
382			*腾冲灯台报春	*Primula chrysochlora*	湿生	
383			中甸灯台报春	*Primula chungensis*		
384			穗花报春	*Primula deflexa*		
385		报春花属	*束花粉报春	*Primula fasciculata*	湿生	
386			苞芽粉报春	*Primula gemmifera*		
387			厚叶苞芽报春	*Primula gemmifera* var. *amoena*		
388			*条裂叶报春	*Primula laciniata*	湿生	
389			*中甸海水仙	*Primula monticola*	湿生	
390			雅江报春	*Primula munroi* subsp. *yargongensis*		

（续）

序号	科	属	种		生活型	外来
			中文名	拉丁名		
391	报春花科	报春花属	* 海仙花	*Primula poissonii*	湿生	
392			* 滇海水仙花	*Primula pseudodenticulata*	湿生	
393			* 偏花报春	*Primula secundiflora*	湿生	
394			七指报春	*Primula septemloba*		
395			* 钟花报春	*Primula sikkimensis*	湿生	
396			藏报春	*Primula sinensis*		
397			* 高穗花报春	*Primula vialii*	湿生	
398			腺毛小报春	*Primula walshii*		
399			* 香海仙报春	*Primula wilsonii*	湿生	
400	马钱科	醉鱼草属	醉鱼草	*Buddleja lindleyana*		
401			密蒙花	*Buddleja officinalis*		
402	龙胆科	龙胆属	刺芒龙胆	*Gentiana aristata*		
403			反折花龙胆	*Gentiana choanantha*		
404			西域龙胆	*Gentiana clarkei*		
405			达乌里秦艽	*Gentiana dahurica*		
406			弱小龙胆	*Gentiana exigua*		
407			针叶龙胆	*Gentiana heleonastes*		
408			蓝白龙胆	*Gentiana leucomelaena*		
409			秦艽	*Gentiana macrophylla*		
410			寡流苏龙胆	*Gentiana mairei*		
411			假水生龙胆	*Gentiana pseudoaquatica*		
412			短柄龙胆	*Gentiana stipitata*		
413			灰绿龙胆	*Gentiana yokusai*		
414		扁蕾属	扁蕾	*Gentianopsis barbata*		
415			大花扁蕾	*Gentianopsis grandis*		
416			湿生扁蕾	*Gentianopsis paludosa*		
417		花锚属	椭圆叶花锚	*Halenia elliptica*		
418			大花花锚	*Halenia elliptica var. grandiflora*		
419		肋柱花属	肋柱花	*Lomatogonium carinthiacum*		
420			云南肋柱花	*Lomatogonium forrestii*		
421			辐状肋柱花	*Lomatogonium rotatum*		
422		大钟花属	大钟花	*Megacodon stylophorus*		
423		睡菜属	* 睡菜	*Menyanthes trifoliata*	挺水	

（续）

序号	科	属	种		生活型	外来
			中文名	拉丁名		
424	龙胆科	荇菜属	*水皮莲	*Nymphoides cristatum*	浮叶	
425			*荇菜	*Nymphoides peltatum*	浮叶	
426		獐牙菜属	二叶獐牙菜	*Swertia bifolia*		
427			獐牙菜	*Swertia bimaculata*		
428			川东獐牙菜	*Swertia davidii*		
429			川西獐牙菜	*Swertia mussotii*		
430			大药獐牙菜	*Swertia tibetica*		
431			华北獐牙菜	*Swertia wolfgangiana*		
432	茜草科	拉拉藤属	拉拉藤	*Galium aparine* var. *echinospermum*		
433			猪殃殃	*Galium aparine* var. *tenerum*		
434			*沼生拉拉藤	*Galium palustre*	湿生	
435			*沼猪殃殃	*Galium uliginosum*	湿生	
436		耳草属	*伞房花耳草	*Hedyotis corymbosa*	湿生	
437		新耳草属	薄叶新耳草	*Neanotis hirsuta*		
438	旋花科	打碗花属	打碗花	*Calystegia hederacea*		
439		菟丝子属	菟丝子	*Cuscuta chinensis*		
440		番薯属	*蕹菜	*Ipomoea aquatica*	浮叶	
441		牵牛属	牵牛	*Pharbitis nil*		
442			圆叶牵牛	*Pharbitis purpurea*		
443	紫草科	勿忘草属	湿地勿忘草	*Myosotis caespitosa*		
444		附地菜属	西南附地菜	*Trigonotis cavaleriei*		
445			附地菜	*Trigonotis peduncularis*		
446	马鞭草科	过江藤属	*过江藤	*Phyla nodiflora*	湿生	
447		马鞭草属	马鞭草	*Verbena officinalis*		
448	水马齿科	水马齿属	*沼生水马齿	*Callitriche palustris*	浮叶	
449			*水马齿	*Callitriche stagnalis*	浮叶	
450	唇形科	筋骨草属	筋骨草	*Ajuga ciliata*		
451			金疮小草	*Ajuga decumbens*		
452			痢止蒿	*Ajuga forrestii*		
453		水棘针属	*水棘针	*Amethystea caerulea*	湿生	
454		香薷属	*水香薷	*Elsholtzia kachinensis*	湿生	
455			*长毛香薷	*Elsholtzia pilosa*	湿生	
456		活血丹属	活血丹	*Glechoma longituba*		

（续）

序号	科	属	种		生活型	外来
			中文名	拉丁名		
457	唇形科	地笋属	*地笋	*Lycopus lucidus*	湿生	
458			*硬毛地笋	*Lycopus lucidus* var. *hirtus*	湿生	
459		薄荷属	薄荷	*Mentha haplocalyx*		
460		夏枯草属	夏枯草	*Prunella vulgaris*		
461		石荠苎属	少花荠苎	*Mosla pauciflora*		
462		鼠尾草属	*荔枝草	*Salvia plebeia*	湿生	
463		黄芩属	半枝莲	*Scutellaria barbata*		
464		水苏属	针筒菜	*Stachys oblongifolia*		
465			*甘露子	*Stachys sieboldii*	湿生	
466	茄科	茄属	刺天茄	*Solanum indicum*		
467			龙葵	*Solanum nigrum*		
468	玄参科	假马齿苋属	*假马齿苋	*Bacopa monnieri*	浮叶	
469		小米草属	短腺小米草	*Euphrasia regelii*		
470			川藏短腺小米草	*Euphrasia regelii* subsp. *kangtienensis*		
471		兔耳草属	短穗兔耳草	*Lagotis brachystachya*		
472		肉果草属	肉果草	*Lancea tibetica*		
473		石龙尾属	*大叶石龙尾	*Limnophila rugosa*	挺水	
474			*石龙尾	*Limnophila sessiliflora*	挺水	
475		水茫草属	*水茫草	*Limosella aquatica*	浮叶	
476		母草属	长蒴母草	*Lindernia anagallis*		
477			母草	*Lindernia crustacea*		
478			陌上菜	*Lindernia procumbens*		
479		通泉草属	通泉草	*Mazus fauriei*		
480		虾子草属	*沼生虾子草	*Mimulicalyx paludigenus*	挺水	
481		沟酸浆属	四川沟酸浆	*Mimulus szechuanensis*		
482			沟酸浆	*Mimulus tenellus*		
483			尼泊尔沟酸浆	*Mimulus tenellus* var. *nepalensis*		
484		马先蒿属	碎米蕨叶马先蒿	*Pedicularis cheilanthifolia*		
485			长花马先蒿	*Pedicularis longiflora*		
486			*管状长花马先蒿	*Pedicularis longiflora* var. *tubiformis*	湿生	
487			大管马先蒿	*Pedicularis macrosiphon*		
488			小唇马先蒿	*Pedicularis microchilae*		
489			普氏马先蒿	*Pedicularis przewalskii*		

(续)

序号	科	属	种		生活型	外来
			中文名	拉丁名		
490	玄参科	马先蒿属	罗氏马先蒿	*Pedicularis roylei*		
491			管花马先蒿	*Pedicularis siphonantha*		
492			台氏管花马先蒿	*Pedicularis siphonantha var. delavayi*		
493			四川马先蒿	*Pedicularis szetschuanica*		
494			*变色马先蒿	*Pedicularis variegata*	湿生	
495		婆婆纳属	*北水苦荬	*Veronica anagallis - aquatica*	挺水	
496			*有柄水苦荬	*Veronica beccabunga subsp. muscosa*	挺水	
497			多枝婆婆纳	*Veronica javanica*		
498			水蔓菁	*Veronica linariifolia subsp. dilatata*		
499			小婆婆纳	*Veronica serpyllifolia*		
500			*水苦荬	*Veronica undulata*	挺水	
501	爵床科	水蓑衣属	水蓑衣	*Hygrophila salicifolia*		
502	狸藻科	狸藻属	*黄花狸藻	*Utricularia aurea*	沉水	
503			*南方狸藻	*Utricularia australis*	沉水	
504			*挖耳草	*Utricularia bifida*	湿生	
505			*异枝狸藻	*Utricularia intermedia*	沉水	
506			*狸藻	*Utricularia vulgaris*	沉水	
507	车前科	车前属	车前	*Plantago asiatica*		
508			疏花车前	*Plantago asiatica subsp. erosa*		
509			平车前	*Plantago depressa*		
510			大车前	*Plantago major*		
511			小车前	*Plantago minuta*		
512	忍冬科	忍冬属	岩生忍冬	*Lonicera rupicola*		
513		接骨木属	接骨草	*Sambucus chinensis*		
514	败酱科	甘松属	甘松	*Nardostachys jatamansi*		
515	桔梗科	半边莲属	*半边莲	*Lobelia chinensis*	湿生	
516	菊科	和尚菜属	和尚菜	*Adenocaulon himalaicum*		
517		下田菊属	下田菊	*Adenostemma lavenia*		
518			宽叶下田菊	*Adenostemma lavenia var. latifolium*		
519		藿香蓟属	藿香蓟	*Ageratum conyzoides*		外来
520		蒿属	阿坝蒿	*Artemisia abaensis*		
521			奇蒿	*Artemisia anomala*		
522			艾	*Artemisia argyi*		

（续）

序号	科	属	种		生活型	外来
			中文名	拉丁名		
523	菊科	蒿属	青蒿	*Artemisia carvifolia*		
524			直茎蒿	*Artemisia edgeworthii*		
525			臭蒿	*Artemisia hedinii*		
526			野艾蒿	*Artemisia lavandulifolia*		
527			白叶蒿	*Artemisia leucophylla*		
528			大籽蒿	*Artemisia sieversiana*		
529			甘青蒿	*Artemisia tangutica*		
530			辽东蒿	*Artemisia verbenacea*		
531		紫菀属	镰叶紫菀	*Aster falcifolius*		
532			丽江紫菀	*Aster likiangensis*		
533			钻叶紫菀	*Aster subulatus*		
534			东俄洛紫菀	*Aster tongolensis*		
535			峨眉紫菀	*Aster veitchianus*		
536		鬼针草属	狼杷草	*Bidens tripartita*		
537		飞廉属	节毛飞廉	*Carduus acanthoides*		
538		天名精属	天名精	*Carpesium abrotanoides*		
539		蓟属	牛口刺	*Cirsium shansiense*		
540			葵花大蓟	*Cirsium souliei*		
541		白酒草属	小蓬草	*Conyza canadensis*		
542		野茼蒿属	野茼蒿	*Crassocephalum crepidioides*		
543		垂头菊属	* 狭叶垂头菊	*Cremanthodium angustifolium*	湿生	
544			* 褐毛垂头菊	*Cremanthodium brunneopilosum*	湿生	
545			稻城垂头菊	*Cremanthodium daochengense*		
546			盘花垂头菊	*Cremanthodium discoideum*		
547			车前状垂头菊	*Cremanthodium ellisii*		
548			条叶垂头菊	*Cremanthodium lineare*		
549			紫茎垂头菊	*Cremanthodium smithianum*		
550		东风菜属	短冠东风菜	*Doellingeria marchandii*		
551		鳢肠属	* 鳢肠	*Eclipta prostrata*	湿生	
552		泽兰属	白头婆	*Eupatorium japonicum*		
553			白头婆三裂叶变种	*Eupatorium japonicum* var. *tripartitum*		
554		牛膝菊属	牛膝菊	*Galinsoga parviflora*		
555		鼠麴草属	鼠麴草	*Gnaphalium affine*		

（续）

序号	科	属	种		生活型	外来
			中文名	拉丁名		
556	菊科	菊三七属	红凤菜	*Gynura bicolor*		
557		泥胡菜属	泥胡菜	*Hemisteptia lyrata*		
558		马兰属	马兰	*Kalimeris indica*		
559		火绒草属	美头火绒草	*Leontopodium calocephalum*		
560			矮火绒草	*Leontopodium nanum*		
561		橐吾属	黄亮橐吾	*Ligularia caloxantha*		
562			舟叶橐吾	*Ligularia cymbulifera*		
563			齿叶橐吾	*Ligularia dentata*		
564			网脉橐吾	*Ligularia dictyoneura*		
565			大黄橐吾	*Ligularia duciformis*		
566			鹿蹄橐吾	*Ligularia hodgsonii*		
567			细茎橐吾	*Ligularia hookeri*		
568			*沼生橐吾	*Ligularia lamarum*	湿生	
569			宽戟橐吾	*Ligularia latihastata*		
570			侧茎橐吾	*Ligularia pleurocaulis*		
571			箭叶橐吾	*Ligularia sagitta*		
572			窄头橐吾	*Ligularia stenocephala*		
573			穗序橐吾	*Ligularia subspicata*		
574			棉毛橐吾	*Ligularia vellerea*		
575			*黄帚橐吾	*Ligularia virgaurea*	湿生	
576		蜂斗菜属	蜂斗菜	*Petasites japonicus*		
577			毛裂蜂斗菜	*Petasites tricholobus*		
578		毛连菜属	日本毛连菜	*Picris japonica*		
579		翅果菊属	翅果菊	*Pterocypsela indica*		
580		风毛菊属	风毛菊	*Saussurea japonica*		
581			重齿风毛菊	*Saussurea katochaete*		
582			褐花雪莲	*Saussurea phaeantha*		
583			*杨叶风毛菊	*Saussurea populifolia*	湿生	
584			*星状雪兔子	*Saussurea stella*	湿生	
585		千里光属	散生千里光	*Senecio exul*		
586			千里光	*Senecio scandens*		
587			岩生千里光	*Senecio wightii*		
588		豨莶属	腺梗豨莶	*Siegesbeckia pubescens*		

(续)

序号	科	属	种		生活型	外来
			中文名	拉丁名		
589	菊科		无腺腺梗豨莶	*Siegesbeckia pubescens f. eglandulosa*		
590		蒲儿根属	蒲儿根	*Sinosenecio oldhamianus*		
591		苦苣菜属	苣荬菜	*Sonchus arvensis*		
592			花叶滇苦菜	*Sonchus asper*		
593			苦苣菜	*Sonchus oleraceus*		
594			全叶苦苣菜	*Sonchus transcaspicus*		
595		蒲公英属	亚洲蒲公英	*Taraxacum asiaticum*		
596			毛柄蒲公英	*Taraxacum eriopodum*		
597			白花蒲公英	*Taraxacum leucanthum*		
598			川甘蒲公英	*Taraxacum lugubre*		
599			灰果蒲公英	*Taraxacum maurocarpum*		
600			蒲公英	*Taraxacum mongolicum*		
601			藏蒲公英	*Taraxacum tibetanum*		
602		狗舌草属	匍枝狗舌草	*Tephroseris stolonifera*		
603		款冬属	款冬	*Tussilago farfara*		
604		蟛蜞菊属	山蟛蜞菊	*Wedelia wallichii*		
605		黄鹌菜属	黄鹌菜	*Youngia japonica*		
606	泽泻科	泽泻属	* 东方泽泻	*Alisma orientale*	挺水	
607			* 泽泻	*Alisma plantago – aquatica*	挺水	
608		慈姑属	* 矮慈姑	*Sagittaria pygmaea*	挺水	
609			* 腾冲慈姑	*Sagittaria tengtsungensis*	挺水	
610			* 野慈姑	*Sagittaria trifolia*	挺水	
611			* 慈姑	*Sagittaria trifolia var. sinensis*	挺水	
612	水鳖科	黑藻属	* 黑藻	*Hydrilla verticillata*	沉水	
613		水鳖属	* 水鳖	*Hydrocharis dubia*	漂浮	
614		水车前属	* 海菜花	*Ottelia acuminata*	沉水	
615			* 龙舌草	*Ottelia alismoides*	沉水	
616		苦草属	* 苦草	*Vallisneria natans*	沉水	
617	眼子菜科	眼子菜属	* 菹草	*Potamogeton crispus*	沉水	
618			* 眼子菜	*Potamogeton distinctus*	浮叶	
619			* 微齿眼子菜	*Potamogeton maackianus*	沉水	
620			* 浮叶眼子菜	*Potamogeton natans*	浮叶	
621			* 尖叶眼子菜	*Potamogeton oxyphyllus*	沉水	

（续）

序号	科	属	种		生活型	外来
			中文名	拉丁名		
622	眼子菜科	眼子菜属	* 篦齿眼子菜	*Potamogeton pectinatus*	沉水	
623			* 小眼子菜	*Potamogeton pusillus*	沉水	
624			* 竹叶眼子菜	*Potamogeton wrightii*	沉水	
625		水麦冬属	* 水麦冬	*Triglochin palustre*	挺水	
626	茨藻科	角果藻属	* 角果藻	*Zannichellia palustris*	沉水	
627	百合科	粉条儿菜属	* 星花粉条儿菜	*Aletris gracilis*	湿生	
628			* 穗花粉条儿菜	*Aletris pauciflora* var. *khasiana*	湿生	
629		葱属	薤白	*Allium macrostemon*		
630			* 蓝苞葱	*Allium atrosanguineum*	挺水	
631			多星韭	*Allium wallichii*		
632		贝母属	川贝母	*Fritillaria cirrhosa*		
633			太白贝母	*Fritillaria taipaiensis*		
634		山麦冬属	甘肃山麦冬	*Liriope kansuensis*		
635			阔叶山麦冬	*Liriope muscari*		
636			山麦冬	*Liriope spicata*		
637		沿阶草属	短药沿阶草	*Ophiopogon angustifoliatus*		
638			连药沿阶草	*Ophiopogon bockianus*		
639			沿阶草	*Ophiopogon bodinieri*		
640			间型沿阶草	*Ophiopogon intermedius*		
641			四川沿阶草	*Ophiopogon szechuanensis*		
642		菝葜属	土茯苓	*Smilax glabra*		
643			白背牛尾菜	*Smilax nipponica*		
644	石蒜科	石蒜属	石蒜	*Lycoris radiata*		
645	雨久花科	凤眼蓝属	* 凤眼蓝	*Eichhornia crassipes*	漂浮	外来
646		雨久花属	* 鸭舌草	*Monochoria vaginalis*	挺水	
647	鸢尾科	鸢尾属	扁竹兰	*Iris confusa*		
648			* 长葶鸢尾	*Iris delavayi*	湿生	
649			* 云南鸢尾	*Iris forrestii*	湿生	
650			库门鸢尾	*Iris kemaonensis*		
651			鸢尾	*Iris tectorum*		
652			扇形鸢尾	*Iris wattii*		
653			黄花鸢尾	*Iris wilsonii*		
654	灯心草科	灯心草属	* 葱状灯心草	*Juncus allioides*	湿生	

（续）

序号	科	属	种		生活型	外来
			中文名	拉丁名		
655	灯心草科	灯心草属	* 走茎灯心草	*Juncus amplifolius*	湿生	
656			* 小花灯心草	*Juncus articulatus*	湿生	
657			长苞灯心草	*Juncus brachyspathus*		
658			* 小灯心草	*Juncus bufonius*	湿生	
659			* 栗花灯心草	*Juncus castaneus*	湿生	
660			* 雅灯心草	*Juncus concinnus*	湿生	
661			* 星花灯心草	*Juncus diastrophanthus*	湿生	
662			* 灯心草	*Juncus effusus*	湿生	
663			* 巨灯心草	*Juncus giganteus*	湿生	
664			* 喜马灯心草	*Juncus himalensis*	湿生	
665			* 片髓灯心草	*Juncus inflexus*	湿生	
666			* 甘川灯心草	*Juncus leucanthus*	湿生	
667			矮灯心草	*Juncus minimus*		
668			* 笄石菖	*Juncus prismatocarpus*	湿生	
669			* 野灯心草	*Juncus setchuensis*	湿生	
670			假灯心草	*Juncus setchuensis* var. *effusoides*		
671			* 锡金灯心草	*Juncus sikkimensis*	湿生	
672			* 枯灯心草	*Juncus sphacelatus*	湿生	
673			* 展苞灯心草	*Juncus thomsonii*	湿生	
674			贴苞灯心草	*Juncus triglumis*		
675		地杨梅属	散序地杨梅	*Luzula effusa*		
676			中国地杨梅	*Luzula effusa* var. *chinensis*		
677			多花地杨梅	*Luzula multiflora*		
678			羽毛地杨梅	*Luzula plumosa*		
679			穗花地杨梅	*Luzula spicata*		
680	鸭跖草科	鸭跖草属	饭包草	*Commelina benghalensis*		
681			* 鸭跖草	*Commelina communis*	湿生	
682			节节草	*Commelina diffusa*		
683			大苞鸭跖草	*Commelina paludosa*		
684		聚花草属	聚花草	*Floscopa scandens*		
685		水竹叶属	根茎水竹叶	*Murdannia hookeri*		
686			牛轭草	*Murdannia loriformis*		
687			* 裸花水竹叶	*Murdannia nudiflora*	湿生	

（续）

序号	科	属	种		生活型	外来
			中文名	拉丁名		
688	鸭跖草科	水竹叶属	*细竹篙草	*Murdannia simplex*	湿生	
689			*水竹叶	*Murdannia triquetra*	湿生	
690	谷精草科	谷精草属	*四川谷精草	*Eriocaulon alpestre var. sichuanese*	湿生	
691			*谷精草	*Eriocaulon buergerianum*	湿生	
692			*白药谷精草	*Eriocaulon cinereum*	湿生	
693			*老谷精草	*Eriocaulon senile*	湿生	
694	禾本科	芨芨草属	醉马草	*Achnatherum inebrians*		
695			细叶芨芨草	*Achnatherum chingii*		
696		剪股颖属	台湾剪股颖	*Agrostis canina var. formosana*		
697			华北剪股颖	*Agrostis clavata*		
698			巨序剪股颖	*Agrostis gigantea*		
699			长花剪股颖	*Agrostis hookeriana*		
700			小花剪股颖	*Agrostis micrantha*		
701		看麦娘属	看麦娘	*Alopecurus aequalis*		
702		水蔗草属	水蔗草	*Apluda mutica*		
703		荩草属	荩草	*Arthraxon hispidus*		
704			矛叶荩草	*Arthraxon lanceolatus*		
705		芦竹属	芦竹	*Arundo donax*		
706		沟稃草属	沟稃草	*Aulacolepis treutleri*		
707		簕竹属	车筒竹	*Bambusa sinospinosa*		
708		菵草属	*菵草	*Beckmannia syzigachne*	挺水	
709		雀麦属	无芒雀麦	*Bromus inermis*		
710			雀麦	*Bromus japonicus*		
711			梅氏雀麦	*Bromus mairei*		
712			疏花雀麦	*Bromus remotiflorus*		
713		拂子茅属	拂子茅	*Calamagrostis epigeios*		
714			短芒拂子茅	*Calamagrostis hedinii*		
715			*假苇拂子茅	*Calamagrostis pseudophragmites*	湿生	
716		细柄草属	硬秆子草	*Capillipedium assimile*		
717			细柄草	*Capillipedium parviflorum*		
718		沿沟草属	*沿沟草	*Catabrosa aquatica*	湿生	
719		小丽草属	小丽草	*Coelachne simpliciuscula*		
720		薏苡属	*水生薏苡	*Coix aquatica*	挺水	

（续）

序号	科	属	种		生活型	外来
			中文名	拉丁名		
721	禾本科		*薏苡	*Coix lacryma - jobi*	挺水	
722		狗牙根属	狗牙根	*Cynodon dactylon*		
723		扁芒草属	扁芒草	*Danthonia schneideri*		
724		发草属	发草	*Deschampsia caespitosa*		
725			短枝发草	*Deschampsia littoralis* var. *ivanovae*		
726		野青茅属	野青茅	*Deyeuxia arundinacea*		
727			疏穗野青茅	*Deyeuxia effusiflora*		
728			大叶章	*Deyeuxia langsdorffii*		
729			小花野青茅	*Deyeuxia neglecta*		
730		稗属	*长芒稗	*Echinochloa caudata*	湿生	
731			*光头稗	*Echinochloa colonum*	湿生	
732			*稗	*Echinochloa crusgalli*	湿生	
733			*无芒稗	*Echinochloa crusgalli* var. *mitis*	湿生	
734			*西来稗	*Echinochloa crusgalli* var. *zelayensis*	挺水	
735			*硬稃稗	*Echinochloa glabrescens*	湿生	
736			*水田稗	*Echinochloa oryzoides*	挺水	
737		䅟属	牛筋草	*Eleusine indica*		
738		披碱草属	垂穗披碱草	*Elymus nutans*		
739		画眉草属	乱草	*Eragrostis japonica*		
740		蜈蚣草属	假俭草	*Eremochloa ophiuroides*		
741		野黍属	野黍	*Eriochloa villosa*		
742		羊茅属	矮羊茅	*Festuca coelestis*		
743			毛稃羊茅	*Festuca kirilowii*		
744			日本羊茅	*Festuca japonica*		
745			弱序羊茅	*Festuca leptopogon*		
746			小颖羊茅	*Festuca parvigluma*		
747			远东羊茅	*Festuca extremiorientalis*		
748			紫羊茅	*Festuca rubra*		
749		甜茅属	*甜茅	*Glyceria acutiflora* subsp. *japonica*	挺水	
750			*卵花甜茅	*Glyceria tonglensis*	湿生	
751		异燕麦属	粗糙异燕麦	*Helictotrichon schmidii*		
752			小颖异燕麦	*Helictotrichon schmidii* var. *parviglumum*		
753		牛鞭草属	*牛鞭草	*Hemarthria altissima*	湿生	

（续）

序号	科	属	种		生活型	外来
			中文名	拉丁名		
754	禾本科	茅香属	茅香	*Hierochloe odorata*		
755		白茅属	白茅	*Imperata cylindrica*		
756			丝茅	*Imperata koenigii*		
757		柳叶箬属	白花柳叶箬	*Isachne albens*		
758		假稻属	* 李氏禾	*Leersia hexandra*	湿生	
759			* 假稻	*Leersia japonica*	挺水	
760		千金子属	虮子草	*Leptochloa panicea*		
761			千金子	*Leptochloa chinensis*		
762		臭草属	甘肃臭草	*Melica przewalskyi*		
763		小草属	长穗小草	*Microchloa indica var. kunthii*		
764		莠竹属	刚莠竹	*Microstegium ciliatum*		
765			竹叶茅	*Microstegium nudum*		
766		乱子草属	乱子草	*Muhlenbergia hugelii*		
767			日本乱子草	*Muhlenbergia japonica*		
768		类芦属	类芦	*Neyraudia reynaudiana*		
769		雀稗属	圆果雀稗	*Paspalum orbiculare*		
770			* 双穗雀稗	*Paspalum paspaloides*	挺水	
771			雀稗	*Paspalum thunbergii*		
772		狼尾草属	白草	*Pennisetum centrasiaticum*		
773		茅根属	茅根	*Perotis indica*		
774		束尾草属	毛叶束尾草	*Phacelurus trichophyllus*		
775		显子草属	显子草	*Phaenosperma globosa*		
776		虉草属	* 虉草	*Phalaris arundinacea*	湿生	
777		梯牧草属	高山梯牧草	*Phleum alpinum*		
778			* 鬼蜡烛	*Phleum paniculatum*	挺水	
779		芦苇属	* 芦苇	*Phragmites australis*	挺水	
780			* 卡开芦	*Phragmites karka*	挺水	
781		刚竹属	水竹	*Phyllostachys heteroclada*		
782		早熟禾属	* 高原早熟禾	*Poa alpigena*	湿生	
783			早熟禾	*Poa annua*		
784			法氏早熟禾	*Poa faberi*		
785			久内早熟禾	*Poa hisauchii*		
786			日本早熟禾	*Poa nipponica*		

（续）

序号	科	属	种		生活型	外来
			中文名	拉丁名		
787	禾本科		云生早熟禾	*Poa nubigena*		
788			*泽地早熟禾	*Poa palustris*	湿生	
789			*毛颖早熟禾	*Poa pubicalyx*	湿生	
790		金发草属	金丝草	*Pogonatherum crinitum*		
791			金发草	*Pogonatherum paniceum*		
792		细柄茅属	*太白细柄茅	*Ptilagrostis concinna*	湿生	
793		稻属	*稻	*Oryza sativa*	挺水	
794		落芒草属	等颖落芒草	*Oryzopsis aequiglumis*		
795			细弱落芒草	*Oryzopsis lateralis*		
796		甘蔗属	*斑茅	*Saccharum arundinaceum*	湿生	
797			*甜根子草	*Saccharum spontaneum*	湿生	
798		囊颖草属	囊颖草	*Sacciolepis indica*		
799		狗尾草属	莩草	*Setaria chondrachne*		
800			西南莩草	*Setaria forbesiana*		
801			狗尾草	*Setaria viridis*		
802			皱叶狗尾草	*Setaria plicata*		
803			云南狗尾草	*Setaria yunnanensis*		
804		鼠尾粟属	鼠尾粟	*Sporobolus fertilis*		
805		针茅属	异针茅	*Stipa aliena*		
806			紫花针茅	*Stipa purpurea*		
807			狭穗针茅	*Stipa regeliana*		
808		荻属	荻	*Triarrhena sacchariflora*		
809		三角草属	假冠毛草	*Trikeraia pappiformis*		
810		三毛草属	长穗三毛草	*Trisetum clarkei*		
811		尾稃草属	类黍尾稃草	*Urochloa panicoides*		
812		菰属	*菰	*Zizania latifolia*	挺水	
813	天南星科	菖蒲属	*菖蒲	*Acorus calamus*	挺水	
814			*金钱蒲	*Acorus gramineus*	挺水	
815			*石菖蒲	*Acorus tatarinowii*	挺水	
816		海芋属	尖尾芋	*Alocasia cucullata*		
817		天南星属	象南星	*Arisaema elephas*		
818			一把伞南星	*Arisaema erubescens*		
819			曲序南星	*Arisaema tortuosum*		

（续）

序号	科	属	种		生活型	外来
			中文名	拉丁名		
820	天南星科	芋属	芋	*Colocasia esculenta*		
821		半夏属	虎掌	*Pinellia pedatisecta*		
822		大薸属	* 大薸	*Pistia stratiotes*	漂浮	
823		犁头尖属	独角莲	*Typhonium giganteum*		
824	浮萍科	紫萍属	* 紫萍	*Spirodela polyrrhiza*	漂浮	
825		浮萍属	* 浮萍	*Lemna minor*	漂浮	
826	黑三棱科	黑三棱属	* 矮黑三棱	*Sparganium minimum*	挺水	
827			* 黑三棱	*Sparganium stoloniferum*	挺水	
828	香蒲科	香蒲属	* 水烛	*Typha angustifolia*	挺水	
829			* 宽叶香蒲	*Typha latifolia*	挺水	
830			* 小香蒲	*Typha minima*	挺水	
831			* 香蒲	*Typha orientalis*	挺水	
832	莎草科	扁穗草属	* 华扁穗草	*Blysmus sinocompressus*	湿生	
833		球柱草属	丝叶球柱草	*Bulbostylis densa*		
834		薹草属	高秆薹草	*Carex alta*		
835			窄果薹草	*Carex angustifructus*		
836			浆果薹草	*Carex baccans*		
837			褐果薹草	*Carex brunnea*		
838			绿穗薹草	*Carex chlorostachys*		
839			十字薹草	*Carex cruciata*		
840			二形鳞薹草	*Carex dimorpholepis*		
841			签草	*Carex doniana*		
842			镰喙薹草	*Carex drepanorhyncha*		
843			* 无脉薹草	*Carex enervis*	湿生	
844			川东薹草	*Carex fargesii*		
845			亮绿薹草	*Carex finitima*		
846			溪生薹草	*Carex fluviatilis*		
847			穹隆薹草	*Carex gibba*		
848			点叶薹草	*Carex hancockiana*		
849			亨氏薹草	*Carex henryi*		
850			狭穗薹草	*Carex ischnostachya*		
851			日本薹草	*Carex japonica*		
852			甘肃薹草	*Carex kansuensis*		

（续）

序号	科	属	种		生活型	外来
			中文名	拉丁名		
853	莎草科	薹草属	膨囊薹草	*Carex lehmanii*		
854			舌叶薹草	*Carex ligulata*		
855			长穗柄薹草	*Carex longipes*		
856			*乌拉草	*Carex meyeriana*	湿生	
857			青藏薹草	*Carex moorcroftii*		
858			*木里薹草	*Carex muliensis*	湿生	
859			翼果薹草	*Carex neurocarpa*		
860			云雾薹草	*Carex nubigena*		
861			*刺囊薹草	*Carex obscura var. brachycarpa*	湿生	
862			卵穗薹草	*Carex ovatispiculata*		
863			*小薹草	*Carex parva*	湿生	
864			镜子薹草	*Carex phacota*		
865			延长薹草	*Carex prolongata*		
866			粉被薹草	*Carex pruinosa*		
867			红棕薹草	*Carex przewalski*		
868			松叶薹草	*Carex rara*		
869			*丝引薹草	*Carex remotiuscula*	湿生	
870			*大穗薹草	*Carex rhynchophysa*	湿生	
871			糙喙薹草	*Carex scabrirostris*		
872			川滇薹草	*Carex schneideri*		
873			长柱头薹草	*Carex teinogyna*		
874			高节薹草	*Carex thomsonii*		
875			沙坪薹草	*Carex wui*		
876			*雅江薹草	*Carex yajiangensis*	湿生	
877		莎草属	*风车草	*Cyperus alternifolius subsp. flabelliformis*	挺水	
878			*扁穗莎草	*Cyperus compressus*	湿生	
879			长尖莎草	*Cyperus cuspidatus*		
880			*异型莎草	*Cyperus difformis*	挺水	
881			*畦畔莎草	*Cyperus haspan*	挺水	
882			*碎米莎草	*Cyperus iria*	湿生	
883			*短叶茳芏	*Cyperus malaccensis var. brevifolius*	湿生	
884			*具芒碎米莎草	*Cyperus microiria*	湿生	
885			*南莎草	*Cyperus niveus*	湿生	

（续）

序号	科	属	种		生活型	外来
			中文名	拉丁名		
886	莎草科	莎草属	* 垂穗莎草	*Cyperus nutans*	湿生	
887			* 毛轴莎草	*Cyperus pilosus*	湿生	
888			* 白花毛轴莎草	*Cyperus pilosus var. obliquus*	湿生	
889			* 香附子	*Cyperus rotundus*	湿生	
890		羊胡子草属	丛毛羊胡子草	*Eriophorum comosum*		
891		飘拂草属	* 夏飘拂草	*Fimbristylis aestivalis*	湿生	
892			* 复序飘拂草	*Fimbristylis bisumbellata*	湿生	
893			扁鞘飘拂草	*Fimbristylis complanata*		
894			* 两歧飘拂草	*Fimbristylis dichotoma*	湿生	
895			* 宜昌飘拂草	*Fimbristylis henryi*	湿生	
896			* 水虱草	*Fimbristylis miliacea*	湿生	
897			五棱秆飘拂草	*Fimbristylis quinquangularis*		
898			烟台飘拂草	*Fimbristylis stauntoni*		
899		荸荠属	* 紫果蔺	*Heleocharis atropurpurea*	挺水	
900			* 渐尖穗荸荠	*Heleocharis attenuata*	挺水	
901			* 荸荠	*Heleocharis dulcis*	挺水	
902			* 透明鳞荸荠	*Heleocharis pellucida*	挺水	
903			* 龙师草	*Heleocharis tetraquetra*	挺水	
904			* 具刚毛荸荠	*Heleocharis valleculosa var. setosa*	挺水	
905			* 牛毛毡	*Heleocharis yokoscensis*	挺水	
906			* 云南荸荠	*Heleocharis yunnanensis*	挺水	
907		水莎草属	* 花穗水莎草	*Juncellus pannonicus*	湿生	
908			* 水莎草	*Juncellus serotinus*	挺水	
909		嵩草属	线叶嵩草	*Kobresia capillifolia*		
910			截形嵩草	*Kobresia cuneata*		
911			囊状嵩草	*Kobresia fragilis*		
912			甘肃嵩草	*Kobresia kansuensis*		
913			大花嵩草	*Kobresia macrantha*		
914			* 嵩草	*Kobresia myosuroides*	湿生	
915			尼泊尔嵩草	*Kobresia nepalensis*		
916			* 高原嵩草	*Kobresia pusilla*	湿生	
917			高山嵩草	*Kobresia pygmaea*		
918			粗壮嵩草	*Kobresia robusta*		

（续）

序号	科	属	种		生活型	外来
			中文名	拉丁名		
919	莎草科	嵩草属	* 喜马拉雅嵩草	*Kobresia royleana*	湿生	
920			西藏嵩草	*Kobresia tibetica*		
921			* 钩状嵩草	*Kobresia uncinoides*	湿生	
922			* 短轴嵩草	*Kobresia vidua*	湿生	
923		水蜈蚣属	* 短叶水蜈蚣	*Kyllinga brevifolia*	挺水	
924			短叶水蜈蚣变种	*Kyllinga brevifolia* var. *brevifolia*		
925			无刺鳞水蜈蚣	*Kyllinga brevifolia* var. *leiolepis*		
926			单穗水蜈蚣	*Kyllinga monocephala*		
927		砖子苗属	具芒鳞砖子苗	*Mariscus aristatus*		
928			密穗砖子苗	*Mariscus compactus* var. *compactus*		
929			砖子苗	*Mariscus umbellatus*		
930			小穗砖子苗	*Mariscus umbellatus* var. *microstachys*		
931		扁莎属	* 球穗扁莎	*Pycreus globosus*	湿生	
932			* 红鳞扁莎	*Pycreus sanguinolentus*	湿生	
933		刺子莞属	* 刺子莞	*Rhynchospora rubra*	湿生	
934		藨草属	* 双柱头藨草	*Scirpus distigmaticus*	湿生	
935			* 萤蔺	*Scirpus juncoides*	湿生	
936			* 细秆萤蔺	*Scirpus juncoides* var. *hotarui*	湿生	
937			* 水毛花	*Scirpus triangulatus* var. *triangulatus*	湿生	
938			* 红鳞水毛花	*Scirpus triangulatus* var. *sanguineus*	湿生	
939			* 高山藨草	*Scirpus paniculato - corymbosus*	湿生	
940			* 百球藨草	*Scirpus rosthornii*	湿生	
941			* 水葱	*Scirpus validus*	挺水	
942			* 藨草	*Scirpus triqueter*	湿生	
943	姜科	舞花姜属	舞花姜	*Globba racemosa*		
944		姜属	阳荷	*Zingiber striolatum*		
945	兰科	绶草属	绶草	*Spiranthes sinensis*		

注：* 表示典型湿地植物；①表示国家Ⅰ级重点保护野生植物，②表示国家Ⅱ级重点保护野生植物。

附录2 四川湿地调查区域动物名录

序号	目	科	种	
			中文名	拉丁名
一、鱼 类				
1	鲟形目	鲟科	达氏鲟①	*Acipenser dabryanus*
2	鲟形目	鲟科	中华鲟①	*Acipenser sinensis*
3	鲟形目	匙吻鲟科	白鲟①	*Psephurus gladius*
4	鳗鲡目	鳗鲡科	鳗鲡	*Anguilla japonica*
5	颌针鱼目	鱵科	久留米鱵鱼	*Hemiramphus kurumeus*
6	鲤形目	胭脂鱼科	胭脂鱼②	*Myxocyprinus asiaticus*
7	鲤形目	鳅科	宽体沙鳅	*Botia reevesae*
8	鲤形目	鳅科	中华沙鳅	*Botia superciliaris*
9	鲤形目	鳅科	中华花鳅	*Cobitis sinensis*
10	鲤形目	鳅科	长薄鳅	*Leptobotia elongata*
11	鲤形目	鳅科	小眼薄鳅③	*Leptobotia microphthalrna*
12	鲤形目	鳅科	薄鳅	*Leptobotia pellegrini*
13	鲤形目	鳅科	红唇薄鳅	*Leptobotia rubrilabris*
14	鲤形目	鳅科	紫薄鳅	*Leptobotia taeniops*
15	鲤形目	鳅科	扁尾薄鳅	*Leptobotia tientaiensis*
16	鲤形目	鳅科	泥鳅	*Misgurnus anguillicaudatus*
17	鲤形目	鳅科	山鳅	*Oreias dabryi*
18	鲤形目	鳅科	双斑副沙鳅	*Parabotia bimaculata*
19	鲤形目	鳅科	花斑副沙鳅	*Parabotia fasciata*
20	鲤形目	鳅科	短体副鳅	*Paracobitis potanini*
21	鲤形目	鳅科	红尾副鳅	*Paracobitis variegatus*
22	鲤形目	鳅科	乌江副鳅	*Paracobitis wujiangensis*
23	鲤形目	鳅科	大鳞副泥鳅	*Paramisgurnus dabryanus*
24	鲤形目	鳅科	横纹南鳅	*Schistura fasciolatus*
25	鲤形目	鳅科	安氏高原鳅	*Triplophysa angeli*
26	鲤形目	鳅科	前鳍高原鳅	*Triplophysa anterodorsalis*
27	鲤形目	鳅科	勃氏高原鳅	*Triplophysa bleekeri*

（续）

序号	目	科	种	
			中文名	拉丁名
28	鲤形目	鳅科	短须高原鳅[③]	*Triplophysa brevibarba*
29			短尾高原鳅	*Triplophysa brevicauda*
30			粗唇高原鳅	*Triplophysa crassilabris*
31			大桥高原鳅[③]	*Triplophysa daqiaoensis*
32			修长高原鳅	*Triplophysa leptosoma*
33			麻尔柯河高原鳅	*Triplophysa markehenensis*
34			墨曲高原鳅	*Triplophysa moquensis*
35			黑体高原鳅	*Triplophysa obscura*
36			东方高原鳅	*Triplophysa orientalis*
37			黄河高原鳅[③]	*Triplophysa pappenheimi*
38			多带高原鳅[③]	*Triplophysa polyfasciata*
39			拟硬刺高原鳅	*Triplophysa pseudoscleroptera*
40			粗壮高原鳅	*Triplophysa robusta*
41			硬刺高原鳅	*Triplophysa scleroptera*
42			拟鲇高原鳅[③]	*Triplophysa siluroides*
43			细尾高原鳅	*Triplophysa stenura*
44			斯氏高原鳅	*Triplophysa stoliczkae*
45			西昌高原鳅[③]	*Triplophysa xichangensis*
46			西溪高原鳅	*Triplophysa xiqiensis*
47			四川云南鳅	*Yunnanilus sichuanensis*
48		鲤科	乐山棒花鱼	*Abbottina kiatingensis*
49			钝吻棒花鱼	*Abbottina obtusirostris*
50			棒花鱼	*Abbottina rivularis*
51			短须鱊	*Acheilognathus barbatulus*
52			兴凯鱊	*Acheilognathus chankaensis*
53			无须鱊	*Acheilognathus gracilis*
54			寡鳞鱊	*Acheilognathus hypselonotus*
55			大鳍鱊	*Acheilognathus macropterus*
56			峨眉鱊	*Acheilognathus omeiensis*
57			宽口光唇鱼	*Acrossocheilus monticola*
58			云南光唇鱼	*Acrossocheilus yunnanensis*
59			短臀白鱼[③]	*Anabarilius brevianalis*
60			西昌白鱼[③]	*Anabarilius liui*

（续）

序号	目	科	种	
			中文名	拉丁名
61			邛海白鱼[3]	*Anabarilius qionghaiensis*
62			高体近红鲌	*Ancherythroculter kurematsui*
63			黑尾近红鲌	*Ancherythroculter nigrocauda*
64			汪氏近红鲌	*Ancherythroculter wangi*
65			中华细鲫	*Aphyocypris chinensis*
66			鳙	*Aristichthys nobilis*
67			似鳍	*Belligobio nummifer*
68			彭县似鳍[3]	*Belligobio pengxianensis*
69			鲫	*Carassius auratus*
70			骨唇黄河鱼[3]	*Chuanchia labiosa*
71			圆口铜鱼	*Coreius guichenoti*
72			铜鱼	*Coreius heterodon*
73			草鱼	*Ctenopharyngodon idellus*
74			翘嘴鲌	*Culter Culter alburnus*
75			达氏鲌	*Culter Culter dabryi dabryi?*
76	鲤形目	鲤科	红鳍原鲌	*Culter Cultrichthys erythropterus*
77			蒙古鲌	*Culter mongolicus mongolicus*
78			邛海鲌	*Culter mongolicus qionghaiensis*
79			鲤	*Cyprinus carpio*
80			邛海鲤[3]	*Cyprinus qionghaiensis*
81			裸腹重唇鱼	*Diptychus kaznakovi*
82			云南盘鮈	*Discogobio yunnanensis*
83			圆吻鲴	*Distoechodon tumirostris*
84			鳡[3]	*Elopichthys bambusa*
85			翘嘴红鲌	*Erythroculter ilishaeformis*
86			拟尖头红鲌	*Erythroculter oxycephaloides*
87			尖头红鲌	*Erythroculter oxycephalus*
88			邛海红鲌[3]	*Erythroculter qionghaiensis*
89			墨头鱼	*Garra pingi*
90			嘉陵颌须鮈	*Gnathopogon herzensteini*
91			短须颌须鮈	*Gnathopogon imberbis*
92			短身鳅鮀	*Gobiobotia abbreviata*
93			宜昌鳅鮀	*Gobiobotia filifer*

（续）

序号	目	科	种	
			中文名	拉丁名
94	鲤形目	鲤科	南方鳅鮀	*Gobiobotia meridionalis*
95			稀有鮈鲫[3]	*Gobiocypris rarus*
96			花斑裸鲤	*Gymnocypris eckloni*
97			松潘裸鲤[3]	*Gymnocypris potanini*
98			厚唇裸重唇鱼	*Gymnodiptychus pachycheilus*
99			唇䱻	*Hemibarbus labeo*
100			花䱻	*Hemibarbus maculatus*
101			贝氏䱗	*Hemiculter bleekeri*
102			䱗	*Hemiculter leucisculus*
103			黑尾䱗	*Hemiculter tchangi*
104			四川半䱗	*Hemiculterella sauvagei*
105			鲢	*Hypophthalmichthys molitrix*
106			鯮[3]	*Luciobrama macrocephalus*
107			长体鲂[3]	*Megalobrama elongata*
108			厚颌鲂	*Megalobrama pellegrini*
109			鲂	*Megalobrama skolkovii*
110			乐山小鳔鮈	*Microphysogobio kiatingensis*
111			青鱼	*Mylopharyngodon piceus*
112			鳤	*Ochetobius elongatus*
113			四川白甲鱼	*Onychostoma angustistomatus*
114			短身白甲鱼	*Onychostoma brevis*
115			大渡白甲鱼[3]	*Onychostoma daduensis*
116			多鳞白甲鱼	*Onychostoma macrolepis*
117			白甲鱼	*Onychostoma sima*
118			马口鱼	*Opsariichthys bidens*
119			鳊	*Parabramis pekinensis*
120			彩副鱊	*Paracheilognathus imberbis*
121			鲈鲤[3]	*Percocypris pingi*
122			尖头鱥	*Phoxinus oxycephalus*
123			扁咽齿鱼[3]	*Platypharodon extremus*
124			裸腹片唇鮈	*Platysmacheilus nudiventris*
125			岩原鲤[3]	*Procypris rabaudi*
126			似鳊	*Pseudobrama simoni*

（续）

序号	目	科	种	
			中文名	拉丁名
127	鲤形目	鲤科	似𬶋	*Pseudogobio vaillanti*
128			寡鳞飘鱼	*Pseudolaubuca engraulis*
129			飘鱼	*Pseudolaubuca sinensis*
130			麦穗鱼	*Pseudorasbora parva*
131			泸溪直口鲮	*Rectoris luxiensis*
132			圆筒吻𬶋	*Rhinogobio cylindricus*
133			吻𬶋	*Rhinogobio typus*
134			长鳍吻𬶋	*Rhinogobio ventralis*
135			彩鳑鲏	*Rhodeus lighti*
136			高体鳑鲏	*Rhodeus ocellatus*
137			川西鳈	*Sarcocheilichthys davidi*
138			江西鳈	*Sarcocheilichthys kiangsiensis*
139			黑鳍鳈	*Sarcocheilichthys nigripinnis*
140			小鳈	*Sarcocheilichthys parvus*
141			华鳈	*Sarcocheilichthys sinensis*
142			蛇𬶋	*Saurogobio dabryi*
143			长蛇𬶋	*Saurogobio dumerili*
144			光唇蛇𬶋	*Saurogobio gymnocheilus*
145			宝兴裸裂尻鱼	*Schizopygopsis baoxingensis*
146			嘉陵裸裂尻鱼③	*Schizopygopsis kialingensis*
147			大渡河裸裂尻鱼	*Schizopygopsis malacanthus chengi*
148			软刺裸裂尻鱼③	*Schizopygopsis malacanthus malacanthus*
149			黄河裸裂尻鱼	*Schizopygopsis pylzovi*
150			细鳞裂腹鱼③	*Schizothorax chongi*
151			隐鳞裂腹鱼③	*Schizothorax crytolepis*
152			重口裂腹鱼③	*Schizothorax davidi*
153			长丝裂腹鱼③	*Schizothorax dolichonema*
154			昆明裂腹鱼	*Schizothorax grahami*
155			异唇裂腹鱼③	*Schizothorax heterochilus*
156			四川裂腹鱼	*Schizothorax kozlovi*
157			厚唇裂腹鱼	*Schizothorax labrosus*
158			长须裂腹鱼	*Schizothorax longibarbus*
159			小口裂腹鱼	*Schizothorax microstomus*

（续）

序号	目	科	种	
			中文名	拉丁名
160	鲤形目	鲤科	宁蒗裂腹鱼	*Schizothorax ninglangensis*
161			齐口裂腹鱼	*Schizothorax prenanti*
162			中华裂腹鱼	*Schizothorax sinensis*
163			短须裂腹鱼	*Schizothorax wangchiachii*
164			唇鱼	*Semilabeo notabilis*
165			泉水唇鱼	*Semilabeo prochilus*
166			四川华鳊	*Sinibrama taeniatus*
167			伍氏华鳊	*Sinibrama wui*
168			华鲮	*Sinilabeo rendahli*
169			光倒刺鲃	*Spinibarbus hollandi*
170			中华倒刺鲃	*Spinibarbus sinensis*
171			银鮈	*Squalidus argentatus*
172			点纹银鮈	*Squalidus wolterstorffi*
173			赤眼鳟	*Squaliobarbus curriculus*
174			瓣结鱼	*Tor brevifilis*
175			银鲴	*Xenocypris argentea*
176			黄尾鲴	*Xenocypris davidi*
177			方氏鲴	*Xenocypris fangi*
178			细鳞鲴	*Xenocypris microlepis*
179			四川鲴	*Xenocypris sechuanensis*
180			异鳔鳅鮀	*Xenophysogobio boulengeri*
181			裸体异鳔鳅鮀③	*Xenophysogobio nudicorpa*
182			成都鱲③	*Zacco chengtui*
183			宽鳍鱲	*Zacco platypus*
184		平鳍鳅科	侧沟爬岩鳅③	*Beaufortia liui*
185			四川爬岩鳅	*Beaufortia szechuanensis*
186			短身间吸鳅	*Hemimyzon abbreviata*
187			中华间吸鳅	*Hemimyzon sinensis*
188			窑滩间吸鳅③	*Hemimyzon yaotanensis*
189			犁头鳅	*Lepturichthys fimbriata*
190			峨眉后平鳅	*Metahomaloptera omeiensis*
191			似原吸鳅	*Paraprotomyzon multifasciatus*
192			西昌华吸鳅	*Sinogastromyzon sichangensis*

（续）

序号	目	科	种	
			中文名	拉丁名
193			四川华吸鳅	*Sinogastromyzon szechuanensis*
194	鳉形目	鳉科	青鳉	*Oryzias latipes*
195	鲈形目	斗鱼科	圆尾斗鱼	*Macropodus chinensis*
196			叉尾斗鱼	*Macropodus opercularis*
197		鳢科	乌鳢	*Channa argus*
198		塘鳢科	黄黝鱼	*Hypseleotris swinhonis*
199		鰕虎鱼科	褐栉鰕虎鱼	*Ctenogobius brunneus*
200			成都栉鰕虎鱼③	*Ctenogobius chengtuensis*
201			波氏栉鰕虎鱼	*Ctenogobius cliffordpopei*
202			普栉鰕虎鱼	*Ctenogobius giurinus*
203			四川栉鰕虎鱼③	*Ctenogobius szechuanensis*
204			粘皮鲻鰕虎鱼	*Mugilogobius myxodermus*
205		刺鳅科	刺鳅	*Mastacembelus aculeatus*
206		鮨科	鳜	*Siniperca chuatsi*
207			大眼鳜	*Siniperca kneri*
208			斑鳜	*Siniperca scherzeri*
209	鲑形目	鲑科	虎嘉鱼②	*Hucho bleekeri*
210	鲇形目	钝头鮠科	金氏鉠	*Liobagrus kingi*
211			拟缘鉠	*Liobagrus marginatoides*
212			白缘鉠	*Liobagrus marginatus*
213			黑尾鉠	*Liobagrus nigricauda*
214		鲿科	粗唇鮠	*Leiocassis crassilabris*
215			长吻鮠	*Leiocassis longirostris*
216			大鳍鳠	*Mystus macropterus*
217			长须黄颡鱼	*Pelteobagrus eupogon*
218			黄颡鱼	*Pelteobagrus fulvidraco*
219			光泽黄颡鱼	*Pelteobagrus nitidus*
220			瓦氏黄颡鱼	*Pelteobagrus vachelli*
221			短尾拟鲿	*Pseudobagrus brericaudatus*
222			凹尾拟鲿	*Pseudobagrus emarginatus*
223			细体拟鲿	*Pseudobagrus pratti*
224			圆尾拟鲿	*Pseudobagrus tenuis*
225			切尾拟鲿	*Pseudobagrus truncatus*

（续）

序号	目	科	种	
			中文名	拉丁名
226	鲇形目		乌苏拟鲿	*Pseudobagrus ussuriensis*
227		鲇科	鲇	*Silurus asotus*
228			大口鲇	*Silurus meridionalis*
229		鮡科	青石爬鮡[③]	*Euchiloglanis davidi*
230			黄石爬鮡	*Euchiloglanis kishinouyei*
231			福建纹胸鮡	*Glyptothorax fukiensis*
232			中华纹胸鮡	*Glyptothorax sinense*
233			前臀鮡	*Pareuchiloglanis anteanalis*
234			长河鮡	*Pareuchiloglanis changheensis*
235			壮体鮡	*Pareuchiloglanis rabusta*
236			四川鮡	*Pareuchiloglanis sichuanensis*
237			中华鮡[③]	*Pareuchiloglanis sinensis*
238			天全鮡[③]	*Pareuchipoglanis tiangquanensis*
239	合鳃鱼目	合鳃鱼科	黄鳝	*Monopterus albus*
二、两栖动物				
1	无尾目	角蟾科	宽头短腿蟾	*Brachytarsophrys carinensis*
2			川南短腿蟾	*Brachytarsophrys chuananensis*
3			峨山掌突蟾	*Leptolalax oshanensi*
4			小角蟾	*Megophrys minor*
5			南江角蟾	*Megophrys nankiangensis*
6			峨眉角蟾	*Megophrys omeimontis*
7			沙坪角蟾	*Megophrys shapingensis*
8			棘指角蟾	*Megophrys spinata*
9			瓦屋角蟾	*Megophrys wawuensis*
10			巫山角蟾	*Megophrys wushanensis*
11			川北齿蟾	*Oreolalax chuanbeiensis*
12			凉北齿蟾[③]	*Oreolalax liangbeiensis*
13			利川齿蟾	*Oreolalax lichuanensis*
14			大齿蟾	*Oreolalax major*
15			点斑齿蟾	*Oreolalax multipunctatus*
16			南江齿蟾	*Oreolalax nanjiangensis*

（续）

序号	目	科	种	
			中文名	拉丁名
17	无尾目	角蟾科	峨眉齿蟾	*Oreolalax omeimontis*
18			秉志齿蟾	*Oreolalax pingii*
19			宝兴齿蟾	*Oreolalax popei*
20			普雄齿蟾	*Oreolalax puxiongensis*
21			红点齿蟾	*Oreolalax rhodostigmatus*
22			疣刺齿蟾	*Oreolalax rugosus*
23			无蹼齿蟾	*Oreolalax schmidti*
24			魏氏齿蟾	*Oreolalax weigoldi*
25			乡城齿蟾	*Oreolalax xiangchengensis*
26			胸腺猫眼蟾	*Aelurophryne glandulatus*
27			九龙猫眼蟾	*Aelurophryne jiulongensis*
28			刺胸猫眼蟾	*Aelurophryne mammatus*
29			木里猫眼蟾	*Aelurophryne muliensis*
30			圆疣猫眼蟾	*Aelurophryne tuberculatus*
31			西藏齿突蟾	*Scutiger boulengeri*
32			金项齿突蟾③	*Scutiger chintingensis*
33			花齿突蟾	*Scutiger maculatus*
34			平武齿突蟾	*Scutiger pingwuensis*
35			峨眉髭蟾③	*Vibrissaphora boringii*
36		姬蛙科	云南小狭口蛙	*Calluella yunnanensis*
37			四川狭口蛙	*Kaloula rugifera*
38			多疣狭口蛙	*Kaloula verrucosa*
39			粗皮姬蛙	*Microhyla butleri*
40			小弧斑姬蛙	*Microhyla heymonsi*
41			合征姬蛙	*Microhyla mixtura*
42			饰纹姬蛙	*Microhyla ornata*
43		蛙科	崇安湍蛙	*Amolops chunganensis*
44			棘皮湍蛙	*Amolops granulosus*
45			理县湍蛙	*Amolops lifanensis*
46			棕点湍蛙	*Amolops loloensis*
47			四川湍蛙	*Amolops mantzorum*
48			华南湍蛙	*Amolops ricketti*
49			隆肛蛙	*Feirana quadranus*

（续）

序号	目	科	种	
			中文名	拉丁名
50	无尾目	蛙科	泽陆蛙	*Fejervarya multistriata*
51			虎纹蛙[2]	*Hoplobatrachus rugulosus*
52			倭蛙	*Nanorana pleskei*
53			仙琴蛙[3]	*Nidirana daunchina*
54			沼水蛙	*Sylvirana guentheri*
55			无指盘臭蛙	*Odorrana grahami*
56			合江臭蛙	*Odorrana hejiangensis*
57			筠连臭蛙	*Odorrana junlianensis*
58			光雾臭蛙	*Odorrana kuangwuensis*
59			大绿臭蛙	*Odorrana livida*
60			绿臭蛙	*Odorrana margaretae*
61			花臭蛙	*Odorrana schmackeri*
62			棘腹蛙	*Paa boulengeri*
63			无声囊棘蛙	*Paa liui*
64			合江棘蛙	*Paa robertingeri*
65			双团棘胸蛙	*Paa yunnanensis*
66			黑斑侧褶蛙	*Pelophylax nigromaculatus*
67			滇侧褶蛙	*Pelophylax pleuraden*
68			胫腺侧褶蛙	*Pelophylax shuchinae*
69			越南趾沟蛙	*Pseudorana johnsi*
70			威宁趾沟蛙	*Pseudorana weiningensis*
71			牛蛙	*Rana catesbeiana*
72			昭觉林蛙	*Rana chaochiaoensis*
73			中国林蛙[3]	*Rana chensinensis*
74			峰斑林蛙	*Rana chevronta*
75			猪蛙	*Rana grylio*
76			河蛙	*Rana heckscheri*
77			高原林蛙	*Rana kukunoris*
78			峨眉林蛙	*Rana omeimontis*
79		树蛙科	经甫树蛙	*Rhacophorus chenfui*
80			宝兴树蛙	*Rhacophorus dugritei*
81			洪佛树蛙[3]	*Rhacophorus hungfuensis*
82			斑腿树蛙	*Rhacophorus megacephalus*

（续）

序号	目	科	种	
			中文名	拉丁名
83	无尾目		峨眉树蛙	*Rhacophorus omeimontis*
84		铃蟾科	利川铃蟾	*Bombina lichuanensis*
85			大蹼铃蟾	*Bombina maxima*
86		蟾蜍科	中华蟾蜍华西亚种	*Bufo gargarizans andrewsi*
87			中华蟾蜍指名亚种	*Bufo gargarizans gargarizans*
88			中华蟾蜍岷山亚种	*Bufo gargarizans minshanicus*
89			黑眶蟾蜍	*Bufo melanostictus*
90			西藏蟾蜍	*Bufo tibetanus*
91			圆疣蟾蜍	*Bufo tuberculatus*
92		雨蛙科	华西雨蛙川西亚种	*Hyla annectans chuanxiensis*
93			华西雨蛙景东亚种	*Hyla annectans jingdongensis*
94			华西雨蛙武陵亚种	*Hyla annectans wulingensis*
95	有尾目	隐鳃鲵科	大鲵②	*Andrias davidianus*
96		小鲵科	弱唇褶山溪鲵	*Batrachuperus cochranae*
97			龙洞山溪鲵③	*Batrachuperus londongensis*
98			山溪鲵	*Batrachuperus pinchonii*
99			西藏山溪鲵	*Batrachuperus tibetanus*
100			盐源山溪鲵	*Batrachuperus yenyuanensis*
101			普雄原鲵	*Protohynobius puxiongensis*
102			秦巴拟小鲵	*Pseudohynobius tsinpaensis*
103			巫山北鲵③	*Ranodon shihi*
104		蝾螈科	大凉疣螈②	*Tylototriton taliangensis*
105			文县疣螈②	*Tylototriton wenxianensis*
三、湿地爬行动物				
1	龟鳖目	龟科	* 乌龟	*Chinemys reevesii*
2			* 潘氏闭壳龟	*Cuora pani*
3		鳖科	* 鳖	*Pelodiscus sinensis*
4		泽龟科	* 巴西龟(红耳龟)	*Trachemys scripta*
5	有鳞目	壁虎科	蹼趾壁虎	*Gekko subpalmatus*
6		石龙子科	秦岭滑蜥	*Scincella tsinlingensis*
7		游蛇科	* 绣链腹链蛇	*Amphiesma craspedogaster*

（续）

序号	目	科	种	
			中文名	拉丁名
8	有鳞目	游蛇科	* 棕网腹链蛇	*Amphiesma johannis*
9			* 瓦屋山腹链蛇	*Amphiesma metusia*
10			* 腹斑腹链蛇	*Amphiesma modesta*
11			* 八线腹链蛇	*Amphiesma octolineata*
12			* 丽纹腹链蛇	*Amphiesma optatum*
13			* 棕黑腹链蛇(指名亚种)	*Amphiesma sauteri sauteri*
14			翠青蛇	*Cyclophiops major*
15			白条锦蛇	*Elaphe dione*
16			玉斑锦蛇	*Elaphe mandarina*
17			黑眉锦蛇	*Elaphe taeniura*
18			虎斑颈槽蛇(大陆亚种)	*Rhabdophis tigrinus latera*
19			* 赤链华游蛇	*Sinonatrix annularis*
20			* 乌华游蛇	*Sinonatrix percarinata*
21			* 四川温泉蛇	*Thermophis zhaoermii*
22			乌梢蛇	*Zaocys dhumnades*
23		眼镜蛇科	丽纹蛇	*Calliophis macclellandi*
24		蝰科	高原蝮	*Gloydius strauchi*
25			竹叶青蛇	*Trimeresurus stejnegeri*
四、湿地鸟类				
1	潜鸟目	潜鸟科	白嘴潜鸟	*Gavia adamsii*
2	䴙䴘目	䴙䴘科	角䴙䴘	*Podiceps auritus*
3			凤头䴙䴘	*Podiceps cristatus*
4			黑颈䴙䴘	*Podiceps nigricollis*
5			小䴙䴘	*Podiceps ruficollis*
6	鹈形目	鹈鹕科	白鹈鹕	*Pelecanus onocrotalus*
7		鸬鹚科	普通鸬鹚	*Phalacrocorax carbo*
8	鹳形目	鹭科	苍鹭	*Ardea cinerea*
9			草鹭	*Ardea purpurea*
10			池鹭	*Ardeola bacchus*
11			大麻鳽	*Botaurus stellaris*
12			牛背鹭	*Bubulcus ibis*
13			绿鹭	*Butorides striatus*
14			大白鹭	*Egretta alba*

（续）

序号	目	科	种	
			中文名	拉丁名
15	鹳形目	鹭科	白鹭	*Egretta garzatta*
16			中白鹭	*Egretta intermedia*
17			栗苇鳽	*Ixobrychus cinnamomeus*
18			紫背苇鳽	*Ixobrychus eurhythmus*
19			黑鳽	*Ixobrychus flavicollis*
20			夜鹭	*Nycticorax nycticorax*
21		鹳科	东方白鹳	*Ciconia boyciana*
22			黑鹳	*Ciconia nigra*
23			秃鹳	*Leptoptilos javanicus*
24		鹮科	白琵鹭	*Platalea leucorodia*
25			黑脸琵鹭	*Platalea minor*
26			彩鹮	*Plegadis falcinellus*
27			［黑头］白鹮	*Threskiornis aethiopicus*
28	雁形目	鸭科	鸳鸯	*Aix galericulata*
29			针尾鸭	*Anas acuta*
30			琵嘴鸭	*Anas clypeata*
31			绿翅鸭	*Anas crecca*
32			罗纹鸭	*Anas falcata*
33			花脸鸭	*Anas formosa*
34			赤颈鸭	*Anas penelope*
35			绿头鸭	*Anas platyrhynchos*
36			斑嘴鸭	*Anas poecilorhyncha*
37			白眉鸭	*Anas querquedula*
38			赤膀鸭	*Anas strepera*
39			白额雁	*Anser albifrons*
40			灰雁	*Anser anser*
41			鸿雁	*Anser cygnoides*
42			小白额雁	*Anser erythropus*
43			豆雁	*Anser fabalis*
44			斑头雁	*Anser indicus*
45			青头潜鸭	*Aythya baeri*
46			红头潜鸭	*Aythya ferina*
47			凤头潜鸭	*Aythya fuligula*

（续）

序号	目	科	种	
			中文名	拉丁名
48	雁形目	鸭科	白眼潜鸭	*Aythya nyroca*
49			红胸黑雁	*Branta ruficollis*
50			鹊鸭	*Bucephala clangula*
51			长尾鸭	*Clangula hyemalis*
52			小天鹅	*Cygnus columbianus*
53			大天鹅	*Cygnus cygnus*
54			疣鼻天鹅	*Cygnus olor*
55			斑脸海番鸭	*Melanitta fusca*
56			黑海番鸭	*Melanitta nigra*
57			斑头秋沙鸭	*Mergus albellus*
58			普通秋沙鸭	*Mergus merganser*
59			红胸秋沙鸭	*Mergus serrator*
60			中华秋沙鸭	*Mergus squamatus*
61			赤嘴潜鸭	*Netta rufina*
62			棉凫	*Nettapus coromandelianus*
63			赤麻鸭	*Tadorna ferruginea*
64			翘鼻麻鸭	*Tadorna tadorna*
65	隼形目	鹰科	鹗	*Pandion haliaetus*
66	鹤形目	鹤科	蓑羽鹤	*Anthropoides virgo*
67			灰鹤	*Grus grus*
68			黑颈鹤	*Grus nigricollis*
69		秧鸡科	白胸苦恶鸟	*Amaurornis phoenicurus*
70			白骨顶	*Fulica atra*
71			董鸡	*Gallicrex cinerea*
72			黑水鸡	*Gallinula chloropus*
73			紫水鸡	*Porphyrio porphyrio*
74			棕背田鸡	*Porzana bicolor*
75			花田鸡	*Porzana exquisita*
76			红胸田鸡	*Porzana fusca*
77			小田鸡	*Porzana pusilla*
78			普通秧鸡	*Rallus aquaticus*
79			蓝胸秧鸡	*Rallus striatus*
80	鸻形目	雉鸻科	水雉	*Hydrophasianus chirurgus*

（续）

序号	目	科	种	
			中文名	拉丁名
81	鸻形目	彩鹬科	彩鹬	*Rostratula benghalensis*
82		鸻科	环颈鸻	*Charadrius alexandrinus*
83			金眶鸻	*Charadrius dubius*
84			铁嘴沙鸻	*Charadrius leschenaultii*
85			蒙古沙鸻	*Charadrius mongolus*
86			长嘴剑鸻	*Charadrius placidus*
87			东方鸻	*Charadrius veredus*
88			金[斑]鸻	*Pluvialis dominica*
89			灰斑鸻	*Pluvialis squatarola*
90			灰头麦鸡	*Vanellus cinereus*
91			凤头麦鸡	*Vanellus vanellus*
92		鹬科	翻石鹬	*Arenaria interpres*
93			黑腹滨鹬	*Calidris alpina*
94			红腹滨鹬	*Calidris canutus*
95			弯嘴滨鹬	*Calidris ferruginea*
96			红颈滨鹬	*Calidris ruficollis*
97			长趾滨鹬	*Calidris subminuta*
98			青脚滨鹬	*Calidris temminckii*
99			大滨鹬	*Calidris tenuirostris*
100			三趾滨鹬	*Crocethia alba*
101			扇尾沙锥	*Gallinago gallinago*
102			大沙锥	*Gallinago megala*
103			林沙锥	*Gallinago nemoricola*
104			孤沙锥	*Gallinago solitaria*
105			针尾沙锥	*Gallinago stenura*
106			长嘴鹬	*Limnodromus scolopaeus*
107			斑尾塍鹬	*Limosa lapponica*
108			黑尾塍鹬	*Limosa limosa*
109			白腰杓鹬	*Numenius arquata*
110			红腰杓鹬	*Numenius madagascarjensis*
111			中杓鹬	*Numenius phaeopus*
112			流苏鹬	*Philomachus pugnax*
113			丘鹬	*Scolopax rusticola*

（续）

序号	目	科	种	
			中文名	拉丁名
114	鸻形目	鹬科	鹤鹬	*Tringa erythropus*
115			林鹬	*Tringa glareola*
116			矶鹬	*Tringa hypoleucos*
117			灰鹬	*Tringa incana*
118			青脚鹬	*Tringa nebularia*
119			白腰草鹬	*Tringa ochropus*
120			泽鹬	*Tringa stagnatilis*
121			红脚鹬	*Tringa totanus*
122		瓣蹼鹬科	灰瓣蹼鹬	*Phalaropus fulicarius*
123			红颈瓣蹼鹬	*Phalaropus lobatus*
124		反嘴鹬科	黑翅长脚鹬	*Himantopus himantopus*
125			鹮嘴鹬	*Ibidorhyncha struthersii*
126			反嘴鹬	*Recurvirostra avosetta*
127		燕鸻科	普通燕鸻	*Glareola maldivarum*
128	鸥形目	贼鸥科	中贼鸥	*Stercorarius pomarinus*
129		鸥科	须浮鸥	*Chlidonias hybrida*
130			白翅浮鸥	*Chlidonias leucoptera*
131			银鸥	*Larus argentatus*
132			棕头鸥	*Larus brunnicephalus*
133			海鸥	*Larus canus*
134			黑尾鸥	*Larus crassirostris*
135			细嘴鸥	*Larus genei*
136			渔鸥	*Larus ichthyaetus*
137			小鸥	*Larus minutus*
138			红嘴鸥	*Larus ridibundus*
139			灰背鸥	*Larus schistisagus*
140			三趾鸥	*Rissa tridactyla*
141			白额燕鸥	*Sterna albifrons*
142			普通燕鸥	*Sterna hirundo*
143	鸮形目	鸱鸮科	黄脚渔鸮	*Ketupa flavipes*
144	佛法僧目	翠鸟科	普通翠鸟	*Alcedo atthis*
145			蓝翡翠	*Halcyon pileata*
146			白胸翡翠	*Halcyon smyrnensis*

（续）

<table>
<tr><th rowspan="2">序号</th><th rowspan="2">目</th><th rowspan="2">科</th><th colspan="2">种</th></tr>
<tr><th>中文名</th><th>拉丁名</th></tr>
<tr><td>147</td><td></td><td></td><td>冠鱼狗</td><td>Megaceryle lugubris</td></tr>
<tr><td colspan="5">五、湿地兽类</td></tr>
<tr><td>1</td><td rowspan="8">鼩猬目</td><td rowspan="7">鼩鼱科</td><td>川鼩</td><td>Blarinella quadraticauda</td></tr>
<tr><td>2</td><td>* 喜马拉雅水麝鼩</td><td>Chimarrogale himalayica</td></tr>
<tr><td>3</td><td>* 斯氏水麝鼩</td><td>Chimarrogale styani</td></tr>
<tr><td>4</td><td>小长尾鼩</td><td>Chodsigoa parva</td></tr>
<tr><td>5</td><td>斯氏长尾鼩</td><td>Chodsigoa smithii</td></tr>
<tr><td>6</td><td>* 蹼麝鼩</td><td>Nectogale elegans</td></tr>
<tr><td>7</td><td>云南鼩鼱</td><td>Sorex excelsus</td></tr>
<tr><td>8</td><td>鼹科</td><td>甘肃鼹</td><td>Scapanulus oweni</td></tr>
<tr><td>9</td><td rowspan="19">食肉目</td><td rowspan="7">鼬科</td><td>* 小爪水獭</td><td>Aonyx cinerea</td></tr>
<tr><td>10</td><td>猪獾</td><td>Arctonyx collaris</td></tr>
<tr><td>11</td><td>* 水獭</td><td>Lutra lutra</td></tr>
<tr><td>12</td><td>石貂</td><td>Martes foina</td></tr>
<tr><td>13</td><td>狗獾</td><td>Meles meles</td></tr>
<tr><td>14</td><td>香鼬</td><td>Mustela altaica</td></tr>
<tr><td>15</td><td>黄鼬</td><td>Mustela sibirica</td></tr>
<tr><td>16</td><td rowspan="4">犬科</td><td>狼</td><td>Canis lupus</td></tr>
<tr><td>17</td><td>豺</td><td>Cuon alpinus</td></tr>
<tr><td>18</td><td>藏狐</td><td>Vulpes ferrilata</td></tr>
<tr><td>19</td><td>赤狐</td><td>Vulpes vulpes</td></tr>
<tr><td>20</td><td rowspan="2">熊科</td><td>马熊</td><td>Ursus pruinosus</td></tr>
<tr><td>21</td><td>黑熊</td><td>Ursus thibetanus</td></tr>
<tr><td>22</td><td rowspan="6">猫科</td><td>金猫</td><td>Catopuma temminckii</td></tr>
<tr><td>23</td><td>漠猫</td><td>Felis bieti</td></tr>
<tr><td>24</td><td>丛林猫</td><td>Felis chaus</td></tr>
<tr><td>25</td><td>兔狲</td><td>Felis manul</td></tr>
<tr><td>26</td><td>猞猁</td><td>Lynx lynx</td></tr>
<tr><td>27</td><td>豹猫</td><td>Prionailurus bengalensis</td></tr>
<tr><td>28</td><td rowspan="4">偶蹄目</td><td>猪科</td><td>野猪</td><td>Sus scrofa</td></tr>
<tr><td>29</td><td rowspan="2">麝科</td><td>林麝</td><td>Moschus berezovskii</td></tr>
<tr><td>30</td><td>马麝</td><td>Moschus chrysogaster</td></tr>
<tr><td>31</td><td>鹿科</td><td>狍</td><td>Capreolus capreolus</td></tr>
</table>

(续)

序号	目	科	种	
			中文名	拉丁名
32	偶蹄目	鹿科	马鹿(白臀鹿)	*Cervus elaphus*
33			毛冠鹿	*Elaphodus cephalophus*
34			小麂	*Muntiacus reevesi*
35			白唇鹿	*Przewalskium albirostris*
36			水鹿	*Rusa unicolor*
37		牛科	鬣羚	*Capricornis sumatraensis*
38			斑羚	*Naemorhedus goral*
39			藏原羚	*Procapra picticaudata*
40	啮齿目	松鼠科	喜马拉雅旱獭	*Marmota himalayana*
41			岩松鼠	*Sciurotamias davidianus*
42		鼠科	高山姬鼠	*Apodemus chevrieri*
43			中华姬鼠	*Apodemus draco*
44			大耳姬鼠	*Apodemus latronum*
45			大林姬鼠	*Apodemus peninsulae*
46		田鼠科	根田鼠	*Lasiopodomys oeconomus*
47			松田鼠	*Neodon irene*
48		林跳鼠科	四川林跳鼠	*Eozapus setchuanus*
49		鼹形鼠科	高原鼢鼠	*Myospalax baileyi*
50	兔形目	兔科	高原兔	*Lepus oiostolus*
51		鼠兔科	间颅鼠兔	*Ochotona cansus*
52			高原鼠兔	*Ochotona curzoniae*
53			藏鼠兔	*Ochotona thibetana*
54			狭颅鼠兔	*Ochotona thomasi*

注：典型湿地动物包括全部鱼类、两栖类、鸟类，以及带＊的爬行类和哺乳类动物；未带＊的爬行类和哺乳类动物严格来说并不属于湿地动物。由于川西高原的部分湿地和周边的草原，森林镶嵌分布，在湿地区调查过程中，部分草原和森林物种被作为湿地区物种整体调查和统计在其中。为保证调查数据的真实性，客观反映湿地区中的动物组成，这些镶嵌分布的草原和森林物种被统计在湿地动物中。鱼类和两栖动物名录中①表示国家Ⅰ级重点保护野生动物，②表示国家Ⅱ级重点保护野生动物，③表示四川省重点保护野生动物。

附录3　四川重点调查湿地概况

1. 若尔盖国际重要湿地(四川若尔盖湿地国家级自然保护区)

若尔盖国际重要湿地(四川若尔盖湿地国家级自然保护区)调查湿地范围面积166571公顷，湿地面积为112923.47公顷，主要湿地类型为河流湿地、湖泊湿地和沼泽湿地。地理坐标东经102°29′~102°59′，北纬33°25′~34°00′；位于阿坝藏族羌族自治州若尔盖县境内。

湿地高等植物28科65属88种。调查未记录到国家重点保护野生植物和外来入侵植物。

湿地植被划分为2个植被型组，4个植被型，12个群系，包括藏北嵩草群系、西藏嵩草群系、高原嵩草群系、双柱头藨草群系、双柱头针蔺群系、无脉薹草群系、垂穗披碱草群系、毛颖早熟禾群系、水甜茅群系、高原毛茛群系、珠芽蓼群系、水毛茛+穗状狐尾藻群系。

脊椎动物4纲7目10科21种。其中，鱼类1目2科7种，包括黄河高原鳅、似鲇高原鳅、黑体高原鳅、骨唇黄河鱼、厚唇裸重唇鱼、花斑裸鲤、黄河裸裂尻鱼；两栖类1目2科3种，包括高原林蛙、倭蛙、中华蟾蜍岷山亚种；鸟类4目5科10种，包括灰雁、赤麻鸭、白眼潜鸭、黑颈鹤、白骨顶、红脚鹬鹬、青脚鹬、渔鸥、红嘴鸥、普通燕鸥；哺乳类1目1科1种，即斯氏水鼩；调查未记录到爬行类。

国家重点保护野生动物1种，为国家Ⅰ级保护湿地鸟类，即黑颈鹤。

调查未记录到外来入侵动物。

于1994年建立自然保护区，1997年晋升省级自然保护区，1998年晋升国家级自然保护区，2008年被列入《国际重要湿地名录》，受阿坝州林业局管理，成立了四川若尔盖湿地自然保护区管理局管理机构。

主要受到过度放牧、沙化、旅游等威胁。

2. 九寨沟国家重要湿地

九寨沟国家重点调查湿地范围面积212141.30公顷，湿地面积为1945.67公顷，主要湿地类型为河流湿地、湖泊湿地和沼泽湿地。地理坐标东经103°26′~103°56′，北纬33°00′~33°40′；位于阿坝藏族羌族自治州九寨沟县境内。

湿地高等植物30科43属46种。调查未记录到国家重点保护野生植物和外来入侵植物。

湿地植被划分为3个植被型组，6个植被型，12个群系，包括筐柳群系、沙棘群系、皂柳群系、木里薹草群系、芦苇群系、宽叶香蒲群系、杉叶藻群系、翠云草群系、三裂碱毛茛群系、水毛茛+穗状狐尾藻群系、黑藻群系、小眼子菜群系。

脊椎动物4纲6目9科13种。其中，鱼类1目2科3种，包括梭形高原鳅、黑体高原鳅、嘉陵裸裂尻鱼；两栖类2目4科6种，包括高原林蛙、中国林蛙、山溪鲵、中华蟾蜍岷山亚种、中华蟾蜍华西亚种、西藏齿突蟾；鸟类2目2科2种，包括池鹭、绿头鸭；哺乳类1目1科2种，包括斯氏水鼩、喜马拉雅水鼩；调查未记录到爬行类。

调查未记录到国家重点保护野生动物。

调查未记录到外来入侵动物。

于1978年建立省级自然保护区，1992年列入《世界自然遗产名录》，1994年晋升国家级自然保护区，受阿坝州林业局管理，成立了九寨沟国家级自然保护区管理局管理机构。

主要受到旅游等威胁。

3. 若尔盖国家重要湿地

若尔盖国家重点调查湿地范围面积681081.72公顷，湿地面积为247414.48公顷，主要湿地类型为河流湿地、湖泊湿地和沼泽湿地。地理坐标东经101°38′~103°24′，北纬32°35′~34°05′；位于阿坝藏族羌族自治州若尔盖县境内。

湿地高等植物47科114属184种。调查未记录到国家重点保护野生植物和外来入侵植物。

湿地植被划分为3个植被型组，6个植被型，41个群系。包括金露梅群系、沙棘群系窄叶鲜卑花群系、川西锦鸡儿群系、岩生忍冬群系、皂柳群系、藏北嵩草群系、西藏嵩草群系、高原嵩草群系、双柱头藨草群系、双柱头针蔺群系、无脉薹草群系、乌拉薹草群系、单鳞苞荸荠群系、刚毛荸荠群系、华扁穗草群系、四川嵩草群系、干生薹草群系、木里薹草群系、牛毛毡群系、矮生嵩草群系、垂穗披碱草群系、毛颖早熟禾群系、水甜茅群系、长穗三毛草群系、草地早熟禾群系、茵草群系、早熟禾群系、高原毛茛群系、珠芽蓼群系、草玉梅群系、鹅绒委陵菜群系、黄帚橐吾群系、银叶委陵菜群系、灯心草群系、高山唐松草群系、卷耳群系、三裂碱毛茛群系、圆穗蓼群系、水毛茛+穗状狐尾藻群系、篦齿眼子菜群系。

脊椎动物4纲7目10科20种。其中，鱼类1目2科7种，包括黄河高原鳅、似鲇高原鳅、黑体高原鳅、骨唇黄河鱼、厚唇裸重唇鱼、花斑裸鲤、黄河裸裂尻鱼；两栖类1目2科3种，包括倭蛙、高原林蛙、中华蟾蜍岷山亚种；鸟类4目5科10种，包括黑颈鹤、渔鸥、红嘴鸥、普通燕鸥、灰雁、赤麻鸭、白眼潜鸭、白骨顶、青脚鹬、红脚鹬、红脚鹤鹬；哺乳类1目1科1种，即斯氏水鼩；调查未记录到爬行类。

国家重点保护野生动物1种，为国家Ⅰ级保护湿地鸟类，即黑颈鹤。

调查未记录到外来入侵动物。

于1994年建立省级自然保护区，1998晋升国家级自然保护区，2008年被列入《国际重要湿地名录》，受阿坝州林业局管理，成立了四川若尔盖湿地自然保护区管理局管理机构。

主要受到过度放牧、草地沙化、旅游等威胁。

4. 泸沽湖国家重要湿地(四川泸沽湖州级自然保护区)

泸沽湖国家重要湿地(四川泸沽湖州级自然保护区)调查湿地范围面积16867公顷，湿地面积为3062.29公顷，主要湿地类型为河流湿地、湖泊湿地和沼泽湿地。地理坐标东经100°46′~100°55′，北纬27°40′~27°44′；位于凉山彝族自治州盐源县境内。

湿地高等植物17科22属30种，调查未记录到国家重点保护野生植物和外来入侵植物。

湿地植被划分为2个植被型组，5个植被型，12个群系，包括水葱群系、糙野青茅群系、芦苇群系、芦竹群系、密序黑三棱群系、水蓼群系、水芹群系、香蒲群系、浮叶眼子菜群系、细果野菱群系、穗状狐尾藻群系、菹草群系。

脊椎动物3纲10目12科28种。其中，鱼类2目2科5种，包括草鱼、刺鳅、鲫、鲤、雅鱼；两栖类1目2科5种，包括双团棘胸蛙、滇侧褶蛙、绿臭蛙、牛蛙、大蹼铃蟾；鸟类7目8科18种，包括白鹡鸰、小䴙䴘、池鹭、牛背鹭、白鹭、黄苇鳽、栗苇鳽、大麻鳽、斑嘴鸭、白眼潜鸭、普通秧鸡、白胸苦恶鸟、黑水鸡、紫水鸡、白骨顶、林鹬、普通燕鸻、普通翠鸟；调查未记录到爬行类和哺乳类。

调查未记录到国家重点保护野生动物。

记录到外来入侵动物物种1门1纲1目1科1种，为脊椎动物，即牛蛙。

于2000年建立自然保护区，2005年晋升市级自然保护区，受盐源县林业局管理，成立了四川泸沽湖自然保护区管理处管理机构。

主要受到旅游、外来物种入侵等威胁。

5. 马湖湿地

马湖重点调查湿地范围面积12800公顷，湿地面积为731.06公顷，主要湿地类型为湖泊湿地和人工湿地。地理坐标东经103°41′～103°50′，北纬28°18′～28°30′；位于凉山彝族自治州雷波县境内。

湿地高等植物16科23属24种。国家重点保护野生植物1种，为国家Ⅰ级保护野生植物，即莼菜。调查未记录到外来入侵植物。

湿地植被划分为2个植被型组，3个植被型，4个群系，包括芦苇群系、齿果酸模群系、鸭跖草群系、莼菜群系。

脊椎动物3纲7目7科14种。其中，鱼类2目2科5种，包括银鱼、鲢、鲤、鲫、草鱼；两栖类1目1科1种，即黑斑侧褶蛙；鸟类4目4科8种，包括小䴙䴘、苍鹭、大白鹭、白鹭、针尾鸭、绿头鸭、白眼潜鸭、黑水鸡；调查未记录到爬行类和哺乳类。

调查未记录到国家重点保护野生动物。

调查未记录到外来入侵动物。

于1992年被批准为省级风景名胜区，受雷波县政府部门管理，成立了雷波县马湖风景名胜区管理局管理机构。

主要受到旅游等威胁。

6. 邛海湿地

邛海重点调查湿地范围面积3728.7公顷，湿地面积为2870.14公顷，主要湿地类型为河流湿地、湖泊湿地和人工湿地。地理坐标东经102°15′～102°21′，北纬27°46′～27°52′；位于凉山彝族自治州西昌市境内。

湿地高等植物16科23属25种。国家重点保护野生植物1种，为国家Ⅱ级保护野生植物，即莲。记录到外来入侵植物物种3科3属3种，包括喜旱莲子草、凤眼蓝、大薸。

湿地植被划分为2个植被型组，5个植被型，11个群系，包括水莎草群系、菰群系、芦苇群系、芦竹群系、莲群系、大薸群系、凤眼蓝群系、浮萍群系、紫萍群系、喜旱莲子草群系、菱群系。

脊椎动物3纲10目13科26种。其中，鱼类3目5科12种，包括大口鲇、邛海白鱼、青鱼、翘嘴红鲌、泥鳅、麦穗鱼、鲤、黄鳝、红尾副鳅、短尾高原鳅、草鱼、红鳍原鲌；两栖类1目2科2种，包括华西蟾蜍、牛蛙；鸟类6目6科12种，包括大苇莺、小䴙䴘、苍鹭、池鹭、牛背鹭、白鹭、黄苇鳽、白胸苦恶鸟、白骨顶、水雉、普通翠鸟、白胸翡翠；调查未记录到爬行类和哺乳类。

调查未记录到国家重点保护野生动物。

记录到外来入侵动物物种1门1纲1目1科1种，为脊椎动物，即牛蛙。

于2002建立四川邛海/螺髻山国家级风景名胜区，2009年建立邛海湿地公园，2011年被批准为四川省湿地公园，受县西昌市政府部门管理，成立了西昌邛海泸山景区管理局管理机构。

主要受到围垦、外来物种入侵、旅游等威胁。

7. 四川九寨沟国家级自然保护区

四川九寨沟国家级自然保护区重点调查湿地范围面积64297.3公顷，湿地面积为432.28公顷，主要湿地类型为湖泊湿地和沼泽湿地。地理坐标东经103°46′~104°05′，北纬32°55′~33°16′；位于阿坝藏族羌族自治州九寨沟县境内。

湿地高等植物20科26属27种。调查未记录到国家重点保护野生植物和外来入侵植物。

湿地植被划分为3个植被型组，6个植被型，9个群系，包括筐柳群系、沙棘群系、皂柳群系、木里薹草群系、芦苇群系、宽叶香蒲群系、杉叶藻群系、水毛茛+穗状狐尾藻群系、黑藻群系。

脊椎动物4纲6目8科10种。其中，鱼类1目1科1种，即嘉陵裸裂尻鱼；两栖类2目4科5种，包括山溪鲵、中华蟾蜍岷山亚种、中华蟾蜍华西亚种、中国林蛙、西藏齿突蟾；鸟类2目2科2种，包括池鹭、绿头鸭；哺乳类1目1科2种，包括喜马拉雅水鼩、斯氏水鼩；调查未记录到爬行类。

调查未记录到国家重点保护野生动物。

调查未记录到外来入侵动物。

于1978年建立省级自然保护区，1992年列入《世界自然遗产名录》，1994年晋升国家级自然保护区，受阿坝州林业局管理，成立了九寨沟国家级自然保护区管理局管理机构。

主要受到旅游等威胁。

8. 四川察青松多国家级自然保护区

四川察青松多国家级自然保护区重点调查湿地范围面积143682.60公顷，湿地面积为9014.89公顷，主要湿地类型为河流湿地、湖泊湿地和沼泽湿地。地理坐标东经99°11′~99°42′，北纬30°33′~31°06′；位于甘孜藏族自治州白玉县境内。

湿地高等植物20科33属37种。调查未记录到国家重点保护野生植物和外来入侵植物。

湿地植被划分为2个植被型组，4个植被型，9个群系，包括沙棘群系、窄叶鲜卑花群系、隐蕊杜鹃群系、西藏嵩草群系、华扁穗草群系、四川嵩草群系、四川嵩草—西藏薹草群系、三裂碱毛茛群系、杉叶藻群系。

脊椎动物3纲3目5科7种。其中，鱼类1目2科2种，包括软刺裸裂尻鱼、斯氏高原鳅；两栖类1目1科2种，包括倭蛙、高原林蛙；鸟类1目2科3种，包括斑头雁、赤麻鸭、黑颈鹤；调查未记录到爬行类和哺乳类。

国家重点保护野生动物1种，为国家Ⅰ级保护湿地鸟类，即黑颈鹤。

调查未记录到外来入侵动物。

于1987年建立县级自然保护区，1995年晋升州级自然保护区，1997年晋升省级自然保护区，2003年晋升国家级自然保护区，受白玉县林业局管理，成立了察青松多自然保护区管理局管理机构。

主要受到过度放牧、旅游等威胁。

9. 四川海子山国家级自然保护区

四川海子山国家级自然保护区重点调查湿地范围面积459161公顷，湿地面积为32456.04公顷，主要湿地类型为河流湿地、湖泊湿地和沼泽湿地。地理坐标东经99°33′~100°31′，北纬29°06′~30°06′；位于甘孜藏族自治州理塘县、稻城县境内。

湿地高等植物16科26属30种。调查未记录到国家重点保护野生植物和外来入侵植物。

湿地植被划分为2个植被型组，3个植被型，6个群系，包括隐蕊杜鹃群系、西藏嵩草群系、四川嵩草群系、葱状灯心草群系、条叶垂头菊群系、沼生水马齿群系。

脊椎动物3纲7目8科17种。其中，鱼类1目2科8种，包括裸腹重唇鱼、厚唇裸重唇鱼、齐口裂腹鱼、软刺裸裂尻鱼、斯氏高原鳅、四川裂腹鱼、细尾高原鳅、短尾高原鳅；鸟类5目5科7种，包括凤头䴙䴘、池鹭、斑头雁、赤麻鸭、普通秋沙鸭、黑颈鹤、棕头鸥；哺乳类1目1科2种，包括水獭、小爪水獭；调查未记录到两栖类和爬行类。

国家重点保护野生动物3种。其中，国家Ⅰ级保护野生动物1种，即黑颈鹤；国家Ⅱ级保护野生动物2种，即水獭、小爪水獭。在国家重点保护野生动物中，湿地鸟类1种，为国家Ⅰ级保护湿地鸟类，即黑颈鹤。

调查未记录到外来入侵动物。

于1995年建立自然保护区，1997年晋升省级自然保护区，2008年晋升国家级自然保护区，受理塘县林业局管理，成立了四川海子山国家级自然保护区管理机构。

主要受到旅游、过度放牧等威胁。

10. 四川长沙贡玛国家级自然保护区

四川长沙贡玛国家级自然保护区重点调查湿地范围面积669800公顷，湿地面积为181711.91公顷，主要湿地类型为河流湿地、湖泊湿地和沼泽湿地。地理坐标东经97°22′~98°39′，北纬33°18′~34°12′；位于甘孜藏族自治州石渠县境内。

湿地高等植物11科16属18种。调查未记录到国家重点保护野生植物和外来入侵植物。

湿地植被划分为3个植被型组，5个植被型，6个群系，包括山生柳群系、华扁穗草群系、青藏薹草群系、三裂碱毛茛群系、杉叶藻群系、水毛茛群系。

脊椎动物2纲9目13科39种。其中，两栖类1目2科3种，包括西藏齿突蟾、倭蛙、高原林蛙；鸟类8目11科36种，包括斑嘴鸭、红头潜鸭、白眼潜鸭、凤头潜鸭、鹊鸭、中华秋沙鸭、普通秋沙鸭、鹗、灰鹤、黑颈鹤、凤头麦鸡、金斑鸻、金眶鸻、红脚鹬、青脚鹬、林鹬、矶鹬、孤沙锥、扇尾沙锥、鹮嘴鹬、黑翅长脚鹬、反嘴鹬、黑颈䴙䴘、凤头䴙䴘、普通鸬鹚、黑鹳、灰雁、斑头雁、大天鹅、疣鼻天鹅、赤麻鸭、针尾鸭、绿翅鸭、绿头鸭、普通燕鸻、渔鸥；调查未记录到鱼类、爬行类和哺乳类。

国家重点保护野生动物6种。国家Ⅰ级保护野生动物3种，国家Ⅱ级保护野生动物3种。在国家重点保护野生动物中，湿地鸟类6种，其中国家Ⅰ级保护鸟类3种，包括中华秋沙鸭、黑颈鹤、黑鹳；国家Ⅱ级保护鸟类3种，包括大天鹅、疣鼻天鹅、灰鹤。

调查未记录到外来入侵动物。

于1995年建立自然保护区，1997年晋升省级自然保护区，2009年晋升国家级自然保护区，受石渠县林业局管理，成立了四川长沙贡玛自然保护区管理局管理机构。

主要受到过度放牧、旅游等威胁。

11. 四川长江上游珍稀特有鱼类国家级自然保护区

四川长江上游珍稀特有鱼类国家级自然保护区重点调查湿地范围面积33174公顷，湿地面积为16344.76公顷，主要湿地类型为河流湿地、湖泊湿地和沼泽湿地。地理坐标东经104°09′~106°30′，北纬27°29′~29°04′；位于四川泸州和宜宾两市境内。

湿地高等植物5科9属9种。调查未记录到国家重点保护野生植物。记录到外来入侵植物物种1科1属1种，即喜旱莲子草。

湿地植被划分为2个植被型组，3个植被型，6个群系，包括斑茅群系、芦竹群系、双穗雀稗群系、节节草群系、水蓼群系、喜旱莲子草群系。

脊椎动物3纲6目9科16种。其中，鱼类2目5科7种，包括黄颡鱼、切尾拟鲿、马口鱼、中华纹胸鮡、泥鳅、鲫、红尾副鳅；两栖类1目2科4种，包括沼水蛙、泽陆蛙、饰纹姬蛙、黑斑侧褶蛙；鸟类3目3科5种，包括白鹡鸰、牛背鹭、白鹭、金眶鸻、环颈鸻；调查未记录到爬行类和哺乳类。

调查未记录到国家重点保护野生动物。

调查未记录到外来入侵动物。

于1996年建立省级自然保护区，2000晋升国家级自然保护区(长江上游合江至雷波段珍稀鱼类国家级自然保护区)，2005年更名为“长江上游珍稀特有鱼类国家级自然保护区”，受水利部门管理，成立了长江上游珍稀特有鱼类自然保护区管理处管理机构。

主要受到污染、外来物种入侵等威胁。

12. 四川诺水河珍稀水生动物国家级自然保护区

四川诺水河珍稀水生动物国家级自然保护区重点调查湿地范围面积9220公顷，湿地面积为2262.22公顷，主要湿地类型为河流湿地。地理坐标东经107°08′~107°40′，北纬31°56′~32°28′；

位于巴中市通江县境内。

湿地高等植物11科17属17种。调查未记录到国家重点保护野生植物。记录到外来入侵植物物种1科1属1种，即喜旱莲子草。

湿地植被划分为2个植被型组，2个植被型，2个群系，包括枫杨群系、葎草群系。

脊椎动物4纲7目12科16种。其中，鱼类3目6科10种，包括南方鲇、白甲鱼、中华倒刺鲃、青石爬鮡、华鲮、鳜、光泽黄颡鱼、贝氏高原鳅、重口裂腹鱼、岩原鲤；两栖类2目3科3种，包括泽陆蛙、中华大蟾蜍、大鲵；爬行类1目2科2种，包括中华鳖、乌龟；鸟类1目1科1种，即矶鹬；调查未记录到哺乳类。

国家重点保护野生动物1种，为国家Ⅱ级保护野生动物，即大鲵。在国家重点保护野生动物中，调查未记录到国家重点保护湿地鸟类。

调查未记录到外来入侵动物。

于2002年建立自然保护区，2004年晋升省级自然保护区，2012晋升国家级自然保护区，受通江县水产渔政局管理，成立了诺水河珍稀水生动物自然保护区管理站管理机构。

主要受到河道环境破坏、外来物种入侵等威胁。

13. 四川唐家河国家级自然保护区

四川唐家河国家级自然保护区重点调查湿地范围面积40000公顷，湿地面积为141.80公顷，主要湿地类型为河流湿地。地理坐标东经104°37′~104°53′，北纬32°32′~32°41′；位于广元市青川县境内。

湿地高等植物11科14属15种。调查未记录到国家重点保护野生植物和外来入侵植物。

湿地植被划分为1个植被型组，1个植被型，4个群系，包括丛枝蓼群系、魁蓟群系、问荆群系、野艾蒿群系。

脊椎动物5纲7目11科18种。其中，鱼类2目3科6种，包括福建纹胸鮡、中华裂腹鱼、似[鱼骨]、前臀鮡、多鳞铲颌鱼、贝氏高原鳅；两栖类2目4科7种，包括大鲵、中华大蟾蜍、中国林蛙、饰纹姬蛙、隆肛蛙、峨眉林蛙、泽陆蛙；爬行类1目1科1种，即中华鳖；鸟类1目1科1种，即黄脚渔鸮；哺乳类1目2科3种，包括喜马拉雅水鼩、水獭、灰腹水鼩。

国家重点保护野生动物2种。为国家Ⅱ级保护野生动物，即大鲵、水獭。在国家重点保护野生动物中，调查未记录到国家重点保护湿地鸟类。

调查未记录到外来入侵动物。

于1978年建立省级自然保护区，1986晋升国家级自然保护区，受四川省林业厅管理，成立了四川省唐家河国家级自然保护区管理处管理机构。

主要受到旅游等威胁。

14. 四川米仓山国家级自然保护区

四川米仓山国家级自然保护区重点调查湿地范围面积23400公顷，湿地面积为126.65公顷，主要湿地类型为河流湿地。地理坐标东经106°24′~106°39′，北纬32°29′~32°41′；位于广元市旺苍县境内。

湿地高等植物2科2属2种。调查未记录到国家重点保护野生植物和外来入侵植物。

湿地植被划分为1个植被型组，1个植被型，1个群系，即饭包草群系。

脊椎动物5纲7目9科15种。其中，鱼类2目3科9种，包括宽鳍鱲、鲤、中华倒刺鲃、红尾副鳅、鲫、齐口裂腹鱼、蒙古鲌、马口鱼、鲇；两栖类2目4科4种，包括大鲵、秦巴北鲵、中华大蟾蜍、隆肛蛙；鸟类1目1科1种，即冠鱼狗；哺乳类1目1科1种，即水獭；调查未记录到爬行类。

国家重点保护野生动物2种，为国家Ⅱ级保护野生动物，即大鲵、水獭。在国家重点保护野生动物中，调查未记录到国家重点保护湿地鸟类。

调查未记录到外来入侵动物。

于1997年建立自然保护区，1999年晋升省级自然保护区，2006晋升国家级自然保护区，受旺苍县林业局管理，成立了旺苍县米仓山自然保护区管理局管理机构。

主要受到旅游等威胁。

15. 四川亚丁国家级自然保护区

四川亚丁国家级自然保护区重点调查湿地范围面积145750公顷，湿地面积为670.89公顷，主要湿地类型为湖泊湿地和沼泽湿地。地理坐标东经99°58′~100°28′，北纬28°11′~28°34′；位于甘孜藏族自治州稻城县境内。

湿地高等植物14科19属21种。调查未记录到国家重点保护野生植物和外来入侵植物。

湿地植被划分为3个植被型组，5个植被型，6个群系，包括窄叶鲜卑花群系、隐蕊杜鹃群系、西藏薹草群系、葱状灯心草群系、杉叶藻群系、水毛茛群系。

脊椎动物5纲9目15科39种。其中，鱼类1目2科5种，包括斯氏高原鳅、软刺裸裂尻鱼、齐口裂腹鱼、厚唇裸重唇鱼、裸腹重唇鱼；两栖类2目4科6种，包括西藏山溪鲵、高原林蛙、刺胸猫眼蟾、胸腺猫眼蟾、西藏齿突蟾、西藏蟾蜍；爬行类1目1科1种，即高原蝮；鸟类4目7科26种，包括黑颈䴙䴘、凤头䴙䴘、灰雁、斑头雁、赤麻鸭、绿翅鸭、绿头鸭、斑嘴鸭、白眼潜鸭、鹊鸭、普通秋沙鸭、灰鹤、黑颈鹤、金斑鸻、长嘴剑鸻、红脚鹤鹬、红脚鹬、青脚鹬、白腰草鹬、林鹬、孤沙锥、扇尾沙锥、丘鹬、鹮嘴鹬、黑翅长脚鹬、普通燕鸻；哺乳类1目1科1种，即小爪水獭。

国家重点保护野生动物3种。其中，国家Ⅰ级保护野生动物1种，即黑颈鹤；国家Ⅱ级保护野生动物2种，即灰鹤、小爪水獭。在国家重点保护野生动物中，湿地鸟类2种，其中国家Ⅰ级保护鸟类1种，即黑颈鹤；国家Ⅱ级保护鸟类1种，即灰鹤。

调查未记录到外来入侵动物。

于1996年建立县级自然保护区，1997年晋升州级自然保护区，同年12月晋升省级自然保护区，2001年晋升国家级自然保护区，2003年列入“人与生物圈”保护区网，受稻城县环保局管理，成立了四川亚丁国家级自然保护区管理局管理机构。

主要受到过度放牧、旅游等威胁。

16. 四川贡嘎山国家级自然保护区

四川贡嘎山国家级自然保护区重点调查湿地范围面积409143.50公顷，湿地面积为805.75公顷，主要湿地类型为河流湿地、湖泊湿地和沼泽湿地。地理坐标东经101°29′~102°12′，北纬29°01′~30°05′；位于甘孜藏族自治州康定县境内。

湿地高等植物11科16属18种。调查未记录到国家重点保护野生植物和外来入侵植物。

湿地植被划分为2个植被型组，3个植被型，4个群系，包括金露梅群系、密枝杜鹃群系、葱状灯心草群系、杉叶藻群系。

脊椎动物3纲4目5科6种。其中，鱼类2目3科4种，包括红尾副鳅、长须裂腹鱼、齐口裂腹鱼、青石爬鮡；两栖类1目1科1种，即倭蛙；鸟类1目1科1种，即青脚鹬；调查未记录到爬行类和哺乳类。

调查未记录到国家重点保护野生动物。

调查未记录到外来入侵动物。

于1996年建立州级自然保护区，同年5月晋升省级自然保护区，1997晋升国家级自然保护区，受甘孜州林业局管理，成立了四川贡嘎山国家级自然保护区管理局管理机构。

主要受到旅游等威胁。

17. 四川黄龙省级自然保护区

四川黄龙省级自然保护区重点调查湿地范围面积55051公顷，湿地面积为49.91公顷，主要湿地类型为沼泽湿地。地理坐标东经103°37′~104°04′，北纬32°38′~32°55′；位于阿坝藏族羌族自治州松潘县境内。

湿地高等植物13科15属16种。调查未记录到国家重点保护野生植物和外来入侵植物。

湿地植被划分为1个植被型组，1个植被型，1个群系，即皂柳群系。

脊椎动物3纲3目4科4种。其中，鱼类1目2科2种，包括黑体高原鳅、嘉陵裸裂尻鱼；鸟类1目1科1种，即池鹭；哺乳类1目1科1种，即蹼麝鼩；调查未记录到两栖类和爬行类。

调查未记录到国家重点保护野生动物。

调查未记录到外来入侵动物。

于1983年建立省级自然保护区，2001年被认定为世界生物圈保护区，受阿坝州林业局管理，成立了四川黄龙自然保护区管理局管理机构。

主要受到旅游、过度放牧等威胁。

18. 四川卡沙湖省级自然保护区

四川卡沙湖省级自然保护区重点调查湿地范围面积31700公顷，湿地面积为124.23公顷，主要湿地类型为河流湿地和湖泊湿地。地理坐标东经100°10′~100°27′，北纬31°24′~31°43′；位于甘孜藏族自治州炉霍县境内。

湿地高等植物6科7属7种。调查未记录到国家重点保护野生植物和外来入侵植物。

湿地植被划分为2个植被型组，2个植被型，2个群系，包括水葱群系、荇菜群系。

脊椎动物2纲5目5科7种。其中，鱼类1目1科1种，即邛海鲤；鸟类4目4科6种，包括凤头鸊鷉、白鹭、赤麻鸭、斑嘴鸭、白眼潜鸭、白骨顶；调查未记录到两栖类、爬行类和哺乳类。

调查未记录到国家重点保护野生动物。

调查未记录到外来入侵动物。

于1987年建立自然保护区，1999年晋升省级自然保护区，受炉霍县林业局管理，成立了四川卡沙湖自然保护区管理处管理机构。

主要受到过度放牧、旅游等威胁。

19. 四川新路海省级自然保护区

四川新路海省级自然保护区重点调查湿地范围面积27038公顷，湿地面积为1770.80公顷，主要湿地类型为河流湿地、湖泊湿地和沼泽湿地。地理坐标东经98°54′~99°14′，北纬31°42′~31°58′；位于甘孜藏族自治州德格县境内。

湿地高等植物7科8属9种。调查未记录到国家重点保护野生植物和外来入侵植物。

湿地植被划分为2个植被型组，2个植被型，2个群系，包括沙棘群系、早熟禾群系。

脊椎动物1纲1目2科3种。其中，鱼类1目2科3种，包括黑体高原鳅、玉树裸裂尻鱼、厚唇裸重唇鱼；调查未记录到两栖类、爬行类、鸟类和哺乳类。

调查未记录到国家重点保护野生动物。

调查未记录到外来入侵动物。

于1995年建立自然保护区，1999年晋升省级自然保护区，受德格县林业局管理，成立了四川新路海自然保护区管理处管理机构。

主要受到旅游、过度放牧等威胁。

20. 四川曼则塘省级湿地自然保护区

四川曼则塘省级湿地自然保护区重点调查湿地范围面积165874公顷，湿地面积为39295.89公顷，主要湿地类型为河流湿地和沼泽湿地。地理坐标东经101°37′~102°14′，北纬32°44′~33°27′；位于阿坝藏族羌族自治州阿坝县境内。

湿地高等植物30科68属102种。调查未记录到国家重点保护野生植物和外来入侵植物。

湿地植被划分为2个植被型组，4个植被型，17个群系，包括金露梅群系、沙棘群系、窄叶鲜卑花群系、单鳞苞荸荠群系、刚毛荸荠群系、华扁穗草群系、双柱头藨草群系、四川嵩草群系、无脉薹草群系、垂穗披碱草群系、毛颖早熟禾群系、长穗三毛草群系、草玉梅群系、鹅绒委陵菜群系、高原毛茛群系、黄帚橐吾群系、银叶委陵菜群系。

脊椎动物3纲3目5科9种。其中，鱼类1目2科5种，包括黑体高原鳅、似鲇高原鳅、厚唇裸重唇鱼、黄河裸裂尻鱼、花斑裸鲤；两栖类1目2科3种，包括中华蟾蜍岷山亚种、倭蛙、高原林蛙；鸟类1目1科1种，即红脚鹬；调查未记录到爬行类和哺乳类。

调查未记录到国家重点保护野生动物。

调查未记录到外来入侵动物。

于2001年建立自然保护区，2003年晋升省级自然保护区，受阿坝县林业局管理，成立了阿坝县曼则唐湿地自然保护区管理处管理机构。

主要受到过度放牧、沙化和旅游等威胁。

21. 四川二滩鸟类省级自然保护区

四川二滩鸟类省级自然保护区重点调查湿地范围面积74960公顷，湿地面积为1961.41公顷，主要湿地类型为河流湿地。地理坐标东经101°22′~101°52′，北纬26°51′~27°21′；位于攀枝花市盐边县境内。

湿地高等植物3科3属3种。调查未记录到国家重点保护野生植物和外来入侵植物。

湿地植被划分为1个植被型组，1个植被型，1个群系，即水蓼群系。

脊椎动物2纲9目10科20种。其中，鱼类3目4科10种，包括鲶鱼、草鱼、刺鳅、鲢、瓦氏黄颡鱼、武昌鱼、细鳞鱼、鳙、重口裂腹鱼、鲤；鸟类6目6科10种，包括小白腰雨燕、白鹡鸰、白腰雨燕、牛背鹭、白鹭、绿头鸭、矶鹬、普通翠鸟、白胸翡翠、蓝翡翠；调查未记录到两栖类、爬行类和哺乳类。

调查未记录到国家重点保护野生动物。

调查未记录到外来入侵动物。

于2002年建立自然保护区，2004年晋升省级自然保护区，受盐边县林业局管理，成立了四川二滩湿地鸟类自然保护区管理处管理机构。

主要受到污染、旅游等威胁。

22. 四川鸭嘴省级自然保护区

四川鸭嘴省级自然保护区重点调查湿地范围面积11013.40公顷，湿地面积为311.38公顷，主要湿地类型为沼泽湿地。地理坐标东经101°02′~101°13′，北纬28°06′~28°13′；位于凉山彝族自治州木里县境内。

湿地高等植物13科14属17种。调查未记录到国家重点保护野生植物和外来入侵植物。

湿地植被划分为2个植被型组，4个植被型，6个群系，包括木里薹草群系、膨囊薹草群系、看麦娘群系、灯心草群系、穗状狐尾藻群系、微齿眼子菜群系。

脊椎动物2纲4目4科7种。其中，鱼类1目1科4种，包括草鱼、鲫、鲤、鲢；鸟类3目3科3种，包括小䴙䴘、赤麻鸭、黑水鸡；调查未记录到两栖类、爬行类和哺乳类。

调查未记录到国家重点保护野生动物。

调查未记录到外来入侵动物。

于1963年建立自然保护区，受木里县林业局管理，成立了木里县自然保护区管理中心管理机构。

主要受到放牧、旅游、污染等威胁。

23. 四川南莫且省级自然保护区

四川南莫且省级自然保护区重点调查湿地范围面积82834公顷，湿地面积为10123.60公顷，主要湿地类型为河流湿地、湖泊湿地和沼泽湿地。地理坐标东经101°06′~101°29′，北纬32°00′~32°25′；位于阿坝藏族羌族自治州壤塘县境内。

湿地高等植物13科33属39种。调查未记录到国家重点保护野生植物和外来入侵植物。

湿地植被划分为1个植被型组，2个植被型，5个群系，包括藏北嵩草群系、华扁穗草群系、无脉薹草群系、鹅绒委陵菜群系、圆穗蓼群系。

脊椎动物4纲5目6科7种。其中，两栖类1目2科3种，包括倭蛙、高原林蛙、中华蟾蜍岷山亚种；爬行类1目1科1种，即高原蝮；鸟类2目2科2种，包括白鹭、赤麻鸭；哺乳类1目1科1种，即水獭；调查未记录到鱼类。

国家重点保护野生动物1种，为国家Ⅱ级保护野生动物，即水獭。在国家重点保护野生动物中，调查未记录到国家重点保护湿地鸟类。

调查未记录到外来入侵动物。

于2002年建立自然保护区，2005年晋升省级自然保护区，受壤塘县林业局管理，成立了四川南莫且湿地自然保护区管理处管理机构。

主要受到过度放牧等威胁。

24. 四川百草坡省级自然保护区

四川百草坡省级自然保护区重点调查湿地范围面积25597.4公顷，湿地面积为184.15公顷，主要湿地类型为河流湿地和沼泽湿地。地理坐标东经103°04′~103°26′，北纬27°48′~27°57′；位于凉山彝族自治州金阳县境内。

湿地高等植物7科8属10种。调查未记录到国家重点保护野生植物和外来入侵植物。

湿地植被划分为1个植被型组，2个植被型，3个群系，包括木里薹草群系、糙野青茅群系、水蓼群系。

脊椎动物1纲2目4科7种。其中，鱼类2目4科7种，包括黄石爬鮡、青石爬鮡、红尾副鳅、贝氏高原鳅、细尾高原鳅、短须裂腹鱼、瓦氏黄颡鱼；调查未记录到两栖类、爬行类、鸟类和哺乳类。

调查未记录到国家重点保护野生动物。

调查未记录到外来入侵动物。

于2001年建立自然保护区，2006年晋升省级自然保护区，受金阳县林业局管理，成立了四川省百草坡自然保护区管理局管理机构。

主要受到过度放牧等威胁。

25. 四川驷马省级自然保护区

四川驷马省级自然保护区重点调查湿地范围面积12162公顷，湿地面积为1870.75公顷，主要湿地类型为河流湿地和人工湿地。地理坐标东经106°55′~107°04′，北纬31°37′~31°46′；位于巴中市平昌县境内。

湿地高等植物20科44属46种。调查未记录到国家重点保护野生植物。记录到外来入侵植物物种1科1属1种，即喜旱莲子草。

湿地植被划分为4个植被型组，5个植被型，18个群系，包括枫杨群系、秋华柳群系、水麻群系、小果蔷薇群系、白茅群系、狗牙根群系、芦竹群系、牛鞭草群系、双穗雀稗群系、甜根子草群系、藨草群系、艾群系、腹水草群系、葎草群系、水蓼群系、酸模叶蓼群系、喜旱莲子草群系、菱群系。

脊椎动物5纲9目11科22种。其中，鱼类2目3科10种，包括宜宾鲴、鲫、宽鳍鱲、鲤、马口鱼、蒙古鲌、翘嘴红鲌、黄尾鲴、泥鳅、鲇；两栖类1目2科5种，包括中华大蟾蜍、沼水蛙、泽陆蛙、黑斑侧褶蛙、绿臭蛙；爬行类2目2科2种，包括中华鳖、乌梢蛇；鸟类3目3科4种，包括小鸊鷉、白鹭、夜鹭、蓝翡翠；哺乳类1目1科1种，即水獭。

国家重点保护野生动物1种，为国家Ⅱ级保护野生动物，即水獭。在国家重点保护野生动物中，调查未记录到国家重点保护湿地鸟类。

调查未记录到外来入侵动物。

于2003年建立自然保护区，2008年晋升省级自然保护区，受平昌县林业局管理，成立了四川驷马自然保护区管理处管理机构。

主要受到外来物种入侵等威胁。

26. 四川周公河省级自然保护区

四川周公河省级自然保护区重点调查湿地范围面积419.37公顷，湿地面积为315.07公顷，主要湿地类型为河流湿地。中心地理坐标东经102°59′46″，北纬29°46′31″；位于雅安市雨城区境内。

湿地高等植物13科19属19种。调查未记录到国家重点保护野生植物和外来入侵植物。

湿地植被划分为2个植被型组，4个植被型，7个群系，包括水麻群系、水莎草群系、芦竹群系、艾群系、齿萼凤仙花群系、荔枝草群系、小蓬草群系。

脊椎动物3纲6目10科18种。其中，鱼类2目2科5种，包括重口裂腹鱼、青石爬鮡、鲤、鲫、宽鳍鱲；两栖类2目3科6种，包括大鲵、棘腹蛙、绿臭蛙、泽陆蛙、沼水蛙、中华蟾蜍指名亚种；鸟类2目5科7种，包括褐河乌、紫啸鸫、灰鹡鸰、白鹡鸰、小燕尾、红尾水鸲、夜鹭；调查未记录到爬行类和哺乳类。

国家重点保护野生动物1种，为国家Ⅱ级保护野生动物，即大鲵。在国家重点保护野生动物中，调查未记录到国家重点保护湿地鸟类。

调查未记录到外来入侵动物。

于1999年建立自然保护区，2003年晋升省级自然保护区，受雅安市水务局管理，成立了四川周公河自然保护区管理处管理机构。

主要受到过度捕捞和采集等威胁。

27. 四川天全河省级自然保护区

四川天全河省级自然保护区重点调查湿地范围面积3618.61公顷，湿地面积为557.89公顷，主要湿地类型为河流湿地。地理坐标东经102°16′~102°36′，北纬29°49′~30°20′；位于雅安市天全县境内。

湿地高等植物11科15属16种。调查未记录到国家重点保护野生植物和外来入侵植物。

湿地植被划分为2个植被型组，3个植被型，6个群系，包括火棘群系、秋华柳群系、芦竹群系、小糠草群系、车前群系、节节草群系。

脊椎动物3纲4目12科19种。其中，鱼类2目3科5种，包括黄石爬鮡、齐口裂腹鱼、重口裂腹鱼、安氏高原鳅、红尾副鳅；两栖类1目4科10种，包括黑斑侧褶蛙、绿臭蛙、宝兴齿蟾、崇安湍蛙、峨眉林蛙、四川湍蛙、泽陆蛙、中华蟾蜍华西亚种、棕点湍蛙、饰纹姬蛙；鸟类1目4科4种，包括紫啸鸫、红尾水鸲、白鹡鸰、褐河乌；调查未记录到爬行类和哺乳类。

调查未记录到国家重点保护野生动物。

调查未记录到外来入侵动物。

于2003年建立自然保护区，2010年晋升省级自然保护区，受天全县水务局管理，成立了天全河珍稀鱼类自然保护区管理处管理机构。

主要受到基建和城市化、污染等威胁。

28. 四川神仙山省级自然保护区

四川神仙山省级自然保护区重点调查湿地范围面积39114公顷，湿地面积为4610.77公顷，主要湿地类型为湖泊湿地和沼泽湿地。地理坐标东经100°43′~100°57′，北纬29°37′~29°53′；位于甘孜藏族自治州雅江县境内。

湿地高等植物11科16属17种。调查未记录到国家重点保护野生植物和外来入侵植物。

湿地植被划分为2个植被型组，4个植被型，7个群系，包括金露梅群系、沙棘群系、隐蕊杜鹃群系、四川嵩草群系、葱状灯心草群系、杉叶藻群系、沼生水马齿群系。

脊椎动物5纲9目12科25种。其中，鱼类1目2科3种，包括安氏高原鳅、软刺裸裂尻鱼、厚唇裸重唇鱼；两栖类2目3科4种，包括胸腺猫眼蟾、西藏蟾蜍、西藏齿突蟾、西藏山溪鲵；爬行类1目2科2种，包括黑眉锦蛇、高原蝮；鸟类4目4科15种，包括凤头䴙䴘、灰雁、斑头雁、赤麻鸭、针尾鸭、斑嘴鸭、红头潜鸭、普通秋沙鸭、灰鹤、红脚鹬、白腰草鹬、林鹬、矶鹬、孤沙锥、丘鹬；哺乳类1目1科1种，即蹼麝鼩。

国家重点保护野生动物1种，为国家Ⅱ级保护湿地鸟类，即灰鹤。

调查未记录到外来入侵动物。

于2002年建立自然保护区，2009晋升省级自然保护区，受雅江县林业局管理，成立了四川雅江神仙山自然保护区管理处管理机构。

主要受到过度放牧、旅游等威胁。

29. 四川亿比措省级自然保护区

四川亿比措省级自然保护区重点调查湿地范围面积27275.73公顷，湿地面积为19289.64公顷，主要湿地类型为河流湿地、湖泊湿地和沼泽湿地。地理坐标东经101°12′~101°27′，北纬30°20′~30°27′；位于四川甘孜藏族自治州道孚县、康定县、雅江县境内。

湿地高等植物28科55属77种。调查未记录到国家重点保护野生植物和外来入侵植物。

湿地植被划分为2个植被型组，5个植被型，8个群系，包括窄叶鲜卑花群系、密枝杜鹃群系、矮生嵩草群系、华扁穗草群系、木里薹草群系、垂穗披碱草群系、播娘蒿群系、云生毛茛群系。

脊椎动物4纲5目5科7种。其中，鱼类1目1科2种，包括厚唇裸重唇鱼、软刺裸裂尻鱼；两栖类2目2科3种，包括西藏山溪鲵、倭蛙、高原林蛙；鸟类1目1科1种，即普通燕鸻；哺乳类1目1科1种，即水獭；调查未记录到爬行类。

国家重点保护野生动物1种，为国家Ⅱ级保护野生动物，即水獭。在国家重点保护野生动物中，调查未记录到国家重点保护湿地鸟类。

调查未记录到外来入侵动物。

于2005年建立自然保护区，2009年晋升省级自然保护区，受道孚县林业局管理，成立了四川亿比措湿地自然保护区管理处管理机构。

主要受到过度放牧、旅游等威胁。

30. 四川大小兰沟省级自然保护区

四川大小兰沟省级自然保护区重点调查湿地范围面积6932公顷，湿地面积为37.83公顷，主要湿地类型为河流湿地。地理坐标东经106°50′~106°57′，北纬32°37′~32°43′；位于巴中市南江县境内。

湿地高等植物6科6属6种。调查未记录到国家重点保护野生植物和外来入侵植物。

湿地植被划分为1个植被型组，2个植被型，2个群系，包括甜根子草群系、石菖蒲群系。

脊椎动物5纲7目11科16种。其中，鱼类1目2科4种，包括峨嵋后平鳅、高体近红鲌、岩原鲤、中华裂腹鱼；两栖类2目5科8种，包括山溪鲵、南江角蟾、大鲵、绿臭蛙、中国林蛙、崇安湍蛙、华西蟾蜍、隆肛蛙；爬行类1目1科1种，即中华鳖；鸟类2目2科2种，哺乳类1目1科1种，即水獭。

国家重点保护野生动物2种。为国家Ⅱ级保护野生动物，即大鲵、水獭。在国家重点保护野生动物中，调查未记录到国家重点保护湿地鸟类。

调查未记录到外来入侵动物。

于2000年建立自然保护区，2005年晋升省级自然保护区，受南江县林业局管理，成立了四川大小兰沟自然保护区管理处管理机构。

主要受到旅游等威胁。

31. 四川翠云廊古柏省级自然保护区

四川翠云廊古柏省级自然保护区重点调查湿地范围面积27155公顷，湿地面积为8.09公顷，主要湿地类型为人工湿地。地理坐标东经105°04′~105°49′，北纬31°31′~32°20′；位于广元市剑阁县、昭化区和绵阳市梓潼县境内。

湿地高等植物4科4属4种。调查未记录到国家重点保护野生植物。记录到外来入侵植物物种1科1属1种，即喜旱莲子草。

湿地植被划分为2个植被型组，2个植被型，2个群系，包括过江藤群系、喜旱莲子草群系。

脊椎动物3纲3目4科7种。其中，鱼类1目2科4种，包括鲫、鲤、鲢、泥鳅；两栖类1

目1科2种，包括泽陆蛙、日本林蛙；鸟类1目1科1种，即白鹭；调查未记录到爬行类和哺乳类。

调查未记录到国家重点保护野生动物。

调查未记录到外来入侵动物。

于2000年建立自然保护区，2011年晋升省级自然保护区，受剑阁县林业局管理，成立了四川翠云廊古柏自然保护区管理处管理机构。

主要受到捕捞、旅游、外来物种入侵等威胁。

32. 四川观雾山省级自然保护区

四川观雾山省级自然保护区重点调查湿地范围面积29253公顷，湿地面积为184.36公顷，主要湿地类型为河流湿地和人工湿地。地理坐标东经104°41′～104°59′，北纬31°53′～32°10′；位于绵阳市江油市境内。

湿地高等植物2科2属2种。调查未记录到国家重点保护野生植物和外来入侵植物。

湿地植被划分为1个植被型组，1个植被型，1个群系，即枫杨群系。

脊椎动物3纲6目10科14种。其中，鱼类1目2科4种，包括鲫、鲤、鲢、泥鳅；两栖类1目4科4种，包括中国林蛙、斑腿树蛙、泽陆蛙、中华蟾蜍指名亚种；鸟类4目4科6种，包括白鹭、牛背鹭、小䴙䴘、矶鹬、普通翠鸟、蓝翡翠；调查未记录到爬行类和哺乳类。

调查未记录到国家重点保护野生动物。

调查未记录到外来入侵动物。

于2001年建立市级自然保护区，2004晋升省级自然保护区，受江油市林业局管理，成立了四川观雾山自然保护区管理处管理机构。

主要受到旅游等威胁。

33. 四川贡杠岭省级自然保护区

四川贡杠岭省级自然保护区重点调查湿地范围面积147844公顷，湿地面积为1513.39公顷，主要湿地类型为河流湿地、湖泊湿地和沼泽湿地。地理坐标东经103°24′～103°48′，北纬33°02′～33°44′；位于阿坝藏族羌族自治州九寨沟县、若尔盖县境内。

湿地高等植物24科27属29种。调查未记录到国家重点保护野生植物和外来入侵植物。

湿地植被划分为3个植被型组，3个植被型，7个群系，包括沙棘群系、皂柳群系、翠云草群系、宽叶香蒲群系、三裂碱毛茛群系、杉叶藻群系、小眼子菜群系。

脊椎动物2纲2目3科3种。其中，鱼类1目2科2种，包括嘉陵裸裂尻鱼、黑体高原鳅；两栖类1目1科1种，即高原林蛙；调查未记录到爬行类、鸟类和哺乳类。

调查未记录到国家重点保护野生动物。

调查未记录到外来入侵动物。

于2009年建立自然保护区，受九寨沟县林业局管理，成立了四川省贡杠岭省级自然保护区九寨沟管理处管理机构。

主要受到基建和城市化、旅游等威胁。

34. 四川嘉陵江源市级自然保护区

四川嘉陵江源市级自然保护区重点调查湿地范围面积6846.70公顷，湿地面积为1319.97公顷，主要湿地类型为河流湿地。地理坐标东经105°46′～105°57′，北纬32°31′～32°38′；位于广元市朝天区境内。

湿地高等植物22科41属48种。调查未记录到国家重点保护野生植物。记录到外来入侵植物物种1科1属1种，即喜旱莲子草。

湿地植被划分为4个植被型组，5个植被型，16个群系，包括枫杨群系、水麻群系、稗群系、狗牙根群系、甜根子草群系、白车轴草群系、藜群系、葎草群系、马兰群系、青蒿群系、水蓼群系、小蓬草群系、羊蹄群系、钻叶紫菀群系、艾群系、喜旱莲子草群系。

脊椎动物5纲8目9科14种。其中，鱼类3目4科9种，包括岩原鲤、鲫、光泽黄颡鱼、粗唇鮠、胭脂鱼、虎嘉鱼、鲤、嘉陵裸裂尻鱼、中华倒刺鲃；两栖类2目2科2种，包括黑斑侧褶蛙、大鲵；爬行类1目1科1种，即黑眉锦蛇；鸟类1目1科1种，即普通翠鸟；哺乳类1目1科1种，即水獭。

国家重点保护野生动物4种，为国家Ⅱ级保护野生动物，即大鲵、水獭、胭脂鱼、虎嘉鱼。在国家重点保护野生动物中，调查未记录到国家重点保护湿地湿地鸟类。

调查未记录到外来入侵动物。

于2005年建立自然保护区，2011年晋升市级自然保护区，受朝天区林业局管理，成立了广元朝天区嘉陵江源湿地自然保护区管理处管理机构。

主要受到基建和城市化、过度捕捞、采集、外来物种入侵等威胁。

35. 四川剑阁西河市级湿地自然保护区

四川剑阁西河市级湿地自然保护区重点调查湿地范围面积34800公顷，湿地面积为1612.45公顷。主要湿地类型为河流湿地和人工湿地。地理坐标东经105°12′～105°48′，北纬31°33′～32°12′；位于广元市剑阁县境内。

湿地高等植物17科35属40种。调查未记录到国家重点保护野生植物。记录到外来入侵植物物种1科1属1种，即喜旱莲子草。

湿地植被划分为2个植被型组，3个植被型，13个群系，包括白茅群系、狗牙根群系、牛筋草群系、双穗雀稗群系、甜根子草群系、苍耳群系、葎草群系、千里光群系、水蓼群系、酸模叶蓼群系、小蓬草群系、钻叶紫菀群系、喜旱莲子草群系。

脊椎动物4纲7目12科22种。其中，鱼类3目5科13种，包括宽鳍鱲、宜宾鲴、泥鳅、蒙古鲌、马口鱼、乌鳢、鲤、细鳞鲴、鲫、鲢、光泽黄颡鱼、鲇、翘嘴红鲌；两栖类1目3科5种，包括沼水蛙、中华大蟾蜍、饰纹姬蛙、黑斑侧褶蛙、泽陆蛙；爬行类1目2科2种，包括中华鳖、乌龟；鸟类2目2科2种，包括白鹭、矶鹬；调查未记录到哺乳类。

调查未记录到国家重点保护野生动物。

调查未记录到外来入侵动物。

于2005年建立自然保护区，2007年晋升市级自然保护区，受剑阁县林业局管理，成立了剑阁西河湿地自然保护区管理处管理机构。

主要受到过度捕捞、采集和外来物种入侵等威胁。

36. 四川射洪中华涪江湿地走廊市级自然保护区

四川射洪中华涪江湿地走廊市级自然保护区重点调查湿地范围面积20000公顷，湿地面积为2939.60公顷，主要湿地类型为河流湿地和人工湿地。地理坐标东经105°12′~105°29′，北纬30°44′~31°02′；位于遂宁市射洪县境内。

湿地高等植物29科57属65种。国家重点保护野生植物1种，为国家Ⅱ级保护野生植物，即莲。记录到外来入侵植物物种2科2属2种，即凤眼蓝、喜旱莲子草。

湿地植被划分为3个植被型组，8个植被型，24个群系，包括垂柳群系、枫杨群系、蘆草群系、白茅群系、斑茅群系、狗尾草群系、狗牙根群系、菰群系、卡开芦群系、李氏禾群系、芦苇群系、牛鞭草群系、甜根子草群系、节节草群系、鳢肠群系、葎草群系、三白草群系、水蓼群系、天胡荽群系、香蒲群系、莲群系、凤眼蓝群系、喜旱莲子草群系、金鱼藻群系。

脊椎动物3纲5目7科13种。其中，鱼类2目4科9种，包括蒙古鲌、鲢、粗唇鮠、中华倒刺鲃、光泽黄颡鱼、宜宾鲴、鲇、泥鳅、鲤；两栖类1目1科2种，包括沼水蛙、泽陆蛙；鸟类2目2科2种，包括池鹭、冠鱼狗；调查未记录到爬行类和哺乳类。

调查未记录到国家重点保护野生动物。

调查未记录到外来入侵动物。

于2005年建立市级自然保护区，受射洪县林业局管理，成立了四川射洪中华涪江湿地走廊自然保护区管理处管理机构。

主要受到污染、外来物种入侵等威胁。

37. 四川太和鹭鸟市级自然保护区

四川太和鹭鸟市级自然保护区重点调查湿地范围面积1860公顷，湿地面积为299.42公顷，主要湿地类型为河流湿地和人工湿地。地理坐标东经105°45′~106°00′，北纬30°27′~30°54′；位于南充市嘉陵区境内。

湿地高等植物24科36属39种。调查未记录到国家重点保护野生植物。记录到外来入侵植物物种2科2属2种，即凤眼蓝、喜旱莲子草。

湿地植被划分为2个植被型组，5个植被型，15个群系，包括稗群系、斑茅群系、淡竹叶群系、狗牙根群系、艾群系、春蓼群系、灯心草群系、伏毛蓼群系、接骨草群系、葎草群系、肾蕨群系、鸭儿芹群系、圆叶节节菜群系、苹群系、喜旱莲子草群系。

脊椎动物4纲7目12科18种。其中，鱼类3目5科9种，包括马口鱼、宜宾鲴、黄颡鱼、黄鳝、鲫、鲤、泥鳅、鲇、蒙古鲌；两栖类1目3科5种，包括沼水蛙、泽陆蛙、饰纹姬蛙、中华大蟾蜍、黑斑侧褶蛙；爬行类1目2科2种，包括中华鳖、乌龟；鸟类2目2科2种，包括白鹭、白胸苦恶鸟；调查未记录到哺乳类。

调查未记录到国家重点保护野生动物。

调查未记录到外来入侵动物。

于 1987 年建立自然保护区，2000 年晋升国家级自然保护区，受南充市嘉陵区林业局管理，成立了四川太和鹭鸟自然保护区管理处管理机构。

主要受到污染、外来物种入侵等威胁。

38. 四川赤水河市级自然保护区

四川赤水河市级自然保护区重点调查湿地范围面积 3330 公顷，湿地面积为 1133.71 公顷，主要湿地类型为河流湿地。中心地理坐标东经 106°11′34″，北纬 28°39′28″；位于四川泸州市合江县、叙永县、古蔺县境内。

湿地高等植物 8 科 14 属 16 种。调查未记录到国家重点保护野生植物。记录到外来入侵植物物种 1 科 1 属 1 种，即喜旱莲子草。

湿地植被划分为 2 个植被型组，3 个植被型，5 个群系，包括芦竹群系、双穗雀稗群系、节节草群系、水蓼群系、喜旱莲子草群系。

脊椎动物 3 纲 5 目 9 科 18 种。其中，鱼类 2 目 3 科 6 种，包括粗唇鮠、大口鲇、鲫、鲢、鳙、鲤；两栖类 1 目 2 科 4 种，包括黑斑侧褶蛙、泽陆蛙、沼水蛙、中华蟾蜍指名亚种；鸟类 2 目 4 科 8 种，包括白鹡鸰、北红尾鸲、乌鸫、铜蓝鹟、苍鹭、池鹭、牛背鹭、白鹭；调查未记录到爬行类和哺乳类。

调查未记录到国家重点保护野生动物。

记录到外来动物物种 1 门 1 纲 1 目 1 科 1 种，为无脊椎动物，即福寿螺。

于 2005 年建立自然保护区，受水利部长江水利委员会管理，成立了赤水河自然保护区管理处管理机构。

主要受到基建和城市化、外来物种入侵等威胁。

39. 四川宝兴河市级自然保护区

四川宝兴河市级自然保护区重点调查湿地范围面积 528 公顷，湿地面积为 180.35 公顷，主要湿地类型为河流湿地。中心地理坐标东经 102°52′00″，北纬 30°27′16″；位于四川雅安市宝兴县境内。

湿地高等植物 8 科 10 属 11 种。调查未记录到国家重点保护野生植物和外来入侵植物。

湿地植被划分为 1 个植被型组，2 个植被型，4 个群系，包括芦竹群系、蛇莓群系、水蓼群系、问荆群系。

脊椎动物 2 纲 3 目 6 科 9 种。其中，鱼类 2 目 3 科 5 种，包括重口裂腹鱼、齐口裂腹鱼、短尾高原鳅、青石爬鮡、黄石爬鮡；两栖类 1 目 3 科 4 种，包括四川湍蛙、宝兴齿蟾、中华蟾蜍华西亚种、沙坪角蟾；调查未记录到爬行类、鸟类和哺乳类。

调查未记录到国家重点保护野生动物。

调查未记录到外来入侵动物。

于 1999 年建立自然保护区，受雅安市水务局管理，成立了宝兴河市级自然保护区管理处管理机构。

主要受到捕捞、采集等威胁。

40. 四川恰朗多吉市级自然保护区

四川恰朗多吉市级自然保护区重点调查湿地范围面积39076公顷，湿地面积为9.04公顷，主要湿地类型为湖泊湿地。地理坐标东经100°23′~100°35′，北纬28°11′~28°33′；位于凉山彝族自治州木里县境内。

调查未记录到湿地高等植物。

脊椎动物3纲3目3科5种。其中，鱼类1目1科3种，包括鲢、鲤、草鱼；两栖类1目1科1种，即牛蛙；鸟类1目1科1种，即小䴙䴘；调查未记录到爬行类和哺乳类。

调查未记录到国家重点保护野生动物。

记录到外来动物物种1门1纲1目1科1种，为脊椎动物，即牛蛙。

于2006年建立自然保护区，受木里县林业局管理，成立了木里县自然保护区管理中心管理机构。

主要受到放牧、外来物种入侵等威胁。

41. 四川杜苟拉市级自然保护区

四川杜苟拉市级自然保护区重点调查湿地范围面积90847公顷，湿地面积为2159.54公顷，主要湿地类型为河流湿地、湖泊湿地和沼泽湿地。地理坐标东经100°31′~100°59′，北纬31°57′~32°27′；位于阿坝藏族羌族自治州壤塘县境内。

湿地高等植物12科25属29种。调查未记录到国家重点保护野生植物和外来入侵植物。

湿地植被划分为2个植被型组，2个植被型，3个群系，包括沙棘群系、藏北嵩草群系、华扁穗草群系。

脊椎动物1纲1目2科4种。其中，鱼类1目2科4种，包括软刺裸裂尻鱼、厚唇裸重唇鱼、粗唇高原鳅、短体副鳅；调查未记录到两栖类、爬行类、鸟类和哺乳类。

调查未记录到国家重点保护野生动物。

调查未记录到外来入侵动物。

于2001年建立自然保护区，2007年晋升市级自然保护区，受壤塘县林业局管理，成立了四川杜苟拉自然保护区管理处管理机构。

主要受到放牧、旅游等威胁。

42. 四川乐安州级自然保护区

四川乐安州级自然保护区重点调查湿地范围面积22754.30公顷，湿地面积为152.30公顷，主要湿地类型为河流湿地和沼泽湿地。地理坐标东经102°53′~103°03′，北纬27°27′~27°42′；位于凉山彝族自治州布拖县境内。

湿地高等植物9科10属15种。调查未记录到国家重点保护野生植物和外来入侵植物。

湿地植被划分为2个植被型组，2个植被型，7个群系，包括黄花鸢尾群系、水毛花群系、星状风毛菊群系、珠芽蓼群系、浮叶眼子菜群系、荇菜群系、中华萍蓬草群系。

脊椎动物3纲6目11科18种。其中，鱼类1目2科4种，包括鲤、泥鳅、翘嘴鲌、鲫；两栖类1目3科5种，包括大蹼铃蟾、昭觉林蛙、绿臭蛙、华西蟾蜍、滇侧褶蛙；鸟类4目6科9种，包括苍鹭、牛背鹭、黑鹳、赤麻鸭、斑嘴鸭、黑颈鹤、普通秧鸡、黑水鸡、白腰草鹬；调查未记录到爬行类和哺乳类。

国家重点保护野生动物2种，为国家Ⅰ级保护湿地鸟类，即黑鹳、黑颈鹤。

调查未记录到外来入侵动物。

于2003年建立自然保护区，受布拖县林业局管理，成立了四川乐安自然保护区管理处管理机构。

主要受到围垦、过度放牧等威胁。

43. 四川雄龙西州级自然保护区

四川雄龙西州级自然保护区重点调查湿地范围面积171065公顷，湿地面积为18351.92公顷，主要湿地类型为河流湿地、湖泊湿地和沼泽湿地。地理坐标东经99°44′~100°14′，北纬30°37′~31°23′；位于甘孜藏族自治州新龙县境内。

湿地高等植物18科37属42种。调查未记录到国家重点保护野生植物和外来入侵植物。

湿地植被划分为1个植被型组，1个植被型，1个群系，即华扁穗草群系。

脊椎动物3纲3目3科4种。其中，鱼类1目1科1种，即软刺裸裂尻鱼；两栖类1目1科2种，包括倭蛙、高原林蛙；鸟类1目1科1种，即普通秋沙鸭；调查未记录到爬行类和哺乳类。

调查未记录到国家重点保护野生动物。

调查未记录到外来入侵动物。

于2000年建立自然保护区，2011年晋升市级自然保护区，受新龙县林业局管理，成立了四川雄龙西自然保护区管理处管理机构。

主要受到放牧等威胁。

44. 四川日干乔湿地州级自然保护区

四川日干乔湿地州级自然保护区重点调查湿地范围面积122400公顷，湿地面积为57204.23公顷，主要湿地类型为沼泽湿地。地理坐标东经102°37′~103°13′，北纬32°58′~33°19′；位于阿坝藏族羌族自治州红原县境内。

湿地高等植物33科74属105种。调查未记录到国家重点保护野生植物和外来入侵植物。

湿地植被划分为2个植被型组，4个植被型，25个群系，包括川西锦鸡儿群系、岩生忍冬群系、皂柳群系、藏北嵩草群系、西藏嵩草群系、干生薹草群系、高原嵩草群系、华扁穗草群系、木里薹草群系、牛毛毡群系、双柱头藨草群系、四川嵩草群系、无脉薹草群系、草地早熟禾群系、垂穗披碱草群系、毛颖早熟禾群系、莔草群系、早熟禾群系、灯心草群系、高山唐松草群系、高原毛茛群系、卷耳群系、三裂碱毛茛群系、圆穗蓼群系、珠芽蓼群系。

脊椎动物4纲5目7科11种。其中，鱼类1目2科5种，包括黑体高原鳅、似鲇高原鳅、花斑裸鲤、厚唇裸重唇鱼、黄河裸裂尻鱼；两栖类1目2科3种，包括倭蛙、高原林蛙、中华蟾蜍岷山亚种；鸟类2目2科2种，包括赤麻鸭、黑颈鹤；哺乳类1目1科1种，即斯氏水鼩；调查未记录到爬行类。

国家重点保护野生动物1种，为国家Ⅰ级保护湿地鸟类，即黑颈鹤。

调查未记录到外来入侵动物。

于2000年建立自然保护区，2001年晋升市级自然保护区，受红原县林业局管理，成立了红原日干乔湿地自然保护区管理处管理机构。

主要受到过度放牧等威胁。

45. 四川构溪河湿地县级自然保护区

四川构溪河湿地县级自然保护区重点调查湿地范围面积31375公顷，湿地面积为424.01公顷，主要湿地类型为人工湿地。地理坐标东经106°04′~106°21′，北纬31°30′~31°46′；位于南充市阆中市境内。

湿地高等植物20科37属37种。调查未记录到国家重点保护野生植物，记录到外来入侵植物物种1科1属1种，即喜旱莲子草。

湿地植被划分为4个植被型组，5个植被型，14个群系，包括枫杨群系、枸杞群系、白茅群系、稗群系、斑茅群系、荩草群系、艾群系、葎草群系、糯米团群系、水蓼群系、雾水葛群系、香蒲群系、喜旱莲子草群系、荇菜群系。

脊椎动物1纲2目2科7种。其中，鱼类2目2科7种，包括鲤、鲫、马口鱼、蒙古鲌、鲇、翘嘴红鲌、黄尾鲴；调查未记录到两栖类、爬行类、鸟类和哺乳类。

调查未记录到国家重点保护野生动物。

调查未记录到外来入侵动物。

于1999年建立自然保护区，受阆中市林业局管理，成立了四川构溪河湿地自然保护区管理站管理机构。

主要受到污染、外来物种入侵等威胁。

46. 四川盐亭白鹤县级自然保护区

四川盐亭白鹤县级自然保护区重点调查湿地范围面积16300公顷，湿地面积为394.18公顷，主要湿地类型为河流湿地和人工湿地。地理坐标东经105°20′~105°27′，北纬31°14′~31°28′；位于绵阳市盐亭县境内。

湿地高等植物2科3属3种。调查未记录到国家重点保护野生植物，记录到外来入侵植物物种1科1属1种，即喜旱莲子草。

湿地植被划分为2个植被型组，2个植被型，3个群系，包括双穗雀稗群系、芒群系、喜旱莲子草群系。

脊椎动物5纲11目15科30种。其中，鱼类4目5科13种，包括黄鳝、草鱼、中华鳑鲏、黄颡鱼、棒花鱼、鲫、鲤、鲢、麦穗鱼、泥鳅、翘嘴红鲌、乌鳢、花䱻；两栖类1目2科2种，包括中华大蟾蜍、黑斑侧褶蛙；爬行类2目4科5种，包括乌龟、蹼趾壁虎、黑眉锦蛇、福建竹叶青蛇、翠青蛇；鸟类2目2科7种，包括苍鹭、池鹭、白鹭、夜鹭、冠鱼狗、普通翠鸟、蓝翡翠；哺乳类2目2科3种，包括水獭、蹼麝鼩、喜马拉雅水鼩。

国家重点保护野生动物1种，为国家Ⅱ级保护野生动物，即水獭。在国家重点保护野生动物中，调查未记录到国家重点保护湿地鸟类。

调查未记录到外来入侵动物。

于2001年建立自然保护区，受盐亭县林业局管理，成立了四川盐亭白鹭自然保护区管理处管理机构。

主要受到基建和城市化、水利工程建设、外来物种入侵等威胁。

47. 四川游仙水禽湿地县级自然保护区

四川游仙水禽湿地县级自然保护区重点调查湿地范围面积11073公顷，湿地面积为810.56公顷，主要湿地类型为河流湿地和人工湿地。地理坐标东经104°47′~104°56′，北纬31°28′~31°36′；位于绵阳市游仙区境内。

湿地高等植物2科2属2种。调查未记录到国家重点保护野生植物。记录到外来入侵植物物种1科1属1种，即喜旱莲子草。

湿地植被划分为1个植被型组，1个植被型，1个群系，即喜旱莲子草群系。

脊椎动物4纲9目13科27种。其中，鱼类4目5科14种，包括乌鳢、青鱼、翘嘴红鲌、泥鳅、鲫、中华鳑鲏、花䱻、棒花鱼、久留米鱵鱼、麦穗鱼、黄颡鱼、鲤、鲢、草鱼；两栖类1目2科3种，包括黑斑侧褶蛙、泽蛙、中华大蟾蜍；爬行类1目3科4种，包括福建竹叶青蛇、翠青蛇、黑眉锦蛇、丽纹蛇；鸟类3目3科6种，包括白嘴潜鸟、小䴙䴘、黑颈䴙䴘、苍鹭、牛背鹭、白鹭；调查未记录到哺乳类。

调查未记录到国家重点保护野生动物。

调查未记录到外来入侵动物。

于1994年建立自然保护区，受绵阳市游仙区林业局管理，成立了四川游仙水禽湿地自然保护区管理处管理机构。

主要受到基建和城市化、外来物种入侵等威胁。

48. 四川三台白鹳及湿地县级自然保护区

四川三台白鹳及湿地县级自然保护区重点调查湿地范围面积63940公顷，湿地面积为4677.83公顷，主要湿地类型为河流湿地、湖泊湿地、沼泽湿地和人工湿地。地理坐标东经104°42′~105°03′，北纬30°50′~31°15′；位于绵阳市三台县境内。

湿地高等植物6科6属8种。调查未记录到国家重点保护野生植物。记录到外来入侵植物物种1科1属1种，即喜旱莲子草。

湿地植被划分为3个植被型组，4个植被型，5个群系，包括枫杨群系、稗群系、节节草群系、问荆群系、喜旱莲子草群系。

脊椎动物5纲12目17科34种。其中，鱼类4目6科15种，包括黄鳝、中华鳑鲏、四川栉鰕虎鱼、青鱼、翘嘴红鲌、泥鳅、麦穗鱼、乌鳢、鲫、黄颡鱼、花䱻、红鳍鲌、草鱼、棒花鱼、鲤；两栖类1目2科4种，包括泽蛙、黑斑侧褶蛙、沼水蛙、中华大蟾蜍；爬行类1目3科6种，包括蹼趾壁虎、玉斑锦蛇、黑眉锦蛇、乌梢蛇、竹叶青蛇、翠青蛇；鸟类4目4科6种，包括小䴙䴘、池鹭、牛背鹭、白鹭、黑水鸡、普通翠鸟；哺乳类2目2科3种，包括蹼麝鼩、喜马拉雅水鼩、水獭。

国家重点保护野生动物1种，为国家Ⅱ级保护野生动物，即水獭。在国家重点保护野生动物中，调查未记录到国家重点保护湿地鸟类。

调查未记录到外来入侵动物。

于1998年建立自然保护区，受三台县林业局管理，成立了四川三台水禽及湿地自然保护区管理处管理机构。

主要受到基建和城市化、过度捕捞、采集、外来物种入侵等威胁。

49. 四川五通桥湿地县级自然保护区

四川五通桥湿地县级自然保护区重点调查湿地范围面积2466.67公顷，湿地面积为2070.32公顷，主要湿地类型为河流湿地。中心地理坐标东经103°48′09″，北纬29°24′59.5″；位于乐山市五通桥区境内。

湿地高等植物7科10属10种。调查未记录到国家重点保护野生植物。记录到外来入侵植物物种1科1属1种，即喜旱莲子草。

湿地植被划分为2个植被型组，3个植被型，5个群系，包括稗群系、斑茅群系、葎草群系、小蓬草群系、喜旱莲子草群系。

脊椎动物3纲4目7科12种。其中，两栖类1目2科4种，包括沼水蛙、黑斑侧褶蛙、泽陆蛙、中华蟾蜍指名亚种；鸟类4目5科8种，包括白鹡鸰、褐头鹪莺、灰鹡鸰、牛背鹭、白鹭、夜鹭、金眶鸻、普通翠鸟；调查未记录到鱼类、爬行类和哺乳类。

调查未记录到国家重点保护野生动物。

调查未记录到外来入侵动物。

于2000年建立自然保护区，受五通桥区林业局管理，成立了五通桥湿地县级自然保护区管理处管理机构。

主要受到基建和城市化、外来物种入侵等威胁。

50. 四川嘎金雪山县级自然保护区

四川嘎金雪山县级自然保护区重点调查湿地范围面积25640公顷，湿地面积为345.91公顷，主要湿地类型为沼泽湿地。地理坐标东经99°07′~99°19′，北纬28°40′~28°58′；位于甘孜藏族自治州得荣县境内。

湿地高等植物1科1属1种。调查未记录到国家重点保护野生植物和外来入侵植物物种。

湿地植被划分为1个植被型组，1个植被型，1个群系，包括川滇薹草群系。

调查未记录到脊椎动物。

调查未记录到国家重点保护野生动物。

调查未记录到外来入侵动物。

于2001年建立自然保护区，受得荣县林业局管理，成立了四川嘎金雪山自然保护区管理处管理机构。

主要受到过度放牧等威胁。

51. 四川友谊县级自然保护区

四川友谊县级自然保护区重点调查湿地范围面积71452公顷，湿地面积为14421.38公顷，主要湿地类型为河流湿地、湖泊湿地和沼泽湿地。地理坐标东经99°43′～100°07′，北纬30°36′～31°03′；位于甘孜藏族自治州新龙县境内。

湿地高等植物14科29属40种。调查未记录到国家重点保护野生植物和外来入侵植物。

湿地植被划分为2个植被型组，2个植被型，3个群系，包括隐蕊杜鹃群系、华扁穗草群系、四川嵩草群系。

脊椎动物4纲4目6科6种。其中，鱼类1目2科2种，包括斯氏高原鳅、软刺裸裂尻鱼、厚唇裸重唇鱼；两栖类1目2科2种，包括高原林蛙、西藏蟾蜍；爬行类1目1科1种，即四川温泉蛇；鸟类1目1科1种，即普通燕鸥；调查未记录到哺乳类。

调查未记录到国家重点保护野生动物。

调查未记录到外来入侵动物。

于2000年建立自然保护区，受新龙县林业局管理，成立了四川友谊自然保护区管理处管理机构。

主要受到放牧等威胁。

52. 四川日巴雪山县级自然保护区

四川日巴雪山县级自然保护区重点调查湿地范围面积21064公顷，湿地面积为191.43公顷，主要湿地类型为河流湿地。地理坐标东经100°05～100°25′，北纬31°21′～31°31′；位于甘孜藏族自治州新龙县境内。

湿地高等植物5科5属6种。调查未记录到国家重点保护野生植物和外来入侵植物。

湿地植被划分为1个植被型组，1个植被型，3个群系，包括康定柳群系、沙棘群系、山生柳群系。

脊椎动物3纲3目3科4种。其中，鱼类1目1科2种，包括软刺裸裂尻鱼、厚唇裸重唇鱼；两栖类1目1科1种，即高原林蛙；鸟类1目1科1种，即池鹭；调查未记录到爬行类和哺乳类。

调查未记录到国家重点保护野生动物。

调查未记录到外来入侵动物。

于2000年建立自然保护区，受新龙县林业局管理，成立了四川日巴雪山自然保护区管理处管理机构。

主要受到旅游等威胁。

53. 四川滚巴县级自然保护区

四川滚巴县级自然保护区重点调查湿地范围面积20500公顷，湿地面积为1833.39公顷，主要湿地类型为湖泊湿地和沼泽湿地。地理坐标东经100°19′～100°37′，北纬28°53′～29°04′；位于甘孜藏族自治州稻城县境内。

湿地高等植物13科18属19种。调查未记录到国家重点保护野生植物和外来入侵植物。

湿地植被划分为2个植被型组，2个植被型，3个群系，包括隐蕊杜鹃群系、葱状灯心草群系、杉叶藻群系。

脊椎动物1纲1目2科3种。其中，鱼类1目2科3种，包括软刺裸裂尻鱼、厚唇裸重唇鱼、黑体高原鳅；调查未记录到两栖类、爬行类、鸟类和哺乳类。

调查未记录到国家重点保护野生动物。

调查未记录到外来入侵动物。

于2002年建立自然保护区，受稻城县林业局管理，成立了四川滚巴自然保护区管理处管理机构。

主要受到旅游等威胁。

54. 四川措普沟县级自然保护区

四川措普沟县级自然保护区重点调查湿地范围面积57874公顷，湿地面积为4051.43公顷，主要湿地类型为河流湿地、湖泊湿地和沼泽湿地。地理坐标东经东经99°18′~99°38′，北纬30°19′~30°37′；位于甘孜藏族自治州巴塘县境内。

湿地高等植物25科39属52种。调查未记录到国家重点保护野生植物和外来入侵植物。

湿地植被划分为3个植被型组，5个植被型，15个群系，包括川西锦鸡儿群系、金露梅群系、沙棘群系、山生柳群系、皂柳群系、毛蕊杜鹃群系、隐蕊杜鹃群系、木里薹草群系、四川嵩草群系、西藏薹草群系、长苞灯心草群系、葱状灯心草群系、珠芽蓼群系、浮叶眼子菜群系、水毛茛群系。

脊椎动物2纲3目4科6种。其中，鱼类1目2科4种，包括斯氏高原鳅、厚唇裸重唇鱼、裸腹重唇鱼、软刺裸裂尻鱼；鸟类2目2科2种，包括黑颈鹤、棕头鸥；调查未记录到两栖类、爬行类和哺乳类。

国家重点保护野生动物1种，为国家Ⅰ级保护湿地鸟类，即黑颈鹤。

调查未记录到外来入侵动物。

于2001年建立自然保护区，受巴塘县林业局管理，成立了四川措普沟自然保护区管理处管理机构。

主要受到过度放牧等威胁。

55. 四川格木县级自然保护区

四川格木县级自然保护区重点调查湿地范围面积82963公顷，湿地面积为2414.37公顷，主要湿地类型为河流湿地、湖泊湿地和沼泽湿地。地理坐标东经100°11′~100°36′，北纬29°09′~29°43′；位于甘孜藏族自治州理塘县境内。

湿地高等植物16科21属24种。调查未记录到国家重点保护野生植物和外来入侵植物。

湿地植被划分为2个植被型组，4个植被型，7个群系，包括沙棘群系、毛蕊杜鹃群系、隐蕊杜鹃群系、西藏嵩草群系、四川嵩草群系、葱状灯心草群系、沼生水马齿群系。

脊椎动物2纲3目5科5种。其中，鱼类1目2科2种，包括斯氏高原鳅、软刺裸裂尻鱼；两栖类2目3科3种，包括西藏山溪鲵、高原林蛙、西藏蟾蜍；调查未记录到爬行类、鸟类和哺乳类。

调查未记录到国家重点保护野生动物。

调查未记录到外来入侵动物。

于2000年建立自然保护区，受理塘县林业局管理，成立了四川格木自然保护区管理处管理机构。

主要受到放牧等威胁。

56. 四川扎嘎神山县级自然保护区

四川扎嘎神山县级自然保护区重点调查湿地范围面积84581公顷，湿地面积为9612.22公顷，主要湿地类型为河流湿地、湖泊湿地和沼泽湿地。地理坐标东经99°46′~100°15′，北纬30°10′~30°40′；位于甘孜藏族自治州理塘县境内。

湿地高等植物11科14属16种。调查未记录到国家重点保护野生植物和外来入侵植物。

湿地植被划分为2个植被型组，4个植被型，7个群系，包括金露梅群系、沙棘群系、乌饭柳群系、皂柳群系、隐蕊杜鹃群系、四川嵩草群系、葱状灯心草群系。

脊椎动物2纲3目5科5种。其中，鱼类1目2科2种，包括斯氏高原鳅、软刺裸裂尻鱼；两栖类2目3科3种，包括西藏山溪鲵、高原林蛙、西藏蟾蜍；调查未记录到爬行类、鸟类和哺乳类。

调查未记录到国家重点保护野生动物。

调查未记录到外来入侵动物。

于2000年建立自然保护区，受理塘县林业局管理，成立了四川扎嘎神山自然保护区管理处管理机构。

主要受到放牧等威胁。

57. 四川喀哈尔乔湿地县级自然保护区

四川喀哈尔乔湿地县级自然保护区重点调查湿地范围面积222000公顷，湿地面积为100914.68公顷，主要湿地类型为河流湿地、湖泊湿地和沼泽湿地。地理坐标东经102°08′~103°13′，北纬33°08′~33°36′；位于阿坝藏族羌族自治州若尔盖县境内。

湿地高等植物17科39属51种。调查未记录到国家重点保护野生植物和外来入侵植物。

湿地植被划分为3个植被型组，5个植被型，10个群系，包括金露梅群系、沙棘群系、岩生忍冬群系、皂柳群系、矮生嵩草群系、华扁穗草群系、四川嵩草群系、菵草群系、珠芽蓼群系、篦齿眼子菜群系。

脊椎动物4纲5目7科10种。其中，鱼类1目2科4种，包括似鲇高原鳅、黑体高原鳅、黄河裸裂尻鱼、厚唇裸重唇鱼；两栖类1目2科3种，包括高原林蛙、中华蟾蜍岷山亚种、倭蛙；鸟类2目2科2种，包括赤麻鸭、红脚鹬；哺乳类1目1科1种，即斯氏水鼩；调查未记录到爬行类。

调查未记录到国家重点保护野生动物。

调查未记录到外来入侵动物。

于2003年建立自然保护区，受若尔盖县林业局管理，成立了四川喀哈尔乔湿地自然保护区管理处管理机构。

主要受到过度放牧、草地沙化等威胁。

58. 四川鸭子河湿地县级自然保护区

四川鸭子河湿地县级自然保护区重点调查湿地范围面积6322公顷，湿地面积为534.39公顷，主要湿地类型为河流湿地。地理坐标东经104°09′~104°19′，北纬30°57′~31°02′；位于德阳市广汉市境内。

湿地高等植物8科8属8种。调查未记录到国家重点保护野生植物。记录到外来入侵植物物种1科1属1种，即喜旱莲子草。

湿地植被划分为2个植被型组，3个植被型，3个群系，包括节节草群系、满江红群系、喜旱莲子草群系。

脊椎动物5纲14目20科38种。其中，鱼类4目6科14种，包括鲫、棒花鱼、草鱼、成都栉鰕虎鱼、花䱻、黄颡鱼、黄黝、鲤、鲢、麦穗鱼、泥鳅、彭县似䱻、翘嘴红鲌、黄鳝；两栖类1目2科3种，包括黑斑侧褶蛙、泽蛙、中华大蟾蜍；爬行类2目3科4种，包括乌龟、翠青蛇、丽纹蛇、黑眉锦蛇；鸟类5目7科14种，包括小䴙䴘、池鹭、牛背鹭、白鹭、夜鹭、绿头鸭、斑嘴鸭、赤膀鸭、长嘴剑鸻、金眶鸻、矶鹬、普通燕鸻、冠鱼狗、普通翠鸟；哺乳类2目2科3种，包括水獭、蹼麝鼩、斯氏水鼩。

国家重点保护野生动物1种。为国家Ⅱ级保护野生动物，即水獭。在国家重点保护野生动物中，调查未记录到国家重点保护湿地鸟类。

调查未记录到外来入侵动物。

于2007年建立自然保护区，受广汉市林业与园林管理局管理，成立了四川鸭子河湿地自然保护区管理所管理机构。

主要受到基建和城市化、外来物种入侵等威胁。

59. 四川泥拉坝县级自然保护区

四川泥拉坝县级自然保护区重点调查湿地范围面积64700公顷，湿地面积为19063.28公顷，主要湿地类型为河流湿地和沼泽湿地。地理坐标东经99°21′~100°03′，北纬32°32′~33°00′；位于甘孜藏族自治州色达县境内。

湿地高等植物11科17属23种。调查未记录到到国家重点保护野生植物和外来入侵植物。

湿地植被划分为2个植被型组，2个植被型，6个群系，包括金露梅群系、康定柳群系、西藏嵩草群系、华扁穗草群系、木里薹草群系、四川嵩草群系。

脊椎动物3纲5目6科8种。其中，鱼类1目2科3种，包括斯氏高原鳅、软刺裸裂尻鱼、厚唇裸重唇鱼；两栖类1目1科2种，包括倭蛙、高原林蛙；鸟类3目3科3种，包括赤麻鸭、黑颈鹤、红脚鹬；调查未记录到爬行类和哺乳类。

国家重点保护野生动物1种，为国家Ⅰ级保护湿地鸟类，即黑颈鹤。

调查未记录到外来入侵动物。

于2000年建立自然保护区，受色达县林业局管理，成立了四川泥拉坝自然保护区管理站管理机构。

主要受到过度放牧等威胁。

60. 四川孜龙河坝县级自然保护区

四川孜龙河坝县级自然保护区重点调查湿地范围面积300公顷，湿地面积为176.74公顷，主要湿地类型为河流湿地。地理坐标东经101°05′~101°10′，北纬30°57′~31°00′；位于甘孜藏族自治州道孚县境内。

湿地高等植物3科3属3种。调查未记录到国家重点保护野生植物和外来入侵植物。

湿地植被划分为1个植被型组，1个植被型，1个群系，即水葱群系。

脊椎动物3纲3目3科5种。其中，鱼类1目1科2种，包括厚唇裸重唇鱼、软刺裸裂尻鱼；两栖类1目1科1种，即高原林蛙；鸟类1目1科2种，包括池鹭、白鹭；调查未记录到爬行类和哺乳类。

调查未记录到国家重点保护野生动物。

调查未记录到外来入侵动物。

于2002年建立自然保护区，受道孚县林业局管理，成立了四川孜龙河坝湿地自然保护区管理处管理机构。

主要受到基建和城市化等威胁。

61. 四川阿须县级湿地自然保护区

四川阿须县级湿地自然保护区重点调查湿地范围面积3845.55公顷，湿地面积为2994.84公顷，主要湿地类型为河流湿地。地理坐标东经98°57′~99°07′，北纬32°20′~32°30′；位于甘孜藏族自治州德格县境内。

湿地高等植物19科31属34种。调查未记录到国家重点保护野生植物和外来入侵植物。

湿地植被划分为2个植被型组，2个植被型，3个群系，包括沙棘群系、窄叶鲜卑花群系、四川嵩草群系。

脊椎动物2纲2目2科5种。其中，鱼类1目1科3种，包括裸腹重唇鱼、厚唇裸重唇鱼、软刺裸裂尻鱼；两栖类1目1科2种，包括高原林蛙、倭蛙；调查未记录到爬行类、鸟类和哺乳类。

调查未记录到国家重点保护野生动物。

调查未记录到外来入侵动物。

于2003年建立自然保护区，受德格县林业局管理，成立了四川阿须湿地自然保护区管理处管理机构。

主要受到放牧、旅游等威胁。

62. 四川三岔湖县级自然保护区

四川三岔湖县级自然保护区重点调查湿地范围面积3438公顷，湿地面积为2148.99公顷，主要湿地类型为河流湿地、湖泊湿地和人工湿地。地理坐标东经104°11′~104°53′，北纬30°04′~30°39′；位于资阳市简阳市境内。

湿地高等植物10科16属18种。调查未记录到国家重点保护野生植物。记录到外来入侵植物物种1科1属1种，即喜旱莲子草。

湿地植被划分为2个植被型组，4个植被型，6个群系，包括碎米莎草群系、异型莎草群系、牛鞭草群系、双穗雀稗群系、过江藤群系、喜旱莲子草群系。

脊椎动物4纲11目17科32种。其中，鱼类3目5科14种，包括鲫、凹尾拟鲿、鲤、鲢、罗非鱼、大口鲇、大鳍鳠、黑尾䱗、红鳍鲌、黄颡鱼、油䱗、草鱼、武昌鱼、子陵栉鰕虎鱼；两栖类1目2科5种，包括牛蛙、泽陆蛙、沼水蛙、中华蟾蜍指名亚种、黑斑侧褶蛙；爬行类2目3科3种，包括中华鳖、巴西龟(红耳龟)、虎斑颈槽蛇(大陆亚种)；鸟类5目7科10种，包括白鹡鸰、褐头鹪莺、黑卷尾、小䴙䴘、苍鹭、白鹭、夜鹭、白胸苦恶鸟、董鸡、普通燕鸥；调查未记录到哺乳类。

调查未记录到国家重点保护野生动物。

记录到外来动物物种3纲3目3科3种。其中，无脊椎动物1纲1目1科1种，即福寿螺；脊椎动物2纲2目2科2种，即牛蛙、巴西龟(红耳龟)。

于2001年建立自然保护区，受简阳市环保局管理，成立了三岔湖自然保护区管理处管理机构。

主要受到污染、外来物种入侵等威胁。

63. 四川卡娘县级自然保护区

四川卡娘县级自然保护区重点调查湿地范围面积380000公顷，湿地面积为5081.54公顷，主要湿地类型为河流湿地、湖泊湿地和沼泽湿地。地理坐标东经100°20′~101°05′，北纬31°09′~31°52′；位于甘孜藏族自治州炉霍县境内。

湿地高等植物17科28属31种。调查未记录到国家重点保护野生植物和外来入侵植物。

湿地植被划分为2个植被型组，2个植被型，2个群系，包括窄叶鲜卑花群系、华扁穗草群系。

脊椎动物3纲3目4科5种。其中，鱼类1目2科3种，包括厚唇裸重唇鱼、软刺裸裂尻鱼、斯氏高原鳅；两栖类1目1科1种，即高原林蛙；鸟类1目1科1种，即池鹭；调查未记录到爬行类和哺乳类。

调查未记录到国家重点保护野生动物。

调查未记录到外来入侵动物。

于2002年建立自然保护区，受炉霍县林业局管理，成立了四川卡娘自然保护区管理所管理机构。

主要受到旅游等威胁。

64. 四川南河国家湿地公园

四川南河国家湿地公园重点调查湿地范围面积111公顷，湿地面积为91.84公顷，主要湿地类型为人工湿地。地理坐标东经105°50′12″～105°52′18″，北纬32°25′00″～32°25′51″；位于广元市利州区境内。

湿地高等植物12科19属19种。调查未记录到国家重点保护野生植物。记录到外来入侵植物物种1科1属1种，即喜旱莲子草。

湿地植被划分为3个植被型组，5个植被型，9个群系，包括枫杨群系、垂柳群系、藨草群系、稗群系、粘毛蒿群系、葎草群系、水蓼群系、钻叶紫菀群系、喜旱莲子草群系。

脊椎动物3纲7目9科20种。其中，鱼类2目3科9种，包括大鳍鱯、光泽黄颡鱼、鲫、唇䱻、鲢、粗唇鮠、鲇、中华倒刺鲃、鲤；两栖类1目2科6种，包括沼水蛙、中华大蟾蜍、泽陆蛙、饰纹姬蛙、牛蛙、黑斑侧褶蛙；鸟类4目4科5种，包括小䴙䴘、苍鹭、白鹭、绿翅鸭、普通翠鸟；调查未记录到爬行类和哺乳类。

调查未记录到国家重点保护野生动物。

记录到外来动物物种2门2纲2目2科2种。其中，无脊椎动物1纲1目1科1种，即福寿螺；脊椎动物1纲1目1科1种，即牛蛙。

于2009年建立湿地公园，2010年被批准为国家湿地公园（试点），2013晋升国家级湿地公园，受广元市林业和园林管理局局管理，成立了四川南河国家湿地公园管理处管理机构。

主要受到外来物种入侵等威胁。

65. 四川彭州湔江国家湿地公园

四川彭州湔江国家湿地公园重点调查湿地范围面积1097.40公顷，湿地面积为659公顷，主要湿地类型为河流湿地和人工湿地。地理坐标东经103°46′～103°56′，北纬31°01′～31°14′；位于成都市彭州市境内。

湿地高等植物5科8属8种。调查未记录到国家重点保护野生植物。记录到外来入侵植物物种1科1属1种，即喜旱莲子草。

湿地植被划分为2个植被型组，5个植被型，6个群系，包括芦竹群系、藨草群系、水蓼群系、浮萍群系、喜旱莲子草群系、金鱼藻群系。

脊椎动物5纲12目16科30种。其中，鱼类4目5科13种，包括彭县似䱻、泥鳅、久留米鱲鱼、棒花鱼、草鱼、成都鱲、成都栉鰕虎鱼、花䱻、黄颡鱼、鲫、鲢、鲤、麦穗鱼；两栖类1目2科3种，包括黑眶蟾蜍、黑斑侧褶蛙、泽蛙；爬行类1目2科3种，包括乌梢蛇、蹼趾壁虎、黑眉锦蛇；鸟类5目6科10种，包括池鹭、白鹭、夜鹭、绿头鸭、董鸡、金斑鸻、金眶鸻、林鹬、长趾滨鹬、普通翠鸟；哺乳类1目1科1种，即蹼麝鼩。

调查未记录到国家重点保护野生动物。

调查未记录到外来入侵动物。

于2009年被批准为国家湿地公园（试点），受彭州市林业和园林管理局管理，成立了彭州湔江国家湿地公园管理处管理机构。

主要受到基建和城市化、外来物种入侵等威胁。

66. 四川大瓦山国家湿地公园

四川大瓦山国家湿地公园重点调查湿地范围面积2812.20公顷，湿地面积为229.57公顷，主要湿地类型为湖泊湿地。地理坐标东经102°58′~103°02′，北纬29°17′~29°25′；位于乐山市金口河区境内。

湿地高等植物14科16属18种。调查未记录到国家重点保护野生植物。记录到外来入侵植物物种1科1属1种，即喜旱莲子草。

湿地植被划分为2个植被型组，3个植被型，6个群系，包括旱柳群系、日本薹草群系、水毛花群系、苍耳群系、菖蒲群系、卵叶水芹群系。

脊椎动物3纲3目4科9种。其中，鱼类1目1科6种，包括鳙、武昌鱼、鲢、鲫、草鱼、鲤；两栖类1目2科2种，包括昭觉林蛙、中华蟾蜍华西亚种；鸟类1目1科1种，即白鹡鸰；调查未记录到爬行类和哺乳类。

调查未记录到国家重点保护野生动物。

记录到外来动物物种1门1纲1目1科1种，为无脊椎动物，即福寿螺。

于2009年建立省级湿地公园，2011年被批准为国家湿地公园(试点)，受金口河区林业局管理，成立了大瓦山国家湿地公园管理处管理机构。

主要受到基建和城市化、外来物种入侵等威胁。

67. 四川构溪河国家湿地公园

四川构溪河国家湿地公园重点调查湿地范围面积3014.99公顷，湿地面积为381.98公顷，主要湿地类型为人工湿地。地理坐标东经106°03′~106°12′，北纬31°32′~31°40′；位于南充市阆中市境内。

湿地高等植物15科25属25种。调查未记录到国家重点保护野生植物。记录到外来入侵植物物种1科1属1种，即喜旱莲子草。

湿地植被划分为3个植被型组，3个植被型，6个群系，包括枫杨群系、水蓼群系、水芹群系、香蒲群系、荇菜群系、喜旱莲子草群系。

脊椎动物3纲4目7科8种。其中两栖类1目3科4种，包括中华大蟾蜍、饰纹姬蛙、泽陆蛙、沼水蛙；爬行类1目2科2种，包括乌龟、中华鳖；鸟类2目2科2种，包括小鸊鷉、冠鱼狗；调查未记录到鱼类和哺乳类。

调查未记录到国家重点保护野生动物。

调查未记录到外来入侵动物。

于2011年被批准为国家湿地公园(试点)，受阆中市林业局管理，成立了构溪河国家湿地公园管理处管理机构。

主要受到休闲垂钓、外来物种入侵等威胁。

68. 四川柏林湖国家湿地公园

四川柏林湖国家湿地公园重点调查湿地范围面积1597.5公顷，湿地面积为132.65公顷，主要湿地类型为人工湿地。地理坐标东经 105°50′~105°55′，北纬 32°03′~32°11′；位于广元市元坝区境内。

湿地高等植物 14 科 23 属 24 种。调查未记录到国家重点保护野生植物。记录到外来入侵植物物种 1 科 1 属 1 种，即喜旱莲子草。

湿地植被划分为 1 个植被型组，2 个植被型，5 个群系，包括牛鞭草群系、过路黄群系、龙芽草群系、马兰群系、小蓬草群系。

脊椎动物 4 纲 9 目 14 科 24 种。其中，鱼类 3 目 4 科 10 种，包括鲫、光泽黄颡鱼、鲢、鲤、蒙古鲌、鲇、翘嘴红鲌、四川白甲鱼、乌鳢、中华倒刺鲃；两栖类 2 目 4 科 7 种，包括大鲵、黑斑侧褶蛙、牛蛙、饰纹姬蛙、中华大蟾蜍、沼水蛙、泽陆蛙；爬行类 2 目 4 科 4 种，包括铜蜓蜥、乌龟、中华鳖、乌梢蛇；鸟类 2 目 2 科 3 种，包括苍鹭、白鹭、普通翠鸟；调查未记录到哺乳类。

国家重点保护野生动物 1 种，为国家Ⅱ级保护野生动物，即大鲵。在国家重点保护野生动物中，调查未记录到国家重点保护湿地鸟类。

记录到外来动物物种 1 门 1 纲 1 目 1 科 1 种，为脊椎动物，即牛蛙。

于 2011 年被批准为国家湿地公园（试点），受广元市林业和园林管理局管理，成立了柏林湖国家湿地公园管理处管理机构。

主要受到旅游、外来物种入侵等威胁。

69. 四川桫椤湖国家湿地公园

四川桫椤湖国家湿地公园重点调查湿地范围面积 436.29 公顷，湿地面积为 154.64 公顷，主要湿地类型为河流湿地。地理坐标东经 103°45′~103°51′，北纬 29°08′~29°11′；位于乐山市犍为县境内。

湿地高等植物 6 科 7 属 7 种。调查未记录到国家重点保护野生植物。记录到外来入侵植物物种 1 科 1 属 1 种，即喜旱莲子草。

湿地植被划分为 3 个植被型组，4 个植被型，4 个群系，包括水麻群系、芦竹群系、水烛群系、喜旱莲子草群系。

脊椎动物 3 纲 6 目 9 科 16 种。其中，鱼类 2 目 2 科 5 种，包括鲤、鲫、鲢、鳙、大口鲇；两栖类 2 目 4 科 7 种，包括大鲵、崇安湍蛙、黑斑侧褶蛙、小角蟾、泽陆蛙、沼水蛙、中华蟾蜍指名亚种；鸟类 2 目 3 科 4 种，包括红尾水鸲、白鹡鸰、紫啸鸫、白鹭；调查未记录到爬行类和哺乳类。

国家重点保护野生动物 1 种，为国家Ⅱ级保护野生动物，即大鲵。在国家重点保护野生动物中，调查未记录到国家重点保护湿地鸟类。

调查未记录到外来入侵动物。

于 2011 年被批准为国家湿地公园（试点），受犍为县林业局管理，成立了四川犍为国家湿地公园管理处管理机构。

主要受到旅游、外来物种入侵等威胁。

70. 四川若尔盖国家湿地公园

四川若尔盖国家湿地公园重点调查湿地范围面积 2662. 69 公顷，湿地面积为 1213. 15 公顷，主要湿地类型为河流湿地和湖泊湿地。地理坐标东经 102°29′～102°59′，北纬 33°25′～34°00′；位于阿坝藏族羌族自治州若尔盖县境内。

湿地高等植物 20 科 39 属 45 种。调查未记录到国家重点保护野生植物和外来入侵植物。

湿地植被划分为 2 个植被型组，2 个植被型，2 个群系，包括金露梅群系、乌拉薹草群系。

脊椎动物 4 纲 7 目 9 科 17 种。其中，鱼类 1 目 2 科 7 种，包括黑体高原鳅、似鲇高原鳅、黄河高原鳅、花斑裸鲤、黄河裸裂尻鱼、厚唇裸重唇鱼、骨唇黄河鱼；两栖类 1 目 2 科 3 种，包括中华蟾蜍岷山亚种、倭蛙、高原林蛙；鸟类 4 目 4 科 6 种，包括赤麻鸭、白眼潜鸭、白骨顶、红脚鹬、红嘴鸥、普通燕鸥；哺乳类 1 目 1 科 1 种，即斯氏水鼩；调查未记录到爬行类。

调查未记录到国家重点保护野生动物。

调查未记录到外来入侵动物。

于 2011 年被批准为国家湿地公园(试点)，受若尔盖县林业局管理，成立了四川若尔盖国家湿地公园管理处管理机构。

主要受到过度放牧、旅游等威胁。

71. 四川云台湖省级湿地公园

四川云台湖省级湿地公园重点调查湿地范围面积 776. 13 公顷，湿地面积为 60. 51 公顷，主要湿地类型为人工湿地。中心地理坐标东经 104°10′38″，北纬 28°59′45″；位于四川宜宾市南溪区境内。

湿地高等植物 7 科 8 属 9 种。调查未记录到国家重点保护野生植物。记录到外来入侵植物物种 1 科 1 属 1 种，即喜旱莲子草。

湿地植被划分为 1 个植被型组，3 个植被型，3 个群系，包括刺子莞群系、稗群系、水蓼群系。

脊椎动物 4 纲 8 目 11 科 17 种。其中，鱼类 1 目 1 科 4 种，包括鳙、鲢、鲤、黑尾䱗；两栖类 1 目 3 科 5 种，包括饰纹姬蛙、沼水蛙、泽陆蛙、中华蟾蜍指名亚种、黑斑侧褶蛙；爬行类 2 目 2 科 2 种，包括中华鳖、乌华游蛇(指名亚种)；鸟类 4 目 5 科 6 种，包括黑背燕尾、黑耳鸢、红尾水鸲、白鹭、中白鹭、蓝翡翠；调查未记录到哺乳类。

调查未记录到国家重点保护野生动物。

调查未记录到外来入侵动物。

于 2008 年建立省级湿地公园，受南溪区林业局管理，成立了云台湖湿地公园管理处管理机构。

主要受到旅游、外来物种入侵等威胁。

72. 四川七仙湖省级湿地公园

四川七仙湖省级湿地公园重点调查湿地范围面积 200. 67 公顷，湿地面积为 120. 78 公顷，主要湿地类型为人工湿地。地理中心坐标东经 104°37′22″，北纬 28°31′30″；位于四川省宜宾市高县境内。

湿地高等植物 7 科 9 属 9 种。调查未记录到国家重点保护野生植物。记录到外来入侵植物物种 1 科 1 属 1 种，即喜旱莲子草。

湿地植被划分为 2 个植被型组，3 个植被型，3 个群系，包括稗群系、喜旱莲子草群系、角果藻群系。

脊椎动物 4 纲 13 目 23 科 34 种。其中，鱼类 4 目 6 科 12 种，包括细鳞鲴、草鱼、鳙、中华青鳉、鲢、黑尾䱀、泥鳅、鲫、鲤、黄鳝、长吻鮠、大口鲇；两栖类 1 目 3 科 5 种，包括黑斑侧褶蛙、饰纹姬蛙、泽陆蛙、沼水蛙、中华蟾蜍指名亚种；爬行类 2 目 2 科 2 种，包括乌华游蛇(指名亚种)、巴西龟(红耳龟)；鸟类 6 目 12 科 15 种，包括红嘴蓝鹊、家燕、灰胸竹鸡、白鹡鸰、鹊鸲、白头鹎、大杜鹃、白颊噪鹛、白腰文鸟、小䴙䴘、池鹭、牛背鹭、白鹭、夜鹭、普通翠鸟；调查未记录到哺乳类。

调查未记录到国家重点保护野生动物。

记录到外来动物物种 2 门 2 纲 2 目 2 科 2 种。其中，无脊椎动物 1 纲 1 目 1 科 1 种，即福寿螺；脊椎动物 1 纲 1 目 1 科 1 种，即牛蛙。

于 2008 年建立省级湿地公园，受宜宾市高县林业局管理，成立了七仙湖湿地公园管理处管理机构。

主要受到污染、外来物种入侵等威胁。

73. 四川护安省级湿地公园

四川护安省级湿地公园重点调查湿地范围面积 276.27 公顷，湿地面积为 174 公顷，主要湿地类型为人工湿地。地理坐标东经 106°32′～107°03′，北纬 30°18′～30°50′；位于广安市广安区境内。

湿地高等植物 6 科 10 属 11 种。调查未记录到国家重点保护野生植物。记录到外来入侵植物物种 1 科 1 属 1 种，即喜旱莲子草。

湿地植被划分为 1 个植被型组，2 个植被型，3 个群系，包括李氏禾群系、火炭母群系、水蓼群系。

脊椎动物 3 纲 3 目 5 科 7 种。其中，两栖类 1 目 2 科 4 种，包括黑斑侧褶蛙、泽陆蛙、中华大蟾蜍、沼水蛙；爬行类 1 目 2 科 2 种，包括乌龟、中华鳖；鸟类 1 目 1 科 1 种，即矶鹬；调查未记录到鱼类、哺乳类。

调查未记录到国家重点保护野生动物。

调查未记录到外来入侵动物。

于 2009 年建立省级湿地公园，受广安区林业局管理，成立了护安湿地公园管理处管理机构。

主要受到旅游、外来物种入侵等威胁。

74. 四川龙女湖省级湿地公园

四川龙女湖省级湿地公园重点调查湿地范围面积 762 公顷，湿地面积为 762 公顷，主要湿地类型为河流湿地和人工湿地。地理坐标东经 106°11′～106°17′，北纬 30°18′～30°26′；位于广安市武胜县境内。

湿地高等植物10科21属22种。调查未记录到国家重点保护野生植物。记录到外来入侵植物物种1科1属1种，即喜旱莲子草。

湿地植被划分为2个植被型组，4个植被型，8个群系，包括藨草群系、狗牙根群系、卡开芦群系、李氏禾群系、甜根子草群系、葎草群系、水蓼群系、喜旱莲子草群系。

脊椎动物4纲7目12科26种。其中，鱼类3目5科17种，包括白甲鱼、翘嘴红鲌、长薄鳅、长蛇鮈、光泽黄颡鱼、鲫、鲤、鲢、马口鱼、蒙古红鲌、草鱼、鲇、青鱼、乌鳢、岩原鲤、中华倒刺鲃、拟尖头红鲌；两栖类1目3科5种，包括沼水蛙、泽陆蛙、饰纹姬蛙、黑斑侧褶蛙、中华大蟾蜍；爬行类1目2科2种，包括乌龟、中华鳖；鸟类2目2科2种，包括白鹭、长嘴剑鸻；调查未记录到哺乳类。

调查未记录到国家重点保护野生动物。

调查未记录到外来入侵动物。

于2010年建立省级湿地公园，受武胜县林业局管理，成立了龙女湖湿地公园管理机构。

主要受到污染、外来物种入侵等威胁。

75. 四川升钟湖省级湿地公园

四川升钟湖省级湿地公园重点调查湿地范围面积8573.02公顷，湿地面积为3510.37公顷，主要湿地类型为人工湿地。地理坐标东经105°30′~105°46′，北纬31°27′~ 31°37′；位于南充市南部县境内。

湿地高等植物17科33属40种。调查未记录到国家重点保护野生植物。记录到外来入侵植物物种1科1属1种，即喜旱莲子草。

湿地植被划分为2个植被型组，3个植被型，9个群系，包括稗群系、斑茅群系、狗牙根群系、马唐群系、青蒿群系、甜根子草群系、水蓼群系、钻叶紫菀群系、喜旱莲子草群系。

脊椎动物4纲7目10科19种。其中，鱼类2目3科9种，包括中华倒刺鲃、鲫、鲤、鲢、蒙古鲌、凹尾拟鲿、光泽黄颡鱼、南方鲇、四川白甲鱼；两栖类1目2科3种，包括中国林蛙、黑斑侧褶蛙、斑腿树蛙、黑眉锦蛇；爬行类2目3科3种，包括中华鳖、乌龟；鸟类2目2科4种，包括池鹭、牛背鹭、白鹭、普通翠鸟；调查未记录到哺乳类。

调查未记录到国家重点保护野生动物。

调查未记录到外来入侵动物。

于2009年建立省级湿地公园，受南部县林业局管理，成立了南部县升钟湖湿地公园管理处管理机构。

主要受到旅游、外来物种入侵等威胁。

76. 四川柏林省级湿地公园

四川柏林省级湿地公园重点调查湿地范围面积1245公顷，湿地面积为216.07公顷，主要湿地类型为人工湿地。地理坐标东经106°56′~106°58′，北纬31°08′~31°13′；位于达州市渠县境内。

湿地高等植物5科10属10种。调查未记录到国家重点保护野生植物。记录到外来入侵植物物种1科1属1种，即喜旱莲子草。

湿地植被划分为2个植被型组，2个植被型，3个群系，包括斑茅群系、芦竹群系、喜旱莲子草群系。

脊椎动物4纲6目8科13种。其中，鱼类2目2科4种，包括鲫、鲤、鲢、鲇；两栖类1目2科4种，包括中华大蟾蜍、泽陆蛙、黑斑侧褶蛙、沼水蛙；爬行类2目3科4种，包括乌龟、中华鳖、乌梢蛇、黑眉锦蛇；鸟类1目1科1种，即小䴙䴘；调查未记录到哺乳类。

调查未记录到国家重点保护野生动物。

调查未记录到外来入侵动物。

于2009年建立省级湿地公园，受渠县林业局管理，成立了柏林湿地公园管理处管理机构。

主要受到污染、外来物种入侵等威胁。

77. 四川莲宝叶则省级湿地公园

四川莲宝叶则省级湿地公园重点调查湿地范围面积3668.49公顷，湿地面积为1400.44公顷，主要湿地类型为河流湿地、湖泊湿地和沼泽湿地。地理坐标东经101°08′~101°18′，北纬33°02′~33°09′；位于阿坝羌族藏族自治州阿坝县境内。

湿地高等植物9科11属12种。调查未记录到国家重点保护野生植物和外来入侵植物。

湿地植被划分为1个植被型组，2个植被型，2个群系，包括牛毛毡群系、杉叶藻群系。

脊椎动物5纲10目16科26种。其中，鱼类1目2科2种，包括东方高原鳅、大渡软刺裸裂尻鱼；两栖类2目3科4种，包括西藏齿突蟾、高原林蛙、倭蛙、西藏山溪鲵；爬行类1目3科3种，包括高原蝮、白条锦蛇、秦岭滑蜥；鸟类5目7科16种，包括小䴙䴘、池鹭、牛背鹭、赤麻鸭、绿翅鸭、绿头鸭、斑嘴鸭、普通秋沙鸭、长嘴剑鸻、金眶鸻、中杓鹬、红脚鹬、白腰草鹬、丘鹬、鹮嘴鹬、普通燕鸥；哺乳类1目1科1种，即蹼麝鼩。

调查未记录到国家重点保护野生动物。

调查未记录到外来入侵动物。

于2012年建立省级湿地公园，受阿坝县林业局管理，成立了四川莲宝叶则湿地公园管理处管理机构。

主要受到过度放牧、旅游等威胁。

参考文献

[1]安娜，高乃云，刘长娥．中国湿地的退化原因、评价及保护[J]．生态学杂志，2008，27(5)：821～829.

[2]安树青．湿地生态工程：湿地资源利用与保护的优化模式[M]．北京：化学工业出版社，2003.

[3]白红军．中国高原湿地[M]．北京：中国林业出版社，2008.

[4]曹流浪．我国湿地开发现状和保护对策研究[D]．吉林：吉林大学，2010.

[5]陈邦杰．中国藓类植物属志(上、下)[M]．北京：科学出版社，1963&1978.

[6]陈超．湿地资源保护与开发问题研究[D]．山东：山东农业大学，2009.

[7]陈建伟，袁军．中国湿地环境问题研究的现状及展望[J]．林业资源管理，1999，(4)：52～56.

[8]陈淑全．四川气候[M]．成都：四川科学出版社，1997.

[9]陈伟烈．湿地及其利用与保护(上)[J]．生物学通报，1996，31(7)：1～4.

[10]陈伟烈．湿地及其利用与保护(下)[J]．生物学通报，1996，31(8)：4～6.

[11]陈耀东，马欣堂，杜玉芬．中国水生植物[M]．郑州：河南科学技术出版社，2012.

[12]陈宜瑜．中国湿地研究[M]．长春：吉林科学技术出版社，1995.

[13]陈颖，张明祥．中国湿地退化状况评价指标体系研究[J]．林业资源管理，2012，(2)：116～120.

[14]成庆泰，郑葆珊．中国鱼类系统检索[M]．北京：科学出版社，1987.

[15]催保山．湿地学[M]．北京：北京师范大学出版社，2006.

[16]邓茂林．若尔盖高原湿地国家级自然保护区景观格局变化及驱动力[D]．四川：西南林业大学，2010.

[17]丁瑞华．四川鱼类的地理分布[J]．四川动物，1992，11(3)：16～19.

[18]丁瑞华．四川珍稀和特有鱼类及其保护对策[J]．四川动物，1993，12(3)：15～17.

[19]丁瑞华．四川鱼类志[M]．成都：四川科学技术出版社，1994.

[20]费梁，叶昌媛．四川两栖类原色图鉴[M]．北京：中国林业出版社，2001.

[21]费梁．中国两栖动物彩色图鉴[M]．成都：四川科学技术出版社，2010.

[22]付长坤，宗浩，陈顺德等．四川省鸟类物种增补与统计分析[J]．四川林业科技，2014，35(4)：32～36.

[23]傅国斌，李克让．全球变暖与湿地生态系统的研究进展[J]．地理研究，2001，20(1)：120～129.

[24]傅立国．中国植物红皮书：稀有濒危植物(第1册)[M]．北京：科学出版社，1991.

[25]高洁．四川若尔盖湿地退化成因分析与对策研究[J]．四川环境，2006，25(4)：48～53.

[26]高正．湿地保护立法中管理机制的创新实践——以《四川省湿地保护条例》为例[J]．四川林勘设计，2011，(02)：8～12.

[27]顾海军．高寒湿地自然保护区多核心动态分区研究——以四川若尔盖湿地国家级自然保护区为例[D]．成都：中国科学院成都生物所，2009.

[28]郭建强．中国西部湿地资源旅游开发研究[J]．四川地质学报，2003，(3)：179～181.

[29]国家环境保护局，中国科学院植物研究所．中国珍稀濒危保护植物名录(第1册)[M]．北京：科学出版社，1987.

[30]国家环境保护总局．关于发布中国第一批外来入侵物种名单的通知．(2003－01－01)．http：//www.mep.gov.cn/gkml/zj/wj/200910/t20091022_ 172155.htm.

[31]国家林业局，农业部．国家重点保护野生植物名录(第一批)．(1999-08-04)．http：//www.gov.cn/gongbao/content/2000/content_60072.htm.

[32]国家林业局．国家保护的有益的或者有重要经济、科学研究价值的陆生野生动物名录．(2000-08-01)．http：//www.forestry.gov.cn//portal/main/s/3094/content-459921.html.

[33]国家林业局．全国湿地资源调查技术规程(试行)[R/DK].2010.

[34]国家林业局，等．中国湿地保护行动计划[M]．北京：中国林业出版社，2000.

[35]国家林业局野生动植物保护司．湿地管理与研究方法[M]．北京：中国林业出版社，2001.

[36]何海，高信芬，刘庆．四川及重庆蕨类植物区系组成、特有现象和珍惜种类[J]．长江流域资源与环境，2005，14(2)：181~187.

[37]何强．四川两栖类地理分异的研究[J]．四川大学学报(自然科学版)，1990，27(4)：479~485.

[38]胡锦矗，胡杰．四川兽类名录新订[J]．西华师范大学学报(自然科学版)，2007，28(3)：165~171.

[39]胡长玲．我国湿地生态补偿法律制度研究[D]．哈尔滨：黑龙江大学，2010.

[40]环境保护部．关于发布中国第二批外来入侵物种名单的通知．(2010-01-07)．http：//www.mep.gov.cn/gkml/hbb/bwj/201001/t20100126_184831.htm.

[41]贾渝，何思．中国生物物种名录(第1卷)：苔藓植物[M]．北京：科学出版社，2013.

[42]郎惠卿，等．中国湿地研究与保护[M]．上海：华东师范大学出版社，1998.

[43]雷昆，张明祥．中国的湿地资源及其保护建议[J]．湿地科学，2005，3(2)：81~86.

[44]李桂垣．四川鸟类原色图鉴[M]．北京：中国林业出版社，1993.

[45]李仁伟，张宏达，杨清培．四川被子植物区系特征的初步研究[J]．云南植物研究，2001，23(4)：403~414.

[46]李仁伟，张宏达．四川裸子植物区系研究[J]．广西植物，2001，21(3)：215~222.

[47]李仁伟，张宏达．四川种子植物区系组成的初步分析[J]．武汉植物学研究，2002，20(5)：381~386.

[48]李文华．生态工程是可持续发展的有效手段[J]．生态学报，1996，16(6)：667~669.

[49]梁玉祥，易美桂，楚可要，等．若尔盖地区湿地萎缩、草地退化沙化与北方沙尘干旱地区因果关系探索[J]．自然杂志，2007，29(4)：233~238.

[50]林业部野生动物和森林植物保护司．湿地保护与合理利用指南[M]．北京：中国林业出版社，1994.

[51]刘红玉，赵志春，吕宪国．中国湿地资源及其保护研究[J]．资源科学，1999，21(6)：34~37.

[52]刘红玉．中国湿地资源特征、现状与生态安全[J]．资源科学，2005，27(3)：54~60.

[53]陆健健，等．湿地生态学[M]．北京：高等教育出版社，2006.

[54]陆树刚．中国蕨类植物区系概论[M]//李承森．植物科学进展(第六卷)．北京：高等教育出版社，2004.

[55]罗清，等．若尔盖及其邻近地区气候变化对湿地生态环境的影响[J]．高原山地气象研究，2008，28(3)：44~48.

[56]吕宪国．中国湿地与湿地研究[M]．石家庄：河北科学技术出版社，2008.

[57]〔美〕史密斯，解焱．中国兽类野外手册[M]．长沙：湖南教育出版社，2009.

[58]倪志诚，程树志．西藏南迦巴瓦峰地区维管束植物区系[M]．北京：北京科学技术出版社，1992.

[59]宁龙梅，王华静．若尔盖高原湿地研究10年回顾与展望[J]．安徽农业科学，2010，38(26)：14552~14554.

[60]沈璇．四川若尔盖沼泽湿地可持续发展评价及政策建议[D]．北京：中央民族大学，2010.

[61]湿地国际—中国项目办事处．湿地经济评价[M]．北京：中国林业出版社，1999.

[62]四川省地方志编纂委员会．四川省志：地理志[M]．成都：成都地图出版社，1996.

[63]四川省地方志编纂员会．四川省志：地质志[M]．成都：四川科学技术出版社，1998.

[64]四川省地质矿产局．四川省区域地质志[M]．北京：地质出版社，1991.

[65]四川省林业厅．四川省湿地资源调查报告[R/DK]. 2000.
[66]四川省农牧厅，四川省土壤普查办公室．四川土壤[M]．成都：四川科学技术出版社，1997.
[67]四川省人民政府．关于公布四川省林业地方级自然保护区名录的通知．(2013 - 06 - 14). http://www.sc.gov.cn/10462/10883/11066/2013/6/19/10266250.shtml.
[68]四川省统计局，国家统计局四川调查总队．四川统计年鉴 2014[S/OL]．北京：中国统计出版社，2014.
[69]《四川植被》协作组．四川植被[M]．成都：四川人民出版社，1980.
[70]《四川植物志》编辑委员会．四川植物志(1~16 卷)[M]．成都：四川科学技术出版社，1981.
[71]孙根年．我国自然保护区生态旅游业开发模式研究[J]．资源科学，1998，20(6)：40~45.
[72]孙厚成．川西 15 个自然保护区两栖爬行类多样性研究[D]．成都：四川大学，2007.
[73]孙志高，刘景双，李彬．中国湿地资源的现状、问题与可持续利用对策[J]．干旱区资源与环境，2006，20(2)：83~88.
[74]唐艳雪，曹同，于晶，等．四川省苔类植物新记录[J]．上海师范大学学报(自然科学版)，2013，42(2)：182~185.
[75]陶思明．湿地生态与保护[M]．北京：中国环境科学出版社，2003.
[76]田自强，张树仁．中国湿地高等植物图志[M]．北京：中国环境科学出版社，2012.
[77]田自强．中国湿地及其植物与植被[M]．北京：中国环境科学出版社，2011.
[78]汪松，王岐山．中国濒危动物红皮书(鸟类)[M]．北京：科学出版社，1998.
[79]汪松，中华人民共和国濒危物种科学委员会．中国濒危动物红皮书(兽类)[M]．北京：科学出版社，1998.
[80]汪松．中国濒危动物红皮书(鱼类)[M]．北京：科学出版社，1998.
[81]王荷生．植物区系地理[M]．北京：科学出版社，1992.
[82]王虹扬，黄沈发，何春光，等．中国湿地生态系统的外来入侵种研究[J]．湿地科学，2006，4(1)：7~12.
[83]王苏民，窦鸿身．中国湖泊志[M]．北京：科学出版社，1998.
[84]王酉之，胡锦矗．四川兽类原色图鉴[M]．北京：中国林业出版社，1999.
[85]吴兆洪，秦仁昌．中国蕨类植物科属志[M]．北京：科学出版社，1991.
[86]吴征镒，周浙昆，李德铢，等．世界种子植物科的分布区类型系统[J]．云南植物研究，2003，25(3)：245~257.
[87]吴征镒．中国种子植物属的分布区类型[J]．云南植物研究，1991，增刊Ⅳ：1~139.
[88]吴征镒．中国植被[M]．北京：科学出版社，1980.
[89]西南师范学院地理系四川地理研究室．四川地理[M]：西南师范学院学报编辑部，1982.
[90]徐海根，强胜．中国外来入侵物种编目[M]．北京：中国环境科学出版社，2004.
[91]严承高，张明祥．中国湿地植被及其保护对策[J]．湿地科学，2005，3(3)：210~215.
[92]严岳鸿，张宪春，马克平．中国蕨类植物多样性与地理分布[M]．北京：科学出版社，2013.
[93]姚明灿．中国两栖动物地理分布格局研究[D]．长沙：中南林业科技大学，2014.
[94]应俊生，陈梦玲．中国植物地理[M]．上海：上海科学技术出版社，2011.
[95]臧德奎．中国蕨类植物区系的初步研究[J]．西北植物学报，1998，18(3)：459~465.
[96]张宏达．大陆漂移与有花植物区系的发展[J]．中山大学学报(自然科学版)，1986，25(3)：1~11.
[97]张宏达．华夏植物区系的起源与发展[J]．中山大学学报(自然科学版)，1980，19(1)：89~98.
[98]张宏达．再论华夏植物区系的起源[J]．中山大学学报(自然科学版)，1994，32(2)：1~9.
[99]张洪明，王玲．四川湿地资源及其可持续性保护初探[J]．林业资源管理，2000，(4)：46~50.
[100]张建龙．湿地公约履约指南[M]．北京：中国林业出版社，2001.

[101]张明祥，严承高，王建春，等．中国湿地资源的退化及其原因分析[J]．林业资源管理，2001(3)：23～26.
[102]张荣祖．中国动物地理[M]．北京：科学出版社，2011.
[103]张峥，张建文，李寅年，等．湿地生态评价指标体系[J]．农业环境保护，1999，18(6)：283～286.
[104]赵尔宓，张学文，赵蕙，等．中国两栖纲和爬行纲动物校正名录[J]．四川动物，2000，19(3)：196～207.
[105]赵尔宓．四川爬行类原色图鉴[M]．北京：中国林业出版社，2003.
[106]赵尔宓．中国濒危动物红皮书(两栖类和爬行类)[M]．北京：科学出版社，1998.
[107]赵广东，王兵，靳芳．中国湿地生态环境质量及湿地自然保护区管理[J]．世界林业研究，2004，17(6)：35～39.
[108]赵魁义．中国沼泽志[M]．北京：科学出版社，1999.
[109]赵学敏．湿地：人与自然和谐共存的家园——中国湿地保护[M]．北京：中国林业出版社，2005.
[110]郑光美．中国鸟类分类与分布名录[M]．北京：科学出版社，2011.
[111]郑姚闽，张海英，等．中国国家级湿地自然保护区保护成效初步评估[J]．科学通报，2012，57(4)：207～230.
[112]郑姚闽．湿地类型自然保护区保护价值评价及保护空缺分析研究[D]．北京：北京林业大学，2010.
[113]郑作新．中国鸟类种和亚种分类名录大全[M]．北京：科学出版社，2000.
[114]中国科学院青藏高原综合科学考察队．横断山区维管植物[M]．北京：科学出版社，1993.
[115]中国科学院中国植物志编辑委员会．中国植物志(1～80卷)[M]．北京：科学出版社．
[116]中国湿地百科全书编委会．中国湿地百科全书[M]．北京：北京科学技术出版社，2009.
[117]中国湿地植被编辑委员会．中国湿地植被[M]．北京：科学出版社，1999.
[118]周华茂，曾良修，喻歌农，等．川西北高原湿地资源现状及合理利用[J]．西南农业学报，1999，12(1)：69～74.

附　件

四川省第二次湿地资源调查单位及主要参加人员

(一)省级调查队伍

四川省林业厅

降初、杨天明、杨旭煜、顾海军、古晓东、隆廷伦、仇剑、戴波、张倩、王继伟、刘世昌、唐荣华、朱敏、杨坤林、胡海、吴长耘、朱靖利

四川省林业调查规划院

刘波、张文、郎平、彭成、黄恒荣

四川省林业科学研究院

孙治宇、王新、向成华、刘洋、郝云庆、谢大军、赵杰、幸宁、毛颖娟、侯全芬、廖锐、王疆评、马文宝

成都理工大学

彭培好、刘贤安、王娟、赵丹、陈文德、彭俊生、潘欣、周斯建、闫丽丽、夏小梅、李鹏、黄蕾、管磊、李明、刘中正、段仕忠

四川大学

何兴金、冉江洪、郑志荣、周颂东、余岩、蔡国、马祥光、谭进波、胡灏禹、杨敬天、梁乾隆、赵财、杨利琴、王会朋、陈俊佩、沈呈娟、李敏洁、赵丽华、张雪梅、张云香、杨丽娟、刘爽、秦汉韬、李波、窦亮、王彬、侯宁、钟雪、张曼、晏婷婷、王妮、唐韬、胡仕源

四川师范大学

宗浩、陈顺德、张逊、张雨凡、李东强、林宁、陈巨伟、郑朗

西华师范大学

胡杰、李艳红、甘小洪、黎大勇、曾燏、冯昊、杨艳、李勇、张德军

宜宾学院

郭鹏、李操、曾进、刘芹、钟光辉、王恋、谢蕊霞、李健星、何松

成都观鸟会

沈尤、巫嘉伟、张俊

绵阳师院

刘昊

四川贡嘎山国家级自然保护区管理局

周华明

(二)地方调查队伍

<成都市>

成都市林业和园林管理局：陆丹红、朱上、谢凯、谷杨、张锋、张诗军、谭颖、张玥

成都市林业勘察规划设计院：冉茂森、郑小辉、陈铖、彭元、王科、刘建春

成都市农林科学院林业研究所：李文俊、张庭昊、谢忠安、廖兴勇、姜丽琼、刘红雨、赵维信、刘益、刘映希、王勇军、严彪、李安安

锦江区：乔春秀

金牛区：李明、熊昌林

武侯区：刘莲英、张远跃

成华区：唐其兵、周红

龙泉驿区：李勇、王龙、刘志刚、刘志忠、胡群兰、张德平、付进元、李炳培、彭军龙

青白江区：吴熙、邓章贵、周忠华、吴建华、陈道全、包维能、黄仁兴、何克荣、罗顺安、曾立儒

新都区：温康余

温江区：杨致年、李丹、刘光强、袁理

都江堰市：刘忠伟、黄天贵、付福林、刘彬、程良、文强、赵威

彭州市：邓玥、罗秀海、王成祥、周传军、钟光伦、伍国林

邛崃县：陶明、季猛、廖海珍、黄学华、陈思雨、敖定坤

崇州市：成都市林业勘察规划设计院代

金堂县：余文君、李静华、李孟、易礼军、江顺和、唐中路、张宏元、邓候建、刘玉权、曾娟、王琼、廖诚、钟方然、周德雨、伍辉兵、雷代权、蔡新权、钟诚、胡啸天、付红艳

双流县：成都市林业勘察规划设计院代

郫县：王成富、罗家萍、洪媞、徐春、肖武、徐立、张伟

大邑县：余伟、刘德伟、杨海群、韦燎、夏玉香、杨莉、陈伟、王永忠、李军民、张剑、胡德安、陈莲英、舒勤、罗赛、谭春林、马云忠

蒲江县：赵希元、姚智辉、曹建琴、钟占军、谭开恩、张华

新津县：何琼芳

<自贡市>

自贡市林业局：刘新禄、代诗文、殷雄兵、高涛

自流井区：刘露、胡秀英、綦麟、谢定洪、郭厚强、张庭芬、甘居友、唐仁贵

贡井区：梁长友、钟修贵、张翔飞、付强、吕元平、邹柏彬、刘玉生、余朝江、唐公良、贺德昌、陈家贵、吴大宗

大安区：王行富、刘严明、张秀丽、唐玉民、陈洪元、陈先美、陈洪宣、何蜀威、李元春、朱德彬、杜绍文、黄光伟、龚长富、彭明志、廖云齐、陈旭、陈军昌、张国生、何军、胡兴芬、宋远明、李强、俞菊珍、黄建平、黄震、曾雪梅、张才友、陈捍、曾朝信、赵颖、刘凯、游自成、冯云、王昊、张左溢、郭大融、胡榕、陈军益、陶亮、陈科、许榛伟、王翠、李茂斌、张建

伟、翁建春、黄志华、吴起舰、张守亮、李远明、黄发洪、杨冬、郑和、代家明、王大刚

沿滩区：张成兴、郭建、陈昭全、荣思文、唐小平、李永忠、许财华、郭光池、何平、范鹏程、邹永明、郑平、马文华、杨永洪、郑勇、明学如、林长明、崔玉洪、郑家才、郑洪才、陈科旭、邓修义、甘鹏、卢国滨、吴其伟

荣县：唐勇、陈新能、杜达、刘金权、胡家福、吴谦、余利强、吴栋康、林志勇、吴维波、陈启明、王超、马元章、龚成忠、易正学、龚汉清、祝洛阳、王昌远、李德清、邹金伦、余可洪、董平、游梦林、龚勤德、王峰、刘永智、白燕、陈晓雷、潘建华、许庶、钱伟、郑翠琴、王胜勇、黄方荣、管秀军

富顺县：游梦林、龚勤德、王峰、刘永智、白燕、陈晓雷、潘建华、许庶、钱伟、郑翠琴、王胜勇、黄方荣、管秀军

<攀枝花市>

攀枝花市林业局：刘光跃、左峻、任方梅

东区：苏涛、刘波、刘远德

西区：聂晶、陈丽、宋乐、王军、徐永彪

仁和区：艾江南、戴世能、唐和春、陈德荣、李金贤、李佑明、饶建华、王守凤

米易县：蒋勇、杨正云、陈莉、李锐、陈贤陶

盐边县：彭泽民、蔡清福、刘元彬、朱万辉、董云先

<泸州市>

泸州市林业局：叶志国、刘勇

江阳区：韦勇、黄永香、李丹梅

龙马潭区：卢坚、黄利、杨帆

纳溪区：徐军、刘小兵、李开齐

泸县：何文惠、姜移才、叶伟军、聂朝宏

合江县：赵永辉、曾勇、扈正良、任春

叙永县：郭勇、郑乐健、张黎

古蔺县：王世伦、赵宗国、禹庆

<德阳市>

德阳市林业局：陈兆波、简基伦、郑雄、李勤、王周

旌阳区：徐坚、李克武、赖家成、白帆、李艳

广汉市：张俊、刘彬、黄奎元、黄羚洋、周建章

中江县：蓝定军、雷剑、李小兰、钟坤富、周先明、敬涛、李晓波、郭福米、黄开斌、罗义虹

绵竹市：许晓彦、庞永长、廖亮、龙俊、廖义、周建

什邡市：黄再顺、廖礼平、陈忠英、刘生明、赵昆仑、张西龙、钟基明、杨俊、荣俊、唐源盛、赖绪林、肖先荣、鲜足云、任常绪、魏正东、廖俊德、张小琴、唐学全、潘正刚

罗江县：杨福俊、鲁刚、唐勇、杨兵

<绵阳市>

绵阳市林业局：杨韧、李佐宾、李月玲

涪城区：雷龙华、刘万金、董方林、唐富贵、李鑫、傅健

游仙区：魏勇、周锦兰、张洋、唐伟、雍乾智、王强、王文亮、朱佳斌、李朝云、胥世明、白洁、杨桂林、秦华金、赵利、邓昌国、赵小刚、张代利、张本勇、甘开贵、陆爽、何浩、贾友新、唐斌、王斌、金鑫、高晓全、赵军、侯志华

江油市：胥洪、杨义松、伍卫、曾礼东、苏泽源、陈蓓、邱明虎、许会林、王勇、王志清、杨丽莉

梓潼县：张德荣、吴瑶、张伟、毕电强、郭荣跃

盐亭县：赵小波、江华、张光胜、陈凯、伏嫦、董青川、李雪莲、顾勇、张全

平武县：林昌彬、陈佑平、吴勇、牟兴奇、吴正凤、李晓蓉、张燕、徐森、席春福、邵良鹏、李昌林、黄前宝、赵娟

安县：唐华东、颜永碧、彭满、王涛、周眉、王春华、赵太国、龙平、陈福兴、刘华忠、邵诚、杨晓洪、余倩、张吉兴、邓天平、杨芳、胡强、陈昌文、杨强、黄伟、李志和、陈忠廷、陈刚、王朝德、夏桂仁、钟国民、陈蓉、王代军、姜智、李勇军、唐乾坤、李晓忠、蔡启琼、杨晓明、李良、彭小莉、张洪兴、李迅、赵勇、王海燕、唐光荣、李建琼、李明海、景光水、张子龙、李建、彭鹏、周明朗、李绍华、张超、苏延刚、陈从富、何明、马千理、文东、刘德强、向清明、龙太仁、何君、王衍华、罗继明、王千秋、杨明辉、杨开贵、姬仕伦、何义斌、何涛、左晓东、龙顺海、陈红、李亚东、李钰、邹蓉、刘斌、魏旭中、唐佳、江怀清、王述米、胡德荣、赖蓉、刘长茂、郭际明、冯俊兵、王森、吴孔宪

北川县：蒋立彬、杨林、彭波、赵军、伏勇、张涛、牛正全、朱云东、朱华翠、孟庆玉、陈怡、胡惠文、牛强、傅红伟、张红云

<广元市>

广元市林业和园林局：李培刚、金德强、王毅、胡婧

元坝区：张德迁、黄攀

利州区：陈礼彬、李鹏飞

朝天区：兰浩洋

旺苍县：周成昆、彭锐、林金强

青川县：朱万清、邵开茂

剑阁县：许明勇、何碧华

苍溪县：向凡、寇含玉、李洪、侯浩旭、孙永康

<遂宁市>

遂宁市林业局：蒋晓华、党鸿、庾文才、康晓红

船山区：曾慧铭、段鸿、赵鹏志、陈舒杨、向前、陈澄

安居区：饶明、蔡昌平、陈航、曾忠强、陈天明、周哲乐、田建军、杨薇、庞莉娟、黄金花、王一帆

射洪县：杜敬华、刘文凤、成雪莲、张强、文学、杜小山、杜小明

蓬溪县：张杰、王任辉、贾邦勇、杜非、李海洁

大英县：杨鹏飞、税国东、胡万理、张娟、朱晓英、严丽平

<内江市>

内江市林业局：李子泉、刘敬忠、朱莲、伍邦光

隆昌县：冯志森、肖雨为、李平、李明光、李伟、张林、罗成、林杨秀、曾良聪、、周维才、邓方久、赵多林、陈国良、林代坤、方兰、陈邦国、张智明、谢千英、罗雪松、曾宪奎、卢远东、贺美业、郭宗春、罗庆恩、殷翔

威远县：周俊美、段波、郭开宾、张艺山、蒋汉刚、曹达忠、杨怀军、王继军、李润民、蒋洪永、张进、李付华、王友明、李尚华

东兴区：蒋超、张洪明、李灏、刘成华、兰吉平、鞠佩峰、赖英杰、赵晓荣、徐春、李颖、陈忠、颜媛丁、唐鉷梅、李奕、刘国英、黄小娟、莫成淑、杨勇、彭晓琳、杨汉国、郑洵、闵纯彬、王光强、雷霞、曹约珍、王红玉、王自军、周茂彬、张炯、高玉德、李英瑛、段友芳、焦杨、冯丽、黄天全、李利、肖光萍、曾祥伟、林俊、张萍

资中县：史俊贵、邓荣昊、吴培刚、官康国、李德坤、闵建辉、姚亚平、曹文章、罗涛、刘军、何天富、陈宏伟、叶大东、王洪菊、卢伟、张斌、张映武、陈坤、徐典强、尹奎、陈云、周群、严正、孟洪军、乔跃军、陈方顺、龙勇、代庆刚、李林、张志勇

市中区：李意强、沈扬、何杰、黄代忠、邓鼎乾、童旗锋、钟守刚、陈吉初、曹希异、李俊、陈彦伶、贺洁、林代光、黄建生、胡康、刘礼书、罗晓聪、刘顺芬、彭志鹃、邹朝富、刘代敏、张家勇、张彬、李良坤

<乐山市>

乐山市林业局：宋轶、李波、邱东昀、毛建雄、颜伟

市中区：董黎兴

沙湾区：张波、王军、姜朝忠

五通桥区：宋晓刚、阎承勇、陈松

金口河区：廖邦俊、任伟

沐川县：廖建华、廖建新、卿玉国

峨眉山市：黎刚、邹丽

马边县：娄者英美、李光洪、杨利林

峨边县：李志宏、俄来叶胡、余丽萍

夹江县：杨勇、李现权

井研县：曾红军

犍为县：陈跃平、戚伟建

<南充市>

南充市林业局：程红星、刘家明、李涛

顺庆区：张廷玉、赵永鑫、费晓斌、秦雪梅

高坪区：张青、杨涛、余敏、杨志刚、董瑾、李伟、胡军

嘉陵区：杨忠勇、刘熙、黎文瑶、李玉梅、杨秀琼、冯建军、刘强、陈继东

阆中市：莫邦国、张恩捷、唐胜强、冯文贵、刘研、刘洋、严万宪、马娟、何勇德、赵顺龙

何可、魏林

南部县：杜正才、杨大军、罗雷、李毅、潘秀丽

西充县：杨万平、张鑫、李玉富、汤小平、许小玲、杜兵

营山县：李天辉、罗英豪、张懿、易荣珍

蓬安县：陈志斌、徐立跃、龙文泉、邓海英、赵建春、吴新国、王汪

仪陇县：程建军、汪峻峰、刘九洲

<眉山市>

眉山市林业局：胡宝林、廖志勇、张正群

东坡区：邹柱、管福玉、朱刚、张可文、周华、杨敏

仁寿县：张康、宋翔东、向建英、王栋

彭山县：梁跃、李云红、帅成群、张永平

洪雅县：郑良刚、谭秀臣、郑有贵、何宗智、张田兵

丹棱县：张丽娟、艾庆林、罗国勤、张国祥、严盛斌

青神县：滕利明、李松、周久贵、黄春花、王敬良

<宜宾市>

宜宾市林业和园林管理局：徐小林、杨峰、彭浩、马英、邓益群、黄香平、朱霜

宜宾县：牟修明

南溪区：陈庚友

江安县：朱十周、余小楠

长宁县：侯向前

筠连县：张强、张超

高县：钟晓华、李常平

珙县：陈正琼、何宇

兴文县：阮毅、张阳

屏山县：曾良森、李林富

<广安市>

广安市林业局：袁宏、罗龙海、屈秀红、袁川

广安区林业局：周海军、冯晓铃、苏明全、王各鹏、易昭彬、彭茂成、邹雪梅、吴华荣、林隆灯、李治安、刘茂英、吉亚军

华蓥市：周模林、康必均、陈理明、王青松

邻水县：艾琎、包善业、王礼述、吴禄平、熊文、刘虹萍、吴大甫、徐志国、王良平、肖毛、蜀红、彭觅豪

岳池县：姚林军、杨小刚、蔡学华、罗小平

武胜县：陈斌、王学能、何斌、张世义、何思昀

<达州市>

达州市林业局：刘德顺、陈立舜、万友川、李俊

通川区：刘猛、冯斌、方志美

达县：田承贵、李仕兴、周斌、胡杨

大竹县：王泽民、王隆富、欧林、于建容

开江县：刘志青、吴明健、周跃明、李跃

宣汉县：汪凤元、王硕、秦鹏飞、张显华

万源市：李显忠、熊昌发、王厚勋、谢世刚

渠县：肖促进、伊科久、徐燕、万兵

<**雅安市**>

雅安市林业局：何晓波、李从浩、赵川

雨城区：李艳、张锐、张博、朱可宇

名山县：彭启智、胡亮、郑宪蓉、杜敏、胥玲、宋玲、李长燕、杨连琼、潘忠智、张纯、刘小林、高林、李飞、杨成龙、白留强、刘玉蓉

汉源县：王跃、杨友军、张燕云、王春梅、赵彬、彭永安、白克军、徐维红、徐平、冯永贤李鑫博、钟安兵、马玉平、胡世元、王浩、孙万林、钟云飞、李洪、康克明

石棉县：张宏、李志明、潘伯东、周成林、姜远康、王清、唐博、黄蜂、赵春琼、吴琼芳、李林、吴晓辉、李杰、曹伟星、曾辉、郑山银、罗雄、盛国斌、刘建华、祝年高

天全县：高志勇、高猛、冯见领

芦山县：宋萍、李毓宏、任芦平、胡国强、夏文东、吕飞祥、李红秀、帅刚、陈志平、张荣刚、王周文

宝兴县：郑从军、王锦、左丞、张平、张瑞江、刘明宣、李春跃

荥经县：徐海鸿、谢知格、杨友林、唐晓虹、余先勤、何明鑫、王德志、陈红、杨友虎、吴进

<**巴中市**>

巴中市林业局：苟丹、潘德华、张学仕

巴州区：马容华、曾冬、毛中友、魏伦、魏有荣、李健、候胜昌、谯金保、张廷明、王景玉、杨川、岳映强、曾海波、廖俊、刘自颖、李文明

通江县：向勇国、吴利伯、何勇、张江、陈丽萍、张黎、王麒麟、李长彬、杨娟、李小平、阮江红、张勇、彭虎、郑章鹏、吴英政、黄旭、何光发、刘泽训、郭均

南江县：刘小雄、宋代荣、刘茂林、张辉、姜常青、刘汉礼、刘林、张晓

平昌县：丁九元、吴威、谢福成、何梅丰

<**资阳市**>

资阳市林业局：付强、汤仕、杨冬立、何海洋、蔡春兰、李学彬、吴茂森、李萍

简阳市：张诚忠、王辉、曾昭盛、陈天兵、袁碧英、高斌、吴红强、张超、杨洪、陶孔军、何鹏、蒋军旗、李发根、王碧中、李毅

雁江区：和建华、欧江明、罗军华、李道贵、何丽君、刘新锐、兰琼英、吴启明、王建芳、陈兴华、肖致洪、曾代勇、李小琴、蒋晓林、周华、刘丽、李亮、李力、刘晓苹、罗开跃、张德贵、张晓琼、胡椿龙

乐至县：杨雪、朱勇、倪林、陈艳、杜波、郑骥、邓勇、毛模俊、张勇、蒋军华、潘元周、

罗福林、袁新乾、杨晓明、邓如明、倪智、王军、王刚强、邓伟、施雪莲、熊波、张瑞华、杨治国、谢会菊、唐道华、彭作勇、吴海军、董信孚、李红亮、杨冬菊

安岳县：史宜林、谢桂群、蒲正胤、杨前、唐武红、陶晓英、张勇、王丽萍、唐祖武、谢睿周华咏、唐胜群、吴先奎、张家雄、刘衍淑、樊宗才、刘世勇、韩聪、涂余丽、邓小红、代鼎、唐小军、屈静、莫家翠、陈帅、刘永芝、江勇、阳俊、杨瑜、卢虎、蒋贵明

<**阿坝州**>

阿坝州林业局：铁俊霞、龚智强、赵晓燕、肖雄

阿坝州观音桥林业局：黄亚军、康兵、杨诗经、周祖彦、李君玉、邱松、向攀、廖正茂、李刚、陈莉萍、冉晓兵

汶川县：张先武、彭勇森、赵国金、崔晓亮、尤继勇、董刚明、冷桂华、林英、杨庆杰、李曲、王其彬、李逢全、张俊、王奇文、王鑫、黄斌、任勇、朱顺虎、马波、李勇、李昌文、王政、杨开选、陈天军、陈熊、孙强、阳林、孙贵玉、李键、江润喜

理县：高健、孙卫江、邹明勇、赵克敌、罗尔日、风云福、杨旭、衡理、杨昌旭、张伟、高燕、孙渊、周小波、许茂林、申群书、三朗、王称、张俊、张从龙、周烈伟、宋彬

茂县：叶世林、何永明、韩茂云、顺敬华、王运平、张志燕、王均安、何信仙、韩勇

九寨沟县：汪世荣、王维、田长彦、冯义香、杨玉萍、赵仲奇、李何勇、罗鹏、杨海平、徐明禄、张春林、马出塔、胡学煌、田小东、杨青花、李潇、钟勇、孙大林、杨昆、李晓全、金贵祥、刘玉平、刘义兰、莫劲雁、冷志成、黄晓兵、张军平、孙永东

金川县：安真、兰玉康、祁光秀、代金涛、张忠义

小金县：杨斌、郑云贵、阿泽、唐伟、余开元、杨虎、邹永刚、王洪兵、康勇、邓义君、周跃川、康权、康元松、伍先朝、黄伟、何燕、张萍、李娟、龚平湘、吴皓、肖永恒、刘谋军、郭显芝、邓祖兰、张华、邬春桃、杨培成、卞思美

黑水县：李剑、杨冲、黄雄、康忠武、冷云峰、马乔燕、王秀梅、彭玉梅、汪建明、陈剑

马尔康县：黄涛、李天龙、银宏、杨军、刘正委、周鑫、任胜、荣斌、赵敏、母云鹏、泽刚、陈良、兰井德、周忠武、曾勇

壤塘县：三朗头、丁刚、张大勇、周园源、许庆、蒲春燕、勒燕飞、冯文波、依尔甲、程胜贵、李泉玉、扎松

阿坝县：占兰、张皓君、陈树刚、陈晓平、蒋亭、夏昆

若尔盖县：纳科、巴香、左林、钟成刚、熊远清、罗麟、向志盛、罗戈太、王小秋、阿旺、胡伟

红原县：朱学文、刘联忠、泽让贡波、胡志蓉、周米娟、索郎仁真、杨勇、刘李、李梁

<**甘孜州**>

甘孜州林业局：杨庆华、付达荣、德喜、王久林、杨建华

康定县：陈万才、李祥乾

泸定县：周中云、包学航、陈剑、陈清强、吴猛

丹巴县：王大华、东根泽里、丹巴泽朗、童海川、何长命、韩勤、阿妹

九龙县：涂洪秋、吕晓刚、袁玉龙、康涛、何志、杨昕、浦志、甘友美、杨波

雅江县：李八斤、何志勇、姚勇、王洪刚、黄玉泉

道孚县：王智晶、益西达瓦、胡卫

新龙县：刘刚、向阳、白马多吉、王高丽、白呷、其麦

炉霍县：樊高强、张家根、邓旭东、陈丽

德格县：谭爱萍、彭建

白玉县：郑天才、郑斌、李福建

石渠县：万绪、张拥军、何操

巴塘县：耿山山、泽仁正光、罗勇平、雷振华、康林、杨智富、泽邓多吉、吉村、益西泽仁、甲玛、珠扎、泽仁拥批、崔海、志玛拥忠、熬冷珠、格生、格桑扎西、格绒邓珠、格绒扎西、罗绒达瓦、肖陈、格绒扎西、恩珠、尖安、卓海云、张学彬

稻城县：敦健、程秦明、程绍忠、郝建伟、阿绒、加称、苏小康

理塘县：四郎泽仁、祝希强、昂旺若巴、刘希明、周天华、曾健、张治水、汪修、桑尼、李华、罗卫东、李娟、高鹏、根布

色达县：降拥彭措、杨方彬、朱湘安、谢拉、陈小尧、刘贤林、何玉均

丹巴县：王大华、东根泽里、丹巴泽朗、童海川、何长命、韩勤、阿妹

得荣县：张勇、江艳、桑波

甘孜县：赵前生、李元平、谢武、觉洛、殷国蓉

<凉山州>

凉山州林业局：黑吉木、吴彦、王忠明、阿比色哈、张晓蓉

凉山州林业勘察设计院：杨光、赵长明

西昌市：马保安、马永志、朱煜攀、骆弟东、向倩、吴洪斌、徐浩、张琳、马联芬、杨思忠、吴碧军、陈勇、邓武喜、苏朗次尔、巫海强、陈梨、钟强、苏朗、周支贵、罗晓强

木里县：邓武喜、苏朗次尔

盐源县：周启革、马正权、喇松龙、王明全、庞琼、贺艳、余光铭、汪德和

德昌县：蒋忠贵、马德春、谭又铭、王芳

会理县：王军、陶万金、罗天发、李正武、何波、肖录祥、李勇、黄俊怡、张兵、张学林、胡泽明、李军、张清友、熊炬、王志雄、廖伟、王建斌、沙玛拉洛、曾传波、周伟、张焕平、何勇

会东县：王越、阮荣富、佟显木、穆小洪、郑辉、孟开兴、高富洪、邹武平、邱华、王俊元、钱天刚、罗林

宁南县：刘顺云、张弘、何宁

普格县：华飞、郭顺朝、龙长安、陈林辉、阿之子海

乐安县：覃会昌、宋超、李连喜、吉列子沙

金阳县：百里哈、雷顺兴、韦敏、日妞、土各、海来史火、阿力日坡、安小龙

昭觉县：王明勇、俄木阿海、依火拉呷、刘英、阿呷尔地

喜德县：李洪建、马庆华、田明山、彭永梅

冕宁县：陆裕远、刘翔、张玉凤、沙正富

越西县： 易华欣、罗剑、艾永斌、李志刚、马阿里、陶继先、王建军、彭德雄

甘洛县： 潘木呷、赵德清、朱正国、王卓、李红森

美姑县： 海来尔以、邓勇、张军、杨远富

雷波县： 陆永、王新成、阿候拉叶、张绵跃、胡晓玲、汪立梅、余国和、杨仲巧、贾银辉、邓勇、张雷、张继才、吴华银、李波、沈维、金觉洛、张科、杨晓军、卢兴宏、代智林、阿度伟几、翁吉尔门、吉克曲体

后 记

《中国湿地资源·四川卷》主要依据四川省第二次湿地资源调查成果，结合四川省第一次湿地资源调查、水鸟专项调查等成果资料，在深入分析湿地资源数据，综合研究湿地资源管理与利用现状，并参考有关湿地科研文献的基础上编写而成。本书的编写立足于四川湿地资源与管理的客观实际，准确反映四川湿地资源与管理的现状及存在的主要问题，探讨湿地资源保护与合理利用的发展方向和有效途径，以促进湿地生态与经济社会的可持续发展。书中所用资料与数据绝大部分是野外调查的第一手资料，数据翔实可靠，因其具有基础性、综合性和战略性的特点，是一部比较全面和系统地阐述四川省湿地资源与管理利用状况的学科专著。

本书简要介绍了四川省的地理位置、地质地貌等自然概况和2013年度社会经济状况；全面阐述了四川湿地的基本概况、主要类型与面积、分布状况，并结合四川省的地貌、气候、水文及人为活动等因素，分析总结了四川湿地资源的特点及分布规律；深入研究了四川湿地生物多样性状况，包括湿地动植物种类组成、区系特点、湿地植被分类与分布、国家重点保护野生动植物及濒危程度、特有湿地动植物等；客观分析了四川湿地资源的利用方式、利用现状及其可持续利用前景；合理评价了四川湿地生态状况、受威因素及程度；系统诠释了两次湿地资源调查的湿地资源变化状况及引起变化的自然、人为和技术、标准等影响因素，归纳阐述了湿地资源动态变化原因；综合评述了湿地资源保护管理现状，提出了全省湿地资源保护管理的对策及建议。在附录中系统地列出了“四川湿地调查区域植物名录”、“四川湿地调查区域动物名录”，同时，介绍了全省77处重点调查湿地的自然概况、湿地类型及面积、湿地动植物种类及数量、保护管理现状等，并在实地踏查的基础上，用Arcgis等软件绘制出“四川省湿地资源分布图”及“四川省重点调查湿地分布图”等系列图件。

本书的编辑出版，旨在使广大读者对四川省的湿地状况有一个全面、深入的了解，更清晰地认识湿地的功能、地位及作用和湿地所面临的威胁，提高社会公众的环境保护意识，以及对湿地保护管理工作的理解和支持。同时，本书对湿地科研人员，生物学、生态学、环境科学、地理科学等领域的科教工作者，湿地保护管理人员以及湿地行政主管部门具有重要的参考价值，对促进四川省湿地研究向更高层次发展，推动湿地资源的合理利用，加强湿地生态保护与湿地恢复等方面，都具有重要的理论和现实意义。

本书是在系统总结分析全省湿地资源调查成果的基础上编写而成，可作为我省湿地资源的本底资料，将为全省湿地资源保护管理与合理利用、完善和建立湿地资源监测体系、编制湿地保护与利用工程规划等决策行动提供科学依据。

全书共分6章13节，在正文后并附有湿地动植物名录、重点调查湿地状况、典型代表性湿地彩色照片及图注、湿地资源分布图件等相关内容。章(节)大纲是根据“中国湿地资源系列图书”撰写要求，国家林业局统一制定，章(节)细化设计由彭培好、顾海军、刘贤安、唐荣华主笔完成；前言、后记由降初、顾海军、彭培好撰写；第 1 章由彭培好、刘贤安、王娟、赵丹、孙治宇、王新撰写；第 2 章由顾海军、彭培好、唐荣华、刘贤安、王娟、张文、孙治宇、何兴金、宗浩、胡杰、郭鹏、李操撰写；第 3 章由彭培好、刘贤安、王娟、何兴金、唐荣华、顾海军、刘昊、冉江洪、沈尤、郭鹏、刘洋、孙治宇、巫嘉伟、张俊撰写；第 4 章由降初、顾海军、彭培好、唐荣华、刘贤安、张倩撰写；第 5 章由降初、彭培好、顾海军、刘贤安、王娟、赵丹、王新、张文、郎平撰写；第 6 章由降初、顾海军、唐荣华、彭培好、刘贤安、张倩撰写；附录 1 由彭培好、刘贤安、王娟、何兴金、唐荣华完成；附录 2 由顾海军、郭鹏、刘昊、刘洋、冉江洪、沈尤、孙治宇、巫嘉伟、周华明、张俊完成；附录 3 由顾海军、彭培好、唐荣华、刘贤安、王娟、刘波、孙治宇、何兴金、宗浩、胡杰、郭鹏完成；附录 4 由降初、顾海军、唐荣华完成；图版 1 由顾海军、郝云庆、侯宁、李波、李光恢、刘贤安、冉江红、沈尤、张铭、唐荣华、杨智富提供；图版 2、3 由赵丹、郎平、张文制作完成；全书插图由赵丹制图完成；正文表格由刘贤安、郎平、赵丹、王娟统计完成；本书主审由顾海军、唐荣华完成。

在野外调查和本书编写过程中，承蒙各位学术专家的真诚指导，国家林业局湿地保护管理中心、四川省林业厅、四川省湿地保护中心、四川省林业调查规划院、四川省林业科学研究院、成都理工大学、四川大学、四川师范大学、西华师范大学、宜宾学院、中国科学院成都生物研究所、绵阳师院、成都观鸟会、四川省自然资源研究所、四川省社会科学研究院的大力支持，以及各市(州)县(区)林业局、自然保护区及湿地公园等部门和单位的积极协助，还有同事和朋友们的帮助与无私奉献，在此一并致以诚挚的谢意！

本书的问世离不开许多生态环境保护管理工作者们的共同支持，是广大生态环境科学工作者们辛勤劳动的共同成果。在编写过程中参考了近年来四川生态保护和经济建设中相关部门的规划报告、基础本底等相关资料，撰写本书的过程中同时参考引用了国内外众多相关文献专著和公开发表的学术论文，在这里向原作者深表感谢！但是，由于资料是通过多种渠道收集而来，有些原作者或原始出处不详，如有不当之处敬请谅解。

四川湿地资源调查与研究仍有许多工作需要深入进行，由于编写组成员认识水平和专业水平的局限，书中疏漏乃至不足之处在所难免，恳请读者批评指正。

《中国湿地资源·四川卷》编写组

2015 年 4 月